KUPA WIEDZY

PANOWIE

PANIE

KSIĄŻKA DLA CZYTAJĄCYCH W TOALECIE

Paul Kleinman

Pascal

Tytuł oryginału: *A Ton of Crap: The Bathroom Book That's Filled to the Brim with Knowledge*
Autor: Paul Kleinman
Tłumaczenie: Bartłomiej Paszylk
Redakcja: Dorota Dąbrowska, Joanna Zaborowska (lekcje: 6, 11–15, 21–25, 31–35)
Konsultacja merytoryczna: Ewa Dunaj (*Przyroda*), Marzena Płachciok (*Matematyka*)
Korekta: Urszula Czerwińska
Projekt okładki: Frank Rivera
Ilustracja na okładce: Charlotte Fox
Rysunek na stronach tytułowych: istockphoto.com/MaryLB
Skład: Robert Kupisz
Redakcja techniczna: Wioletta Kanik
Redaktor prowadzący: Roman Książek

Published by arrangement
with Adams Media, an F+W Media,
Inc. Company, 57 Littlefield Street,
Avon, MA 02322, USA

Wydawnictwo Pascal Sp. z o.o.
ul. Zapora 25
43-382 Bielsko-Biała
tel. 338282828, fax 338282829

Bielsko-Biała 2013

ISBN: 978-83-7642-075-2

Wydrukowano na papierze: Creamy 70g, dostarczonym przez Zing Sp. z o.o.

W książce wykorzystano fragmenty następujących utworów:

Spis treści

Wstęp albo ustęp

Zapraszamy do świątyni dumania

Oto szansa na zdobycie wiedzy podczas wizyty w toalecie. Najwyższy czas, żebyście zaczęli traktować spędzany tam czas nieco poważniej, a w każdym razie na tyle poważnie, na ile to możliwe ze spuszczonymi majtkami. Na stronach tej książki znajdziecie przeróżne ustępy, w których zgromadzono kupę wiedzy. To lekkostrawna powtórka wiadomości, z którymi kiedyś już się pewnie zetknęliście, aby szybko o nich zapomnieć – w końcu nasz umysł nie tylko przyswaja, ale również wydala wiedzę. Nie martwcie się jednak. Sposób, w jaki prezentujemy wybrane informacje, sprawi, że nauka nie będzie zbyt bolesna, a wręcz okaże się miłą rozrywką dla wszystkich w potrzebie.

Podczas każdej wizyty na stronie będziecie mogli dokształcać się w pięciu dziedzinach wiedzy: historii, sztuce języka, matematyce, przyrodzie oraz językach obcych. Każdy z przedmiotów został podzielony na rozdziały, a każdy z rozdziałów składa się z sześciu lekcji. Wszystko po to, aby uniknąć obciążenia nadmiarem informacji podczas jednego posiedzenia. Pod koniec tygodnia wchłoniecie całą wiedzę na dany temat. Potraktujcie te codzienne wizyty jako dzień nauki w szkole średniej skondensowany do pojedynczego wyjścia za potrzebą.

Nie myślcie jednak, że prześlizgniecie się przez ten kurs bez żadnego sprawdzianu. W końcu macie się czegoś nauczyć. W związku z tym po tygodniu przyswajania wiedzy zostaniecie przepytani z danego tematu. Nie musicie jednak zabierać ze sobą ołówka. Zwięzłe i zabawne pytania nie wymagają pisania, a po skończeniu nie trzeba wycierać – tablicy. Tylko pamiętajcie, żeby się nie spieszyć i unikać nadmiernego wysiłku.

Tak więc rozluźnijcie się, pozwólcie sobie na chwilę relaksu i przygotujcie się na naukę. Zamiast zbijać bąki podczas załatwiania się, weźmiecie udział w znakomitej lekcji, która zakończy się wraz ze spłukaniem wody. I rozpocznie się ponownie, kiedy znów poczujecie potrzebę.

HISTORIA:
Mezopotamia
i pierwsze cywilizacje
Sumer, Zigguraty, Akadyjczycy,
Babilonia, Hetyci, Wynalazki

 MATEMATYKA: Liczby
Cyfry babilońskie, Cyfry
greckie, Cyfry egipskie, Cyfry
rzymskie, Cyfry arabskie,
Liczby rzeczywiste

 SZTUKA JĘZYKA:
Interpunkcja
Początki, Kropka, Przecinek,
Średnik, Dwukropek, Myślnik

 PRZYRODA: Ewolucja
Karol Darwin płynie na Galapagos,
Zięby Darwina, Selekcja naturalna,
O powstawaniu gatunków, Dryf
genetyczny, Mutacje

Lekcja 1

 JĘZYKI OBCE:
Łacina
Przodek języków
romańskich, Łacina
klasyczna, Łacina ludowa,
Łacina średniowieczna,
Łacina humanistyczna,
Martwy język i nowa
łacina

MEZOPOTAMIA I PIERWSZE CYWILIZACJE

Sumer Sześć tysięcy lat temu w delcie Tygrysu i Eufratu, na terenie obecnego Iraku, rozwinęły się najwcześniejsze cywilizacje. Pierwszą z nich utworzyli Sumerowie. Sumer nie przypominał państwa w dzisiejszym rozumieniu, składał się bowiem z autonomicznych miast. W centrum każdego z nich znajdowała się świątynia albo przypominająca piramidę budowla sakralna – zigurat. W delcie Tygrysu i Eufratu panował gorący, suchy klimat, a rzeki regularnie wylewały, zalewając nadbrzeżne tereny. Doprowadziło to do powstania bardzo żyznych ziem, które Sumerowie uprawiali.

 INTERPUNKCJA

Początki Źródeł interpunkcji należy szukać w starożytnej Grecji i Rzymie. Oratorzy, przygotowując teksty, zaznaczali miejsca, gdzie w ich mowach powinna następować pauza. Symbolom tym nadano nazwy, jak np.: kropka, przecinek czy dwukropek, w zależności od tego, jakiego rodzaju pauza była akurat potrzebna. Interpunkcję stosowano jednak rzadko, a w formie podobnej do tej, jakiej używamy obecnie, pojawiła się ona dopiero w XV w. w Anglii wraz z wprowadzeniem druku i wzrastającą popularnością drukowanych książek.

 LICZBY

Cyfry babilońskie Babilończycy, przedstawiciele kolejnej cywilizacji, jaka rozwinęła się w Mezopotamii, 4000 lat temu stworzyli oryginalny system liczbowy, opierający się pierwotnie na systemie jedynkowym. Był on niezwykle złożony: Babilończycy dokonali podziału doby na 24 godziny, godziny – na 60 minut, a minuty – na 60 sekund. Nie był to więc system dziesiętny, ale sześćdziesiątkowy, składający się z liczby 60 oraz jej potęg. Współcześnie używa się głównie systemu dziesiętnego, a system sześćdziesiątkowy został zachowany m.in. do pomiaru czasu.

 EWOLUCJA

Karol Darwin płynie na Galapagos W 1831 r. 20-letni Karol Darwin, niedoszły lekarz i zwolennik naturalizmu, odbył pięcioletnią podróż morską na wyspy Galapagos. Kiedy dotarł na wyspę San Cristobal, zauważył, że tamtejsze zwierzęta cechuje coś szczególnego. Nie tylko różniły się one od zwierząt zamieszkujących kontynent, ale dodatkowo zwierzęta tego samego gatunku żyjące na różnych wyspach zachowywały się w odmienny sposób ze względu na różnice w otaczającym je środowisku.

 ŁACINA

Przodek języków romańskich Łacina jest językiem indoeuropejskim, którym posługiwano się w starożytnym Rzymie. Wywodzą się z niej wszystkie współczesne języki romańskie, jak np. włoski, hiszpański, francuski, portugalski oraz rumuński, aby wymienić zaledwie kilka z nich. Choć oficjalnie uznaje się łacinę za język martwy – co oznacza, że nikt nie posługuje się nią jako językiem ojczystym – wciąż jest używana przez Kościół rzymskokatolicki.

MEZOPOTAMIA I PIERWSZE CYWILIZACJE

Zigguraty Najbardziej rozpoznawalne sumeryjskie budowle – zigguraty, jakie budowano w centrum każdego miasta-państwa, służyły wielu celom. Choć wznoszono je głównie ze względów religijnych, pełniły także funkcję centrum codziennego życia lokalnej społeczności. Wedle przekonań Sumerów, niebo należało do wielu potężnych bogów, którym poświęcano olbrzymie budowle ze schodami prowadzącymi na sam szczyt. Zigguraty budowano z cegieł suszonych na słońcu. W znajdujących się na szczycie świątyniach odbywały się ceremonie religijne.

INTERPUNKCJA

Kropka Znak ten stosuje się przede wszystkim na końcu zdania lub równoważnika zdania, aby zaznaczyć jego zakończenie. Kropka ma jednak wiele innych zastosowań. Pojawia się np. po skrócie wyrazu, jeżeli tworząc ten skrót, odrzucamy końcową część skracanego wyrazu, np. skrót od słowa „ulica" to „ul.", a słowa „profesor" – „prof.". Zastępując czyjeś imię lub imiona pierwszą ich literą – tworząc inicjały, kończymy je kropkami, np. J.A. Kowalski to Jan Adam Kowalski.

LICZBY

Cyfry greckie Cyfry te zapisywano, wykorzystując alfabet grecki stworzony przez Fenicjan około 900 r. p.n.e. Grecy jednak nie tylko zapożyczyli znaki wymyślone przez Fenicjan, ale dodali także nowe symbole. Dzięki zastosowaniu alfabetu, mogli stworzyć uproszczoną wersję własnego, attyckiego systemu liczbowego, który polegał na stawianiu znaków w rzędach. Po zastąpieniu znaków literami, zapisanie wartości liczbowych zajmowało znacznie mniej miejsca na glinianych tabliczkach i można było je wybijać na monetach.

EWOLUCJA

Zięby Darwina Zięby z Wysp Galapagos stały się kluczem do zrozumienia ewolucji. Wszystkie ptaki tego gatunku, jakie obserwował Darwin, miały wiele cech wspólnych: ten sam rozmiar i kolor, a także podobne zwyczaje. Najwyraźniejsze różnice pomiędzy nimi dotyczyły rozmiaru i kształtu dziobów. Było to bezpośrednim efektem odmiennych sposobów zdobywania pożywienia przez zięby żyjące na różnych wyspach, czyli w odmiennych warunkach środowiskowych.

⊘ ŁACINA

Łacina klasyczna Starożytni Rzymianie posługiwali się łaciną klasyczną w tym samym okresie, co łaciną archaiczną. Łacina klasyczna wyewoluowała z języka, jakim mówili wykształceni Rzymianie należący do wyższych klas, w związku z czym przeniknęła ona do ówczesnej literatury. Od około 75 r. p.n.e. do 14 r. n.e., a więc od czasów Republiki aż po kres rządów Oktawiana Augusta, literatura pisana łaciną klasyczną przeżywała szczytowy okres, określany mianem Złotego Wieku.

MEZOPOTAMIA I PIERWSZE CYWILIZACJE

Akadyjczycy Do plemion semickich, które w III tysiącleciu p.n.e. osiedliły się w Mezopotamii, należeli również Akadyjczycy. W miarę jak Sumerowie przesiedlali się na północ, narastały pomiędzy nimi konflikty. W 2340 r. p.n.e. Sargon Wielki, przywódca wojsk akadyjskich, podbił sumeryjskie miasta-państwa i włączył je do swojego imperium. Siedzibą władcy był Akad. Sargon przeszedł do historii jako założyciel największego imperium, jakie istniało w tamtych czasach. Było ono jednak krótkotrwałe, jako że rozpadło się w 2125 r. p.n.e.

INTERPUNKCJA

Przecinek Znak interpunkcyjny służący do rozdzielania zdań współrzędnych, podrzędnych i nadrzędnych lub wyrażeń wtrąconych, zwrotów, równoważników zdań, a także członów zdania pojedynczego. Jego niestosowanie bądź błędne użycie powoduje sporo zamieszania. Gdy ktoś zapyta: „Chcesz kawę?", można odpowiedzieć: „Nie, dziękuję", czyli zdecydowanie nie chcę, lub: „Nie dziękuję", czyli raczej chcę. Inna funkcja przecinka: w ułamkach dziesiętnych oddziela całości od części dziesiętnych.

LICZBY

Cyfry egipskie W systemie stworzonym przez starożytnych Egipcjan wykorzystywano hieroglify. Zastosowanie symboli, którymi oznaczano zarówno słowa, jak i wartości liczbowe, umożliwiło Egipcjanom zapisywanie liczb aż do miliona oraz dodawanie, odejmowanie, mnożenie i dzielenie. Starożytni Egipcjanie bardzo dobrze znali się również na ułamkach, a ich wykorzystanie okazało się na tyle znaczące, że skrybowie stworzyli tabele odzwierciedlające podział zaopatrzenia oraz żywności dla osób zatrudnionych w świątyniach.

⚛ EWOLUCJA

Selekcja naturalna Najbardziej znacząca teoria Darwina dotyczyła selekcji naturalnej. Zgodnie z jej założeniami, kiedy w środowisku naturalnym zachodzą zmiany, przetrwać mogą wyłącznie te organizmy, które są najlepiej przystosowane do nowych warunków. Organizmy pozbawione pewnych przydatnych cech przegrywają konkurencję i, ostatecznie, wymierają. Z biegiem czasu i po wykształceniu się znacznej liczby nowych cech, może dojść do powstania zupełnie nowych organizmów czyli tzw. specjacji.

ŁACINA

Łacina ludowa To właśnie z łaciny ludowej, którą posługiwał się lud, a nie klasycznej, wywodzą się w prostej linii języki romańskie. W porównaniu do łaciny klasycznej, wykorzystywanej przede wszystkim w literaturze, była ona znacznie mniej skomplikowana i przystępniejsza. Łacina ludowa różniła się w poszczególnych regionach imperium, w zależności od tego, jakie języki lokalnych społeczności miały na nią wpływ. Gdy Rzym upadał, owe lokalne odmiany łaciny ludowej były tak od siebie różne, że stworzyły rodzinę języków romańskich.

MEZOPOTAMIA I PIERWSZE CYWILIZACJE

Babilonia Po upadku ostatniej dynastii Sumerów, do władzy doszli Amoryci, na stolicę wybierając sobie Babilon. Jeden z najważniejszych tekstów prawniczych w historii pochodzi z tego właśnie okresu, kiedy to król Hammurabi postanowił stworzyć pierwszy pisemny zbiór przepisów prawnych. Jest on nazywany Kodeksem Hammurabiego, a spisano go, aby wszyscy obywatele wiedzieli, jakie kary będą ich czekały, jeśli zrobią coś zabronionego przez prawo. Jedną z najsłynniejszych zasad Kodeksu jest sformułowanie „oko za oko, ząb za ząb".

INTERPUNKCJA

Średnik Ni to kropka, ni to przecinek – taki jest średnik. Inaczej mówiąc, słabszy niż kropka, silniejszy niż przecinek – do niczego właściwie się nie przydaje. W zdaniu powinien rozdzielać tylko człony równorzędne pod względem logiczno-składniowym, o czym często się zapomina, myląc go z przecinkiem, który rozdziela i równorzędne, i nierównorzędne. Sprawdza się w skomplikowanych wyliczeniach, gdy w obrębie rozdzielanych grup pojawiają się przecinki.

LICZBY

Cyfry rzymskie Na formę liczb rzymskich wpłynął do pewnego stopnia grecki system liczbowy oparty na alfabecie. Wiele osób twierdzi, że liczby rzymskie formę zawdzięczają kształtowi dłoni: cyfrę jeden oznaczono symbolem I, co miałoby przypominać pojedynczy wyprostowany palec, a pięć – czyli V – miałoby wyglądać niczym dłoń z pięcioma rozcapierzonymi palcami. Liczby rzymskie używane są do dziś, np. do oznaczania miesięcy albo w skomplikowanych spisach i wyliczeniach, gdzie zwyczajowo oznaczają najwyższy poziom.

EWOLUCJA

O powstawaniu gatunków Darwin opublikował informację o swych odkryciach oraz teorię selekcji naturalnej w 1859 r. w książce zatytułowanej *O powstawaniu gatunków*. Twierdził w niej, że w wyniku selekcji naturalnej organizmy ewoluowały na przestrzeni lat, co doprowadziło do powstania wielu różnorodnych gatunków. Zgodnie z teorią Darwina, wszystkie te organizmy miały wywodzić się od wspólnego przodka. Poglądy Darwina były jak na tamte czasy dość kontrowersyjne, jako że brytyjski świat naukowy łączyły wówczas ścisłe związki z Kościołem anglikańskim.

⟁ ŁACINA

Łacina średniowieczna W latach 500–1500 n.e. posługiwano się łaciną średniowieczną. Choć wykorzystywał ją głównie Kościół rzymskokatolicki, to jednak znajdowała zastosowanie również w literaturze, prawie, administracji oraz naukach ścisłych. Tym, co odróżniało ówczesną odmianę łaciny od poprzednich form tego języka, był szerszy zakres słownictwa, pojęć gramatycznych i składniowych, o jakie wzbogaciły ją inne języki tamtego okresu.

MEZOPOTAMIA I PIERWSZE CYWILIZACJE

LEKCJA 1E

Hetyci Nikt nie wie, skąd pochodzili Hetyci, a do niedawna także ich język – należący do rodziny języków indoeuropejskich – uznawano za niezrozumiały. Najazd tajemniczego ludu przyniósł kres imperium babilońskiemu, ale podbijając Mezopotamię, Hetyci przejęli prawa, literaturę i religię Babilonu. Zwycięzcy słynęli zwłaszcza z sukcesów w dziedzinie rzemiosła i handlu, co przyczyniło się do rozprzestrzenienia w krajach śródziemnomorskich literatury i myśli wywodzących się z Mezopotamii.

 INTERPUNKCJA

Dwukropek Znak interpunkcyjny w postaci dwukropka wykorzystuje się najczęściej, aby rozpocząć cytat; wymienić niewyróżnione w inny sposób tytuły, terminy, nazwy itp.; rozpocząć wyliczenie, zwłaszcza zaanonsowane jakimś ogólnym, wprowadzającym stwierdzeniem, np. „Pasma górskie w Polsce to: Beskidy, Sudety i Góry Świętokrzyskie"; wprowadzić wyjaśnienie lub rozwinięcie zdania poprzedzającego, np. „Na twarzy Zygmunta pojawił się uśmiech: udało mu się zdążyć na pociąg".

 LICZBY

Cyfry arabskie Arabski system liczbowy, czyli z grubsza rzecz biorąc, ten, jaki znamy dziś, spopularyzowany w średniowieczu w Europie, powstał w Indiach – Arabowie, najechawszy Indie, przywłaszczyli go sobie jako swoisty łup wojenny. Gorącym propagatorem zastosowania cyfr określanych jako arabskie był włoski matematyk Leonardo z Pizy (ur. ok. 1180, zm. ok. 1250).

 EWOLUCJA

Dryf genetyczny Kolejnym znaczącym aspektem ewolucji jest dryf genetyczny. Odwrotnie niż w przypadku selekcji naturalnej, nie odnosi się on do zjawiska adaptacji. Tym razem mamy do czynienia z kwestią przypadku. Otóż w każdym pokoleniu przypadek odgrywa pewną rolę w decydowaniu o tym, który osobnik przeżyje, a który umrze. Niektóre jednostki mogą pozostawić po sobie większą ilość potomstwa niż inne, co oznacza, że ich geny będą przekazywane dalej. Decyduje o tym jednak szczęśliwy przypadek, a nie przewaga genetyczna.

ŁACINA

Łacina humanistyczna Włoski renesans przyniósł ze sobą modę na powrót do klasycyzmu. Jednym z postulatów renesansowych artystów stało się oczyszczenie ówczesnej łaciny ze średniowiecznych naleciałości. Elity chciały wrócić do języka, którym posługiwano się za czasów imperium rzymskiego, a więc w Złotym Wieku literatury łacińskiej. Wysiłki humanistów przyniosły pożądane efekty, zwłaszcza w edukacji, ale ostatecznie owa chęć powrotu do klasycyzmu przyczyniła się do zatrzymania rozwoju łaciny i uznania jej za język martwy.

MEZOPOTAMIA I PIERWSZE CYWILIZACJE

Wynalazki W Mezopotamii powstało wiele ważnych dla rozwoju cywilizacji wynalazków. Rewolucję w rolnictwie stanowił specjalny rodzaj pługa, który umożliwiał jednoczesne oranie i sianie. Mieszkańcy Mezopotamii wynaleźli także pismo klinowe, rozwinęli system urządzeń irygacyjnych oraz sanitarnych, zaczęli produkować szkło, a około 3500 r. p.n.e. wynaleźli koło. Jako pierwsi wykorzystali również energię wiatru przy pomocy żagli.

 INTERPUNKCJA

Myślnik Znak, który daje do myślenia. Nie wdając się w zawiłe rozważania typograficzne, należy stwierdzić, że we współczesnej polszczyźnie terminem „myślnik" lub „pauza" określa się powszechnie długą kreskę, dostępną z poziomu klawiatury komputerowej, która ma bardzo wiele funkcji, m.in. zastępuje nawiasy lub wprowadza wyrażenie uogólniające lub wyjaśniające. Myślnik (długa kreska) często mylony jest z krótką kreską, zwaną dywizem: znakiem graficznym, nie interpunkcyjnym.

 LICZBY

Liczby rzeczywiste Liczbami rzeczywistymi nazywamy między innymi liczby całkowite, a więc -1, 0, 1, 2, 3 itd., przy czym zaliczamy do nich zarówno liczby wymierne, jak i niewymierne, a także liczby dodatnie i ujemne. Liczby rzeczywiste, jak sama nazwa wskazuje, stanowią przeciwieństwo liczb urojonych, a więc takich, które podniesione do kwadratu dają wartość ujemną. Liczby urojone uznawano niegdyś za bezużyteczne, rzecz jasna, niesłusznie, gdyż dziś mają zastosowanie m.in. w elektronice.

 EWOLUCJA

Mutacje Jedno z kluczowych pojęć teorii ewolucji. Selekcja naturalna oraz dryf genetyczny wyjaśniają, dlaczego organizmy ulegają zmianom, ale niekoniecznie tłumaczą, w jaki sposób się to odbywa. Mutacje polegają na zmianach w kodzie DNA danego organizmu, co wpływa na jego wygląd, zachowanie oraz fizjologię. To właśnie zjawiska tego typu umożliwiają zmiany, o których mówi Darwin. Mutacje cechuje przypadkowość i nie wszystkie z nich prowadzą do ewolucji organizmów. Jeśli mutacja nie zachodzi w komórkach rozrodczych, jest mutacją somatyczną i nie następuje przekazanie jej potomstwu.

 ŁACINA

Martwy język i nowa łacina Renesansowi humaniści posługiwali się przestarzałym językiem, brakowało im więc słów, by opisywać bieżące wydarzenia. Wykorzystywana przez nich łacina stawała się więc coraz bardziej anachroniczna. Z biegiem czasu łaciną posługiwano się coraz rzadziej i ostatecznie język ten uznano za martwy. Od tamtego momentu aż do dziś najpopularniejszą formą łaciny jest nowa łacina – język wykorzystywany do tworzenia międzynarodowego naukowego nazewnictwa, a także do klasyfikowania organizmów na potrzeby systematyki.

LEKCJA 1F

1. **Nad jaką rzeką lub rzekami rozwinęła się cywilizacja Sumerów?**
   a. Nilu.
   b. Eufratu i Tygrysu.
   c. Indusu.
   d. Amu-darii.

2. **Z czego zasłynęli Hetyci?**
   a. Z wynalezienia koła.
   b. Ze stworzenia pisma klinowego.
   c. Z rzemiosła i handlu.
   d. Z Kodeksu Hammurabiego.

3. **W którym z poniższych zdań interpunkcja jest prawidłowa?**
   a. Kiedy egzamin się zakończy, odłóżcie długopisy.
   b. Kiedy egzamin się zakończy. Odłóżcie długopisy.
   c. Kiedy egzamin się zakończy; odłóżcie długopisy.
   d. Kiedy egzamin się – zakończy, odłóżcie długopisy.

4. **W jakich przypadkach należy stosować myślnik?**
   a. Zamiast nawiasu.
   b. Aby podkreślić znaczenie jednej z części zdania współrzędnie złożonego.
   c. Aby zakończyć myśl.
   d. Aby przedstawić pewien zakres liczbowy.

5. **Jakiego system liczbowego używamy współcześnie?**
   a. Arabskiego.
   b. Egipskiego.
   c. Greckiego.
   d. Babilońskiego.

6. **Co to jest liczba urojona?**
   a. Liczba ujemna.
   b. Liczba, która po pomnożeniu daje wynik dodatni.
   c. Liczba, która podniesiona do kwadratu daje wynik ujemny.
   d. Liczba, która podniesiona do kwadratu daje wynik dodatni.

7. **Co zaobserwował Karol Darwin, badając zięby z Galapagos?**
   a. Ich nogi miały różną długość.
   b. Ich dzioby miały różny kształt i rozmiar.
   c. Ich skrzydła miały różny kształt i rozmiar.
   d. Ich dzioby miały różny kolor.

8. **Dryf genetyczny jest wynikiem:**
   a. przypadku;
   b. szczęścia;
   c. mutacji;
   d. czynników podanych w odpowiedziach a i b.

9. **Najbliższym przodkiem językowym języków romańskich jest:**
   a. łacina klasyczna;
   b. nowa łacina;
   c. łacina ludowa;
   d. łacina średniowieczna.

10. **Łacina stała się językiem martwym ponieważ:**
    a. uległa wpływowi innych języków i utraciła swoją tożsamość;
    b. wszyscy posługujący się nią ludzie umarli;
    c. w okresie renesansu postanowiono powrócić do języka, jakim posługiwano się przed powstaniem łaciny;
    d. zaczęło w niej brakować słownictwa opisującego bieżące wydarzenia.

Odpowiedzi: b, c, a, d, a, c, b, d, c, d.

HISTORIA: Dynastia Xia
Prawda czy legenda?, Wielki Yu,
Systemy polityczne, Zmierzch
dynastii Xia, Współczesne
kontrowersje, Odkrycia
archeologiczne

 MATEMATYKA:
Liczba zero
Zaznaczanie pozycji, Liczba bez
wartości, 0, Powstanie symbolu
oznaczającego zero, Zasady
Brahmagupty, Inne zasady związane
z liczbą zero

 SZTUKA JĘZYKA:
Fonetyczna metoda
nauczania
angielskiego Co to za
metoda?, Odmiana syntetyczna,
Odmiana analityczna, Sek-
wencje samogłosek,
Sekwencje spół-
głosek, Zasada
alfabetyczna

 PRZYRODA: Komórki
Podstawowa jednostka życia,
Organizmy jądrowe i bezjądrowe,
Komórki roślinne, Komórki
zwierzęce, Budowa komórki,
Jądro komórkowe

Lekcja 2

 JĘZYKI OBCE:
Hiszpański
Historia języka
hiszpańskiego, Hiszpański
językiem urzędowym,
Wzrost popularności,
Tworzenie zdań,
Współczesny hiszpański,
Użyteczne zwroty

LEKCJA 2A

 DYNASTIA XIA

Prawda czy legenda? Dynastia Xia, którą uznaje się za pierwszą w dziejach Chin, miała władać krajem od XXI w. do XVII w. p.n.e. Na ten czas przypadło panowanie siedemnastu cesarzy. Zachowało się bardzo niewiele dowodów potwierdzających rządy Dynastii Xia, w związku z czym wciąż trwają spory, czy rzeczywiście istniała, czy też jest jedynie starożytną legendą.

 FONETYCZNA METODA NAUCZANIA ANGIELSKIEGO

Co to za metoda? Opiera się ona na pomyśle, aby uczniowie najpierw zaznajamiali się z dźwiękami języka angielskiego, a dopiero później uczyli się liter alfabetu, którym te dźwięki są przyporządkowane. Zaletą takiego podejścia do nauki języka jest fakt, że po opanowaniu najważniejszych dźwięków uczeń może bardzo szybko przyswoić sobie wiele angielskich słówek.

 LICZBA ZERO

Zaznaczanie pozycji Liczba zero pełni wiele funkcji, a do najważniejszych z nich należy zaznaczanie pozycji. Różnica pomiędzy liczbami 500, 50 i 501 sprowadza się do umiejscowienia oraz ilości zawartych w nich zer. Choć teoretycznie zero nie ma żadnej wartości, to jednak jego stosowanie nie jest bez znaczenia – w końcu liczba 501 to nie to samo co liczba 51. Zaznaczanie pozycji zaczęli stosować Babilończycy.

 KOMÓRKI

Podstawowa jednostka życia Komórki to podstawowe jednostki strukturalne i funkcjonalne każdego żywego organizmu. Charakteryzują się różnorodną budową oraz funkcjami. Niektóre organizmy, np. człowiek, zwierzęta i rośliny, to wielokomórkowce, co oznacza, że tworzy je bardzo wiele komórek (w przypadku człowieka liczy się je w miliardach). Istnieją jednak również organizmy jednokomórkowe, np. bakterie, które buduje pojedyncza komórka spełniająca podstawowe funkcje życiowe. Zarówno zwierzęta, jak i rośliny, zaliczają się do eukariontów – organizmów posiadających jądro komórkowe, w którym znajduje się DNA, czyli materiał genetyczny.

 HISZPAŃSKI

Historia języka hiszpańskiego Hiszpański należy do rodziny języków indoeuropejskich. Praprapraishpańskim posługiwano się 5 tys. lat temu w regionie Morza Czarnego. Ludy należące do tego kręgu językowego często migrowały, co prowadziło do powstawania różnic między różnymi grupami. Nasilenie się wpływów romańskich w Hiszpanii w 218 r. p.n.e. przyczyniło się do wzrostu popularności łaciny i to właśnie ona jest bezpośrednim przodkiem hiszpańskiego oraz wszystkich pozostałych języków romańskich.

DYNASTIA XIA

Wielki Yu Dynastię Xia założył Da Yu, którego później nazywano Wielkim Yu. Ów mąż zyskał sławę dzięki aktywnemu włączeniu się w prace mające na celu likwidację skutków wielkiej powodzi, jaka zalała tereny wzdłuż rzeki Jangcy. Wielki Yu doprowadził do zjednoczenia różnorodnych grup etnicznych, podzielił kraj na dziewięć prowincji oraz, co szczególnie ważne, doprowadził do kontrolowania stanu wód poprzez budowę kanałów.

 FONETYCZNA METODA NAUCZANIA ANGIELSKIEGO

Odmiana syntetyczna Syntetyczna odmiana tej metody zakłada uczenie dzieci nieznanego słownictwa poprzez zapoznawanie ich z dźwiękami odpowiadającymi każdej literze i późniejsze łączenie tych dźwięków ze sobą, a więc doprowadzanie do ich syntezy. Ten sposób stosuje się przede wszystkim w pracy nad nauką czytania w najmłodszych grupach. Syntetyczna odmiana fonetycznej metody nauczania języka angielskiego nie skupia się na samym nazewnictwie poszczególnych liter alfabetu, dopóki uczeń nie zapozna się dobrze z dźwiękami odpowiadającym poszczególnym literom. Ma to prowadzić do wzrostu świadomości fonetycznej, a więc do rozwoju umiejętności rozróżniania najmniejszych jednostek dźwiękowych w każdym słowie.

 LICZBA ZERO

Liczba bez wartości Zero poprzedza liczbę jeden, a więc symbolizuje brak wartości. Jest to liczba parzysta, jednak nie zaliczamy jej ani do liczb pierwszych, ani do złożonych. Zero nie jest też liczbą dodatnią ani ujemną. Badania dowodzą, że po raz pierwszy zastosowano zero jako liczbę wyrażającą brak wartości w Indiach około VIII w.

 KOMÓRKI

Organizmy jądrowe i bezjądrowe Rozróżniamy dwa podstawowe rodzaje organizmów: prokarionty oraz eukarionty. Nazwa „prokarionty" oznacza dosłownie „bezjądrowce", a nazwa „eukarionty" – „posiadające jądro". Komórki pierwszych z nich nie mają jądra i należą zazwyczaj do prymitywnych organizmów jednokomórkowych, które były pionierskimi organizmami na Ziemi. Jako przykład można podać bakterie. Wyżej zorganizowane organizmy eukariotyczne mają jądro oraz inne organella komórkowe. Do tej grupy organizmów zaliczamy między innymi zwierzęta, rośliny i człowieka.

 HISZPAŃSKI

Hiszpański językiem urzędowym Upowszechnienie wczesnej odmiany języka hiszpańskiego to rezultat starań Alfonsa X Mądrego, króla Kastylii i Leónu. Choć łacina straciła na znaczeniu już za czasów poprzedniego władcy, to właśnie Alfons X ogłosił język kastylijski (odmianę hiszpańskiego, jaką mówili mieszkańcy środkowej i północnej Hiszpanii) językiem urzędowym, który odtąd miał obowiązywać zamiast języka łacińskiego w kościołach, sądach, oficjalnych dokumentach oraz książkach.

DYNASTIA XIA

Systemy polityczne Wielki Yu ustanowił panowanie dynastii Xia na zasadzie elekcji, co oznaczało, że przywódcę wybierano ze względu na jego predyspozycje. Po śmierci Yu jego syn Qi ogłosił się cesarzem, tym samym oficjalnie zrywając z elekcją i inicjując system dziedziczny. Piętnastu potomków Wielkiego Yu zostało jego następcami, tworząc tym samym pierwszą chińską dynastię.

FONETYCZNA METODA NAUCZANIA ANGIELSKIEGO

Odmiana analityczna Odmiana fonetycznej metody nauczania języka angielskiego, zwana analityczną, skupia się na różnych formach słów, a zwłaszcza na najczęściej spotykanych połączeniach słownych. Przykładowo, jeśli dziecko zna takie słówka, jak moat, boat czy goat, to nie powinno też mieć problemu ze zrozumieniem słówka coat, nawet jeśli wcześniej nigdy się z nim nie spotkało. Analityczna odmiana fonetycznej metody nauczania języka angielskiego zwraca uwagę na dwie części słówka: początek oraz rym. Początek to pierwsza spółgłoska danego słowa, natomiast rym to druga część słowa rozpoczynająca się od samogłoski.

LICZBA ZERO

Pierwsze sposoby wykorzystania zera W 825 r. perski uczony Khwarizmi po raz pierwszy wykorzystał liczbę zero w podręczniku do arytmetyki, opierając się na greckich i hinduskich zdobyczach w dziedzinie matematyki. Pojawiło się tam również wyjaśnienie autora, jak należy we właściwy sposób posługiwać się zerem, aby zaznaczać za jego pomocą pozycję w ciągu cyfr.

KOMÓRKI

Komórki roślinne Choć strukturalnie są do siebie podobne, komórki roślinne oraz komórki zwierzęce znacząco się od siebie różnią. Komórki roślinne mają bardzo twarde ściany, które są zbudowane z celulozy i zawierają chloroplasty. Chloroplasty zawierają zielony barwnik, czyli chlorofil, mający zdolność do przetwarzania wody i dwutlenku węgla w pokarm pod wpływem światła słonecznego w procesie zwanym fotosyntezą. Komórki roślinne mają dużą wakuolę gromadzącą barwniki i zbędne substancje oraz ścianę komórkową chroniącą przed uszkodzeniami mechanicznymi i wnikaniem bakterii i wirusów.

HISZPAŃSKI

Wzrost popularności W 1492 r. Krzysztof Kolumb wspierany przez imperium hiszpańskie przybył do Nowego Świata, otwierając erę podboju Ameryki Środkowej. Rozpoczęła się trwająca czterysta lat hiszpańska kolonizacja tych terenów, co wiązało się z narzucaniem tubylcom kultury, religii i języka najeźdźców. Hiszpanie mieli ostatecznie kontrolować zarówno Amerykę Środkową, jak i znaczny obszar Ameryki Północnej oraz Ameryki Południowej.

DYNASTIA XIA

Zmierzch dynastii Xia Po okresie panowania dynastii Xia nadeszły czasy dynastii Shang. Ostatnim przywódcą dynastii Xia był despotyczny i bezwzględny cesarz Jie. Jego panowanie wywołało niezadowolenie społeczne, które owocowało przewrotem, na czele którego stanął Shang Tang, przywódca plemienia Shang. W ten sposób panowanie dynastii Xia dobiegło końca i rozpoczęły się rządy dynastii Shang, które trwały od 1766 r. do 1122 r. p.n.e.

FONETYCZNA METODA NAUCZANIA ANGIELSKIEGO

Sekwencje samogłosek Krótkie samogłoski to dźwięki *a, e, i, o* oraz *u* w takich angielskich wyrazach, jak: *cat, pet, hit, hot* czy *cup*. Nazywamy je krótkimi, ponieważ nie słychać w nich ślizgu od jednego dźwięku do drugiego, jak to ma miejsce w przypadku dyftongów. Długie samogłoski brzmią jak same nazwy poszczególnych liter angielskiego alfabetu. Przykłady długich samogłosek znajdziemy w takich angielskich wyrazach, jak: *cake* czy *meter*. Szwa to kolejny dźwięk, jaki dają pojedyncze samogłoski – jest niewyraźny i występuje w nieakcentowanych sylabach. Za przykład może posłużyć sposób, w jaki wymawiane jest *o* w słowie *lesson*.

LICZBA ZERO

0 Babilończycy zostawiali wolną przestrzeń pomiędzy cyframi, obywając się bez konkretnego symbolu oznaczającego zero (np. liczba 303 była przedstawiana jako 3 3). W 300 r. p.n.e. pustą pozycję w ciągu cyfr zaznaczano już za pomocą dwóch symboli w kształcie klina. W 130 r. n.e. grecki astronom Ptolemeusz oznaczył zero pełniące funkcję znacznika pozycji jako kółko z długą kreską na górze.

KOMÓRKI

Komórki zwierzęce Znacznie mniejsze niż komórki roślinne są komórki zwierzęce. Nie posiadają ściany komórkowej i chloroplastów. Mają różnorodną budowę. Zespół komórek o takiej samej budowie i pełniących takie same funkcje buduje tkankę. Komórki zwierzęce nie potrafią wytwarzać pokarmu.

HISZPAŃSKI

Tworzenie zdań Inaczej niż w języku polskim, w języku hiszpańskim dopełnienie może poprzedzać czasownik, a podmiot może stać się częścią czasownika. Np. jeśli po polsku powiedzielibyśmy „Widzę cię", stawiając dopełnienie „cię" na końcu zdania, w języku hiszpańskim to samo zdanie będzie brzmiało: „Te veo", gdzie początkowe „te" jest dopełnieniem, a „veo" stanowi połączenie podmiotu „ja" oraz czasownika „widzieć".

DYNASTIA XIA

Współczesne kontrowersje W latach 20. XX w. Gu Jiegang założył w Chinach stowarzyszenie uczonych, które nazwał Szkołą Sceptyków. Jego członkowie poddali w wątpliwość istnienie dynastii Xia, sugerując, że była jedynie legendą. Powoływano się na brak jakichkolwiek znalezisk archeologicznych, które potwierdzałyby prawdziwość zapisków historycznych.

 # FONETYCZNA METODA NAUCZANIA ANGIELSKIEGO

Zasada alfabetyczna Dwuznaki spółgłoskowe to połączenia liter przedstawiające fonemy składające się z dwóch spółgłosek, np. *ch*, *ph*, *sh*, *th* czy *wh*. Sekwencje spółgłosek zawierające krótkie samogłoski pojawiają się w słowach, które można zapisać na dwa sposoby, w zależności od tego, jak brzmią. Może to być *ck* lub *k*, *tch* lub *ch* oraz *dge* lub *ge*. Aby ustalić właściwą formę pisowni, należy zwrócić uwagę na samogłoskę, która poprzedza te dźwięki. Jeśli wcześniej nie pojawia się krótka samogłoska, stosuje się drugi z podanych sposobów zapisu.

 # LICZBA ZERO

Zasady Brahmagupty Zasady dotyczące tego, jak należy używać zera jako wartości, a nie tylko znacznika pozycji, sformułował po raz pierwszy w 628 r. hinduski matematyk Brahmagupta. I choć niektóre z jego twierdzeń stoją w sprzeczności z odkryciami współczesnej nauki, Brahmagupta położył podwaliny pod właściwe zastosowanie zera w matematyce. Oto kilka przykładowych zasad sformułowanych przez Brahmaguptę:
• suma liczby dodatniej i zera daje wynik dodatni;
• suma liczby ujemnej i zera daje wynik ujemny;
• suma zera i zera wynosi zero;
• suma liczby dodatniej i liczby ujemnej wynosi tyle, ile różnica między ich wartościami, a jeśli ich wartości są równe, suma ta wynosi zero.

 # KOMÓRKI

Budowa komórki Lipidowo-białkowa błona komórkowa oddziela komórkę eukariontów od świata zewnętrznego. Wnętrze wypełnia cytoplazma, w której zawieszone są organella komórkowe oraz jądro. Jest ono otoczone membraną oddzielającą je od cytoplazmy i chroniącą DNA, czyli materiał genetyczny organizmu. Ulega on przepisaniu w postaci różnych rodzajów RNA znajdujących się w cytoplazmie komórki. Ważnym organellum jest mitochondrium, zwane siłownią komórki, w którym gromadzona jest energia niezbędna do życia organizmu.

 # HISZPAŃSKI

Współczesny hiszpański Dziś hiszpańskim posługują się 332 miliony ludzi, jest to zatem drugi najpopularniejszy język na świecie. W wielu krajach, np. w Hiszpanii, Kolumbii, Peru, Argentynie, Boliwii, Meksyku, Hondurasie czy Kostaryce oraz na Kubie, ma status języka urzędowego. W latach 90. XX w. ustalono, że hiszpańskim jako językiem pierwszym posługuje się 17 milionów mieszkańców Stanów Zjednoczonych.

DYNASTIA XIA

Odkrycia archeologiczne W 1959 r. w mieście Yanshi odkopano olbrzymie pałace. Czy są to pozostałości po stolicy dynastii Xia? Przez następne dwadzieścia lat odkryto wiele innych obiektów, m.in. nagrobków, ruin i narzędzi z brązu. Odkryć tych dokonano na terenach, które, wedle tekstów historycznych, miały znajdować się pod panowaniem dynastii Xia, a datowanie radiowęglowe wykazało, że odnalezione artefakty pochodzą z okresu między 2100 a 1800 r. p.n.e. Dyskusje na temat tego, czy to rzeczywiście pozostałości po dynastii Xia i czy dynastia ta w ogóle istniała, toczą się po dzień dzisiejszy.

FONETYCZNA METODA NAUCZANIA ANGIELSKIEGO

Sekwencje spółgłosek W języku angielskim pisownia wyrazów opiera się na zasadzie alfabetycznej, zgodnie z którą poszczególne litery reprezentują dźwięki lub fonemy, a te następnie łączy się ze sobą, tworząc słowa. W rzeczywistości sytuacja jest jednak znacznie bardziej skomplikowana, ponieważ ten sam dźwięk można zapisać na różne sposoby, a jedna litera może zostać zamieniona na różne dźwięki. Dzieje się tak dlatego, że na angielski wpłynęło wiele innych języków, w związku z czym są w nim obecne ślady klasycznej łaciny, języka staroangielskiego, staronordyjskiego, greckiego czy normandzkiego.

LICZBA ZERO

Inne zasady związane z liczbą zero Poza zasadami Brahmagupty istnieje jeszcze kilka innych ważnych reguł odnoszących się do stosowania zera w obliczeniach matematycznych. Jeżeli jakąkolwiek liczbę pomnożymy przez zero, zawsze otrzymamy zero. Nie wolno dzielić przez zero – wynik takiej operacji nie został ustalony. $x^0 = 1$ chyba, że $x = 0$ – wówczas x^0 – jest symbolem nieoznaczonym, czyli nie możemy podać jej wartości.

KOMÓRKI

Jądro komórkowe Odpowiedzialne za kontrolowanie wszystkich czynności funkcjonalnych w komórkach eukariontów jest jądro komórkowe. Zawiera informacje genetyczne zapisane w DNA, kieruje także procesami wzrostu i reprodukcji. Najważniejszą funkcję w jądrze pełni jąderko, w którym następuje synteza rRNA i rybosomów odgrywających znaczącą rolę w procesie syntezy białka. Białka pełnią wiele różnych funkcji, m.in. wzmacniają struktury komórki lub jako enzym przyspieszają reakcje biochemiczne w organizmie.

HISZPAŃSKI

Użyteczne zwroty Oto kilka zwrotów, które mogą się okazać przydatne podczas podróży do krajów hiszpańskojęzycznych:

Cześć – *Hóla*
Dzień dobry – *Buenos diás*
Dziękuję bardzo – *Muchas gracias*
Dobranoc – *Buenos noches*
Do widzenia – *Adiós*
Gdzie jest toaleta? – *Dónde está el baño?*
Czy mogę prosić o pomoc? – *Me podría ayudar?*
Ile to kosztuje? – *Cuánto cuesta?*

LEKCJA 2 – TEST

1. **Czym zasłynął Wielki Yu?**
   a. Popularyzował wiedzę na temat metod przeciwdziałania powodzi.
   b. Zakwestionował istnienie dynastii Xia.
   c. Wystąpił przeciwko rządom Shang Tanga.
   d. Odkrył pradawne miasto Yanshi.

2. **Syn Wielkiego Yu, Qi, położył kres systemowi elekcyjnemu i zapoczątkował:**
   a. system hierarchiczny;
   b. poddaństwo;
   c. system dziedziczny;
   d. dynastię Shang.

3. **Ch, sh, th oraz ph to przykłady:**
   a. zasady alfabetycznej;
   b. sekwencji samogłosek;
   c. analitycznej odmiany fonetycznej metody nauki języka angielskiego;
   d. dwuznaków spółgłoskowych.

4. **Czym jest syntetyczna odmiana fonetycznej metody nauki języka angielskiego?**
   a. Opiera się na stwierdzeniu, że słowa można pisać na dwa różne sposoby w zależności od tego, jakie dźwięki są z nimi powiązane.
   b. Niewyraźnym dźwiękiem powstającym w miejscu pojedynczej samogłoski w sylabach nieakcentowanych.
   c. Metodą uczenia dzieci nieznanych słów poprzez wyjaśnianie dźwięków powiązanych z każdą literą angielskiego alfabetu, a następnie dokonywania syntezy tych dźwięków.
   d. Połączeniem klasycznej łaciny, języka staroangielskiego i staronordyjskiego.

5. **Które z poniższych twierdzeń nie należy do zasad Brahmagupty?**
   a. Suma liczby dodatniej i zera daje wynik dodatni.
   b. Suma liczby dodatniej i liczby dodatniej wynosi zero.
   c. Suma zera i zera wynosi zero.
   d. Suma liczby ujemnej i zera daje wynik ujemny.

6. **W 825 r. n.e. perski uczony Khwarizmi napisał, że:**
   a. zero należy zaznaczać za pomocą kółka z długą poziomą kreską na górze;
   b. liczb nie należy dzielić przez zero;
   c. zero może być używane do zaznaczania pozycji;
   d. mnożąc przez zero zawsze uzyskamy zero.

7. **Jaka jest różnica pomiędzy komórkami eukariontów i prokariontów?**
   a. Komórki eukariontów posiadają jądro, a komórki prokariontów – nie.
   b. Komórki prokariontów posiadają jądro, a komórki eukariontów – nie.
   c. Komórki eukariontów posiadają jądro właściwe, a komórki prokariontów – niewłaściwe.

8. **Które z poniższych zdań jest prawdziwe?**
   a. Komórki organizmów zwierzęcych są większe niż komórki organizmów roślinnych.
   b. Wyłącznie komórki organizmów zwierzęcych posiadają DNA.
   c. Komórki organizmów zwierzęcych czerpią energię ze światła słonecznego.
   d. Komórki organizmów zwierzęcych nie mają tak twardych ścian komórkowych jak komórki organizmów roślinnych, co pozwala im przyjmować różne kształty.

9. **Komu zawdzięczamy, że język kastylijski stał się urzędowym językiem Hiszpanii?**
   a. Karolowi Wielkiemu.
   b. Hetytom.
   c. Alfonsowi X.
   d. Sumerom.

10. **Jak spytać „Gdzie jest toaleta?" w języku hiszpańskim?**
   a. *Me podría ayudar*?
   b. *Cuánto cuesta*?
   c. *Puedo conectarme con el internet*?
   d. *Dónde está el baño*

HISTORIA: Starożytny Egipt

Okres predynastyczny, Okres wczesnodynastyczny, Stare Państwo, Średnie Państwo, Nowe Państwo, Okres Późny

 MATEMATYKA: Matematyka Inków

Język odnaleziony w matematyce, Kipu, Jak działa kipu?, Kolorowy kod kipu, Statystycy, Yupana

 SZTUKA JĘZYKA: Tworzenie zdań

Części mowy, Podstawowe części zdania, Przydawka, Wyrażenia przyimkowe, Okoliczniki, Imiesłowy

 PRZYRODA: Układ nerwowy

Czym jest układ nerwowy?, Neurony, Ośrodkowy układ nerwowy, Obwodowy układ nerwowy, Somatyczny układ nerwowy, Autonomiczny układ nerwowy

Lekcja 3

 JĘZYKI OBCE: Francuski

Początki, Spółgłoski, Samogłoski, Rodzajniki, Współczesny francuski, Użyteczne zwroty

STAROŻYTNY EGIPT

Okres predynastyczny Pierwsze osady nad Nilem powstawały około 5500 r. p.n.e. Największa z tych kultur, zwana Badari, zamieszkiwała północną część Egiptu. Jej przedstawiciele posługiwali się wysokiej jakości kamiennymi narzędziami, wyrobami ceramicznymi i garncarskimi. Wykorzystywali także miedź. W południowej części Egiptu rozwijała się kultura Nagada. Na przestrzeni tysiąca lat rozprzestrzeniła się na plemiona osiadłe wzdłuż Nilu i stworzyła system pisma w postaci hieroglifów.

TWORZENIE ZDAŃ

Części mowy Kategorie gramatyczne nazywane częściami mowy to m.in.: rzeczowniki (oznaczające np. ludzii, miejsca czy rzeczy), zaimki (słowa takie, jak *on*, *ona*, *ono*, których możemy używać zamiast rzeczownika), przymiotniki (słowa opisujące rzeczowniki), czasowniki (określające, co się dzieje), przysłówki (modyfikujące znaczenie przymiotników, czasowników i rzeczowników poprzez określanie miejsca, czasu, sposobu itd.), spójniki (łączące zdania lub części zdań), liczebniki (określające ilość lub kolejność), przyimki (łączące rzeczowniki, zaimki i części zdań z resztą zdania), a także wykrzykniki (będące wyrazem emocji, niezwiązane z resztą zdania).

MATEMATYKA INKÓW

Język odnaleziony w matematyce Imperium Inków, które w 1532 r. było niezwykle rozległe, rozciągając się od współczesnej Argentyny aż po Ekwador, składało się z wielu różnych grup etnicznych. Posługiwano się w nim ponad dwudziestoma językami. Inkowie uznali, że językiem, który mógłby połączyć wszystkie te grupy etniczne, jest matematyka – i tak sposób zapisu matematycznego rozwinął się u nich wcześniej niż język pisany.

UKŁAD NERWOWY

Czym jest układ nerwowy? Układ nerwowy jest niezwykle złożony. Odpowiada za reakcje organizmu, czyli odbieranie, przesyłanie i analizę bodźców z otoczenia, a także reaguje na sygnały przekazywane przez narządy wewnętrzne. Umożliwia tym samym adaptację do zmieniających się warunków otoczenia, a także utrzymania dynamicznej równowagi organizmu, czyli homeostazy. Na układ nerwowy składają się ośrodkowy układ nerwowy oraz obwodowy układ nerwowy.

FRANCUSKI

Początki Korzenie języka francuskiego sięgają lat 154–125 p.n.e., kiedy Galia została podbita przez Rzymian. Rzymianie narzucali zwyciężonym narodom własną kulturę, więc łacina stała się oficjalnym językiem mówionym imperium rzymskiego. Językiem galijskim mówiło stopniowo coraz mniej osób, a po pewnym czasie używano go już niemalże wyłącznie we wsiach. Ostatecznie północ kraju oddzieliła się od południa, co doprowadziło do wyodrębnienia się wielu różnych dialektów. Z biegiem czasu, gdy dominującą pozycję uzyskał Paryż, to właśnie dialekt, jakim w nim mówiono, stał się językiem narodowym.

STAROŻYTNY EGIPT

Okres wczesnodynastyczny Około 3100 r. p.n.e. Górny Egipt i Dolny Egipt zostały zjednoczone pod rządami faraona Menesa. Na stolicę kraju wybrano Memfis w Dolnym Egipcie. Charakterystyczne dla tego okresu są grobowce zwane mastabami – olbrzymie budowle z płaskimi dachami, wznoszone z kamienia i cegieł mułowych na planie prostokąta dla uczczenia zmarłych faraonów.

TWORZENIE ZDAŃ

Podstawowe części zdania Trzy podstawowe części zdania to: podmiot, orzeczenie i dopełnienie. Podmiotem jest zazwyczaj rzeczownik określający o kim lub o czym mówi dane zdanie. Pojawiające się po podmiocie orzeczenie opisuje wykonywanie jakiejś czynności lub jakiś stan. Dopełnienie występuje po orzeczeniu i wskazuje, kto lub co jest w danym zdaniu przekazywane (dopełnienie bliższe), a kto lub co jest odbiorcą (dopełnienie dalsze). Np. w zdaniu „Tomek rzucił piłkę Kasi", *Tomek* jest podmiotem, *rzucił* – orzeczeniem, *piłkę* – dopełnieniem bliższym, a *Kasi* – dopełnieniem dalszym (Kasia odbiera rzuconą do niej piłkę).

MATEMATYKA INKÓW

Kipu Inkowie stworzyli pismo węzełkowe – kipu. Był to nie tyle kalkulator pozwalający dodawać i odejmować, co raczej narzędzie pozwalające zapisywać dane. Właśnie dzięki wykorzystaniu kipu Inkowie z powodzeniem budowali drogi, rozwijali gospodarstwa rolne i administrację. Narzędzie to składało się wyłącznie ze sznurków, które wiązało się w węzły. Każdy z węzłów odpowiadał jakiejś liczbie w systemie dziesiętnym – a więc tym, jakiego używamy do dziś.

UKŁAD NERWOWY

Neurony Podstawową jednostką strukturalną i funkcjonalną układu nerwowego jest neuron. Przetwarza on i wysyła informacje za pomocą przekaźników elektrochemicznych. Ze względu na pełnione funkcje wyróżniamy neurony czuciowe, ruchowe i pośredniczące W odróżnieniu od innych komórek, neurony mają wyspecjalizowane wypustki zwane neurytami oraz dendrytami. Dendryty są odpowiedzialne za odbieranie sygnałów i przewodzenie ich do ciała komórki, a neuryty – za dostarczanie informacji do innych neuronów lub do narządów wykonawczych, czyli efektorów, którymi są mięśnie lub gruczoły.

FRANCUSKI

Spółgłoski Francuskie spółgłoski wymawia się w podobny sposób, jak np. spółgłoski angielskie. Od tej zasady są jednak dwa zasadnicze wyjątki. Spółgłoski na końcu słów (poza *c, r, f* and *l*) w ogóle nie są wymawiane, a przy tym w języku francuskim nie należy przeciągać spółgłosek – z zasady powinny być one krótkie, wymawiane tak, aby można jak najszybciej przejść do najbliższej samogłoski. Warto też zwrócić uwagę na fakt, że francuskie *r* wymawiane jest w tylnej części gardła.

STAROŻYTNY EGIPT

Stare Państwo Okres Starego Państwa obejmował rządy od Trzeciej do Szóstej Dynastii, a więc lata 2686–2181 p.n.e. Był to czas rozkwitu ekonomicznego i silnych rządów. Właśnie wtedy wzniesiono słynne piramidy w Gizie, poczyniono także olbrzymie postępy w rozwoju sztuki i technologii. Pojawiła się wówczas nowa klasa uczonych – skrybowie.

 TWORZENIE ZDAŃ

Przydawka Część zdania określająca rzeczownik, zaimek, przymiotnik, imiesłów lub liczebnik to przydawka. Odpowiada na pytania jaki, który, czyj i ile. W roli przydawki może występować np. przymiotnik, rzeczownik, wyrażenie przyimkowe, zaimek wskazujący lub liczebnik. Wyróżniamy kilka rodzajów przydawek, a jedną z nich jest przydawka przymiotna, np. w zdaniu „Rozbiłem drogi samochód" przydawką przymiotną jest przymiotnik „drogi".

 MATEMATYKA INKÓW

Jak działa kipu? Kipu używano w niezwykle pomysłowy sposób. Węzły zaplatane na sznurku zajmowały różne pozycje odpowiadające liczbom system dziesiętnego. Węzły znajdujące się na końcu sznurka oznaczały cyfry od 0 do 9. Wolne miejsce, po którym następowały dalsze węzły, oznaczało dziesiątki. Kolejne wolne miejsca i kolejne węzły oznaczały setki – i tak dalej. Przykładowo, aby zapisać liczbę 246, potrzeba było sześciu węzłów, wolnego miejsca, następnie czterech węzłów, wolnego miejsca i dwóch kolejnych węzłów.

 UKŁAD NERWOWY

Ośrodkowy układ nerwowy Mózg i rdzeń kręgowy to dwie najważniejsze części ośrodkowego układu nerwowego. Mózg to centrum sterowania całego układu nerwowego, kontrolującego wszystkie czynności ludzkiego organizmu. Ośrodkowy układ nerwowy współpracuje z obwodowym układem nerwowym – wspólnie odpowiadają za nasze działania, odruchy, myśli i odczucia.

⟳ FRANCUSKI

Samogłoski Francuskie samogłoski są znacznie bardziej charakterystyczne dla tego języka niż spółgłoski. Nie tworzą dyftongów, jak ma to miejsce w przypadku języka polskiego czy angielskiego. Dźwięki *a, o, u* to samogłoski twarde, a dźwięki *e, i* – miękkie. Kiedy następują po nich dźwięki *m* albo *n*, francuskie samogłoski brzmią nosowo, co oznacza, że wymawiając je, powietrze wypuszczane jest ustami i nosem.

STAROŻYTNY EGIPT

Średnie Państwo Stare Państwo upadło w 2160 r. p.n.e., a około 2055 r. p.n.e. faraon Mentuhotep II przywrócił krajowi dobrobyt i stabilność. Rozpoczął się okres Średniego Państwa. Tym, co znacząco różniło ów okres od okresu Starego Państwa, było większe skupienie się w tworzonych dziełach na znaczeniu jednostki oraz demokratyzacja życia pozagrobowego wynikająca z przekonania, że każdy człowiek obdarzony jest duszą i po śmierci witają go bogowie.

 TWORZENIE ZDAŃ

Wyrażenia przyimkowe Znaczenie pewnych słów występujących w zdaniu można dookreślić wyrażeniem przyimkowym. Składa się z dwóch części: przyimka (słowa wyrażającego związek pomiędzy danym rzeczownikiem, zaimkiem, liczebnikiem czy przymiotnikiem i resztą zdania) oraz związanego z nim wyrazu (a więc właśnie wspomnianego wcześniej rzeczownika, zaimka, liczebnika lub przymiotnika). Przykładowo, we frazie „W budynku", słowo *W* jest przyimkiem (wyraża lokalizację), a słowo *budynku* dopełnia to wyrażenie przyimkowe.

 MATEMATYKA INKÓW

Kolorowy kod kipu Inkowie nie poprzestali na wynalezieniu zapisywania danych za pomocą węzłów. Aby udoskonalić kipu, należało znaleźć sposób pomagający rozróżnić, co konkretnie przedstawiała każda z zapisanych na sznurkach wartości. Inkowie rozwiązali ten problem, barwiąc sznurki na różne kolory. I choć kipu składało się z setek sznurków, nie było najmniejszego problemu ze zrozumieniem tak sporządzonego zapisu danych.

 UKŁAD NERWOWY

Obwodowy układ nerwowy Nerwy czaszkowe i rdzeniowe, które odbierają i wysyłają informacje z ośrodkowego układu nerwowego tworzą obwodowy układ nerwowy. Wyróżniamy trzy rodzaje nerwów: nerwy ruchowe, które przesyłają sygnały z mózgu do różnych narządów wykonawczych i tkanek w ciele człowieka, nerwy czuciowe, które odbierają informacje w postaci bólu, ciepła lub dotyku, a następnie przekazują te impulsy do ośrodkowego układu nerwowego, oraz nerwy mieszane, które tworzą włókna czuciowe i ruchowe.

 FRANCUSKI

Rodzajniki W języku francuskim każdy rzeczownik musi być poprzedzony rodzajnikiem, a rodzajniki różnią się ze względu na rodzaj (męski, żeński) oraz liczbę (pojedynczą, mnogą). Rozróżniamy trzy typy rodzajników: określone (stosowane przed rzeczownikami, które są nam znane), nieokreślone (występują przed rzeczownikami, które nie zostały wcześniej wprowadzone lub są przedstawiane w sposób nieskonkretyzowany) oraz cząstkowe (pojawiające się przed rzeczownikami składającymi się z nieokreślonej liczby mniejszych części). Prezentują się one następująco:

	Określony	Nieokreślony	Cząstkowy
Męski	le	un	du
Żeński	la	une	de la
W liczbie mnogiej	les	des	
Przed samogłoskami	l'		de l'

STAROŻYTNY EGIPT

Nowe Państwo Okres Nowego Państwa trwał od XVI do XI w. p.n.e. Był to czas wojen, które uczyniły imperium egipskie większym niż kiedykolwiek wcześniej. Faraon Amenhotep IV, później znany pod zmienionym imieniem Echnaton, ustanowił obowiązek czczenia nowego boga słońca – Atona. Wyrazem wrogiego nastawienia Echnatona wobec kapłanów było uznanie Atona za jedynego prawdziwego boga. Gdy po śmierci Echnatona na tron wstąpił Tutanchamon, przywrócił w Egipcie wielobóstwo.

 TWORZENIE ZDAŃ

Okoliczniki Istnieje wiele rodzajów okoliczników, np. okoliczniki miejsca (odpowiadają na pytania: gdzie?, skąd?), okoliczniki czasu (kiedy?, jak długo?) czy okoliczniki sposobu (jak?, w jaki sposób?). Zdania okolicznikowe to przykład zdań podrzędnie złożonych, a więc takich, w których jedno zdanie wynika z drugiego (w przeciwieństwie do zdań współrzędnie złożonych, gdzie oba zdania składowe mogą istnieć oddzielnie). Przykład zdania podrzędnie złożonego: „Zrobię to, kiedy będę miał na to ochotę".

 MATEMATYKA INKÓW

Statystycy Król Inków wyznaczył grupę ludzi odpowiedzialnych za korzystanie z kipu i pełniących rolę statystyków poszczególnych miast. Byli to *quipucamayocs*. Zajmowali się odczytywaniem danych zapisanych na sznurach kipu, a także spisywaniem liczby ludności, płodów rolnych, broni i trzody chlewnej. Informacje te co roku wysyłano do stolicy – Cuzco.

 UKŁAD NERWOWY

Somatyczny układ nerwowy Czynnościowy podział układu nerwowego wyodrębnia somatyczny układ nerwowy, sterujący pracą narządów, których czynności podlegają naszej woli, oraz autonomiczny, którego praca nie podlega świadomej kontroli mózgu. Jest częścią obwodowego układu nerwowego. Odpowiada za przetwarzanie informacji sensorycznych pochodzących ze źródeł zewnętrznych, takich jak: ból, ciepło czy dotyk, a także za kontrolowanie warunkowych odruchów układu mięśniowego. Somatyczny układ nerwowy umożliwia człowiekowi odbieranie bodźców oraz reagowanie na zmiany w środowisku.

◯ FRANCUSKI

Współczesny francuski Francuski jest rodzimym językiem dla około 75 milionów ludzi na całym świecie, a w 25 krajach posiada status języka urzędowego (są to m.in. Francja, Haiti, Luksemburg, Monako oraz kilkanaście krajów afrykańskich). Jest również jednym z języków urzędowych w Kanadzie, Szwajcarii i Belgii, a także jednym z sześciu języków roboczych Organizacji Narodów Zjednoczonych.

STAROŻYTNY EGIPT

Okres Późny Okres ten trwał od 664 do 323 r. p.n.e. Na ten czas przypadł zmierzch imperium egipskiego. W latach 525–404 p.n.e. Egipt stał się częścią imperium perskiego. Dwudziesta ósma dynastia, na czele której stał Amyrtajos, zwróciła się przeciwko Persom. Mimo to już w czasach trzydziestej dynastii, w 343 p.n.e., Persowie po raz kolejny objęli kontrolę nad Egiptem.

TWORZENIE ZDAŃ

Imiesłowy Szczególną formę czasownika stanowi imiesłów, którego sposób użycia w zdaniu przypomina raczej sposób użycia przymiotnika bądź przysłówka. Przykładowo, *ugotowany*, *gotujący* czy *ugotowawszy* to imiesłowy pochodzące od czasownika *gotować*. Ze względu na sposób użycia w zdaniu, imiesłowy dzielimy na przymiotnikowe oraz przysłówkowe (*ugotowany* i *gotujący* to przykłady imiesłowów przymiotnikowych, a *ugotowawszy* to imiesłów przysłówkowy).

MATEMATYKA INKÓW

Yupana W liście do króla Hiszpanii Felipe Guaman Poma de Ayala opisał jeszcze jeden stworzony przez Inków wynalazek umożliwiający liczenie – *yupana*. Rysunki dołączone do listu przywodzą na myśl liczydło, nie ma jednak pewności, czy Inkowie używali tego urządzenia jako liczydła, czy raczej jako prymitywnego kalkulatora. Bez odpowiedzi pozostaje także pytanie, czy wykorzystywali *yupana* do zapisu danych czy też raczej do rozwiązywania równań matematycznych.

UKŁAD NERWOWY

Autonomiczny układ nerwowy Część obwodowego układu nerwowego, która unerwia narządy wewnętrzne, a także reguluje ich pracę. Pełni kontrolę nad bezwarunkowymi odruchami ludzkiego ciała. Dwie niezwykle ważne części autonomicznego układu nerwowego to układ współczulny (sympatyczny), który działa w sytuacjach zagrożenia, oraz układ przywspółczulny (parasympatyczny), który aktywizuje się w chwilach spokoju i wprawia organizm w stan relaksu.

FRANCUSKI

Użyteczne zwroty Oto kilka zwrotów, które mogą się okazać przydatne podczas podróży do krajów francuskojęzycznych:

Dzień dobry – *Bonjour*
Dobry wieczór – *Bonsoir*
Czy mówicie po angielsku? – *Parlez-vous anglais?*
Dziękuję – *Merci*
Jak się masz? – *Comment allez-vous?*
Która godzina? – *Quelle heure est-il?*
Muszę skorzystać z toalety – *J'ai besoin d'utiliser les toilettes*
Proszę powtórzyć – *Répétez, s'il vous plaît*

1. **Około 3100 r. p.n.e. Menes założył stolicę w Memfis, jednocząc tym samym:**
   a. Górny Egipt i Dolny Egipt;
   b. Zachodni Egipt i Wschodni Egipt;
   c. Egipt i Mezopotamię;
   d. Nil i Żółtą Rzekę.

2. **Wraz z objęciem rządów przez Amenhotepa IV nastały liczne zmiany. Za które z poniższych był odpowiedzialny Amenhotep IV?**
   a. Za wybuch rewolucji skierowanej przeciwko Persom.
   b. Za stworzenie klasy skrybów.
   c. Za zmienienie wielobóstwa w monoteizm.
   d. Za budowę mastab.

3. **W zdaniu „Robert widzi kota", jaką funkcję pełni słowo *kota*?**
   a. Podmiotu.
   b. Orzeczenia.
   c. Dopełnienia bliższego.
   d. Dopełnienia dalszego.

4. **„W sklepie" jest przykładem:**
   a. imiesłowu;
   b. wyrażenia przyimkowego;
   c. zdania współrzędnie złożonego;
   d. zdania podrzędnie złożonego.

5. **Kipu składa się z setek sznurków, ale łatwo odczytać zapisane w ten sposób dane. Dzieje się tak ponieważ:**
   a. każdy kolejny sznurek jest nieco krótszy od poprzedniego;
   b. dla większych wartości wiązano większe węzły;
   c. każdy kolejny sznurek jest nieco dłuższy od poprzedniego;
   d. sznurki barwiono na różne kolory.

6. **Zapis liczby 45 za pomocą kipu to:**
   a. 25 węzłów, wolne miejsce, 20 węzłów;
   b. 5 węzłów, wolne miejsce, 4 węzły;
   c. 10 węzłów, wolne miejsce, 10 węzłów, wolne miejsce, 10 węzłów, wolne miejsce, 10 węzłów, wolne miejsce, 5 węzłów;
   d. 40 węzłów, wolne miejsce, 5 węzłów.

7. **Ośrodkowy układ nerwowy składa się z mózgu oraz:**
   a. krwi;
   b. płuc;
   c. rąk i nóg;
   d. rdzenia kręgowego.

8. **W sytuacjach zagrożenia kontrolę nad ciałem przejmuje:**
   a. ośrodkowy układ nerwowy;
   b. obwodowy układ nerwowy;
   c. autonomiczny układ nerwowy;
   d. zarówno (b), jak i (c).

9. **W języku francuskim rodzajnik występuje przed:**
   a. rzeczownikiem;
   b. czasownikiem;
   c. przymiotnikiem;
   d. przysłówkiem.

10. **Francuskie samogłoski brzmią nosowo, kiedy następuje po nich:**
    a. *p* lub *l*;
    b. *m* lub *n*;
    c. *r* lub *q*;
    d. *k* lub *a*.

Odpowiedzi: a, c, c, b, d, b, d, d, a, b.

HISTORIA: Hunowie
Kim byli Hunowie?, Zdobywcy, Broń, Attyla, Następcy Attyli, Legendy

 MATEMATYKA: Matematyka grecka
Szkoła jońska, Szkoła pitagorejska, Szkoła elejska, Szkoła sofistów, Szkoła platońska, Szkoła arystotelejska

 SZTUKA JĘZYKA: Alfabet
Alfabet fenicki, Alfabet aramejski, Alfabet grecki, Alfabet łaciński, Alfabet staroangielski, Alfabet polski

 PRZYRODA: Układ krwionośny
Czym jest układ krwionośny?, Serce, Krwinki czerwone, Krwinki białe, Aorta i układ naczyń tętniczych, Układ naczyń żylnych

Lekcja 4

 JĘZYKI OBCE: Włoski
Początki, Samogłoski, Spółgłoski Nieme, Rodzajniki, Użyteczne zwroty

LEKCJA 4A

 HUNOWIE

Kim byli Hunowie? W IV i V w. koczownicza ludność azjatycka pochodzenia tureckiego dotarła na czarnomorskie stepy. Hunowie mieli opinię niezwykle walecznych wojowników. Specjalizowali się w łucznictwie i do perfekcji opanowali jazdę konną. Połączenie tych dwóch umiejętności sprawiało, że byli bardzo groźni. Właściwa nazwa tego wędrownego plemienia to Hsiung-nu, jednak w Europie nazywano ich Hunami.

 ALFABET

Alfabet fenicki W 3000 r. p.n.e. istniało już mezopotamskie pismo klinowe oraz egipskie hieroglify. Od tych dwóch sposobów zapisywania języka znacząco różnił się alfabet fenicki. Zamiast pisma obrazkowego Fenicjanie stosowali abdżad – alfabet składający się wyłącznie ze spółgłosek, w którym każdemu dźwiękowi przyporządkowany był odpowiedni symbol. Ten sposób zapisu bardzo szybko rozprzestrzenił się w krajach śródziemnomorskich i został przejęty przez wiele kultur.

 MATEMATYKA GRECKA

Szkoła jońska Szkoła ta, założona przez Talesa, funkcjonowała w latach 643–546 p.n.e. Skupiała filozofów z okresu przedsokratejskiego, którzy zajmowali się filozofią, naukami ścisłymi oraz kosmogonią. Talesa uznaje się za pierwszego matematyka, który uczył rozumowania dedukcyjnego w geometrii, czego najlepszym przykładem jest twierdzenie nazwane jego imieniem, mówiące, że jeśli A, B i C są punktami na okręgu, gdzie odcinek AC jest średnicą, to kąt ABC jest kątem prostym.

 UKŁAD KRWIONOŚNY

Czym jest układ krwionośny? Układ krwionośny tworzą serce, krew oraz naczynia krwionośne – żyły, tętnice i naczynia włosowate. Stanowi system transportu i chłodzenia ludzkiego ciała. Krew pompowana jest z serca poprzez tętnice. Przez żyły dostarczany organizmowi jest tlen i inne niezbędne składniki. Krew zabiera również ze sobą wszelkie produkty przemiany materii, oczyszczając z nich organizm.

 WŁOSKI

Początki Włoski, podobnie jak reszta języków romańskich, wywodzi się z ludowej odmiany łaciny i właśnie łacinę najbardziej przypomina. Około XIV w. na terenie Włoch zaczął dominować dialekt toskański, co wynikało z gwałtownego rozwoju handlu, którego centrum znajdowało się we Florencji. W 1525 r. wenecki językoznawca i prawnik Pietro Bembo postanowił, że dialekt, jakim posługiwano się w XV-wiecznej Florencji, stanie się językiem włoskiej literatury. Pierwszy słownik języka włoskiego opublikowano w 1612 r.

HUNOWIE

Zdobywcy Hunowie najpierw podbili Alanów – wędrowne plemię zamieszkujące tereny pomiędzy Donem i Wołgą. Następnie zajęli królestwo Ostrogotów, a w 376 r. zaatakowali Wizygotów. W następnym pięćdziesięcioleciu Hunom udało się utrzymać swoją pozycję, zmuszając do płacenia haraczu cesarstwo wschodniorzymskie.

 ALFABET

Alfabet aramejski Alfabet ten stanowił nieco odmienioną wersję alfabetu fenickiego. Można go uznać za źródło wszystkich odmian alfabetu Środkowego Wschodu. Podobnie jak alfabet fenicki składał się wyłącznie ze spółgłosek, ale w niektórych miejscach zakładał również wymawianie długich samogłosek. Obecny alfabet języka hebrajskiego najbardziej przypomina aramejski sposób zapisu z V w. p.n.e. Wykorzystywane w obu alfabetach litery mają niemalże identyczne kształty.

 MATEMATYKA GRECKA

Szkoła pitagorejska Choć nie brakowało w niej mistycyzmu, to dużą rolę przywiązywano do matematyki. Najważniejszą postacią był Pitagoras. Jego dokonania miały ogromny wpływ na takie dziedziny matematyki, jak teoria liczb, teoria dowodu, geometria euklidesowa, stereometria czy proporcjonalność. Pitagoras sformułował twierdzenie nazwane później jego imieniem, zgodnie z którym w przypadku trójkąta prostokątnego suma kwadratów długości przyprostokątnych jest równa kwadratowi długości przeciwprostokątnej tego trójkąta. Tezę można wyrazić za pomocą następującego wzoru: $a^2 + b^2 = c^2$.

 UKŁAD KRWIONOŚNY

Serce Mięsień wielkością przypominający zaciśniętą pięść. Serce składa się z dwóch przedsionków – prawego i lewego i dwóch komór – prawej i lewej. Krew wpływa do serca prawym przedsionkiem. Z prawej komory wprowadzana jest krew tętnicami płucnymi do płuc, a po wzbogaceniu w tlen, żyłami płucnymi krew trafia do lewego przedsionka i jest przepompowywana do lewej komory. Następnie krew bogata w tlen jest wypompowana z serca i tętnicą główną – aortą wprowadzona do krwiobiegu.

 WŁOSKI

Samogłoski W języku włoskim są tylko samogłoski krótkie. Powinno się je wymawiać bardzo wyraźnie, bez przeciągania. Samogłoski *a*, *i* oraz *u* zawsze wymawia się w ten sam sposób, a wymowa samogłosek *e* oraz *o* może się różnić w zależności od tego, z jakiej części Włoch wywodzi się mówiący.

HUNOWIE

Broń Hunowie perfekcyjnie strzelali z łuków, byli także znakomitymi jeźdźcami. Połączenie tych dwóch umiejętności stanowiło ogromne zagrożenie dla przeciwników, którzy stawali z nimi do walki. Hunowie najczęściej atakowali z zaskoczenia, zasypując wroga gradem strzał, po czym błyskawicznie wycofywali się. Świetnie posługiwali się również mieczem, lassem i kopią.

 ALFABET

Alfabet grecki Grecy zaadaptowali alfabet fenicki na własne potrzeby i do VIII w. p.n.e. zmodyfikowali go poprzez dodanie symboli oznaczających samogłoski, tworząc tym samym pierwszy pełny alfabet. Symbole przedstawiające samogłoski też zresztą zostały zapożyczone od Fenicjan, u których były przyporządkowane spółgłoskom niewykorzystywanym przez Greków. Alfabet grecki stał się wzorem dla alfabetu łacińskiego, który współcześnie jest najpopularniejszym alfabetem świata.

 MATEMATYKA GRECKA

Szkoła elejska Jej założycielem był Parmenides, a jej przedstawiciele dążyli do przeciwstawienia się czysto fizycznym twierdzeniom wczesnych filozofów i przygotowali grunt pod metafizykę. Zenon z Elei, jeden z filozofów szkoły elejskiej, rzucił wyzwanie akceptowanym dotąd sposobom pojmowania czasu i ruchu. Najważniejszą zasługą Zenona z Elei było sformułowanie pojęcia nieskończoności.

 UKŁAD KRWIONOŚNY

Krwinki czerwone Erytrocyty, czyli krwinki czerwone, są jednym z elementów morfotycznych budujących krew. Krąży ona nieustannie, transportując ze sobą tlen, składniki pokarmowe, wodę oraz produkty uboczne przemiany materii. Zadaniem krwi jest transportowanie wszystkich tych elementów pomiędzy komórkami ludzkiego organizmu. Krwinki czerwone transportują tlen oraz niewielką ilość dwutlenku węgla. Po dotlenieniu krew z płuc dostarcza tlen do komórek, a zabiera z nich dwutlenek węgla, dostarczając go do płuc, z których jest on następnie wydychany.

 WŁOSKI

Nieme H Współczesny włoski alfabet składa się z mniejszej liczby liter niż alfabet języka polskiego. Poza znakami charakterystycznymi dla naszego języka brak w nim również liter *j*, *k*, *w*, *x* oraz *y*. Wiele dźwięków występujących w języku włoskim przypomina dźwięki znane z innych języków, w tym także języka polskiego, ale zasadniczą różnicę stanowi wymowa litery *h*, jako że w języku włoskim *h* jest zawsze nieme.

HUNOWIE

Attyla W 432 r. Hunowie zjednoczyli się pod wodzą Ruasa. Dwa lata później Ruas zmarł, a prawa do tronu zyskali jego dwaj bratankowie: Bleda i Attyla. W 445 r. Attyla zabił swego brata, zdobywając pełnię władzy nad wszystkimi Hunami. Pod jego przywództwem podbili oni kilka wrogich plemion i przypuścili sporo ataków na imperium rzymskie. Attyla zyskał miano jednego z najgroźniejszych władców swoich czasów.

 ALFABET

Alfabet łaciński Zwany również rzymskim, alfabet łaciński to alfabet grecki zmodyfikowany przez Etrusków i Rzymian. Składał się z 21 liter: A, B, C, D, E, F, Z, H, I, K, L, M, N, O, P, Q, R, S, T, V, X. Używali go wszyscy piszący po łacinie. Wraz z rozwojem terytorialnym imperium rzymskiego, nowe terytoria zdobywała także łacina i łaciński alfabet. Kiedy zaczęły rozwijać się języki romańskie, ich alfabety oparto na jego znakach.

 MATEMATYKA GRECKA

Szkoła Sofistów Szkołę sofistów założono w Atenach około 480 r. p.n.e. Przez długi czas stanowiła jedyne źródło edukacji w miastach. Szkoła ta przykładała dużą wagę do rozwijania myślenia abstrakcyjnego, a jej sympatycy podejmowali próby odkrycia tajemnic wszechświata. Sofiści posiłkowali się matematyką, aby odpowiedzieć na takie pytania, jak np.: „W jaki sposób podwoić sześcian?", „Jak podnieść do kwadratu koło?" czy „Jak podzielić na trzy równe części kąt, mając do pomocy jedynie cyrkiel i linijkę?".

 UKŁAD KRWIONOŚNY

Krwinki białe Inna nazwa białych krwinek to leukocyty. Ich zadaniem jest walka z patogenami wywołującymi choroby. Podczas zakażenia organizm produkuje większą ilość krwinek białych, które rozpoznają i niszczą pojawiające się w organizmie drobnoustroje chorobotwórcze. Kiedy lekarz przepisuje antybiotyk, oznacza to, że białe krwinki potrzebują wsparcia w walce z infekcją.

 WŁOSKI

Spółgłoski W języku włoskim niektóre spółgłoski można wymawiać na dwa sposoby w zależności od tego, jaka litera pojawia się tuż za nimi. Kiedy litera *c* występuje przed *a*, *o*, *u* lub spółgłoską, wymawia się ją jako *k*, a kiedy występuje przed *e* albo *i*, wymawia się ją jako *cz*. Jeśli po literze *g* występuje *a*, *o*, *u* albo spółgłoska, wymawia się ją podobnie jak polskie *g*, a jeśli występuje przed *e* albo *i*, wymawia się ją podobnie, jak polskie *dż*.

HUNOWIE

Następcy Attyli Po śmierci Attyli jeden z jego synów, Ellak, pokonał swoich dwóch braci i został chanem. Wkrótce podbite wcześniej plemiona wznieciły bunt i zjedno-czyły się pod wodzą Ardaryka, króla Gepidów. Wrogie wojska starły się nad rzeką Ne-dao w 454 r. Ellak zginął, a Hunowie ponieśli klęskę, co przyniosło kres ich supremacji w Europie.

 ALFABET

Alfabet staroangielski Piewszym alfabetem, jakiego używali Anglosasi zamiesz-kujący tereny obecnej Anglii, był alfabet runiczny zwany futhorc, pochodzący z V w. Dwieście lat później chrześcijańscy misjonarze wprowadzili na tamtych terenach al-fabet łaciński i z czasem zaczął on łączyć się z elementami alfabetu futhorc. Alfabet staroangielski składał się z 24 liter zaczerpniętych z alfabetu łacińskiego oraz 5 liter z alfabetu runicznego.

 MATEMATYKA GRECKA

Szkoła platońska Założył ją w 387 r. p.n.e. jeden z najsłynniejszych greckich filo-zofów – Platon. Choć nie był matematykiem, to jednak do królowej nauk przywiązy-wał dużą wagę. Jego uczniowie dokonali w tamtych czasach najznamienitszych odkryć w dziedzinie matematyki. Szkoła platońska pozostawała pod ogromnym wpływem szkoły pitagorejskiej.

 UKŁAD KRWIONOŚNY

Aorta i układ naczyń tętniczych Aorta to największa tętnica w organizmie czło-wieka. Łączy się z lewą komorą serca i rozprowadza do komórek bogatą w tlen krew. Z aorty krew jest transportowana do innych tętnic i tętniczek (czyli mniejszych tętnic), które dostarczają tlen oraz składniki odżywcze do wszystkich komórek w ciele.

 WŁOSKI

Rodzajniki W języku włoskim wyróżniamy dwie formy rodzajników: określone i nie-określone. Ich brzmienie zależy od tego, czy mamy do czynienia z rodzajem męskim czy żeńskim, liczbą pojedynczą czy mnogą, a także od tego, od jakich liter zaczyna się wyraz, który poprzedzają. Na przykład rodzajnik określony *il* poprzedza wyraz rodza-ju męskiego występujący w liczbie pojedynczej przed spółgłoską, a rodzajnik *l'* wyraz rodzaju żeńskiego występujący w liczbie mnogiej przed samogłoską.

HUNOWIE

Legendy Opowieści o podbojach Hunów odegrały znaczącą rolę w folklorze ludów germańskich. Wystarczy wspomnieć staronordycki epos z XIII-wiecznej Islandii pt. *Volsunga Saga* czy też *Hervarar saga ok Heioreks*, w których przewija się tematyka bitew, jakie stoczyli Hunowie. W drugim z tych utworów znajduje się opis walki Hunów z Gotami. Inny – najsłynniejszy – epos, *Pieśń o Nibelungach*, oparty jest na historii podboju Burgundów przez Hunów.

ALFABET

Alfabet polski Polski alfabet składa się z 35 liter. Oprócz znaków identycznych jak w alfabecie łacińskim występują w nim takie, których w nim nie ma. Są to litery: Ą, Ć, Ę, Ł, Ń, Ó, Ś, Ź i Ż, utworzone za pomocą znaków diakrytycznych, czyli różnych małych ogonków i kresek umieszczonych nad, pod albo na łacińskiej literze. Litery Q, V i X stosowane są tylko w wyrazach zapożyczonych, dlatego, kiedy np. zdarzy się coś bardzo wesołego, piszemy, że to „kupa śmiechu" a nie „qpa śmiechu".

MATEMATYKA GRECKA

Szkoła arystotelejska Arystoteles wyróżnił trzy typy nauk: nauki teoretyczne, takie jak matematyka, fizyka czy logika; nauki praktyczne, np. politykę czy etykę, a także nauki produktywne, do których zaliczył sztukę. Podstawowe zasady rządzące matematyką zawarł w postaci aksjomatów (były to m.in. zasady logiki i sprzeczności) oraz postulatów (które nie musiały sprawiać wrażenie oczywistych, ale musiały być prawdziwe).

✹ UKŁAD KRWIONOŚNY

Układ naczyń żylnych Za transportowanie krwi z powrotem do serca jest odpowiedzialny układ naczyń żylnych. Z naczyń włosowatych krew najpierw przepływa małymi żyłami, a później trafia do większych żył. Dwie największe żyły noszą nazwę *venae cavae* (żyły główne) i obie kończą się w prawej komorze. Żyła główna górna transportuje krew z części organizmu położonej powyżej serca i jest połączona z komorą serca w części górnej, a żyła główna dolna transportuje krew z części organizmu położonej poniżej serca i łączy się w części dolnej komory.

WŁOSKI

Użyteczne zwroty Oto kilka zwrotów, które mogą się okazać przydatne podczas podróży do Włoch:

Cześć – *Ciao*
Dzień dobry – *Buongiorno*
Dobry wieczór – *Buonasera*
Gdzie jest toaleta? – *Dove posso trovare il bagno?*
Ile to kosztuje? – *Quanto costa questo?*
Dziękuję – *Grazie*
Czy mówicie po angielsku? – *Parli inglese?*
Czy mogę prosić o pomoc? – *Può aiutarmi?* (w języku formalnym)/*Puoi aiutarmi?* (w języku swobodnym)
O której odjeżdża pociąg? – *Quando parte il treno?*

1. **Jakie zwierzęta wykorzystywali Hunowie, atakując wroga?**
   a. Psy.
   b. Konie.
   c. Jastrzębie.
   d. Tygrysy.

2. **Attyla został wodzem Hunów po tym, jak:**
   a. zabił swego brata;
   b. zabił swego wuja;
   c. zabił swego ojca;
   d. zabił przywódcę imperium rzymskiego.

3. **Alfabet fenicki był pierwszym alfabetem, który:**
   a. wykorzystywał hieroglify;
   b. wykorzystywał pismo klinowe;
   c. wykorzystywał symbole oznaczające słowa;
   d. wykorzystywał symbole oznaczające dźwięki.

4. **Co bezpośrednio wpłynęło na rozwój alfabetu staroangielskiego?**
   a. Alfabet grecki.
   b. Wynalezienie prasy drukarskiej.
   c. Alfabet łaciński.
   d. Wprowadzenie przez misjonarzy alfabetu runicznego.

5. **Tales, uznawany za pierwszego matematyka, założył szkołę:**
   a. arystotelejską;
   b. jońską;
   c. platońską;
   d. pitagorejską.

6. **Arystoteles podzielił wiedzę matematyczną na aksjomaty oraz:**
   a. sztukę;
   b. fizykę;
   c. postulaty;
   d. logikę.

7. **Krew jest transportowana z serca przez tętnice, a do serca przez żyły, niosąc ze sobą:**
   a. przeciwciała;
   b. naczynia włosowate oraz tętnice;
   c. żyły główne (górną i dolną);
   d. tlen i składniki odżywcze.

8. **Co czerwone krwinki transportują do płuc po odebraniu z niego tlenu i dostarczeniu go do komórek?**
   a. Dwutlenek węgla.
   b. Azot.
   c. Tlenek węgla.
   d. Żadne z powyższych.

9. **Jakie samogłoski w języku włoskim zawsze wymawia się tak samo?**
   a. e, o, i.
   b. a, i, u.
   c. a, e, i.
   d. u, o, e.

10. **Jak zapytać po włosku „Ile to kosztuje?"**
    a. *Quando parte il treno?*
    b. *Può aiutarmi?*
    c. *Quanto costa questo?*
    d. *Puoi aiutarmi?*

HISTORIA: Imperium osmańskie

Gdzie leżało imperium osmańskie?, Powstanie, Rozwój, Społeczeństwo, Schyłek, Upadek

 MATEMATYKA: Matematyka chińska

Przed dynastią Qin, Matematyka dynastii Han, Matematyka dynastii Tang, Matematyka dynastii Song i Yuan, *Cenne zwierciadło czterech żywiołów*, Od dynastii Ming po dynastię Qing

 SZTUKA JĘZYKA: Język

Co wyróżnia człowieka?, Językoznawstwo, Semantyka, Pragmatyka, Fonetyka, Składnia

 PRZYRODA: Układ oddechowy

Wdychanie, Wydychanie, Płuca, Nos oraz jama nosowa, Astma, Przewlekła obturacyjna choroba płuc

Lekcja 5

 JĘZYKI OBCE: Niemiecki

Początki, Najstarsze formy języka niemieckiego, Niemieckie dialekty, Współczesny niemiecki, Niemiecki dzisiaj, Użyteczne zwroty

IMPERIUM OSMAŃSKIE

Gdzie leżało imperium osmańskie? Imperium Osmańskie w latach 1299–1923 znajdowało się na terenie dzisiejszej Turcji. W XVI i XVII w. przeżywało rozkwit, a jego terytorium rozciągało się od północnej Afryki aż po południowo-zachodnią Azję oraz południowo-wschodnią Europę, tworząc 29 prowincji. Przez sześć wieków stolicą imperium był Konstantynopol, w którym splatały się wpływy Wschodnie i Zachodnie.

JĘZYK

Co wyróżnia człowieka? Ludzki język to coś wyjątkowego, zdecydowanie różniącego się od sposobów, w jakie porozumiewają się zwierzęta. Człowiek potrafi wydawać niezwykle różnorodne dźwięki, posługując się kilkoma tysiącami różnych języków. Ludzie uczą się języka poprzez interakcję. U zwierząt, umiejętność komunikacji przekazywana jest genetycznie, a zestaw dźwięków, jakimi potrafi posługiwać się dane zwierzę jest bardzo ograniczony.

MATEMATYKA CHIŃSKA

Przed dynastią Qin Pierwsze dowody na zainteresowanie matematyką datuje się na lata 1600–1050 p.n.e., a więc na okres panowania dynastii Shang. Są to notatki pozostawione na kościach wyroczni. W latach późniejszych Chińczycy rozwinęli system dziesiętny i pogłębili wiedzę na temat równań, arytmetyki, algebry, patyczków liczbowych, a nawet liczb ujemnych. Za czasów dynastii Zhou, a więc w latach 1122–256 p.n.e., matematyka stała się obowiązkowym przedmiotem szkolnym. Niewiele wiadomo na temat rozwoju matematyki w okresie, kiedy władza pozostawała w rękach dynastii Qin.

UKŁAD ODDECHOWY

Wdychanie Zadaniem układu oddechowego jest wentylacja organizmu poprzez wzbogacenie krwi w tlen, który jest później rozprowadzany po całym organizmie. Tlen wprowadzany jest do organizmu dzięki procesowi wdychania powietrza przez jamę nosową. Stamtąd jest ono kierowane przez krtań i tchawicę, która rozgałęzia się na małe rurki zwane oskrzelami. Te z kolei dzielą się na oskrzeliki prowadzące do płuc, które budowane są przez pęcherzyki płucne. Wdech jest aktem czynnym procesu.

○ NIEMIECKI

Początki Niemiecki należy do najpopularniejszych współczesnych języków indoeuropejskich. Chociaż niektóre niemieckie słowa wywodzą się z łaciny, nie jest to język romański. Najbliższym językowym krewnym niemieckiego jest angielski, ale wykazuje on również pokrewieństwo z językiem holenderskim, norweskim, duńskim i szwedzkim. Najstarsze zapiski w tym języku pochodzą z roku 750. Dzieje języka niemieckiego dzieli się w trzy podstawowe okresy: staroniemiecki, średnioniemiecki i współczesny niemiecki.

IMPERIUM OSMAŃSKIE

Powstanie Imperium Osmańskie powstało w początkach XIV w. Bezpośrednią przyczyną jego powstania był upadek państwa Seldżukidów. W miarę jak Osmanowie zajmowali kolejne tereny, w okresie rządów Mehmeda II Zdobywcy w roku 1451, wygasły wszystkie tureckie dynastie. Kiedy władzę objął Osman I zaczęto atakować cesarstwo bizantyńskie. Politykę tę kontynuowali jego następcy.

JĘZYK

Językoznawstwo Lingwistyka lub językoznawstwo to nauka o języku, którym posługuje się człowiek. Naukę tę można podzielić na kilka kategorii, np.: gramatykę (gdzie w centrum zainteresowań znajdują się zasady tworzenia prawidłowych zdań), semantykę (jakie odnośniki stosuje się w języku, aby zakomunikować taką czy inną informację) czy lingwistykę historyczną (jak język ewoluował na przestrzeni wieków). Językoznawcy wierzą, że zdolność uczenia się języka oraz komunikowania się za jego pomocą z otoczeniem jest cechą wyróżniającą człowieka spośród pozostałych zwierząt, podobnie jak np. umiejętność chodzenia.

MATEMATYKA CHIŃSKA

Matematyka dynastii Han Dynastia Han panowała od roku 206 p.n.e. do roku 220 n.e. Za jej czasów Chińczycy opanowali umiejętność posługiwania się liczbami. Stosowano system dziesiętny, a do rachowania używano liczydeł. Dwóch znanych matematyków tamtych czasów, Liu Xin i Zhang Heng, odpowiadało za znaczny postęp w uczeniu matematyki dzięki wprowadzeniu do nauczania pojęcia liczby pi oraz astronomii. Wydane w 179 r. dzieło *Dziewięć rozdziałów na temat sztuki matematyki* zawierało praktyczne informacje, jak należy wykorzystywać matematykę w życiu codziennym, a także bardziej zaawansowane rozważania dotyczące np. równań liniowych.

UKŁAD ODDECHOWY

Wydychanie Wewnątrz płuc znajdują się niewielkie torebki zwane pęcherzykami płucnymi. Wdychany tlen przechodzi przez nie, a następnie łączy się z krwią tętniczą poprzez naczynia włosowate. Żyły płucne transportują dwutlenek węgla do pęcherzyków płucnych, gdzie jest on wydalany z organizmu w trakcie wydychania powietrza. Wydech jest aktem biernym procesu. Zarówno wdychanie, jak i wydychanie, są możliwe dzięki nieustannie napinającemu i rozluźniającemu się mięśniowi przepony i mięśni międzyżebrowych.

○ NIEMIECKI

Najstarsze formy języka niemieckiego Tej odmiany języka niemieckiego używano w latach 750–1050. Język staro-wysoko-niemiecki znany był też jako język starosaksoński, a posługiwali się nim mieszkańcy północno-zachodniego wybrzeża Niemiec oraz Niderlandów. W okresie inwazji barbarzyńców i migracji brzmienie języka niemieckiego zaczęło ulegać zmianom. Następcą języka staro-wysoko-niemiecki był język średnio-wysoko-niemiecki.

IMPERIUM OSMAŃSKIE

Rozwój Od czasu kiedy władzę objął Mehmed II Zdobywca, imperium osmańskie zaczęło znacząco rozszerzać swój zasięg. W 1453 r. Osmanie przejęli Konstantynopol, stolicę cesarstwa bizantyńskiego. Czas najgwałtowniejszego rozwoju Imperium Osmańskiego przypadł na okres rządów Selima I Groźnego oraz jego syna Sulejmana Wspaniałego. Imperium objęło wówczas zasięgiem Węgry, Transylwanię, Persję, Egipt, Syrię i Grecję.

 JĘZYK

Semantyka Rolą języka jest przyporządkowywanie znaczenia pewnym znakom. Zasób słownictwa to zbiór wszystkich znaków, jakie zna dany użytkownik języka. Inaczej mówiąc – są to wszystkie słowa, jakimi posługuje się ta czy inna osoba. Leksem to pojedynczy znak, który komunikuje konkretne znaczenie. Np. słowo „pies" oznacza jedną konkretną rzecz – nie sposób pomylić psa z kotem czy ze słoniem.

 MATEMATYKA CHIŃSKA

Matematyka dynastii Tang Dynastia Tang sprawowała rządy w latach 618–907. Nauczanie matematyki stało się wówczas standardem w chińskich szkołach. Matematyk Wang Xiaotong był autorem pionierskiej pracy poruszającej problem równań kwadratowych. Za czasów dynastii Tang Chińczycy wzbogacili swoją wiedzę w dziedzinie wyższej algebry, wzorów dwumianowych i geometrii. Zaniedbano natomiast rozwój trygonometrii.

 UKŁAD ODDECHOWY

Płuca Narząd parzysty o gąbczastej strukturze to płuca. Całkowita powierzchnia ludzkich płuc jest większa niż całkowita powierzchnia ludzkiej skóry. Gdyby rozłożyć obok siebie wszystkie drogi oddechowe i pęcherzyki płucne znajdujące się wewnątrz płuc, zajęłyby one przestrzeń około 100 m². Po jamie nosowej płuca stanowią drugą linię obrony ludzkiego organizmu przed wdychaniem szkodliwych substancji. W płucach tworzy się śluz, który przechwytuje szkodliwe substancje i dodatkowo chroni organizm za pomocą białych krwinek.

 NIEMIECKI

Niemieckie dialekty Dialekty w języku niemieckim dzieli się na dolnoniemieckie i wysokoniemieckie. Granicą podziału jest linia poprowadzona przez Akwizgran, Düsseldorf, Kassel, Kalbe, Wittenbergę i Frankfurt nad Odrą. Do dialektów dolnoniemieckich zaliczamy: dolnofrankoński, dolnosaski, brandenburski, emski, holsztyński, meklemburski, oldenburski i westfalski. Dialekty wysokoniemieckie dzielą się na środkowoniemieckie i górnoniemieckie. Na bazie dialektów dolnoniemieckich ukształtowały się języki holenderski, flamandzki i jidysz.

IMPERIUM OSMAŃSKIE

Społeczeństwo Jednym z powodów sukcesu imperium osmańskiego była zdolność zjednoczenia pod jedną władzą bardzo różnych społeczeństw poprzez tolerowanie odmiennych religii. Stało się tak dzięki systemowi milletów, który określał prawa i obowiązki ludności niemuzułmańskiej. Różnorodność etniczna stanowiła także słabość imperium, ponieważ uniemożliwiała utrzymanie poczucia wspólnej przynależności narodowej i ostatecznie stała się jedną z przyczyn jego upadku.

JĘZYK

Pragmatyka Zajmuje się kwestią wpływu kontekstu na znaczenie. Pragmatyka wyjaśnia, jak to się dzieje, że posługując się językiem, ludzie unikają całego mnóstwa wieloznaczności związanych z czasem, miejscem i sposobem wypowiadania się. Jako wypowiedź językową definiuje się każde zdanie lub fragment zdania pojawiający się w konkretnym kontekście, a zadaniem pragmatyki jest zrozumienie, jak ów kontekst wpływa na znaczenie wypowiadanych słów.

MATEMATYKA CHIŃSKA

Matematyka dynastii Song i Yuan W XII i XIII w. żyło wielu znakomitych matematyków, których dokonania skupiały się wokół tematu równań kwadratowych i sześciennych oraz pierwiastków. Yang Hui odkrył i przeprowadził dowód na istnienie trójkątnej tablicy liczb (znanego dziś jako trójkąt Pascala). Qin Jiushao wprowadził do chińskiej matematyki liczbę zero, a Li Zhi prowadził badania w dziedzinie geometrii algebraicznej i zrewolucjonizował proces wpisywania trójkątów w okrąg, wykorzystując do tego twierdzenie Pitagorasa.

UKŁAD ODDECHOWY

Nos oraz jama nosowa Nos wraz z gardłem stanowią pierwszą linię obrony układu oddechowego. Wnętrze nosa wyściela silnie unaczyniona błona śluzowa zawierająca migawki i wytwarzająca śluz. Podczas wdychania powietrza przez nos zanieczyszczenia zatrzymywane są przez znajdujące się tam włoski i dodatkowo nawilżane. W jamie nosowej powietrze jest również ogrzewane, co sprawia, że wdychane powietrze jest odpowiednie dla płuc.

NIEMIECKI

Współczesny niemiecki Początki współczesnego niemieckiego datuje się mniej więcej na rok 1500, kiedy wykształcił się język, którego do dziś używa się w krajach niemieckojęzycznych. Pierwsze zasady gramatyczne współczesnego niemieckiego ustalono w roku 1880, a w 1901 r. uznano je za standard.

IMPERIUM OSMAŃSKIE

Schyłek Od XVI do XVIII w. imperium osmańskie musiało stawić czoła wielu wojnom, rewolucjom i układom politycznym, co miało znaczący wpływ na jego pogarszającą się sytuację ekonomiczną. Na efekty nie trzeba było długo czekać – Turcja utraciła w tamtym czasie kontrolę nad Serbią, Czarnogórą, Bośnią, Rumunią, Hercegowiną, Grecją i Egiptem. Niegdyś zamożna, zyskała wówczas miano „europejskiego biedaka".

 # JĘZYK

Fonetyka Nauka o dźwiękach, z jakich składa się ludzka mowa. Fonetykę można podzielić na trzy dziedziny: fonetykę artykulacyjną (zajmującą się wytwarzaniem dźwięków przez narządy mowy), fonetykę akustyczną (skupiającą się na przekazywaniu dźwięków od jednego użytkownika języka do drugiego) oraz fonetykę audytywną (badającą dźwięki z perspektywy słuchacza).

 # MATEMATYKA CHIŃSKA

Cenne zwierciadło czterech żywiołów Chu Shi-jie napisał dzieło pod tym poetyckim tytułem w roku 1303 n.e. Było to szczytowe osiągnięcie chińskiej algebry. Chu Shi-jie dowodzi za pomocą równań algebraicznych, że cztery żywioły – człowiek, materia, ziemia i niebo – stanowią reprezentację czterech niewiadomych. W swoich rozważaniach autor podejmował m.in. temat rozwiązywania układów równań, wykonywania równań do 14 stopnia włącznie, a także wykorzystywania trójkąta Pascala.

 # UKŁAD ODDECHOWY

Astma Chroniczne zapalenie dróg oddechowych, które prowadzi do ich zwężenia. Na astmę cierpi ponad 20 milionów osób. Do jej ataku dochodzi w wyniku opuchnięcia dróg oddechowych podczas napinania mięśni. Uniemożliwia to normalny przepływ powietrza i może prowadzić do świszczącego oddechu, problemów z oddychaniem, a nawet do śmierci.

 # NIEMIECKI

Niemiecki dzisiaj W czasach obecnych język niemiecki jest najpopularniejszym językiem w Unii Europejskiej, a także jednym z trzech najczęściej uczonych języków obcych. Jest językiem urzędowym Niemiec, Austrii, Szwajcarii, Luksemburga oraz Liechtensteinu, a także części takich krajów, jak Belgia, Rumunia, Francja czy Włochy. Posługuje się nim ponad 100 milionów ludzi na całym świecie.

IMPERIUM OSMAŃSKIE

Upadek W 1908 r. nacjonalistyczny i postulujący reformy ruch polityczny o nazwie Młodoturcy doprowadził do anulowania konstytucji z 1876 r. W 1909 r. parlament detronizował sułtana i postawił na czele państwa Mehmeda V. W wyniku dwóch wojen na Bałkanach Turcja utraciła niemalże całe swoje europejskie terytorium. Podczas I wojny światowej sprzymierzyła się z państwami centralnymi, a w 1918 r. ruch oporu całkowicie zaniknął, kończąc tym samym dzieje imperium osmańskiego.

JĘZYK

Składnia Nauka zajmująca się zasadami tworzenia poprawnych zdań. Istnieje wiele teorii naukowych odnoszących się do składni jako dziedziny językoznawstwa. Do najpopularniejszych z nich należy teoria transformacyjno-generatywna Noama Chomsky'ego, która pomaga zidentyfikować związek pomiędzy poszczególnymi częściami zdania, a także wieloma możliwymi typami zdań, a do tego proponuje konkretne reguły pozwalające wyrazić takie związki.

MATEMATYKA CHIŃSKA

Od dynastii Ming po dynastię Qing Od połowy XIV w. dynastia Ming straciła zainteresowanie matematyką, co spowodowało upadek tej nauki w Chinach. Pod koniec XVI w. zaczęły docierać do Chin informacje o matematycznych odkryciach dokonywanych na Zachodzie. Do połowy XIX w. Chińczycy skupiali się już wyłącznie na poznawaniu matematyki Zachodu, ale pod koniec stulecia udało im się dokonać własnych odkryć w dziedzinie algebry. Za czasów dynastii Ming dużą popularność zyskał pierwowzór liczydła.

UKŁAD ODDECHOWY

Przewlekła obturacyjna choroba płuc W przeciwieństwie do astmy, której efekty można złagodzić za pomocą lekarstw, przewlekła obturacyjna choroba płuc (POChP) objawia się zwężaniem dróg oddechowych, pogarszającym się z biegiem czasu. Dochodzi jednocześnie do rozedmy płuc oraz do przewlekłego zapalenia oskrzeli, które są zazwyczaj spowodowane przez podrażnienie płuc. Najczęstszą przyczyną tej choroby jest palenie papierosów, a objawia się ona przez świszczący, płytki i nadmiernie szybki oddech oraz chroniczny kaszel. Symptomy te pojawiają się jednak zazwyczaj dopiero wtedy, gdy płuca są już bardzo zniszczone chorobą.

NIEMIECKI

Użyteczne zwroty Oto kilka zwrotów, które mogą się okazać przydatne podczas podróży do krajów niemieckojęzycznych:

Dzień dobry – *Guten morgen*
Cześć – *Hallo*
Zgubiłem się – *Ich habe mich verlaufen*
Gdzie jest toaleta? – *Wo ist das Badezimmer?*
Ile to kosztuje? – *Was kostet das?* (form.)/*Wie teuer ist das?* (nieform.)
Czy mówicie po angielsku? – *Sprechen Sie Englisch?*
Która godzina? – *Wieviel Uhr ist es?* (form.)/*Wie spät ist es?* (nieform.)

1. **Jednym z powodów sukcesu imperium osmańskiego było to, że:**
   a. odniosło dwa zwycięstwa na Bałkanach;
   b. wykazywało znaczną tolerancję religijną, pozwalając zjednoczyć się różnorodnym społeczeństwom;
   c. młodoturcy doprowadzili do zmiany konstytucji;
   d. turcja sprzymierzyła się z państwami centralnymi.

2. **W okresie rozkwitu imperium osmańskiego w jego skład wchodziły:**
   a. Kanada, Stany Zjednoczone, Meksyk, Egipt, Syria i Francja;
   b. Hiszpania, Włochy, Niemcy, Rumunia, Egipt i Bułgaria;
   c. Węgry, Transylwania, Persja, Egipt, Syria i Grecja;
   d. Węgry, Francja, Stany Zjednoczone, Egipt i Grecja.

3. **Słowo takie, jak „pies", które może oznaczać tylko jedną rzecz, jest przykładem:**
   a. leksemu;
   b. składni;
   c. gramatyki generatywno-transforma- cyjnej Noama Chomsky'ego;
   d. fonetyki nadawczej.

4. **Czym zajmuje się fonetyka akustyczna?**
   a. Opisywaniem narządów mowy.
   b. Opisywaniem transmisji dźwięków pomiędzy nadawcą a odbiorcą.
   c. Opisywaniem dźwięków z perspektywy słuchacza.
   d. Żadnym z powyższych.

5. **Co nie jest zaliczane do czterech żywiołów w dziele *Cenne zwierciadło czterech żywiołów*?**
   a. Materia.
   b. Woda.
   c. Niebo.
   d. Ziemia.

6. **W jakiej dziedzinie nastąpił rozwój za czasów dynastii Tang?**
   a. Algebry.
   b. Wzorów dwumianowych.
   c. Geometrii.
   d. We wszystkich powyższych dziedzinach.

7. **Co stanowi pierwszą linię obrony układu oddechowego?**
   a. Płuca.
   b. Nos.
   c. Jama nosowa.
   d. Zarówno (b) i (c).

8. **Jaka jest najczęstsza przyczyna przewlekłej obturacyjnej choroby płuc?**
   a. Świszczący oddech.
   b. Palenie.
   c. Astma.
   d. Kaszel.

9. **Językiem niemieckim posługuje się na całym świecie:**
   a. ponad 90 milionów ludzi;
   b. ponad 95 milionów ludzi;
   c. ponad 100 milionów ludzi;
   d. ponad 105 milionów ludzi.

10. **Na bazie dialektów dolnoniemiec- kich ukształtowały się języki:**
    a. holenderski, flamandzki i angielski;
    b. holenderski, flamandzki i hiszpański;
    c. holenderski, flamandzki i jidysz;
    d. holenderski, flamandzki i duński.

Odpowiedzi: b, c, a, b, d, d, d, b, c, c.

HISTORIA: MAGNA CARTA

Król Jan bez Ziemi opodatkowuje swój lud, Król Jan i papież, Utworzenie Wielkiej Karty Swobód, Artykuł 61, Współczesna Wielka Karta Swobód, Trwałe skutki stworzenia Wielkiej Karty Swobód

MATEMATYKA: NOTACJA NAUKOWA

Czym jest notacja naukowa?, Przykłady notacji naukowej, Notacja naukowa a wykładnik ujemny, Od notacji naukowej do notacji dziesiętnej, Rząd wielkości, Notacja inżynierska

SZTUKA JĘZYKA: CZYTANIE

Umiejętność czytania, Szybkie czytanie, Fonetyzacja, Czytanie leksykalne i subleksykalne, Szybkie automatyczne nazywanie, Zaburzenia umiejętności czytania

PRZYRODA: UKŁAD TRAWIENNY

Jama ustna, Przełyk, Żołądek, Jelito cienkie, Jelito grube, Inne organy

Lekcja 6

JĘZYKI OBCE: ANGIELSKI

Początki, Język pisany, Pisownia i fonetyka, Dialekty, Uniwersalność, Użyteczne zwroty

MAGNA CARTA

Król Jan bez Ziemi opodatkowuje swój lud Król Jan doszedł do władzy w 1199 r. i stał się jednym z najbardziej kontrowersyjnych władców w historii Anglii. Nigdy go nie lubiano, ale to właśnie w wyniku jego nieudanego ataku na Francję doszło do podpisania wiekopomnego dokumentu o nazwie Magna Carta, znanego również jako Wielka Karta Swobód. Chodziło o to, że w związku z wysokimi kosztami ataku na Francję, monarcha postanowił opodatkować swych poddanych, co wzbudziło powszechne oburzenie.

CZYTANIE

Umiejętność czytania Umiejętność czytania i pisania sprowadza się do wykorzystywania i rozumienia symboli danego systemu pisma, a także zdolności interpretacji tego, co oznaczają, i umiejętności odtwarzania ich tak, aby inni również mogli je zrozumieć i zinterpretować w podobny sposób. Analfabetyzm to natomiast brak umiejętności czytania i pisania objawiający się niezrozumieniem symboli danego systemu pisma.

NOTACJA NAUKOWA

Czym jest notacja wykładnicza (naukowa)? Notacja naukowa to sposób zapisywania liczb, sprawiający, że łatwiej się nimi posługiwać. Liczby te mogą mieć jakąkolwiek wartość, ale notacji naukowej używa się zazwyczaj wtedy, gdy liczby są zbyt duże lub zbyt małe. Upraszczając tradycyjny sposób zapisu dziesiętnego, można później bez trudu korzystać z tych liczb w różnego rodzaju równaniach i wzorach. Oto klasyczny przykład notacji naukowej:

$$x \times 10^y$$

gdzie x to liczba rzeczywista oraz $1<x<10$, a y to liczba całkowita, określająca, jak daleko należy przesunąć separator dziesiętny (a więc przecinek).

UKŁAD TRAWIENNY

Jama ustna Początkowy odcinek układu pokarmowego, w którym rozpoczyna się proces trawienia chemicznego i mechanicznego pokarmu. Kiedy człowiek spożywa pokarm, w jamie ustnej uaktywniają się gruczoły produkujące ślinę, która zawiera enzymy rozkładające związki chemiczne – węglowodany – zawarte w jedzeniu. Nawilżony pokarm poddawany jest procesowi rozdrabniania i mieszania. Zęby miażdżą go podczas przeżuwania, a nawilżony śliną z enzymami pokarm uzyskuje konsystencję papki, którą można połknąć.

ANGIELSKI

Początki Angielski jest językiem zachodniogermańskim, wykształconym z dialektów przybyłych do Brytanii germańskich osadników i rzymskich wojsk. Wśród mieszaniny dialektów tworzących język staroangielski dominujący stał się dialekt zachodniosaski. Po przyjęciu chrześcijaństwa duży wpływ na staroangielszczyznę wywarła łacina, potem zaś wzbogacili ją najeźdźcy – wikingowie, którzy skolonizowali część Brytanii w VIII i IX w., wnosząc do staroangielskiego zapożyczenia ze staronordyjskiego, a w XI stuleciu Normanowie, którzy wzbogacili go o słowa romańskie, kończąc epokę staroangielskiego i zapoczątkowując okres języka średnioangielskiego.

MAGNA CARTA

Król Jan i papież W 1207 r. król Jan stoczył batalię z papieżem na temat tego, kto powinien zostać arcybiskupem Canterbury. W efekcie tego sporu papież nałożył na króla ekskomunikę, co jeszcze pogorszyło stosunki monarchy z poddanymi. Choć przepraszał później papieża, ten jednak pozostawał niewzruszony i w 1214 r. ogłosił, że jeśli ktoś zdecyduje się zdetronizować króla Jana, będzie mógł to uczynić legalnie. Tego samego roku monarcha przegrał kolejną bitwę z Francuzami, w związku z czym Anglia utraciła wszystkie posiadłości na rzecz Francji.

CZYTANIE

Szybkie czytanie Proces zwany szybkim czytaniem polega na zwiększeniu prędkości czytania tekstu bez wyraźnego zmniejszenia poziomu zrozumienia jego treści. Istnieje kilka metod szybkiego czytania, takich jak „prześlizgiwanie się", a więc wyszukiwanie w zdaniach konkretnych wskazówek co do ich znaczenia, albo też „prowadzenie", kiedy wzrok jest prowadzony do tekstu np. za pomocą palca.

NOTACJA NAUKOWA

Przykłady notacji wykładniczej Przyjrzyjmy się prostemu przykładowi notacji naukowej:

$$3 \times 10^4 = 30\ 000$$

Trójkę można by również zapisać jako 3,0 ponieważ nie następują po niej żadne inne liczby, tak więc od trójki przecinek przesuwa się o dodatkowe cztery miejsca w prawo. Przesunięcie następuje w stronę prawą, ponieważ wykładnik potęgi jest dodatni. Chcąc przedstawić za pomocą notacji naukowej liczbę 5000, zastosowalibyśmy następujący zapis:

$$5 \times 10^3$$

UKŁAD TRAWIENNY

Przełyk Język wpycha rozdrobnione jedzenie do tylnej części gardła, gdzie rozpoczyna się przełyk – to ok. 25-centymetrowa rurka zbudowana z tkanki chrzęstnej, odpowiedzialna za transport jedzenia i łącząca gardło z żołądkiem. Skurcze mięśni ścianek przełyku przesuwają jedzenie w kierunku żołądka. Podczas przełykania dostęp do tchawicy jest zakrywany małą klapką zwaną nagłośnią, co gwarantuje, że jedzenie trafia właśnie do przełyku i dalej do żołądka.

ANGIELSKI

Język pisany Staroangielski pierwotnie zapisywany był runami, jednak pod wpływem irlandzkich misjonarzy w użycie wszedł alfabet łaciński. Najdonioślejszym świadectwem piśmiennictwa staroangielskiego jest anonimowy epos *Beowulf*, spisany w X w. w dialekcie zachodniosaskim, a średnioangielskiego – XIV-wieczne *Opowieści kanterberyjskie* Geoffreya Chaucera. Pierwsze wydanie *Biblii Króla Jakuba* oraz dzieła Williama Szekspira zostały spisane już w języku wczesnym nowoangielskim, którego epoka przypada na lata 1440–1650. W tym okresie rozpoczęła się standaryzacja języka angielskiego.

MAGNA CARTA

Utworzenie Wielkiej Karty Swobód Po przegranej bitwie z Francuzami Anglicy zbuntowali się przeciwko królowi Janowi. W 1215 r. podpisano Wielką Kartę Swobód, którą do dziś uznaje się za jeden z najznakomitszych dokumentów, jakie kiedykolwiek stworzono. Wielka Karta Swobód stanowiła zbiór 63 artykułów, które w znacznej mierze ograniczały władzę monarchy i kładły podwaliny pod utworzenie parlamentu. Król Jan został zmuszony do podpisania dokumentu przez możnowładztwo.

 CZYTANIE

Fonetyzacja Czasem zwana subwokalizacją, fonetyzacja polega na wypowiadaniu każdego czytanego wyrazu – na głos (fonetyzacja zewnętrzna) lub w myśli (fonetyzacja wewnętrzna). Jest złym przyzwyczajeniem, jeśli chce się opanować szybkie czytanie, ponieważ bardzo je spowalnia, ale z drugiej strony jest to zupełnie naturalny proces u każdego czytającego.

 NOTACJA NAUKOWA

Notacja naukowa a wykładnik ujemny Jeśli wykładnik potęgi jest ujemny, należy cofnąć przecinek o tyle miejsc, ile wskazuje jego wartość liczbowa. Przykładowo:

$$500 \times 10^{-1} = 50$$

Zaczynamy więc od 500 – liczbę tę można także przedstawić jako 500,0 – a następnie przesuwamy przecinek o jedno miejsce w lewo i otrzymujemy liczbę 50. Niezależnie od tego, jak skomplikowana może się wydawać dana liczba, w celu przekształcenia jej zapisu na dziesiętny należy kierować się wykładnikiem potęgi.

 UKŁAD TRAWIENNY

Żołądek Narząd w kształcie worka, w którym gromadzony pokarm poddawany jest procesowi dalszego trawienia. Biorą w tym udział enzymy trawienne i sok żołądkowy wydzielany przez gruczoły znajdujące się w ścianach żołądka. Produkowany przez nie kwas solny sterylizuje pokarm, niszcząc szkodliwe bakterie znajdujące się w pokarmie. Tu również enzymy (pepsyna) rozpoczynają trawienie białek. Tak wymieszany i rozdrobniony pokarm w postaci półpłynnej substancji transportowany jest do jelita cienkiego.

 ANGIELSKI

Pisownia i fonetyka Alfabet angielski jest tożsamy z alfabetem łacińskim i składa się z 26 liter. Pisownia samogłosek jest bardzo nieregularna, zwłaszcza w poszczególnych, licznych dialektach. Nieregularnością cechuje się też wymowa dyftongów – długich samogłosek o zmiennym przebiegu artykulacji. Obcokrajowcom problemy zazwyczaj sprawia też miękka wymowa spółgłoski *r* (konieczne jest podwinięcie do góry czubka języka bez dotykania podniebienia i dziąseł) oraz spółgłoski reprezentowanej w piśmie przez dwuznak *th* (wymaga kontaktu czubka języka z górnymi siekaczami).

MAGNA CARTA

Artykuł 61 Fragmentem Wielkiej Karty Swobód, który dziś najczęściej się analizuje, jest artykuł 61. Zakładano w nim możliwość utworzenia komisji składającej się z 25 baronów i mającej prawo detronizacji króla, gdyby nie wypełniał on obowiązków, jakie narzucała mu Magna Carta. W razie potrzeby baronowie mogliby przejąć wszystkie majątki i zamki należące do władcy. Zarówno król Jan, jak i papież odmówili wydania zgody na taki zapis, co doprowadziło do wojny domowej znanej jako Pierwsza Wojna Baronów. Wielka Karta Swobód do dziś uznawana jest za fundament porządku konstytucyjnego i gwarancję wolności obywatelskich w Wielkiej Brytanii.

 CZYTANIE

Czytanie leksykalne i subleksykalne Leksykalność i subleksykalność to procesy wpływające na to, jak dana osoba uczy się czytać. Czytanie subleksykalne (pośrednie, fonologiczne) polega na łączeniu poszczególnych symboli z dźwiękami – od brzmienia do znaczenia słowa – co osiąga się poprzez stosowanie fonetycznej nauki języka. Czytanie leksykalne (bezpośrednie, wzrokowe) to uczenie się słów lub zwrotów bez zwracania uwagi na to, z czego się składają. Polega ono więc na całościowym podejściu do języka – od graficznego obrazu słowa do jego znaczenia.

 NOTACJA NAUKOWA

Od notacji naukowej do notacji dziesiętnej Aby przekształcić liczbę zapisaną za pomocą notacji dziesiętnej w liczbę zapisaną za pomocą notacji naukowej, należy postępować odwrotnie. Zaczynamy więc od liczby w formie dziesiętnej, a kończymy na równaniu $x \times 10^y$. Robiąc to, należy dbać, aby x było jak najprostszą liczbą ze zbioru (1, 10). Liczbę 0,003 można więc przedstawić jako 3×10^{-3}. Kiedy liczba jest bardziej skomplikowana, wystarczy pamiętać, że powinna zamykać się w zbiorze (1, 10). Przykładowo: 0,002345 to tyle samo, co $2{,}345 \times 10^{-3}$.

 UKŁAD TRAWIENNY

Jelito cienkie Z żołądka pokarm wędruje do jelita cienkiego – organu, który u dorosłego człowieka po rozłożeniu mierzy ok. 5 metrów. Jelito cienkie budują trzy odcinki: dwunastnica, jelito czcze i jelito kręte. Tu zachodzi dalszy proces rozkładania pokarmu i wchłaniania większości składników odżywczych, które następnie transportowane są do wątroby, a niestrawione resztki trafiają do jelita grubego.

 ANGIELSKI

Dialekty Język angielski jest mocno zróżnicowany geograficznie, a jego dialekty różnią się fonetyką, słownictwem i gramatyką. Najbardziej prestiżowy standardowy angielski nosi nazwę Received Pronunciation (RP) lub BBC English, ale jest używany przez ok. 5% mieszkańców Anglii i w dużej mierze wyparty przez Estuary English (w skrócie EE), będący połączeniem RP i Cockneyu (gwary miejskiej Londynu). W Irlandii funkcjonuje Irish English, z wyraźnie różną odmianą dublińską. W USA używa się angielszczyzny amerykańskiej (AmE, American English), w Kanadzie – kanadyjskiej (CaE, Canadian English). Afroamerykanie posługują się własnym dialektem, znanym jako African American Vernacular English (AAVE) lub Ebonics. Jest też angielski australijski, będący mieszaniną brytyjskiego i amerykańskiego.

MAGNA CARTA

Współczesna Wielka Karta Swobód Dziś w Anglii obowiązują zaledwie trzy z oryginalnych 63 klauzul składających się na Magna Cartę. Pierwsza z nich zapewnia swobody angielskiemu Kościołowi, druga nadaje Londynowi oraz innym miastom, miasteczkom, portom oraz gminom prawo do korzystania z dawnych tradycji i swobód, a trzecia i najbardziej znana z nich ogłasza, że żaden wolny człowiek nie będzie więziony, zatrzymywany czy pozbawiany praw bez sprawiedliwego osądu dokonanego przez równych mu obywateli oraz że dochodzenie sprawiedliwości nikomu nie będzie odmawiane.

CZYTANIE

Szybkie automatyczne nazywanie Metoda o nazwie szybkie automatyczne nazywanie (Rapid Automatized Naming, RAN) polega na sprawdzaniu ilości czasu, jakiej potrzebuje dana osoba, aby nazwać symbole, kolory, obrazki oraz przedmioty, robiąc to na głos i najszybciej, jak się da. Test ten może skutecznie określać, jaką zdolność czytania będzie miało dziecko w późniejszym wieku i nie jest powiązany ani ze sprawnością posługiwania się słownictwem w danym momencie, ani też z obecną świadomością fonologiczną czy umiejętnością czytania.

NOTACJA NAUKOWA

Rząd wielkości Rząd wielkości to liczba zaokrąglona do najbliższej potęgi liczby 10. Pozwala to uprościć pewne porównania, szacunki czy kalkulacje „z grubsza". Przykładowo, jeśli coś posiada wartość 1,9 i musimy dokonać z tą liczbą pewnych luźnych obliczeń, zauważamy, że bliżej jej do 10^0 niż do 10^1, a więc rozwiązując równanie, należy użyć wartości 10^0.

UKŁAD TRAWIENNY

Jelito grube Długość jelita grubego wynosi około 1,5 m i rzeczywiście jest ono grubsze niż jelito cienkie. Wyróżniamy w nim jelito ślepe, okrężnicę i odbytnicę. Niestrawione resztki pokarmowe przekazywane są z jelita cienkiego do jelita grubego. Nie mają już żadnej wartości odżywczej, a więc organizm nie jest w stanie ich wykorzystać. Rozpoczyna się proces formowania mas kałowych. Substancja przechodzi przez część jelita grubego o nazwie okrężnica, gdzie wchłaniana jest woda i sole mineralne, a flora bakteryjna produkuje witaminę K i z grupy B. W efekcie powstają masy kałowe, które docierają do odbytu, kończąc proces trawienia.

⊙ ANGIELSKI

Uniwersalność Angielski, jeden z oficjalnych języków ONZ, Unii Europejskiej i NATO, od XX w. jest najczęściej używanym językiem w kontaktach międzynarodowych. Stanowi obecnie źródło zapożyczeń na prawie całym świecie, co wyraźnie widać choćby w polszczyźnie. Dla ok. 328 mln ludzi jest to język ojczysty, a dodatkowo 1,2–1,6 mld posługuje się nim jako drugim językiem. Ma status urzędowy w ok. 60 państwach. Niekiedy określa się go pierwszym uniwersalnym językiem ludzkości.

MAGNA CARTA

Trwałe skutki stworzenia Wielkiej Karty Swobód Magna Carta wpłynęła na proces tworzenia takich dokumentów, jak konstytucja Stanów Zjednoczonych, Deklaracja Niepodległości czy też amerykańska Karta Praw. Trzecia klauzula Wielkiej Karty Swobód, mówiąca o tym, że nikt nie może być więziony bez uprzedniego osądzenia przez równych mu obywateli, okazała się najbardziej inspirująca ze wszystkich; można ją odnaleźć w Piątej Poprawce na Karcie Praw. Z kolei pierwsza klauzula zakładała rozdzielenie państwa i Kościoła.

 CZYTANIE

Zaburzenia umiejętności czytania Najczęstszymi formami zaburzeń procesu uczenia się są zaburzenia umiejętności czytania. Dysleksja rozwojowa, określana też mianem „specyficznych trudności w nauce czytania i pisania", w rzeczywistości może utrudniać zarówno proces czytania i pisania, jak i proces mówienia. Nie wpływa natomiast na zdolność myślenia i pojmowania, ani też na iloraz inteligencji danej osoby. Do najczęstszych symptomów dysleksji należą: problemy z rymowaniem, problemy z rozpoznawaniem napisanych słów oraz problemy ze zrozumieniem najprostszych zdań.

 NOTACJA NAUKOWA

Notacja inżynierska Forma notacji naukowej wykorzystywana w inżynierii lądowej i mechanicznej. Notacja inżynierska różni się nieco od typowej notacji naukowej, ponieważ wykładniki liczby 10 są w tym przypadku ograniczone do wielokrotności liczby 3. Dzieje się tak, jako że mamy wówczas do czynienia z podstawą potęgi równej 1000, a więc zamiast pisać 1000^2, równie dobrze można napisać 10^6.

 UKŁAD TRAWIENNY

Inne organy Wątroba, pęcherzyk żółciowy i trzustka również odgrywają znaczącą rolę w prawidłowym działaniu układu trawiennego. Organy te wydzielają enzymy, które trafiają przewodami do jelita cienkiego i wspomagają trawienie białek, tłuszczów i węglowodanów. Wątroba wydziela substancję zwaną żółcią, która rozbija tłuszcz (emulgacja) i której nadmiar przechowywany jest w pęcherzyku żółciowym. W wątrobie ma miejsce magazynowanie i przemiana głównych składników pokarmowych, także obrabianie krwi bogatej w składniki odżywcze i jej detoksykacja.

 ANGIELSKI

Użyteczne zwroty Oto kilka zwrotów, które mogą się okazać przydatne podczas podróży do krajów anglojęzycznych:

Dzień dobry – *Good morning* (przed południem)/*Good afternoon* (po południu)
Dobry wieczór – *Good evening*
Do widzenia – *Goodbye*
Cześć – *Hi*
Zgubiłem się – *I'm lost*
Ile to kosztuje? – *How much is it?*
Która godzina? – *What time is it?*

1. **Co zakładał artykuł 61?**
   a. Nikt nie może być więziony bez uprzedniego osądzenia przez równych mu obywateli.
   b. Londyn, a także inne miasta, miasteczka, porty oraz gminy mają prawa do korzystania z dawnych tradycji i swobód.
   c. Komisja składająca się z 25 baronów posiada prawo do obalenia króla.
   d. Kościół angielski może cieszyć się szeregiem swobód.

2. **Wielka Karta Swobód miała olbrzymi wpływ na stworzenie:**
   a. Karty Praw Stanów Zjednoczonych Ameryki;
   b. amerykańskiej konstytucji;
   c. Deklaracji Niepodległości;
   d. wszystkich dokumentów wymienionych w odpowiedziach (a), (b) i (c).

3. **Do metod stosowanych w procesie szybkiego czytania zaliczamy:**
   a. fonetyzację;
   b. „prześlizgiwanie się";
   c. „prowadzenie";
   d. metody wymienione w odpowiedziach (b) i (c).

4. **Na czym polega różnica pomiędzy czytaniem subleksykalnym a leksykalnym?**
   a. Czytanie subleksykalne polega na łączeniu poszczególnych symboli z dźwiękami, a leksykalne to uczenie się słów lub zwrotów bez zwracania uwagi na to, z czego się składają.
   b. Czytanie leksykalne opiera się na fonetycznej nauce języka, a subleksykalne – nie.
   c. Czytanie subleksykalne wykorzystuje metodę szybkiego automatycznego nazywania, a leksykalne – fonetyczną naukę języka.
   d. Czytanie leksykalne zakłada stosowanie metody „prześlizgiwania się" po tekście, a subleksykalne – nie.

5. **Jak zapisać liczbę 400, stosując notację naukową?**
   a. 4×10^0
   b. 4×10^{-2}
   c. 4×10^2
   d. 40×10^2

6. **Na jaką liczbę w zapisie dziesiętnym przekłada się zapis $6{,}4 \times 10^{-3}$?**
   a. 6400
   b. -6400
   c. 0,0064
   d. 0,064

7. **Czym jest żółć?**
   a. Sokiem trawiennym znajdującym się w żołądku.
   b. Enzymem znajdującym się w ślinie.
   c. Substancją tworzoną przez wątrobę.
   d. Pokarmem w formie umożliwiającej przełykanie go.

8. **Rolą soków żołądkowych jest m.in.:**
   a. zabijanie bakterii, które mogą się znajdować w pokarmie;
   b. wchłanianie składników odżywczych;
   c. zamienianie pokarmu w żółć;
   d. wchłanianie żółci.

9. **_Opowieści kanterberyjskie_ Geoffreya Chaucera zostały spisane w języku:**
   a. staroangielskim;
   b. średnioangielskim;
   c. wczesnym nowoangielskim;
   d. standardowym angielskim.

10. **Którego angielskiego zwrotu używamy, witając się z kimś?**
    a. _Good morning._
    b. _Good afternoon._
    c. _Hi._
    d. Wszystkich zwrotów podanych w odpowiedziach (a), (b) i (c).

Odpowiedzi: c, d, d, a, c, c, c, a, b, d.

HISTORIA: Reformacja
Władza Kościoła, 95 tez Marcina Lutra, Rozprzestrzenianie się reformacji, Jan Kalwin, Hugenoci, Kontrreformacja

 MATEMATYKA: Działania
Dodawanie, Odejmowanie, Mnożenie, Dzielenie, Potęgowanie i pierwiastkowanie, Silnia

 SZTUKA JĘZYKA: Pisanie
Logogramy, Sylabariusze, Leworęczność, Praworęczność, *Cross-dominance*, Oburęczność

 PRZYRODA: Tkanki
Czym jest tkanka?, Tkanka nabłonkowa, Tkanka łączna, Tkanka mięśniowa, Tkanka nerwowa, Narządy

Lekcja 7

 JĘZYKI OBCE: Rosyjski
Początki, Cyrylica, Reformy językowe Piotra Wielkiego, Potrzeba zmiany języka, Radziecka reforma pisowni z 1918 r., Użyteczne zwroty

REFORMACJA

Władza Kościoła Na początku XVI w. religia rzymskokatolicka dominowała w Europie Zachodniej. Kościół uważał, że nikt poza nim nie ma prawa do interpretacji Biblii. W epoce renesansu ludzie zaczęli dochodzić do wniosku, że Kościół posiada zbyt dużą władzę, a do swobodnej wymiany myśli przyczyniło się wynalezienie prasy drukarskiej. W XIV w. John Wycliffe jako pierwszy przetłumaczył Biblię z łaciny na język angielski.

 PISANIE

Logogramy Współcześnie systemy pisma oparte na logogramach można odnaleźć np. w języku chińskim czy japońskim. Logogramy to symbole, które przedstawiają całe słowa. Podstawową wadą takich systemów jest ogromna ilość symboli, jakie muszą poznać ich użytkownicy – bez wątpienia jest to niezwykle długotrwały proces. Z tego też powodu nie istnieją dziś systemy pisma, które byłyby w pełni oparte na logogramach – zawsze zawierają one również pewne elementy fonetyczne.

 DZIAŁANIA

Dodawanie Jak sama nazwa wskazuje, dodawanie polega na łączeniu ze sobą różnych wartości. Tak więc w działaniu 3 + 6 dodajemy czy też łączymy ze sobą dwie liczby, otrzymując wynik 9. Znak plus (+) wywodzi się ze skrótu oznaczającego łacińskie słowo *et*, czyli *i*. Znak ten po raz pierwszy pojawił się w druku w dziele Johannesa Widmanna z 1489 r. pt. *Mercantile Arithmetic or Behende und hüpsche Rechenung auff allen Kauffmanschafft*.

 TKANKI

Czym jest tkanka? Komórki ciała są pogrupowane w ten sposób, aby mogły pełnić określoną funkcję – w tym celu łączą się ze sobą, tworząc tkankę. Kiedy wiele tkanek łączy się ze sobą, aby pełnić określoną funkcję, powstaje narząd (organ). W przypadku zwierząt rozróżniamy następujące rodzaje tkanek budujących ciało: tkankę nabłonkową, łączną płynną i oporową, mięśniową oraz nerwową.

 ROSYJSKI

Początki W VI w. Słowianie rozpoczęli migrację z terenów należących obecnie do Polski i z biegiem czasu zaczęli osiedlać się na Bałkanach. Do X w. zachodnie, południowe i wschodnie języki słowiańskie wykształciły trzy podobne, ale jednak różniące się od siebie grupy językowe. Wschodniosłowiański stał się przodkiem językowym takich języków jak: białoruski, ukraiński i rosyjski. Miały one wiele wspólnych reguł gramatycznych i opierały się na takim samym języku pisanym (choć pozostawały różne w wymowie), znanym jako starosłowiański.

REFORMACJA

95 tez Marcina Lutra W 1517 r. augustiański mnich Marcin Luter uznał, że czas zakończyć sprzedajną i oszukańczą politykę Kościoła. Aby tego dokonać, spisał listę 95 tez wymierzonych przeciwko praktykom przyjętym przez Kościół (takim jak np. kupczenie odpustami), przedstawiających wizję nowej, lepszej religii niepodporządkowanej papieżowi. Luter przybił swe tezy do drzwi kościoła w Wittenberdze.

 PISANIE

Sylabariusze Zbiór znaków lub symboli, które reprezentują sylaby i są wykorzystywane do tworzenia słów to sylabariusz. Symbol wykorzystywany w sylabariuszu to albo połączenie spółgłoski z samogłoską, albo też sama samogłoska. System pisma oparty na sylabariuszu ma często zastosowanie przy zapisywaniu języków, które nie miały formy pisanej, czego przykładem może być język czirokeski. Sylabariusz znajdziemy również w języku japońskim.

 DZIAŁANIA

Odejmowanie Działanie przeciwne do dodawania nazywamy odejmowaniem, co oznacza, że w jego wyniku pomniejszamy pewną wartość o taką czy inną liczbę. Tak więc, jeśli odejmiemy 3 od 10, co wyrażamy za pomocą działania 10 – 3, otrzymamy 7. Znak minus po raz pierwszy pojawił się w druku w dziele Johannesa Widmanna z 1489 r. zatytułowanym *Mercantile Arithmetic or Behende und hüpsche Rechenung auff allen Kauffmanschafft*. Znak ten pochodzi najprawdopodobniej od symbolu tyldy (~), którego używano wraz z literą m jako skrótu od łacińskiego słowa meno (minus).

 TKANKI

Tkanka nabłonkowa Pokrywa cały organizm i tworzy osłonę lub wyściółkę poszczególnych organów, a także zewnętrznych części ciała, tworząc skórę. Tkanka nabłonkowa jest zbudowana ze ściśle do siebie przylegających komórek, które tworzą jedną lub więcej powłok. Śródbłonek pokrywa powierzchnię wewnętrznych jam ciała i w związku z tym do jego głównych funkcji należą: wchłanianie, wydzielanie, ochrona, sekrecja, reprodukcja i odbieranie bodźców.

 ROSYJSKI

Cyrylica W IX w. dwaj misjonarze, Konstantyn i Metody, otrzymali zadanie spisania języka starosłowiańskiego oraz nauczania religii chrześcijańskiej na Morawach. Konstantyn, który na łożu śmierci zmienił imię i kazał nazywać się Cyrylem, stworzył słowiański alfabet zwany cyrylicą. Cyrylica opierała się w znacznej mierze na alfabecie greckim, do którego dodano litery odpowiadające dźwiękom, które nie istniały u Greków.

REFORMACJA

Rozprzestrzenianie się reformacji W tym samym czasie, gdy idee Marcina Lutra zaczęły zyskiwać coraz większą popularność wśród społeczeństwa, Ulrich Zwingli doprowadził do podobnej rewolty w Szwajcarii. Wynalazek prasy drukarskiej, umożliwiającej drukowanie książek, ułatwił rozprzestrzenianie się idei obu reformatorów, ale należy zaznaczyć, że w pewnych kwestiach ich poglądy znacząco różniły się od siebie. Nauki Lutra stały się podstawą luteranizmu. Wkrótce do głosu doszedł także trzeci liczący się reformator protestancki – Jan Kalwin.

 PISANIE

Leworęczność Kwestia leworęczności czy praworęczności to coś więcej niż tylko większa łatwość pisania lewą lub prawą ręką. Kształtuje się ona już w zarodku, a jedna z najpopularniejszych teorii głosi, że na budowę mózgu płodu wpływa prenatalny testosteron. Jeśli występuje w nadmiernej ilości, może to doprowadzić do leworęczności dziecka. Taka teoria pozwala wyjaśnić dlaczego więcej jest leworęcznych chłopców niż dziewczynek oraz dlaczego leworęczność tak często występuje u bliźniąt płci męskiej.

 DZIAŁANIA

Mnożenie Kilkukrotnie powtórzone dodawanie to mnożenie. W działaniu 5 x 4 mamy więc do czynienia z sytuacją kiedy to liczba 5 jest czterokrotnie dodawana do samej siebie, co można też wyrazić działaniem 5 + 5 + 5 + 5. Znak mnożenia przyjmuje różne formy, a najpopularniejsze to x (np. 5 x 4) oraz × (5 × 4).

 TKANKI

Tkanka łączna Zbudowana jest z dużej ilości substancji międzykomórkowej, wewnątrz której zawieszone są komórki tej tkanki. Dzięki takiej budowie tkanka łączna podtrzymuje i wiąże inne tkanki ciała. Tworzy konstrukcję, na której opiera się tkanka nabłonkowa, a tkanka mięśniowa i nerwowa są w niej osadzone. Do grupy tkanek łącznych zaliczamy: tkankę kostną, chrzęstną, krew i limfę. Główne komórki odpowiedzialne za ochronę immunologiczną organizmu również znajdują się w tkance łącznej i to właśnie w niej dochodzi do różnych stanów zapalnych, które są przejawem obrony organizmu przed atakiem drobnoustrojów chorobotwórczych.

 ROSYJSKI

Reformy językowe Piotra Wielkiego Na początku XVIII w. władzę w Rosji objął Piotr Wielki. Wraz z reformami politycznymi przeprowadził także reformę alfabetu, doprowadzając tym samym do jego modyfikacji, uproszczenia i usunięcia niektórych greckich liter. Wprowadzono wówczas do języka słownictwo pochodzące z zachodniej Europy, a wymowa zaczęła odzwierciedlać raczej porenesansową Europę niż cesarstwo bizantyńskie.

 REFORMACJA

Jan Kalwin W 1536 r. prawnik Jan Kalwin opublikował dzieło pt. *Ustanowienie religii chrześcijańskiej*, w którym zawarł podstawy proponowanej przez siebie teologii. Nauki Kalwina zaczęły zyskiwać coraz większą popularność i wkrótce doprowadził on do reformacji w Genewie. Choć Kalwin i Luter żyli w tym samym okresie i mieli wiele wspólnych przekonań, były też między nimi znaczące różnice, np. Kalwin zgadzał się z teorią predestynacji, zgodnie z którą już od momentu narodzin każdy człowiek miał być albo skazywany na wieczne potępienie albo też miał dostępować zbawienia.

PISANIE

Praworęczność Dziewięćdziesiąt procent społeczeństwa jest praworęczna. Naukowcy wciąż nie są zgodni co do tego, jak należy wyjaśnić większą łatwość posługiwania się prawą ręką. Odkryto, że u człowieka pierwotnego praworęczność wcale nie była aż tak powszechna jak obecnie. W społeczeństwach, gdzie teksty pisane są od strony lewej do prawej, praworęczność ułatwia życie, a w wielu krajach i kulturach używanie prawej ręki jest wyrazem szacunku.

DZIAŁANIA

Dzielenie To odwrotność mnożenia, co oznacza, że w wyniku dzielenia rozkładamy pewną wartość na kilka równych części. Dzielenie można wyrazić na różne sposoby, z których najpopularniejsze jest użycie pomiędzy dwoma liczbami występującymi w działaniu dwukropka lub ukośnika. Tak więc, jeśli $5 \times 4 = 20$, to $20 : 5 = 4$, co możemy również wyrazić jako 20/5.

TKANKI

Tkanka mięśniowa Poruszanie się umożliwia nam tkanka mięśniowa, która ma zdolność kurczenia się oraz przewodzenia impulsów elektrycznych. Tkankę mięśniową możemy podzielić na: zależną od woli, niezależną od woli, gładką i poprzecznie prążkowaną. Funkcjonalnie i strukturalnie wyróżniamy trzy rodzaje tkanki mięśniowej: tkankę mięśniową poprzecznie prążkowaną budującą mięśnie szkieletowe (zależna od woli i łącząca się z kośćmi), tkankę mięśniową poprzecznie prążkowaną budującą mięsień sercowy (niezależny od woli) oraz mięśnie gładkie (niezależne od woli wyściełające ściany przewodu pokarmowego, macicy, pęcherza, układ oddechowy, oczy oraz ścianki naczyń krwionośnych).

ROSYJSKI

Potrzeba zmiany języka W połowie XVIII w. zaistniała potrzeba stworzenia pisanej formy ówczesnego języka rosyjskiego. Wyróżniono trzy różne style: styl wysoki, zwany również językiem cerkiewnosłowiańskim, którego używano w obrządkach religijnych oraz w poezji; styl średni, który wykorzystywano w nauce i prozie; a także styl niski, którym posługiwano się, pisząc komedie oraz w prywatnej korespondencji. Styl średni miał stać się podstawą współczesnego języka rosyjskiego.

REFORMACJA

Hugenoci Rankiem 18 października 1584 r. mieszkańcy Paryża co krok napotykali na drzwiach i murach odezwy z antykatolickimi hasłami, krytykującymi m.in. katolickie msze i pojęcie Eucharystii. Podobne odezwy pojawiły się również na terenie całej północnej Francji, a nawet na drzwiach królewskiej komnaty. Za sprawców uznano grupę hugenotów, którzy agitowali za przyjęciem kalwinizmu we Francji. Ukarano ich za ten czyn spaleniem na stosie. Wkrótce pociągnęło to za sobą zakrojone na szeroką skalę prześladowania protestantów.

 # PISANIE

Cross-dominance Z *cross-dominance* mamy do czynienia wtedy, gdy dana osoba używa lewej ręki do wykonywania jednych zajęć, a prawej – do pozostałych. W rzadkich przypadkach zjawisko to może prowadzić do oburęczności, ale zazwyczaj osoba, u której występuje cross-dominance, jest lewo- lub praworęczna. W niektórych przypadkach okazuje się też, że ręka, która nie jest u danej osoby dominująca, jest tak naprawdę silniejsza.

 # DZIAŁANIA

Potęgowanie i pierwiastkowanie Potęgowanie to mnożenie danej liczby przez nią samą. Działanie to przedstawia się za pomocą wykładnika potęgi – małej cyfry umieszczonej nieco w górze z prawej strony liczby, którą poddajemy działaniu. Tak więc 4^2 to 16 ponieważ 4 x 4 = 16. Pierwiastkowanie to odwrotność potęgowania. Wyraża się je za pomocą symbolu $\sqrt{\ }$. Kwadraty liczby naturalnej po pierwiastkowaniu również dają liczbę naturalną. Przykładowo $\sqrt{100}$ = 10 ponieważ 10^2 = 100, a więc 100 jest kwadratem liczby naturalnej. $\sqrt{105}$ = 10,246951, wynik nie jest liczbą naturalną, w związku z czym liczba 105 na pewno nie jest kwadratem liczby naturalnej.

 # TKANKI

Tkanka nerwowa Jest złożona z neuronów – komórek odbierających i przekazujących informacje oraz komórek glejowych, których zadaniem jest odżywianie dotlenianie i ochrona neuronów. Podstawową rolą tkanki nerwowej jest przewodzenie impulsów oraz reakcja na bodźce. Stanowi ona główną część układu nerwowego. Tkanka nerwowa jest budulcem mózgu, rdzenia kręgowego (ośrodkowy układ nerwowy) oraz obwodowych nerwów czaszkowych i rdzeniowych (obwodowy układ nerwowy).

ROSYJSKI

Radziecka reforma pisowni z 1918 r. Tuż po rewolucji rosyjskiej po raz kolejny uproszczono język rosyjski, co miało być wyrazem ówczesnej ideologii politycznej. Usunięto z niego cztery litery, a także jedną niemą literę wykorzystywaną na końcu wyrazów. Wprowadzono również nową terminologię polityczną i pozbyto się zwrotów grzecznościowych charakterystycznych dla klasy wyższej. Tego rodzaju zmiany dobrze oddawały charakter rozpoczynającego się wówczas autorytarnego reżimu.

REFORMACJA

Kontrreformacja Początkowo Kościół katolicki nie przejmował się zanadto reformacją, ale kiedy zaczęła się rozprzestrzeniać w całej Europie, papież zwołał w 1545 r. sobór trydencki, aby zapobiec pogłębianiu się schizmy. Hiszpański duchowny Ignacy Loyola po rezygnacji z kariery wojskowej założył zakon jezuitów – zgromadzenie, które reformowało Kościół, pozostając w jego strukturach.

PISANIE

Oburęczność Polega na równie sprawnym posługiwaniu się tak lewą, jak i prawą ręką. Oburęczność jest rzadką formą *cross-dominance'u* i choć można ją wyszkolić, zaledwie jedna osoba na sto rodzi się z taką zdolnością. W związku z tym, że większość produktów przeznaczonych jest dla ludzi praworęcznych, ludzie leworęczni mają dodatkową motywację, aby nauczyć się używać drugiej ręki i to oni znacznie częściej stają się oburęczni.

DZIAŁANIA

Silnia Pojęcie silni jest tak naprawdę bardzo proste do zrozumienia. Silnię wyraża się przez dodanie wykrzyknika za liczbą (np. 5!), a oznacza ona, że dokonujemy mnożenia wszystkich dodatnich liczb naturalnych poprzedzających liczbę ze znakiem wykrzyknika. 5! oznacza więc: $5 \times 4 \times 3 \times 2 \times 1 = 120$.

TKANKI

Narządy Organy (lub narządy) to grupy tkanek, które współdziałają, aby spełniać określone funkcje. W każdym narządzie można zazwyczaj wyróżnić tkankę główną – miękisz, który różni się w zależności od tego, w jakim organie występuje, oraz tkankę ogólną, występującą w takiej samej formie w wielu różnych organach, czyli np. tkankę łączną lub krew. Grupy narządów współpracujących ze sobą, aby spełniać określone funkcje, tworzą układy narządów.

ROSYJSKI

Użyteczne zwroty Oto kilka zwrotów, które mogą się okazać przydatne podczas podróży do Rosji. Nie zapisano ich za pomocą rosyjskiego alfabetu, ale w formie przybliżającej ich wymowę:

Dzień dobry – *Zdrawstwujtie*
Cześć – *Priwjet*
Czy mówicie po polsku?/angielsku? – *Gawaritie li wy pa polski/anglijski?*
Muszę skorzystać z toalety – *Mnie nużno otojti w tualiet*
Która godzina? – *Kotoryj czias?*
Do widzenia – *Da swidanija*
Tak – *Da*
Nie – *Niet*

1. **Który z poniższych postulatów został ujęty w tezach Marcina Lutra?**
   a. Odrzucenie chrześcijaństwa.
   b. Odrzucenie protestantyzmu.
   c. Odrzucenie papieża.
   d. Odrzucenie pojęcia Trójcy Świętej.

2. **Które z poniższych zdań jest prawdziwe?**
   a. Na początku XVI w. religia rzymskokatolicka była jedyną religią wyznawaną w Europie Zachodniej.
   b. Na początku XVI w. protestantyzm i kalwinizm były jedynymi religiami wyznawanymi w Europie Zachodniej.
   c. Na początku XVI w. luteranizm był jedyną religią wyznawaną w Europie Zachodniej.
   d. Na początku XVI w. luteranizm i kalwinizm były jedynymi religiami wyznawanymi w Europie Zachodniej.

3. **Oburęczność to przykład:**
   a. praworęczności;
   b. leworęczności;
   c. slabariusza;
   d. *cross-dominance'u.*

4. **Z jakiego powodu nie istnieją obecnie żadne systemy pisma w pełni oparte na logogramach?**
   a. Ponieważ wymowa słów różni się od ich formy pisanej.
   b. Ponieważ użytkownicy takiego systemu musieliby się uczyć zbyt wielu symboli.
   c. Ponieważ słowa zawierają zbyt wiele spółgłosek.
   d. Ponieważ słowa zawierają zbyt wiele samogłosek.

5. **Jak nazwiemy działanie: $9 \times 6 = 54$?**
   a. Dzieleniem.
   b. Pierwiastkowaniem.
   c. Silnią.
   d. Mnożeniem.

6. **Która z podanych wartości stanowi kwadrat liczby całkowitej?**
   a. $\sqrt{97}$
   b. $\sqrt{43}$
   c. $\sqrt{49}$
   d. $\sqrt{67}$

7. **Najważniejsze komórki biorące udział w obronie immunologicznej organizmu znajdują się w:**
   a. tkance łącznej;
   b. tkance nerwowej;
   c. tkance nabłonkowej;
   d. narządach.

8. **Jaka jest podstawowa rola śródbłonka?**
   a. Wchłanianie.
   b. Ochrona.
   c. Sekrecja.
   d. Zarówno (a), (b) i (c).

9. **Kto wynalazł cyrylicę?**
   a. Piotr Wielki.
   b. Konstantyn.
   c. Metody.
   d. Osoby wymienione w odpowiedziach (b) i (c).

10. **Jakiej zmiany nie obejmowała radziecka reforma pisowni z 1918 r.?**
    a. Usunięcia czterech liter.
    b. Usunięcia niemej litery występującej na końcu wyrazów.
    c. Wprowadzenia nowej terminologii politycznej.
    d. Wprowadzenia nowych samogłosek.

Odpowiedzi: c, a, d, b, d, c, a, d, d, d.

HISTORIA: Rzym
Legendarny początek, Królestwo
Rzymskie, Republika rzymska,
Imperium rzymskie, Upadek
cesarstwa, Koloseum

 MATEMATYKA:
Ułamki dziesiętne
Określanie wartości, Dodawanie
i odejmowanie, Mnożenie, Dzielenie,
Zaokrąglanie, Obliczanie procentów

 SZTUKA JĘZYKA:
Mówienie
Struny głosowe, Głos,
Głośność, Tonacja głosu,
Sposób wysławiania się,
Problemy z mówieniem

 PRZYRODA:
Rozmnażanie
Układ rozrodczy człowieka,
Gamety, Męski układ płciowy,
Żeński układ płciowy, Okres
prenatalny, Rozmnażanie
bezpłciowe

Lekcja 8

 JĘZYKI OBCE:
Grecki
Greka epoki mykeńskiej,
Greka klasyczna, Koine,
Greka bizantyńska,
Współczesny język
nowogrecki, Użyteczne
zwroty

RZYM

Legendarny początek Według legendy bliźniacy Romulus i Remus byli synami boga Marsa. Ich ojciec obawiał się, że pewnego dnia podniosą na niego rękę, postanowił więc obu utopić. Uratowała ich wilczyca, wykarmiła i wychowywała do momentu, aż zostali odnalezieni przez pewnego pasterza i jego żonę. Kiedy chłopcy dorośli, postanowili wznieść miasto. Pokłócili się jednak o to, który z nich miałby sprawować władzę. Romulus zabił Remusa, a następnie nadał miastu pochodzącą od własnego imienia nazwę – Rzym.

MÓWIENIE

Struny głosowe Odpowiedzialnymi za wytwarzanie głosu są struny głosowe. Są to dwa rozciągnięte przy tchawicy kawałki tkanki. Otwierają się podczas oddychania i zamykają podczas przełykania jedzenia. W trakcie mówienia tkanki te wibrują i modulują strumień powietrza wydostającego się z płuc. Tak powstaje głos.

UŁAMKI DZIESIĘTNE

Określanie wartości System dziesiętny umożliwia wyrażanie ułamków w formie wykorzystującej przecinek i dowolną liczbę miejsc po przecinku. Tak więc $\frac{8}{10}$ to tyle samo, co 0,8. Każda cyfra po przecinku wyraża określoną część z dziesięciu, stu, tysiąca itd., a zatem np. 0,8 to osiem części z dziesięciu. Następna cyfra po przecinku oznaczałaby ilość części ze stu, a kolejna – z tysiąca. Przykładowo 0,54 to pięćdziesiąt cztery setne, a 0,986 to dziewięćset osiemdziesiąt sześć tysięcznych.

ROZMNAŻANIE

Układ rozrodczy człowieka Układ rozrodczy to zespół współpracujących ze sobą narządów umożliwiających człowiekowi rozmnażanie. Aby doszło do rozmnażania, musi dojść do połączenia gamet, czyli komórki rozrodczej męskiej – plemnika, z komórką rozrodczą żeńską, czyli komórką jajową. Potomstwo może dziedziczyć materiał genetyczny zarówno po matce, jak i po ojcu.

GRECKI

Greka epoki mykeńskiej Najstarsza forma języka greckiego. Greką epoki mykeńskiej posługiwano się od XVI do XI w. p.n.e. w Mykenach i na Krecie. Jedyną pozostałość tego języka stanowią tabliczki z pismem linearnym B. Dowodzą, że używano wówczas systemu pisma opartego na znakach sylabicznych. Alfabet mykeński składał się z 88 znaków odpowiadających różnym sylabom, nie różnicował długich oraz krótkich samogłosek, nie wyróżniał także podwójnych spółgłosek.

RZYM

Królestwo Rzymskie Imperium Rzymskie istniało od 753 do 509 r. p.n.e. Rzym był w tamtych czasach wioską nad brzegami rzeki Tyber, a rządziło nim siedmiu królów (z których pierwszym był Romulus) wybieranych na całe życie przez mieszkańców. Zgodnie z legendą następcami Romulusa byli mężczyźni należący do różnych klas, w tym także niewolnicy. W pewnym okresie niedobór kobiet stał się przyczyną najazdu na sąsiednie terytorium plemienia Sabinek. Obszar Królestwa Rzymskiego rozrósł się wówczas do około 700 km². Ważną rolę spełniał składający się ze stu mężczyzn senat, mający za zadanie służyć radą królowi.

MÓWIENIE

Głos Aby wydobyć z siebie głos, należy wydychać powietrze z płuc, które przechodzić będzie przez lekko przymknięte struny głosowe. Przeszedłszy przez szczelinę, powietrze przyspiesza, tworząc efekt zasysania. Zasysanie przyciąga struny głosowe ku środkowi, które następnie zostają odepchnięte przez jeszcze większą masę powietrza z płuc. Ten powtarzalny proces to fala śluzówkowa, a jego regularność ma zasadnicze znaczenie dla wytwarzania głosu.

UŁAMKI DZIESIĘTNE

Dodawanie i odejmowanie Dodawane i odejmowane ułamki zapisuje się nad kreską, a wynik pod nią. I tak:

$$
\begin{array}{r} 3{,}4 \\ + 1{,}4567 \\ \hline 4{,}8567 \end{array} \quad i \quad \begin{array}{r} 4{,}5 \\ - 3{,}2 \\ \hline 1{,}3 \end{array}
$$

Odejmując lub dodając ułamki z różną ilością miejsc po przecinku, można dopisać zera na końcu. Na przykład,

$$
\begin{array}{r} 4{,}5 \\ - 3{,}234 \\ \hline 1{,}266 \end{array} \quad \text{można zapisać jako} \quad \begin{array}{r} 4{,}500 \\ - 3{,}234 \\ \hline 1{,}266 \end{array}
$$

ROZMNAŻANIE

Gamety Istnieją dwa rodzaje gamet, zwanych też komórkami rozrodczymi, które biorą udział w procesie rozmnażania człowieka. Gametę męską nazywamy plemnikiem, a żeńską – komórką jajową albo jajem. Gamety powstają w narządach zwanych gonadami. W przypadku mężczyzn są to jądra, a u kobiet proces ten zachodzi w jajnikach. Każda gameta składa się z 23 chromosomów (22 autosomy i 1 chromosom płciowy). Komórki jajowe zawierają wyłącznie chromosom płciowy X oraz 22 autosomy, a plemniki – albo chromosom płciowy X, albo chromosom płciowy Y oraz 22 autosomy. Podczas stosunku gamety łączą się w procesie zwanym zapłodnieniem. Jeśli obie zawierają chromosom płciowy X, powstała w ten sposób zygota przekształci się w dziecko płci żeńskiej (chromosomy płciowe XX), a jeżeli plemnik zawiera chromosom Y – w dziecko płci męskiej (chromosomy płciowe XY).

GRECKI

Greka klasyczna Greka epoki klasycznej była niezwykle popularna na Półwyspie Bałkańskim i na wybrzeżach Azji Mniejszej. Istniały trzy różne odmiany greki klasycznej, którymi posługiwano się w różnych regionach: dorycka (na wybrzeżach Peloponezu), eolska (na Wyspach Egejskich) i jońska (na zachodnim wybrzeżu Azji Mniejszej).

LEKCJA 8B

RZYM

Republika rzymska Po zdetronizowaniu ostatniego króla Tarkwiniusza Pysznego utworzono republikę, której system władzy opierał się na czymś na kształt samorządów terytorialnych wybieranych przez społeczeństwo. Republika rzymska istniała od 500 do 30 r. p.n.e. W tym okresie Rzym sięgnął po tereny w basenie Morza Śródziemnego, Północnej Afryce, Grecji i na Półwyspie Iberyjskim. Pod koniec tego okresu do władzy doszedł Juliusz Cezar, który postanowił zostać dyktatorem Rzymu.

 # MÓWIENIE

Głośność Amplituda (lub głośność), z jaką mówimy, to wynik ciśnienia wytwarzanego przez powietrze przechodzące przez struny głosowe. Im więcej powietrza, tym większe ciśnienie i tym większa głośność. Struny głosowe muszą się napiąć, aby wytworzyć to ciśnienie. Cierpiący na paraliż strun głosowych są niezdolni do podnoszenia głosu, jako że nie są w stanie wytworzyć właśnie tego niezbędnego ciśnienia.

 # UŁAMKI DZIESIĘTNE

Mnożenie Mnożenie ułamków dziesiętnych nie jest wcale bardziej skomplikowane niż dodawanie czy odejmowanie, gdyż mnożymy je w taki sam sposób jak liczby naturalne, a po otrzymaniu wyniku odcinamy w nim przecinkiem tyle końcowych cyfr, ile zer było w obu czynnikach. Chcąc poznać wynik działania:

$$5,46$$
$$\times\, 0,6$$

mnożymy 546 × 6. Otrzymujemy wynik 3276, w którym przecinek wstawiamy miedzy cyfry 3 i 2, gdyż oba czynniki przykładu miały w sumie trzy zera. Zatem wynik działania 5,46 × 0,6 to 3,276.

 # ROZMNAŻANIE

Męski układ płciowy Zadaniem męskiego układu płciowego jest produkowanie nasienia, czyli spermy, oraz transport plemników, które w trakcie stosunku seksualnego łączą się z komórką jajową. Zewnętrzne części męskiego układu płciowego to: członek, czyli narząd kopulacyjny biorący udział w stosunku seksualnym i moszna – worek, który zapewnia utrzymywanie właściwej temperatury jąder. Istnieje też kilka wewnętrznych elementów męskiego układu rozrodczego, w tym np. jądra, które produkują testosteron i wytwarzają plemniki; najądrze, gdzie dojrzewają plemniki i gdzie są magazynowane; nasieniowody, czyli rurki transportujące dojrzałe plemniki do cewki moczowej, która wydala z ciała zarówno mocz, jak i nasienie.

☺ GRECKI

Koine Korzenie greki koine sięgają początków kolonizacji hellenistycznej. Był to pierwszy potoczny dialekt, jaki stworzyli Grecy, a powstał z wymieszania dialektu attyckiego (będącego poddialektem dialektu jońskiego, którym posługiwano się w Atenach) oraz innych greckich dialektów. Z biegiem czasu stał się on lingua franca we wschodniej części basenu Morza Śródziemnego (wspólnym językiem dla społeczeństw, które na co dzień posługiwały się różnymi językami). Greką koine napisano m.in. Nowy Testament.

RZYM

Imperium rzymskie Imperium (czy też cesarstwo) rzymskie istniało od 27 r. p.n.e. Upadek cesarstwa zachodniego miał miejsce w 476 r., a wschodniego, czyli Bizancjum, w 1453 r. Jego początek przypada na okres, kiedy Oktawian August objął władzę po śmierci zamordowanego Juliusza Cezara. Rzym kontynuował ekspansję i do czasów, kiedy rządy sprawował Trajan (98–117 r. n.e.), imperium rzymskie zajmowało już obszar 6,5 miliona km^2. Aby efektywniej sprawować kontrolę nad tak rozległymi terenami, podzielono je na cztery prefektury, co ostatecznie doprowadziło do podziału imperium rzymskiego na cesarstwo zachodnie i cesarstwo wschodnie.

 MÓWIENIE

Tonacja głosu Jest zależna od częstotliwości fali śluzówkowej, a także od różnicowania napinania strun głosowych. Struny głosowe mogą się skracać i wydłużać, co prowadzi do ich napinania. Musi ono być symetryczne, a jego różnicowanie powinno zachodzić w sposób symetryczny. Powstawanie tonacji poprzez napinanie strun głosowych można sobie wyobrazić jako proces przypominający strojenie gitary: napinając struny gitarowe, również uzyskujemy wyższą tonację.

 UŁAMKI DZIESIĘTNE

Dzielenie Dzieląc ułamek dziesiętny przez ułamek dziesiętny, postępujemy tak samo jak w przypadku liczb naturalnych, najpierw jednak należy odpowiednio przygotować oba biorące udział w działaniu ułamki. Aby dowiedzieć się, jaki jest wynik działania:
0,86 : 0,567
dzielimy
860 przez 567, ponieważ dzielna musi być liczbą naturalną.

⊛ ROZMNAŻANIE

Żeński układ płciowy Jest odpowiedzialny za produkowanie hormonów i komórek jajowych oraz za transport żeńskich gamet do miejsca, w którym dochodzi do zapłodnienia. W momencie zapłodnienia powstaje zygota, która na skutek wielokrotnych podziałów utworzy bardzo wczesne stadium zarodka. Jeśli nie nastąpi zapłodnienie, dochodzi do złuszczenia części błony śluzowej macicy, czyli do menstruacji. Żeński układ płciowy mieści się wewnątrz miednicy i składa się z: pochwy, szyjki macicy, macicy (najważniejszego narządu, w którym zagnieżdża i rozwija się zarodek i który podczas porodu w wyniku skurczów pomaga wypchnąć płód na zewnątrz), jajowodów (dzięki którym może dojść do zapłodnienia) oraz jajników, w których wytwarzane są komórki jajowe i hormony płciowe, np. estrogeny.

◯◈ GRECKI

Greka bizantyńska Bizantyńska odmiana greki była używana w czasach cesarstwa bizantyńskiego od roku 600 aż do momentu podbicia Konstantynopola przez Osmanów w roku 1453. Był to język używany przez organy administracji państwowej. Greki bizantyńskiej wciąż używa się w greckim Kościele prawosławnym.

RZYM

Upadek cesarstwa Zachodnie cesarstwo rzymskie upadło już w 467 r. po ataku Wizygotów. W 1453 r. upadło cesarstwo wschodnie, kończąc tym samym epokę wspaniałego imperium rzymskiego. Doprowadziło do tego kilka czynników: ogromny obszar, sprawiający, że nie sposób było sprawować kontroli nad wszystkimi zamieszkującymi go ludami; wpływ chrześcijaństwa; rosnąca popularność islamu; ataki barbarzyńców; inflacja; a nawet powszechne zatrucie ołowiem.

 MÓWIENIE

Sposób wysławiania się Wiedząc już, w jaki sposób wytwarzany jest głos, warto także zapoznać się z narzędziami, które pozwalają go właściwie używać. Sposób wysławiania się to w istocie dwie różne rzeczy: wymawianie słów, które powinno być jak najwyraźniejsze, aby słuchający byli w stanie zrozumieć mówiącego, jak również dobór odpowiedniego słownictwa, które należy dopasować do konkretnej grupy słuchaczy.

 UŁAMKI DZIESIĘTNE

Zaokrąglanie Zaokrąglanie ułamków dziesiętnych jest bardzo podobne do zaokrąglania jakichkolwiek innych liczb. Zaokrąglając do części setnych – jeśli cyfra stojąca na miejscu części tysięcznych jest równa lub mniejsza niż 4, wówczas opuszcza się to miejsce po przecinku i ostatnią podawaną wartością są części setne. Np. 0,983 po zaokrągleniu do części setnych to 0,98. Jeśli cyfra stojąca na miejscu części tysięcznych jest równa lub wyższa niż 5, wówczas liczbę zaokrągla się do części setnych podwyższonej o 1. I tak np. 0,986 po zaokrągleniu to 0,99. Ta sama zasada obowiązuje zarówno przy zaokrąglaniu do części dziesiętnych, setnych i tysięcznych.

 ROZMNAŻANIE

Okres prenatalny To okres inaczej zwany śródmacicznym, obejmujący rozwój zarodkowy i płodowy człowieka, a trwający około 266 dni. Do 40. dnia embrion osiąga rozmiar owocu maliny, w dłoniach można wyróżnić po pięć palców. W 12. tygodniu płód oddycha za pomocą wód płodowych, porusza się, zapada w sen, budzi się, potrafi także otwierać i zamykać usta. W 21. tygodniu waga płodu wynosi niemalże pół kilograma, a w 36. tygodniu – od trzech do pięciu kilogramów. W 38. tygodniu słychać na zewnątrz bicie serca dziecka, które jest gotowe do opuszczenia macicy.

 GRECKI

Współczesny język nowogrecki Współczesnego języka greckiego używa się od chwili upadku Cesarstwa Bizantyńskiego w 1453 r. aż do dziś. Wykształciły się dwie odmiany języka nowogreckiego: dimotiki oraz katharewusa. Odmiany katharewusa używano w literaturze, nauce, administracji i sądownictwie. Stanowiła ona imitację klasycznej greki. W 1976 r. urzędowym językiem Grecji ogłoszono prostszą odmianę – dimotiki, która jest też dziś znana jako standardowa greka nowożytna.

RZYM

Koloseum Budowa Koloseum – jednej z najsłynniejszych monumentalnych budowli kojarzonych z Rzymem – rozpoczęła się w 72 r. n.e., a zakończono ją osiem lat później. Był to wysoki na 50 metrów amfiteatr, w którym mogło zasiadać 55 tys. widzów. Na arenie Koloseum organizowano darmowe rozgrywki podkreślające władzę i prestiż, ale można tam było również zobaczyć popisy komików czy też gladiatorów toczących walki ze zwierzętami lub innymi gladiatorami, w których stawką było życie.

 MÓWIENIE

Problemy z mówieniem Zaburzenia mowy, czyli problemy z mówieniem, uniemożliwiają normalne wysławianie się. Zaliczamy do nich m.in.: jąkanie, seplenienie czy reranie (niewłaściwe wymawianie litery *r*, często w formie zbliżonej do *l*, *j* lub francuskiego *r*). Zaburzenia mowy bywają zaburzeniami rozwojowymi i mogą wynikać z tego, że dzieci uczą się wymawiać różne dźwięki w różnych okresach życia.

 UŁAMKI DZIESIĘTNE

Obliczanie procentów Obliczanie procentu danej liczby jest niezwykle proste. Chcąc odpowiedzieć na pytanie, jaki procent z liczby 98 stanowi 32, należy najpierw podzielić 32 przez 98. Wynik takiego działania to 0,32653061. Możemy go zaokrąglić do 0,3265. Następnie trzeba pomnożyć wynik przez 100%, co daje 32,65%, a na końcu możemy zaokrąglić ten ostatni wynik do całości otrzymując 33%. Wniosek: liczba 32 stanowi 33% z 98.

 ROZMNAŻANIE

Rozmnażanie bezpłciowe Sposób rozmnażania przedstawiony wcześniej dotyczy człowieka. Rośliny, a także niektóre zwierzęta, rozmnażają się bezpłciowo lub bez udziału partnera. Do rozmnażania dochodzi w tym wypadku w procesie mitozy, a więc podziału komórkowego, podczas którego następuje replikacja chromosomów. Podczas rozmnażania bezpłciowego nie dochodzi do wymieszania genów i czasami nazywa się ten proces klonowaniem, ponieważ potomstwo powstałe w jego wyniku jest zawsze identyczne.

 GRECKI

Użyteczne zwroty Oto kilka zwrotów, które mogą się okazać przydatne podczas podróży do Grecji:

Cześć (w liczbie pojedynczej) – *Yia sou*
Cześć (w liczbie mnogiej) – *Yia sas*
Dziękuję – *Efharisto*
Przepraszam – *Signom*
Proszę – *Parakalo*
Gdzie się znajduje toaleta? – *Pou ine i twaleta, parakalo?*
Gdzie jest plaża? – *Pou ine i paralia?*
Przykro mi, nie mówię po grecku – *Signomi, ala then milao elinika*
Ile to kosztuje? – *Poso kani?*

1. **Który z poniższych czynników nie doprowadził do upadku imperium rzymskiego?**
   a. Wzrost popularności chrześcijaństwa.
   b. Zatrucie ołowiem.
   c. Ataki barbarzyńców.
   d. Ataki ze strony cesarstwa bizantyńskiego.

2. **Co przyczyniło się do zapoczątkowania władzy cesarskiej w Rzymie?**
   a. Zabójstwo Juliusza Cezara.
   b. Zabójstwo Oktawiana.
   c. Budowa Koloseum.
   d. Upadek zachodniego cesarstwa rzymskiego.

3. **Co rozumiemy przez właściwą wymowę?**
   a. Niewłaściwe wymawianie r.
   b. Wyraźne wymawianie poszczególnych słów.
   c. Napinanie strun głosowych.
   d. Wytwarzanie określonego tonu głosu.

4. **Co powstaje w wyniku wytwarzania ciśnienia przez powietrze wydychane z płuc?**
   a. Jąkanie.
   b. Tonacja głosu.
   c. Głośność.
   d. Reranie.

5. **Po zaokrągleniu liczby 0,982 do części setnych otrzymujemy:**
   a. 0,983;
   b. 0,98;
   c. 0,99;
   d. 1,98.

6. **Jaki jest wynik działania 9,2 × 0,8?**
   a. 73,6.
   b. 0,736.
   c. 736.
   d. 7,36.

7. **Ile chromosomów znajduje się w każdej gamecie?**
   a. 23.
   b. 46.
   c. 21.
   d. 2.

8. **Który z wymienionych narządów nie jest częścią męskiego układu płciowego?**
   a. Nasieniowód.
   b. Najądrze.
   c. Jajniki.
   d. Zarówno (a), (b) i (c) są częścią męskiego układu płciowego.

9. **Jaką nazwę nosił pierwszy wspólny dialekt grecki?**
   a. Joński.
   b. Koine.
   c. Dorycki.
   d. Eolski.

10. **Jak nazywają się dwie odmiany współczesnego języka nowogreckiego?**
    a. Koine i katharewusa.
    b. Dimotiki i eolski.
    c. Dimotiki i katharewusa.
    d. Joński i katharewusa.

Odpowiedzi: d, a, b, c, b, d, a, c, b, c.

HISTORIA:
Średniowiecze

Wczesne średniowiecze,
Pełne średniowiecze, Późne
średniowiecze, Epidemia
dżumy, Nauka w średniowieczu,
Wynalazki

 MATEMATYKA:
Jednostki miar w USA

System metryczny, Miary przyjęte
w USA, Długość, Masa, Objętość,
Temperatura

 SZTUKA JĘZYKA:
Rozumienie
ze słuchu

W jaki sposób słyszymy?,
Aktywne słuchanie, Utrudnienia
aktywnego słuchania,
Wychwytywanie informacji,
Strategia słuchania,
Jak być dobrym
słuchaczem?

 PRZYRODA: Genetyka

Rośliny Grzegorza Mendla, Prawa
dziedziczenia Mendla, Modele
dziedziczenia, DNA, Ekspresja
genu, Mutacje

 Lekcja 9

 JĘZYKI OBCE:
Bułgarski

O języku bułgarskim,
Język starobułgarski,
Język średniobułgarski,
Współczesny bułgarski,
Dialekty, Użyteczne
zwroty

ŚREDNIOWIECZE

Wczesne średniowiecze Wraz z upadkiem zachodniego cesarstwa rzymskiego nadeszło wczesne średniowiecze. Trwało od V do X w. W Europie nastał okres wędrówek ludów germańskich i słowiańskich. Poważny kryzys zdestabilizował równowagę ekonomiczną, a wiele plemion próbowało podporządkować sobie całą znaną wówczas Europę, nigdy nie osiągnąwszy jednak podobnego statusu, jaki miało imperium rzymskie. W tamtym okresie tkwią również korzenie feudalizmu.

 ROZUMIENIE ZE SŁUCHU

W jaki sposób słyszymy? Ucho jest podzielone na trzy części: ucho zewnętrzne, ucho środkowe i ucho wewnętrzne. Ucho zewnętrzne składa się z bębenka, przewodu słuchowego zewnętrznego i małżowiny usznej. Dźwięk, przesyłany przewodem słuchowym, dociera do bębenka i wprawia go w wibracje. Ucho środkowe to przestrzeń za bębenkiem, gdzie znajdują się trzy kosteczki słuchowe: młoteczek, kowadełko i strzemiączko. Kosteczki te łączą bębenek z uchem wewnętrznym, a kiedy drgają, wibracje przenoszą się na płyn w uchu wewnętrznym, czyli ślimaku. Drgania wpływają na poruszanie się komórek włosowych, wysyłających sygnały elektryczne do nerwu słuchowego. Stamtąd odebrane informacje są przesyłane do mózgu, który interpretuje je jako dźwięki.

 JEDNOSTKI MIAR W USA

System metryczny Choć na świecie istnieje wiele systemów miar, za najpopularniejszy można niewątpliwie uznać system metryczny. System metryczny jest systemem dziesiętnym: jednostki dzielą się zawsze na dziesięć podstawowych podjednostek. Wagę mierzy się w gramach, objętość w litrach, wymiary podaje się w metrach, a temperaturę mierzy się w stopniach Celsjusza.

 GENETYKA

Rośliny Grzegorza Mendla Czeski mnich Grzegorz Mendel jest uznawany za ojca genetyki. W 1856 r. przeprowadził serię badań i doświadczeń z grochem zwyczajnym, obserwując siedem cech, jakie w nim wyróżnił: kolor i kształt nasion, kolor kwiatów, kolor i kształt strąków, ułożenie kwiatów oraz wysokość całej rośliny. Mendel przeprowadził próby hybrydyzacji i zapylania krzyżowego, dzięki czemu odkrył, że pierwsze pokolenie roślin przypominało tylko jednego rodzica (cecha dominująca), ale w następnych pokoleniach pojawiały się cechy obojga rodziców, czyli dominujące i recesywne.

 BUŁGARSKI

O języku bułgarskim Bułgarski jest językiem południowosłowiańskim, którym posługuje się dziś 9 milionów ludzi. Bułgarskojęzyczne mniejszości są obecne w krajach położonych nieopodal Bułgarii: Grecji, Turcji, Macedonii oraz na Ukrainie. Bułgarski był prawdopodobnie pierwszym językiem słowiańskim, dla którego opracowano reguły zapisu. Ewoluował z języka starobułgarskiego, przez średniobułgarski, aż po współczesny język bułgarski.

ŚREDNIOWIECZE

Pełne średniowiecze Datowane jest na okres od XI do XIII w. Cechami, jakie charakteryzowały pełne średniowiecze, były: urbanizacja, pojawienie się jednoczącej religii chrześcijańskiej, a także przyrost populacji oraz ekspansja militarna. To właśnie w tym okresie wyruszano na krucjaty – wojny pomiędzy chrześcijanami a muzułmanami o Ziemię Świętą. Krucjaty pośrednio przyczyniły się do zapoznania Europy z arabską nauką, matematyką i filozofią.

ROZUMIENIE ZE SŁUCHU

Aktywne słuchanie Słyszenie i słuchanie to dwie różne rzeczy. Słyszenie to proces fizjologiczny, a słuchanie wymaga zaangażowania woli i świadomości. Aby słuchać w sposób aktywny, trzeba nie tylko słyszeć określone dźwięki, ale również odpowiednio interpretować i oceniać to, co się usłyszało. Aktywne słuchanie składa się z trzech elementów: zrozumienia, odkodowania i odpowiadania. Zrozumienie polega na rozróżnieniu dźwięków składających się na daną wypowiedź oraz ustaleniu jej kontekstu. Odkodowanie wykorzystuje zasoby pamięci, aby określić znaczenie usłyszanych słów.

JEDNOSTKI MIAR W USA

Miary przyjęte w USA System metryczny nie przyjął się zaledwie w trzech krajach świata: w Birmie, Liberii oraz Stanach Zjednoczonych (choć systemu metrycznego używa się tam do pomiarów wykonywanych w celach naukowych i medycznych). System miar przyjęty w Stanach Zjednoczonych opiera się na dawnym systemie angielskim (choć w Anglii przestawiono się już na system metryczny). W przeciwieństwie do systemu metrycznego, amerykański system miar nie należy do układu SI.

✹ GENETYKA

Prawa dziedziczenia Mendla Na podstawie swoich odkryć Grzegorz Mendel sformułował dwa prawa dziedziczenia. Prawo dominacji mówi, że spośród pary genów wyróżnionych u rodzica gen, który pojawia się u potomstwa, jest najprawdopodobniej dominujący, ponieważ to właśnie geny dominujące są przekazywane znacznie częściej niż geny recesywne. Prawo czystości gamet zakłada, że każdy osobnik dziedziczy allele, czyli wersje genów określające jego cechy po obu rodzicach, a podczas tworzenia się gamety dochodzi do segregacji tych alleli. W myśl prawa niezależnej segregacji cech, allele odpowiedzialne za cechy danego osobnika są przekazywane do gamet w sposób niezależny.

BUŁGARSKI

Język starobułgarski Wyewoluował z języka staro-cerkiewno-słowiańskiego, który był językiem literackim i obrzędowym Słowian pozostających pod wpływem kultury bizantyńskiej, czyli przede wszystkim Bułgarów, ale także Serbów i Słowian ruskich. Językiem starobułgarskim posługiwano się od IX w. do XI w. Był to pierwszy słowiański język posiadający formę pisaną.

LEKCJA 9B

 ŚREDNIOWIECZE

Późne średniowiecze W latach 1300–1500 trwało późne średniowiecze. Charakteryzowało się zmianami klimatycznymi, głodem, chorobami, wojnami oraz niepokojami społecznymi. Wielki głód, jaki ogarnął wielką część kontynentu w latach 1315–1317, a także późniejsza epidemia dżumy, doprowadziły do znacznego przetrzebienia populacji. Anglia i Francja walczyły wówczas ze sobą w wojnie stuletniej, a w Kościele katolickim rozpoczęła się schizma.

 ROZUMIENIE ZE SŁUCHU

Utrudnienia aktywnego słuchania Aktywne słuchanie utrudnia szereg przeszkód, a można do nich zaliczyć wszystko, począwszy od rozpraszających dźwięków z zewnątrz, aż po własne emocje. Zamyślanie się albo rozglądanie się wokół w czasie, gdy ktoś do nas mówi, to właśnie przykłady takich przeszkód, podobnie jak przerywanie mówiącemu czy skupianie uwagi na własnej osobie. W tym drugim przypadku słuchacz nie koncentruje się na słuchaniu, ale na tym, aby zawsze znaleźć się w centrum prowadzonej rozmowy, co całkowicie uniemożliwia aktywne słuchanie.

 JEDNOSTKI MIAR W USA

Długość W Stanach Zjednoczonych na co dzień używa się takich jednostek długości, jak: cal, stopa, jard oraz mila. Według tego systemu, 1 stopa to 12 cali, 1 jard to 3 stopy, a 1 mila to 5280 stóp. Według systemu metrycznego, 1 jard = 0,9144 metra, a 1 cal = 2,54 centymetra.

 GENETYKA

Modele dziedziczenia Wyróżniamy trzy modele dziedziczenia: jednogenowe, poligenowe i mitochondrialne. W przypadku dziedziczenia jednogenowego, zwanego także dziedziczeniem Mendla, pojedynczy gen ulega mutacji, a następnie przechodzi w łatwe do przewidzenia stadia procesu dziedziczenia. O dziedziczeniu poligenowym mówimy wtedy, gdy mamy do czynienia nie z jednym, a z kilkoma genami, a także z czynnikami środowiskowymi. W dziedziczeniu mitochondrialnym choroby są przekazywane przez mitochondria – organelle zawierające własne DNA i dziedziczone wyłącznie z komórki jajowej matki.

 BUŁGARSKI

Język średniobułgarski Od XII w. do XV w. język bułgarski ewoluował. Średniobułgarski zyskał status języka urzędowego. Wiele samogłosek utraciło w tym czasie nosowość, a na terenach zachodnich spółgłoski stały się twardsze. Na wschodzie wciąż można było wyróżnić spółgłoski twarde i miękkie. W tamtym okresie pojawiła się też nowa klasa czasowników.

ŚREDNIOWIECZE

Epidemia dżumy W 1347 r. Europę spustoszyła epidemia dżumy, którą określano wówczas mianem czarnej śmierci. Szacuje się, że populacja Europy zmniejszyła się nawet o połowę. Dżuma rozprzestrzeniła się w Europie za sprawą chorych szczurów, które w azjatyckich portach dostały się na europejskie statki. Szczury najpierw zaraziły pchły, później pchły zaczęły przenosić dżumę na ludzi.

ROZUMIENIE ZE SŁUCHU

Wychwytywanie informacji Słuchanie w celu wychwycenia konkretnych informacji ma jasno określone zadanie: zrozumienie tego, co chce przekazać mówiący. Możliwymi utrudnieniami są w tym wypadku m.in. efekt niewłaściwej perspektywy i efekt obrazowości. Pierwszy z nich polega na tym, że słuchacz dopasowuje pewne fragmenty tego, co słyszy, do swoich własnych przekonań i standardów. Drugi z nich odnosi się do wrażenia, jakie mogą wywierać dramatyczne lub nadzwyczaj obrazowo przedstawione zdarzenia oraz do sposobu, w jaki wpływa to na odbiór danej sytuacji.

JEDNOSTKI MIAR W USA

Masa W Stanach Zjednoczonych używano czterech systemów pomiaru masy: tower, trojańskiego, avoirdupois oraz aptekarskiego. Dziś najważniejszym systemem stosowanym w tym kraju jest avoirdupois. Trzy pozostałe opierają się na tej samej jednostce miary – granie. Zgodnie z zasadami systemu stosowanego obecnie, 1 gran to 64,79891 miligramów, 1 dram to 1,772 gramów, 1 uncja to 16 dramów albo 28,35 gramów, 1 funt to 16 uncji albo 453,59237 gramów, 1 cetnar to 100 funtów, a 1 tona to 20 cetnarów.

GENETYKA

DNA Kwas deoksyrybonukleinowy, w skrócie DNA, to dwa łańcuchy tworzące prawoskrętną II-rzędową strukturę białkową zwaną podwójną helisą, w których zamieszczone są wszystkie informacje genetyczne o organizmie, czyli materiał dziedziczony. DNA ma w genetyce decydujące znaczenie. Może się powielać, czyli replikować. Każda nić podwójnej helisy DNA stanowi model dla duplikacji. Gdy dochodzi do podziału komórek, każda nowa komórka składa się z identycznego DNA jak jej poprzedniczka, przy czym jedna nić jest rodzicielska, a druga dobudowana.

BUŁGARSKI

Współczesny bułgarski Współczesnym językiem bułgarskim zaczęto posługiwać się w XVI w. Ówczesny język pisany opierał się początkowo na gwarze, a jego standaryzacji dokonano w XIX w. Pojawiły się w nim wówczas słowa zapożyczone z rosyjskiego, niemieckiego oraz francuskiego. W bułgarskim nie ma reguł określających zasady akcentowania, w związku z czym trzeba się uczyć rozłożenia akcentów w każdym poznawanym słowie. W odróżnieniu od pozostałych języków słowiańskich w bułgarskim pojawiają się rodzajniki określone, zanikły za to niemalże wszystkie przypadki.

ŚREDNIOWIECZE

Nauka w średniowieczu W średniowieczu badacze natury starali się rozwiązać zagadki otaczającej ich przyrody oraz świata. Postępy poczynione wówczas w dziedzinach naukowych często zawdzięczano wpływowi świata islamskiego, którego dorobek dotarł do Europy dzięki podróżnikom i krzyżowcom. Jedną z podstawowych dziedzin nauki, jakie Europejczycy udoskonalili dzięki Arabom, była astronomia. Spore postępy poczyniono również w dziedzinie alchemii (dziś przemianowanej na chemię).

 ROZUMIENIE ZE SŁUCHU

Strategia słuchania Strategia ta ma pokazywać osobie mówiącej, że jej słuchamy i rozumiemy, co do nas mówi. Pierwszy krok polega na zrozumieniu wypowiedzi, a drugi na utwierdzeniu mówiącego, że tak właśnie jest, poprzez powtarzanie najważniejszych fragmentów usłyszanej wypowiedzi. Istnieje kilka sposobów zastosowania słuchania refleksyjnego, takich jak np. wzięcie aktywnego udziału w rozmowie, rozpatrywanie określonego problemu z perspektywy mówiącego, dopasowanie się do nastroju mówiącego czy też streszczanie tego, co zostało powiedziane.

 JEDNOSTKI MIAR W USA

Objętość Jednostkami miary objętości przyjętymi w Stanach Zjednoczonych są: cal sześcienny, stopa sześcienna oraz jard sześcienny. Objętość można podzielić na dwa rodzaje: objętość materiałów suchych oraz objętość płynów. Wartości obu typów mierzy się za pomocą półkwart i galonów, choć dla każdego typu stosuje się nieco odmienne zasady pomiaru. Przykładowo, półkwarta materiałów suchych to 550,610 mililitrów, a półkwarta płynów to 473,176 mililitra.

 GENETYKA

Ekspresja genu Ekspresja genów to proces przepisywania informacji genetycznej z DNA na mRNA, czyli matrycowy kwas rybonukleinowy, podczas transkrypcji i następnie tłumaczenia tego łańcucha nukleotydów na białko podczas translacji. Ekspresja genu jest odpowiedzialna za odczytywanie kodu genetycznego zawartego w DNA, który przejawia cechy osobnicze danego organizmu, czyli fenotyp.

 BUŁGARSKI

Dialekty Choć język pisany na obszarze całego kraju jest taki sam, wyróżnia się kilka odmian mówionego języka bułgarskiego. Istnieją np. różnice w wymowie spółgłosek, typowe na zachodzie i wschodzie kraju, jakie uwidoczniły się już w języku średniobułgarskim. Kolejną ważną różnicą pomiędzy dialektami bułgarskimi jest wymowa samogłosek. Zdarzają się regionalizmy.

ŚREDNIOWIECZE

Wynalazki W średniowieczu nastąpił wyraźny postęp techniczny, a do najważniejszych ówczesnych wynalazków należy zaliczyć: proch strzelniczy, wiatraki, zegar mechaniczny, prasę drukarską, okulary oraz udoskonalony młyn wodny. Poczyniono też spore postępy w rolnictwie, wprowadzając do użycia nowy rodzaj pługa, a także stosując zaawansowany system płodozmianowy.

 # ROZUMIENIE ZE SŁUCHU

Jak być dobrym słuchaczem? Oto parę wskazówek dla tych, którzy chcą być dobrymi słuchaczami:

Zwracaj uwagę na słowa mówiącego, a nie na dźwięki dochodzące z zewnątrz czy inne czynniki rozpraszające.

Nie przerywaj.

Staraj się wychwycić najważniejsze informacje, jakie stara się przekazać mówiący.

Zadawaj pytania i powtarzaj niektóre wypowiedzi mówiącego, aby upewnić się, że wszystko dobrze rozumiesz.

Dawaj fizyczne sygnały świadczące o tym, że słuchasz: utrzymuj kontakt wzrokowy, potakuj i uśmiechaj się w odpowiednich momentach.

 # JEDNOSTKI MIAR W USA

Temperatura W Stanach Zjednoczonych temperaturę mierzy się za pomocą stopni Fahrenheita. Skala Celsjusza, jak i skala Fahrenheita, wykorzystuje takie same punkty odniesienia: temperaturę gotowania i zamarzania wody. Różnica polega na tym, że w przypadku skali Celsjusza temperatura zamarzania wody wynosi 0°, a w przypadku skali Fahrenheita 32°. Temperatura gotowania wody to w skali Celsjusza 100°, w skali Fahrenheita 212°. Aby zamienić stopnie Fahrenheita na stopnie Celsjusza, należy odjąć od podanej wartości 32, potem pomnożyć przez 5, a na końcu podzielić przez 9. Aby zamienić stopnie Celsjusza na stopnie Fahrenheita, należy pomnożyć wartość przez 9, podzielić przez 5, a na końcu dodać 32.

 # GENETYKA

Mutacje Mutacje genetyczne to trwałe zmiany w genotypie, czyli sekwencji genetycznej danego organizmu. Wpływają one na zmiany w zapisie DNA, a te z kolei wywołują zmiany odczytu nukleotydów w procesie translacji. Mutacje genetyczne są główną przyczyną bioróżnorodności w przyrodzie i mogą prowadzić do ewolucji, ale także skutkować chorobami genetycznymi i onkologicznymi. Mutacje mogą być dziedziczne. Niektóre pojawiają się w późniejszym okresie życia danego organizmu.

BUŁGARSKI

Użyteczne zwroty Oto kilka zwrotów, które mogą się okazać przydatne podczas podróży do Bułgarii:

Dzień dobry – *Dobro utro*

Dziękuję – *Błagodaria*

Czy mogę prosić o pomoc? – *Moje li da mi pomognete?*

Czy mówisz po angielsku? – *Gawaritie li anglijski?*

Słabo mówię po bułgarsku – *Bałgarskijat mi je losz*

LEKCJA 9 – TEST

1. Co wydarzyło się w późnym średniowieczu?
a. Zmiany klimatyczne.
b. Głód.
c. Epidemie chorób.
d. Wszystko to, co wymieniono w odpowiedziach (a), (b) i (c).

2. Czego nie wynaleziono w średniowieczu?
a. Prochu strzelniczego.
b. Zegara mechanicznego.
c. Prasy drukarskiej.
d. Młynów wodnych.

3. Pokazywanie mówiącemu, że go słuchamy i rozumiemy, co do nas mówi, to przykład:
a. efektu niewłaściwej perspektywy;
b. efektu obrazowości;
c. słuchania refleksyjnego;
d. skupiania uwagi na własnej osobie.

4. Aktywne słuchanie składa się z trzech elementów: zrozumienia, odkodowania oraz:
a. odpowiadania;
b. zamyślania się;
c. przerywania;
d. pojmowania.

5. W czym mierzy się wagę w systemie metrycznym?
a. W litrach.
b. W metrach.
c. W stopniach Celsjusza.
d. W gramach.

6. Ile wynosi 50° Celsjusza po przeliczeniu na stopnie Fahrenheita?
a. 10°.
b. 122°.
c. -10°.
d. -122°.

7. Co mówi prawo dominacji?
a. W przypadku pary genów danego rodzica, ten z nich, który pojawia się u potomstwa, jest najprawdopodobniej genem recesywnym, ponieważ geny recesywne są przekazywane znacznie częściej niż geny dominujące.
b. Potomstwu przekazywane są wyłącznie geny dominujące.
c. Potomstwu przekazywane są wyłącznie geny recesywne.
d. W przypadku pary genów danego rodzica, ten z nich, który pojawia się u potomstwa, jest najprawdopodobniej genem dominującym, ponieważ geny dominujące są przekazywane znacznie częściej niż geny recesywne.

8. Co mówi prawo Mendla dotyczące czystości gamet?
a. Organizm dziedziczy allelę od jednego rodzica, a podczas tworzenia się gamety dochodzi do jej segregacji.
b. Organizm dziedziczy jedną allelę od każdego z rodziców, a podczas tworzenia się gamety dochodzi do ich segregacji.
c. Organizm dziedziczy trzy allele od obu rodziców, a podczas tworzenia się gamety dochodzi do ich segregacji.
d. Organizm dziedziczy pięć alleli od obu rodziców, a podczas tworzenia się gamety dochodzi do ich segregacji.

9. Język bułgarski jest językiem:
a. wschodniosłowiańskim;
b. południowosłowiańskim;
c. zachodniosłowiańskim;
d. północnosłowiańskim.

10. W jaki sposób poprosić kogoś o pomoc w języku bułgarskim?
a. *Kade je baniata?*
b. *Kolko struwa towa?*
c. *Gawaritie li anglijski?*
d. *Moje li da mi pomognete?*

Odpowiedzi: d, d, c, a, d, b, d, b, b, d.

HISTORIA: Krucjaty

I wyprawa krzyżowa, II wyprawa
krzyżowa, III wyprawa krzyżowa,
IV i V wyprawa krzyżowa,
VI wyprawa krzyżowa,
VII wyprawa krzyżowa

 MATEMATYKA: Wykresy

Wykresy liniowe, Wykresy słupkowe,
Wykresy kołowe, Diagramy blokowe,
Schematy organizacyjne, Piktogramy

 SZTUKA JĘZYKA:
Myślenie

Procesy poznawcze, Mózg,
Percepcja, Świadomość,
Wyobraźnia, Kreatywność

 PRZYRODA: Budowa
Ziemi

Skorupa ziemska, Płaszcz górny,
Płaszcz, Jądro zewnętrzne, Jądro
wewnętrzne, Atmosfera

Lekcja 10

 JĘZYKI OBCE:
Albański

Początki, Wpływy,
Dialekty, Alfabet albański,
Gramatyka, Użyteczne
zwroty

 KRUCJATY

I wyprawa krzyżowa I rycerska wyprawa krzyżowa miała miejsce w latach 1096–1099. Stanowiła podjętą przez zachodnich chrześcijan próbę odbicia Jerozolimy i Ziemi Świętej z rąk muzułmanów. W 1098 r. krzyżowcy zdobyli Edessę i Antiochię. W 1099 r. udało się zdobyć Jerozolimę, którą przekształcono wkrótce w Królestwo Jerozolimskie. Warto wiedzieć, że nieco wcześniej w 1096 r. do Ziemi Świętej wyruszyła krucjata ludowa. Jej uczestnicy w drodze przez Europę łupili Żydów, a po dotarciu do Azji Mniejszej zostali pobici przez Turków.

 MYŚLENIE

Procesy poznawcze Związane są z myśleniem, zdobywaniem i zgłębianiem wiedzy, zapamiętywaniem, rozwiązywaniem problemów oraz ocenianiem. Procesy poznawcze mogą być świadome lub nieświadome, naturalne lub sztuczne. Wiążą się z abstrakcyjnymi pojęciami, takimi jak: inteligencja, umysł, pamięć, postrzeganie i wyobraźnia.

 WYKRESY

Wykresy liniowe Są użyteczne w prezentowaniu danych, które na osi czasu rosną lub maleją. Wykres liniowy można narysować, łącząc prostą dwa punkty spełniające równanie funkcji liniowej. Wykres pozwala łatwo porównywać własności, a także kontrolować i analizować dane. Tego rodzaju wykresy rysujemy w kartezjańskim (prostokątnym) układzie współrzędnych o poziomej osi x oraz pionowej y.

 BUDOWA ZIEMI

Skorupa ziemska Zewnętrzną, najcieńszą powłoką Ziemi, na której żyją ludzie, jest skorupa ziemska. Składa się z dwóch rodzajów skał: granitu (skorupa kontynentalna) oraz bazaltu (skorupa oceaniczna). Bazalt znajduje się na dnie oceanów, a granit jest budulcem kontynentów. Granit jest starszy niż bazalt.

 ALBAŃSKI

Początki Albański to język z rodziny języków indoeuropejskich, z bałkańskiej ligi językowej. Terminem tym określa się grupę językową, do której zalicza się języki: albański, bułgarski, macedoński, rumuński, gwary południowo-wschodnio-serbskie, nowogrecki i dalmatyński (martwy). Mają one sporo wspólnych cech, zwłaszcza w zakresie gramatyki i słownictwa. Albańskim posługują się Albańczycy mieszkający w swojej ojczyźnie, a także w Kosowie, Czarnogórze, Macedonii, Grecji, we Włoszech i na Bliskim Wschodzie. Albańczycy nazywają swój język shqip.

KRUCJATY

II wyprawa krzyżowa Kolejna, II wyprawa krzyżowa trwała od 1147 do 1149 r. Doszło do niej po upadku założonego przez krzyżowców hrabstwa Edessy. Inicjatorem II wyprawy krzyżowej był papież Eugeniusz III, a wojskiem dowodzili królowie Francji i Niemiec Konrad III i Ludwik VII. Krucjata zakończyła się klęską chrześcijan.

MYŚLENIE

Mózg Choć myślenie to złożony i abstrakcyjny proces, to miejsce, w którym zachodzi, nie jest abstrakcyjne. Tym miejscem jest mózg. Składa się on z półkul mózgowych, podzielonych na kilka płatów, z których każdy jest wyspecjalizowany do pełnienia odmiennej funkcji. Dwa płaty czołowe wykorzystywane są podczas wyobrażania sobie czegoś, planowania oraz szukania logicznych argumentów. Ośrodek Broki, znajdujący się w lewym płacie czołowym, jest odpowiedzialny za przekształcanie myśli w słowa.

WYKRESY

Wykresy słupkowe Niezwykle przydatne przy prezentacji i porównywaniu danych są wykresy słupkowe. Wartości są ilustrowane za pomocą prostokątnych słupków, które różnią się wysokością w zależności od tego, jak dużą wartość przedstawiają. Wykresy liniowe mają ukazywać zmiany pewnych wartości w różnych okresach czasu, a wykresy słupkowe – różnice ilościowe. Podobnie jak w przypadku wykresów liniowych, i w tym przypadku mamy do czynienia z wykresem w układzie współrzędnych, a każdy wykres słupkowy może przyjąć albo pozycję pionową, albo poziomą.

BUDOWA ZIEMI

Płaszcz górny Pomiędzy skorupą a jądrem Ziemi znajdują się dwie powłoki noszące nazwę płaszcza. Skały tworzące ów płaszcz stanowią około 84% całej objętości Ziemi. Warstwy te zaczynają się około 30 kilometrów pod kontynentami i 10 kilometrów pod oceanami. Dzielą się na płaszcz górny oraz płaszcz dolny (zwany też po prostu płaszczem). W płaszczu górnym znajduje się astenosfera, w której zachodzą ruchy konwekcyjne powodujące przemieszczanie się płyt tektonicznych. Część litosfery, a więc najbardziej zewnętrznej z powłok planety, także znajduje się w płaszczu górnym.

ALBAŃSKI

Wpływy Językiem, z którego pochodzą najstarsze zapożyczenia obecne w języku albańskim, był dialekt dorycki języka greckiego. Od II do V w. albański ulegał silnym wpływom języka greckiego i łaciny. Jak twierdzą badacze, łacina miała na niego zdecydowanie największy wpływ. Od VII do IX w. język albański chłonął również wpływy z południowosłowiańskiego oraz starorumuńskiego, do czego przyczyniło się osiedlanie części ludności na Bałkanach.

KRUCJATY

III wyprawa krzyżowa Krucjata królewska, zwana również III wyprawą krzyżową, trwała od 1189 do 1192 r. Rycerze wyruszyli na bój, by podjąć próbę odbicia Ziemi Świętej po zawłaszczeniu jej przez sułtana Saladyna. Królowie Francji i Anglii postanowili zakończyć własne spory i zjednoczyć się w walce przeciwko Saladynowi. Osiągnęli jednak niewiele, a sukcesy ograniczyły się do zdobycia Akki. Po wycofaniu się króla francuskiego, król angielski zawarł z Saladynem rozejm, na mocy którego Jerozolima pozostawała w rękach Saladyna, a nieuzbrojonym pielgrzymom chrześcijańskim zezwalano na jej odwiedzanie.

MYŚLENIE

Percepcja Umiejętność postrzegania, bycia świadomym, doświadczania i czucia to inaczej percepcja. Aby określić jedyny w swoim rodzaju sposób percepcji wartości zmysłowych z perspektywy każdego człowieka, używa się terminu *qualia*. Przykładowo, smak ciastka, czerwień jabłka, ból związany z zacięciem się – wszystko to można zdefiniować jako *qualia*. Tak więc zdolność percepcji to zdolność odczuwania wszystkich tego rodzaju zjawisk.

WYKRESY

Wykresy kołowe Z wykresów kołowych można korzystać w bardzo prosty sposób i nie wymagają one rysowania w kartezjańskim układzie współrzędnych. Są stosowane w celu zobrazowania, jak dana wartość odnosi się do całości. Wykres kołowy to po prostu koło podzielone na kawałki wyznaczane przez jego promienie, a każdy kawałek oznacza pewną wartość wydzieloną z całości.

BUDOWA ZIEMI

Płaszcz Płaszcz (albo płaszcz dolny) odgrywa ogromną rolę, jeśli chodzi o regulowanie temperatury na Ziemi. Znajduje się na głębokości 400–2890 kilometrów pod powierzchnią ziemi, a panująca w nim temperatura osiąga 4000°C. Warstwa ta jest zbudowana głównie z wytrzymałych perowskitów – minerałów magnezowo-krzemowych, które nieprzerwanie poddawane są ogromnemu ciśnieniu panującemu na tej głębokości.

ALBAŃSKI

Dialekty W języku albańskim można rozróżnić dialekt: gegijski i toskijski, a różnice pomiędzy nimi pogłębiają się od tysiąclecia. Gegijski jest używany na terenach położonych na północ od rzeki Shkumbin, a toskijski – na południe od niej. Dialekt toskijski uznano za urzędowy język Albanii. Istnieje jeszcze quasi-dialekt, którym posługują się mieszkańcy środkowej Albanii.

🏛 KRUCJATY

IV i V wyprawa krzyżowa Podczas IV wyprawy krzyżowej, trwającej od 1202 do 1204 r., podjęto kolejną próbę zdobycia Jerozolimy, tym razem atakując od strony Egiptu. Zamiast Jerozolimy krzyżowcy odbili jednak Konstantynopol i utworzyli Cesarstwo Łacińskie, królestwa Tessaloniki, Aten i Teb oraz Achai. V wyprawa krzyżowa trwała od 1217 do 1221 r. Europejczycy znowu chcieli zdobyć Jerozolimę i pokonać armię Ajjubidów. Wojska Ajjubidów stawiły jednak zacięty opór, zmuszając krzyżowców do poddania się i zawarcia ośmioletniego paktu pokojowego.

MYŚLENIE

Świadomość Pojęcie świadomości odnosi się do zdolności posiadania uczuć, wspomnień, wrażeń oraz myśli. Świadomość to nieprzerwany łańcuch nieustannie zmieniających się myśli. W jednej chwili można wykonywać jakąś czynność, a już w następnej umysł może zajmować się czymś zupełnie innym. Proces ten zachodzi w sposób ciągły, bez najmniejszych przestojów.

WYKRESY

Diagramy blokowe Diagramy lub schematy blokowe pokazują, jak kolejne etapy danego procesu łączą się w jedną całość. Do ich tworzenia wykorzystuje się trzy symbole, z których każdy pełni inną funkcję. Są to: etykieta (owal oznaczający początek lub koniec sekwencji), operand (prostokąt przedstawiający poszczególne etapy procesu) oraz predykat (romb informujący o decyzjach, jakie należy podjąć). Symbole te są ze sobą połączone strzałkami ukazującymi przebieg kolejnych etapów procesu.

BUDOWA ZIEMI

Jądro zewnętrzne Jądro Ziemi stanowi około 15% objętości planety. Zbudowane jest z żelaza i niklu, a jego wielkość jest porównywalna do rozmiarów Marsa. Jądro zewnętrzne ma grubość około 2080 kilometrów, jest płynne (składa się głównie ze stopionego żelaza), a panująca w nim temperatura sięga 5000°C. Ruchy płynnego jądra zewnętrznego wytwarzają pole magnetyczne Ziemi.

ALBAŃSKI

Alfabet albański Na przestrzeni wieków alfabet albański ulegał wielu zmianom, w zależności od tego, jaki język miał na niego największy wpływ. Raz był to alfabet grecki, innym razem turecki, a jeszcze innym – cyrylica. Na początku XX w. rząd albański uznał, że oficjalnym alfabetem kraju będzie zmodyfikowana wersja alfabetu łacińskiego. Na alfabet albański składają się następujące litery: A B C Ç D Dh E Ë F G Gj H I J K L Ll M N Nj O P Q R Rr S Sh T Th U V X Xh Y Z Zh.

KRUCJATY

VI wyprawa krzyżowa Kolejna wyprawa krzyżowa, niezaliczana do krucjat z powodu braku aprobaty papieskiej, miała miejsce w latach 1228–1229. Choć nie obfitowała w starcia zbrojne, doprowadziła do zajęcia Jerozolimy przez krzyżowców. VI wyprawa krzyżowa trwała od 1248 do 1254 r., a przewodził jej król Francji Ludwik IX Święty. Chrześcijanie nie pokonali jednak egipskiej armii Ajjubidów, którą dodatkowo wspierali Mamelucy, i ostatecznie zarówno król, jak i tysiące europejskich żołnierzy, dostali się do niewoli.

 MYŚLENIE

Wyobraźnia Daje człowiekowi możliwość odczuwania wrażeń mentalnych oraz tworzenia obrazów, konceptów czy projektów na podstawie czegoś, czego się nigdy nie widziało, nie czuło, nie dotykało, nie słyszało ani nie smakowało. Kluczowa jest w tym przypadku rola umysłu, który nadaje odpowiednie kształty doświadczeniu i wiedzy. Wyobraźnia pozwala człowiekowi działać poza ograniczeniami rzeczywistości i umożliwia właściwe zachodzenie procesu myślowego.

 WYKRESY

Schematy organizacyjne W celu ukazania formalnych i nieformalnych powiązań w jakiejś strukturze wykorzystuje się schematy organizacyjne. Często używa się ich, aby np. przedstawić hierarchię pracowników lub wskazać powiązania między stanowiskami w przedsiębiorstwie. Schematy organizacyjne pokazują również, jak można połączyć ze sobą różne oddziały. Są to niewielkie piramidki, w których najwyższy szczebel zajmuje np. kierownik lub dyrektor, a pozostałe szczeble – pracownicy o zmniejszającej się randze. Rozmiar prostokątów oznaczających kolejne szczeble odpowiada ich statusowi w hierarchii.

 BUDOWA ZIEMI

Jądro wewnętrzne Ma promień o długości 1250 kilometrów i stanowi najgorętszą część Ziemi: temperatura jądra wewnętrznego osiąga 5000–6000°C. Do tego panuje w nim tak wysokie ciśnienie, że ma formę stałego metalu (stop żelaza i niklu). Olbrzymia temperatura jądra Ziemi wpływa bezpośrednio na ruchy tektoniczne oraz pole magnetyczne Ziemi.

ALBAŃSKI

Gramatyka Rzeczowniki odmienia się w języku albańskim przez przypadki, a różnią się one również od siebie ze względu na rodzaj, a do tego wyróżniamy wśród nich formy określone i nieokreślone. Rodzajniki informujące o tym, czy dany rzeczownik jest określony czy nieokreślony, nie są osobnymi słowami, jak ma to miejsce w przypadku wielu innych języków (np. angielskiego), ale łączą się z rzeczownikiem. Przymiotniki stawia się po rzeczownikach, a ich forma musi odpowiadać rodzajowi i liczbie konkretnego rzeczownika. Koniugacja czasowników bierze pod uwagę czasy i osoby.

KRUCJATY

VII wyprawa krzyżowa Ostatnia krucjata z 1270 r. trwała zaledwie rok, a na jej czele ponownie stanął francuski król Ludwik IX Święty. Pierwotnie celem VII krucjaty miało być niesienie wsparcia regionom opanowanym przez krzyżowców, ale ostatecznie zakończyła się w Tunisie, a w dwa miesiące po przybyciu do miasta król zakończył w nim swój żywot.

MYŚLENIE

Kreatywność Proces, w wyniku którego człowiek tworzy coś nowego i posiadającego pewną wartość nazywamy kreatywnością. Wartość tę można ocenić zarówno jako rozwój osobisty, jak również jako zysk materialny. Niektórzy naukowcy twierdzą, że kreatywność jest wynikiem procesów poznawczych związanych z inteligencją. Czołowy płat mózgowy stanowi najważniejszy obszar odpowiedzialny za kreatywność.

WYKRESY

Piktogramy Obrazki wykorzystywane w celu lepszego przedstawienia określonych danych nazywamy piktogramami. Obrazki te reprezentują pewne wartości i są wielokrotnie powtarzane w danym zestawieniu czy też na wykresie. W przypadku zestawienia z wykorzystaniem piktogramów zazwyczaj nie chodzi o to, aby podać szczegółowe wyniki, ale raczej o to, aby oddać ogólne wrażenie wynikające z porównania kilku wartości. Przykładem takiego zestawienia może być zilustrowanie ilości jabłek zjedzonych przez uczniów, gdzie pojedynczy symbol jabłka oznaczałby np. cztery zjedzone jabłka. Tak więc trzy piktogramy pojawiające się przy nazwisku ucznia oznaczałyby, że w rzeczywistości zjadł on dwanaście jabłek.

BUDOWA ZIEMI

Atmosfera Ostatnią powłoką Ziemi nie jest wcale skorupa ziemska, ale to, co ją otacza i pozwala żyć wszystkim Ziemskim istotom – atmosfera. Wyróżniamy w niej kilka powłok, a jej grubość oceniana jest na około 800 kilometrów. Składa się ona z różnych gazów, pyłu oraz wody. Zapewnia planecie ciepło, chroni ją przed promieniami słonecznymi czy meteorytami.

ALBAŃSKI

Użyteczne zwroty Oto kilka zwrotów, które mogą się okazać przydatne podczas podróży do Albanii:

Cześć – *Tungjatjeta*
Do widzenia – *Mirupafszim*
Dziękuję – *Faleminderit*
Tak – *Po*
Nie – *Jo*
Nie mówię po albańsku – *Nuk flas Szkup*
Nie rozumiem – *Nuk kuptoj*

Czy mówicie po angielsku? – *Flisni Angiszt?*
Przepraszam – *Më falni*
Dzień dobry – *Mirëmëngjes* (przed południem)/*Mirëdita* (po południu)
Dobry wieczór – *Mirëmbrëma*
Dobranoc – *Natën e mire*
Jak się nazywasz? – *Si ju kuheni?*

1. **Co zdarzyło się w trakcie III wyprawy krzyżowej?**
   a. Król i tysiące żołnierzy trafili do niewoli po tym, jak zostali pokonani przez Ajjubidów oraz Mameluków.
   b. Król Anglii i sułtan Saladyn zawarli rozejm, na mocy którego Jerozolima pozostawała w rękach Saladyna, ale nieuzbrojonym chrześcijańskim pielgrzymom zezwalano na jej odwiedzanie.
   c. Armia Ajjubidów przypuściła atak, w wyniku którego krzyżowcy musieli się poddać i podpisać ośmioletni pakt pokojowy.
   d. Żadne z wyżej opisanych wydarzeń.

2. **Które z poniższych zdań jest prawdziwe?**
   a. Na czele krzyżowców zawsze stał papież.
   b. Na czele krzyżowców zawsze stali królowie.
   c. Na czele krzyżowców najpierw stał papież, a później królowie.
   d. Na czele krzyżowców najpierw stali królowie, a później papież.

3. **Zdolność do posiadania uczuć, wspomnień, wrażeń i myśli to:**
   a. świadomość;
   b. kreatywność;
   c. wyobraźnia;
   d. qualia.

4. **Co możemy rozumieć jako qualia?**
   a. Smak jabłka.
   b. Wymyślanie historii, która się nigdy nie wydarzyła.
   c. Nieświadomy strumień myśli.
   d. Tworzenie czegoś nowego, posiadającego pewną wartość.

5. **Jakiego wykresu najlepiej użyć, aby przedstawić, jak proporcjonalnie ma się dana wartość do całości?**
   a. Wykresu słupkowego.
   b. Wykresu liniowego.
   c. Diagramu blokowego.
   d. Wykresu kołowego.

6. **Które z poniższych zdań jest prawdziwe?**
   a. Wykresy liniowe pokazują zmiany zachodzące w pewnym okresie czasu, a wykresy słupkowe ilustrują różnice ilościowe.
   b. Wykresy liniowe ilustrują różnice ilościowe, a wykresy słupkowe pokazują zmiany zachodzące w pewnym okresie czasu.
   c. Ani wykresy liniowe, ani wykresy słupkowe nie są rysowane w układzie współrzędnych.
   d. Wykresy słupkowe mają kształt piramidy i pokazują np. hierarchię wśród pracowników.

7. **Która z wymienionych powłok ziemskich jest zewnętrzna w stosunku do pozostałych?**
   a. Płaszcz górny.
   b. Płaszcz dolny.
   c. Skorupa ziemska.
   d. Jądro zewnętrzne.

8. **Z jakich skał jest zbudowana powłoka kontynentalna?**
   a. Z bazaltu.
   b. Z granitu.
   c. Z magmy.
   d. Ze stopu żelaza i niklu.

9. **Jak Albańczycy nazywają swój języki?**
   a. Tracki.
   b. Dacki.
   c. Starorumuński.
   d. Shqip.

10. **Jak powiedzieć po albańsku „Przepraszam"?**
    a. *Më falni.*
    b. *Nuk kuptoj.*
    c. *Natën e mire.*
    d. *Mirëmbrëma.*

Odpowiedzi: b, c, a, d, a, a, c, b, d, a.

HISTORIA: Renesans
Co doprowadziło do nadejścia epoki renesansu?, Medyceusze, Wczesny renesans, Renesans wysoki, Renesans północny, Postęp w dziedzinie nauki i technologii

 MATEMATYKA: Liczba pi
Symbol, Definicja, Odkrycie liczby pi, Pi staje się dokładniejszą wartością, Niewymierna stała, Niezupełnie dokładna liczba pi

 SZTUKA JĘZYKA: Język znaków graficznych
Umiejętność rozpoznawania znaków graficznych, Znaczenie języka znaków graficznych, Wizualizacja danych, Typografia, Kolor, Fotografia

PRZYRODA: Klęski żywiołowe
Trzęsienia ziemi, Huragany, Tornada, Lawiny, Tsunami, Wybuchy wulkanów

Lekcja 11

 JĘZYKI OBCE: Portugalski
Początki, Dialekty, Języki powiązane, Zmiana ortograficzna z 1990 r., Współczesny portugalski, Użyteczne zwroty

RENESANS

Co doprowadziło do nadejścia epoki renesansu? Wraz z kresem średniowiecza nastąpiła w Europie epoka renesansu, która oznaczała powrót do klasycyzmu i humanizmu starożytnej Grecji. Po epidemii dżumy zaszły drastyczne zmiany w europejskiej ekonomii. Był to jeden z czynników, które wpłynęły na nadejście epoki renesansu. Pozostałe z nich to m.in.: wynalezienie prasy drukarskiej, upadek cesarstwa bizantyńskiego oraz porażki wypraw krzyżowych. Wraz z nastaniem renesansu kultura europejska ponownie zwróciła się ku klasycznej greckiej i rzymskiej sztuce, literaturze oraz filozofii.

JĘZYK ZNAKÓW GRAFICZNYCH

Umiejętność rozpoznawania znaków graficznych Umiejętność ta jest tak samo ważna jak zdolność posługiwania się danym językiem, dlatego jej również należy się uczyć, by rozumieć oraz umieć tworzyć wiadomości za pomocą określonych znaków. Odnoszące się do tej umiejętności pojęcie „komunikowania się za pomocą symboli graficznych" stworzył Jack Debes. W świecie mass mediów zyskało ono jeszcze większe znaczenie niż pierwotnie, ale nie ogranicza się ono wyłącznie do mediów.

LICZBA PI

Symbol Pi jest stałą matematyczną, co oznacza, że jest to wartość stała równa stosunkowi długości obwodu koła do długości jego średnicy. Symbolem używanym dla oznaczenia liczby jest grecka litera π, wywodząca się ze słowa περίμετρος, oznaczającego obwód. Jako pierwszy symbolu tego użył William Jones w książce *Synopsis Palmariorum Matheseos* w 1706 r. Ta matematyczna stała zawsze jest oznaczana za pomocą małego π, jako że wielkie Π ma zupełnie inne znaczenie.

KLĘSKI ŻYWIOŁOWE

Trzęsienia ziemi Skorupa ziemska oraz znajdująca się pod nią powłoka zwana płaszczem nieustannie wykonują powolne ruchy, które określa się mianem tektonicznych. Płyty tektoniczne przesuwają się wzdłuż linii uskoków i kiedy ów ruch zostanie chwilowo zablokowany, uwalnia się energia, która w 20–30% rozchodzi się w postaci fal sejsmicznych powodujących trzęsienia ziemi. Obszar uwolnienia energii zwany jest ogniskiem wstrząsu, a miejsce na powierzchni ziemi bezpośrednio nad nim to epicentrum.

⟨⟩ PORTUGALSKI

Początki Portugalski jest szóstym najczęściej używanym językiem na świecie. Jest to język romański wywodzący się z łaciny, którym posługiwano się na zachodnim wybrzeżu Półwyspu Iberyjskiego. W latach 409–711 na terenach tych osiedliły się ludy germańskie, co wprowadziło do języka regionalne urozmaicenia. W okresie od IX do XI w. zaczęto używać języka portugalsko-galisyjskiego w oficjalnych dokumentach administracyjnych, a w XI stuleciu, gdy całym obszarem zawładnęli chrześcijanie, doszło do rozdziału portugalskiego i galisyjskiego.

RENESANS

Medyceusze Renesans rozpoczął się we Włoszech, a dokładnie – we Florencji. Wiele najwspanialszych dzieł wczesnego renesansu wiąże się z rodziną Medyceuszy. W XIII stuleciu w wyniku działalności bankowej zgromadzili oni niezwykłe bogactwo i stali się najbogatszą rodziną w całej Italii. To pozwoliło im sprawować mecenat nad wieloma przedsięwzięciami artystycznymi, co zaowocowało znakomitymi dziełami sztuki i architektury.

 # JĘZYK ZNAKÓW GRAFICZNYCH

Znaczenie języka znaków graficznych Współczesny świat w coraz większym stopniu opiera się na obrazach. Aby człowiek był w stanie w pełni pojąć kontekst danej sytuacji, musi także rozumieć związane z nim znaki graficzne i inne obrazy, np. fotografie. Uczniowie muszą dziś więc umieć wyrazić swoje myśli za pomocą obrazów, dzięki czemu w naturalny sposób opanowują język znaków graficznych czy też „język wizualny". Pozwala im to lepiej zrozumieć otaczający ich świat.

 # LICZBA PI

Definicja Jak już wspominaliśmy poprzednio, wartość liczby π odpowiada stosunkowi długości obwodu koła (L) do długości jego średnicy (d). Odpowiadające tej definicji równanie prezentuje się następująco:

$$\pi = \frac{L}{d}$$

Niezależnie od wielkości okręgu, ten stosunek zawsze będzie wynosił π. Innym sposobem zdefiniowania pi może być odniesienie się do pola okręgu (P), tak jak w poniższym równaniu:

$$\pi = \frac{P}{r^2}$$

r oznacza w tym wypadku promień okręgu (a więc połowę długości jego średnicy).

 # KLĘSKI ŻYWIOŁOWE

Huragany Nawałnice, zwane huraganami, tajfunami lub cyklonami, pojawiają się latem lub wczesną jesienią. Powstają nad ciepłymi wodami, których temperatura przekracza 26°C. Wilgotne powietrze przesuwa się w górę, tworząc chmury i pozostawiając pod sobą obszar niskiego ciśnienia. Ciepłe powietrze zaczyna się wznosić, a następnie wraz z chmurami zostaje wprawione w wir. Kiedy prędkość wiatru osiąga 120 km/godz., nie mamy już do czynienia z burzą, ale z huraganem.

 # PORTUGALSKI

Dialekty Istnieje wiele dialektów języka portugalskiego, a najważniejsze z nich to brazylijski i europejski. Różnice między nimi dotyczą zarówno gramatyki, jak i wymowy. Dialekt europejski w dużej mierze przypomina język, jakim posługiwano się w dawnych portugalskich koloniach w Azji i Afryce. Dialekt brazylijski obowiązuje przede wszystkim na terenie Brazylii i jest najbardziej rozpowszechnioną formą portugalskiego.

 RENESANS

Wczesny renesans Okres od 1330 do 1450 r. – miejscem, w którym się rozwijał, jest Florencja. Artyści wspierani finansowo przez Medyceuszy odwoływali się do sztuki starożytnej Grecji i Rzymu. Ich dzieła ponownie skupiły się na humanizmie, naturalizmie i realizmie, ale w trakcie ich tworzenia zastosowano nowe techniki, takie jak np. głębia ostrości, perspektywa liniowa czy nowe sposoby cieniowania. Najsłynniejsi artyści epoki wczesnego renesansu to Sandro Botticelli (*Wiosna*), Domenico Ghirlandaio (*Starzec i chłopiec*) czy Piero della Francesca (*Chrzest Chrystusa*).

 JĘZYK ZNAKÓW GRAFICZNYCH

Wizualizacja danych Prezentacja pewnych informacji za pomocą kształtów, proporcji, wymiarów, tekstur czy kierunków nazywa się wizualizacją danych. Grafika zajmująca stosunkowo dużo miejsca na kartce papieru natychmiast przyciąga wzrok i sprawia, że podświadomie uznajemy ją za coś istotnego. Odpowiednie ukierunkowanie jakiegoś kształtu może wywoływać różne stany emocjonalne. Np. kształt pionowy może sprawiać wrażenie stabilności, a kształt ukośny sugerować ruch albo zmiany.

 LICZBA PI

Odkrycie liczby π Papirus Matematyczny Rhinda, słynny egipski papirus datowany na ok. 1650 r. p.n.e., jest dowodem na wykorzystanie liczby π przez skrybę

o imieniu Ahmes. Pisał on: „Odetnij $\frac{1}{9}$ średnicy i na pozostałej części zbuduj kwadrat; będzie on miał takie samo pole jak pierwotny okrąg". Zgodnie z ówczesnymi obliczeniami, liczba pi wynosiła 3,16049. W XIX w. p.n.e. Babilończycy utrzymywali, że liczba

ta wynosi $\frac{25}{8}$ – a więc zaledwie 0,5% mniej niż rzeczywista wartość π.

 KLĘSKI ŻYWIOŁOWE

Tornada Najbardziej klasyczne i jednocześnie najbardziej niebezpieczne tornada pochodzą z superkomórek burzowych, co oznacza, że są podsycane wznoszącymi się prądami powietrza, tzw. mezocyklonami, które wirują i są odchylone od pionu. Najwięcej tego typu zjawisk rocznie notuje się w Stanach Zjednoczonych. Inne rodzaje tornad nie są zależne od wznoszącego się powietrza. Przykładem może być tornado szkwałowe, tworzące się na skutek prądu zstępującego tuż przy powierzchni ziemi z pyłu lub gruzu, albo trąba powietrzna, która również powstaje przy ziemi i przybiera formę leja, rosnącego w miarę powiększania się chmury burzowej. Trąby wodne to odpowiedniki trąb powietrznych tworzące się nad akwenami.

 PORTUGALSKI

Języki powiązane Portugalski należy do języków zachodnio-ibero-romańskich i jest blisko spokrewniony z hiszpańskim, galisyjskim, leońskim i mirandyjskim, a także z tzw. dialektem Fala. Galisyjski i portugalski były kiedyś zresztą jednym językiem o nazwie galisyjsko-portugalski, a słownictwo występujące w galisyjskim wciąż bardzo przypomina słownictwo języka portugalskiego. Dialekt Fala wywodzi się z galisyjsko-portugalskiego i używa się go w kilku małych hiszpańskich miasteczkach.

RENESANS

Renesans wysoki Sztuka wysokiego renesansu (1490–1530) w porównaniu z wczesnym renesansem florenckim charakteryzowała się znacznym postępem w zastosowaniu nowoczesnych technik. Centrum artystycznym stał się tym razem Rzym, a zamówienia na różnego rodzaju dzieła składali kolejni papieże. To właśnie wówczas znakomici artyści renesansowi stworzyli swoje najwspanialsze dzieła. Najbardziej znane nazwiska tej epoki to Leonardo da Vinci (*Ostatnia wieczerza*), Michelangelo Buonarroti (*Stworzenie Adama*) oraz Rafael Santi (*Madonna Sykstyńska*).

 JĘZYK ZNAKÓW GRAFICZNYCH

Typografia Rozmiar, układ i styl zastosowanego liternictwa mogą nieść ze sobą różne informacje, a także wpływać na czytelność przekazu. Jest to szczególnie ważne w przypadku języka reklam, stron internetowych czy wiadomości medialnych. Typografia nie sprowadza się wyłącznie do podjęcia decyzji, jaka czcionka będzie w danej sytuacji wyglądać najlepiej, ale stara się znaleźć odpowiedź na pytanie, jaka czcionka najskuteczniej przekaże określoną wiadomość.

 LICZBA PI

π staje się dokładniejszą wartością Początkowo uważano, że liczba π składa się z mniej niż dziesięciu cyfr. Żyjący na przełomie V i VI stulecia matematyk i astronom hinduski Aryabhata uznał, że w rzeczywistości π jest liczbą niewymierną (co oznacza, że składa się z niekończącej się ilości miejsc po przecinku, a tworzące ją sekwencje liczb nie powtarzają się). Około 1600 r. matematyk niemiecki Ludolph van Ceulen we właściwy sposób zidentyfikował pierwsze 35 ułamków dziesiętnych liczby π. W 1789 r. słoweński matematyk ustalił wartość pierwszych 140 ułamków dziesiętnych, ale tylko pierwszych 126 obliczył bezbłędnie. W 1873 r. obliczono właściwie 527 pierwszych cyfr, a w 2005 r. – za pomocą superkomputera – pierwszych 1,24 tryliona cyfr składających się na liczbę π.

 KLĘSKI ŻYWIOŁOWE

Lawiny Są wywoływane ciążeniem grawitacyjnym oddziałującym na śnieg zalegający na górskich stokach. Przy łagodnej aurze para wodna może przedostać się pod śnieg, a następnie zamarznąć, tworząc spójną i twardą masę. Przy chłodniejszej pogodzie para wodna również wnika pod śnieg, ale tworzy kanciaste kryształki, które osłabiają śnieżną strukturę. Światło słoneczne i delikatny deszcz wytwarzają cienką zewnętrzną powłokę, co sprawia, że przywieranie świeżego śniegu staje się utrudnione. Osunięcie się pokrywy śnieżnej, czyli lawiny, może być wywołane burzą, wiatrem, temperaturą, a nawet ciężarem ludzkiego ciała czy zwykłym hałasem.

 PORTUGALSKI

Zmiana ortograficzna z 1990 r. W roku 1990 podpisano międzynarodowe porozumienie mające na celu zunifikowanie systemu pisma języka portugalskiego, tak aby można go było używać we wszystkich krajach portugalskojęzycznych. Wiązało się to ze zmianami zarówno w europejskiej, jak i brazylijskiej odmianie języka. Usunięto niektóre litery, do alfabetu portugalskiego dodano *k*, *w* oraz *y*.

RENESANS

Renesans północny Centrum renesansu północnego, który przypadł na lata 1500–1600, znalazło się poza obszarem Włoch. Idee epoki szybko rozprzestrzeniły się po całej Europie; niektóre z najciekawszych dzieł renesansowych pochodzą z Holandii i Niemiec. Różniły się od dzieł powstających w Italii, choćby ze względu na coraz chłodniejsze stosunki z Kościołem, jakie panowały w tych krajach, oraz świecki mecenat. Postaci na obrazach tego okresu były znacznie mniej klasyczne, a bardziej naturalistyczne od tych, które pojawiały się u twórców włoskich. Najsłynniejsi artyści renesansu północnego to flamandzki malarz Jan Van Eyck (*Portret małżonków Arnolfinich*), niemiecki malarz Albrecht Dürer (*Rycerz, śmierć i diabeł*) oraz holenderski malarz Hieronim Bosch (*Ogród rozkoszy ziemskich*).

JĘZYK ZNAKÓW GRAFICZNYCH

Kolor Kształtuje emocje patrzącego na obraz i bez wątpienia wpływa na jego percepcję. Chcąc opanować język znaków graficznych, należy zrozumieć m.in. różnicę pomiędzy barwami ciepłymi i chłodnymi, każdy odcień może bowiem wyrażać określony nastrój. Czerwony, który jest kolorem ciepłym, kojarzy się ze złością lub namiętnością, podczas gdy niebieski, barwa chłodna, jest znacznie bardziej pasywny i często używa się go, aby zobrazować prawdę. Nasycenie koloru oraz kontrast pomiędzy jasnymi i ciemnymi kolorami również odgrywają kluczową rolę w zrozumieniu roli, jaką potrafią odgrywać barwy.

LICZBA PI

Niewymierna stała Liczba π to niewymierna stała, co oznacza, że nie można jej wyrazić za pomocą ułamka czy stosunku dwóch liczb naturalnych. π jest również liczbą przestępną, a więc nie jest pierwiastkiem żadnej liczby algebraicznej. Po przeliczeniu na ułamki dziesiętne liczba π nie kończy się ani nie jest okresowa. Przykładowo, po zaokrągleniu do 50 miejsc po przecinku, π wynosi: 3,14159265358979323846264338327950288419716939937510. Korzystając z liczby π w podstawowych działaniach matematycznych, zazwyczaj zaokrągla się ją do 3,14.

KLĘSKI ŻYWIOŁOWE

Tsunami Fale wywoływane przez pionowe ruchy powierzchni dna morza powstałe na skutek podwodnych trzęsień ziemi, osunięć ziemi lub wybuchów wulkanów. Uwalniane są wówczas ogromne ilości energii i w efekcie wytworzona zostaje fala poruszająca się z ogromną prędkością (do 900 km/godz.). Na pełnym morzu bywa niezauważalna, dopiero przy samej linii brzegowej zyskuje niszczycielską wysokość i siłę uderzenia. Najpotężniejsze tsunami w historii wywołało fale sięgające ponad pół kilometra i miało miejsce na Alasce w 1958 r.

PORTUGALSKI

Współczesny portugalski Około 240 milionów ludzi posługuje się dziś portugalskim; jest to język urzędowy w dziewięciu krajach, a także najbardziej rozpowszechniony język na półkuli południowej. Podejmowano próby, aby uczynić z portugalskiego oficjalny język Organizacji Narodów Zjednoczonych, jednak projektowi temu zarzucono kilka niedoskonałości, jak choćby fakt, że znaczna część użytkowników portugalskiego zamieszkuje jeden kontynent.

RENESANS

Postęp w dziedzinie nauki i technologii Renesans był nie tylko epoką wielkich dzieł sztuki i architektury, ale także ogromnego postępu technicznego. To właśnie wtedy wynaleziono przenośne zegary, okulary, prasę drukarską, mikroskop, teleskop, a nawet pierwszą toaletę ze spłuczką. Wraz z rozwojem nauki i technologii, które przyniosły takie pojęcia jak grawitacja i umożliwiły zgłębianie tajemnic wszechświata, zaczęto dochodzić do wniosku, że ów wszechświat bynajmniej nie pełni służebnej roli wobec znajdującego się w jego centrum człowieka.

JĘZYK ZNAKÓW GRAFICZNYCH

Znaczenie fotografii Fotografia stanowi jedno z najwspanialszych źródeł wiedzy na temat tego, co wydarzyło się w przeszłości, i pomaga opowiedzieć pewne historie w sposób niedostępny dla innych metod. Fotografie to nie tylko zatrzymane w kadrze momenty życia codziennego, ale i rozmyślnie wybrane i odpowiednio zainscenizowane sytuacje. Każde zdjęcie wyraża w pewnym sensie opinię fotografującego. Nic w tym zresztą dziwnego, skoro to właśnie fotograf decyduje o tym, co powinno się znaleźć w kadrze, a co nie. Zrozumienie języka fotografii to ważny etap w nauce ogólnie pojmowanego języka wizualnego.

LICZBA Π

Niezupełnie dokładna liczba π Mniej dokładne wartości liczby π można odnaleźć w tak dawnych dziełach, jak Biblia, gdzie zaokrąglono ją do 3. W bardziej współczesnych czasach, w roku 1897, próbowano wydać oficjalny dokument określający wartość liczby π przyjętą w stanie Indiana jako 3,2, jednak uchwała ta nigdy nie trafiła nawet do Zgromadzenia Ogólnego stanu Indiana i nie stała się oficjalnym przepisem.

KLĘSKI ŻYWIOŁOWE

Wybuchy wulkanów Wulkany to góry utworzone ze złożonych płyt tektonicznych. Wydobywająca się z wulkanów magma to stopiona masa krzemianów i glinokrzemianów z domieszką tlenków i siarczków z dużą ilością wody i gazów, która pochodzi z głębokości 150 km poniżej skorupy ziemskiej, gdzie panuje olbrzymie ciśnienie. Wypycha ono magmę, powodując wybuch. Uwolnioną w ten sposób magmę nazywamy lawą. Wybuch wulkaniczny nie zawsze następuje na samym szczycie – np. Góra św. Heleny była wulkanem, w którym lawa wydobywała się bokiem.

PORTUGALSKI

Użyteczne zwroty Oto kilka zwrotów, które mogą się okazać przydatne podczas podróży do Portugalii lub Brazylii:

Cześć – *Olá*
Do widzenia – *Adeus*
Dzień dobry – *Bom dia*
Dobry wieczór – *Boa tarde*
Tak – *Sim*
Nie – *Não*
Dziękuję – *Obrigado*

Ile? – *Quanto?*
Nie mówię po portugalsku – *Eu não falo Português*
Sędzio! A gdzie rzut karny? – *Oí, árbitro! Cadê o penalty?*
Brazylia jest cudowna! – *O Brasil é lindo maravilhoso!*

1. **Które z poniższych zdań jest prawdziwe?**
   a. Centrum północnego renesansu był Rzym, a wysokiego renesansu – Florencja.
   b. Centrum wczesnego renesansu była Florencja, a wysokiego renesansu Niemcy.
   c. Centrum wczesnego renesansu była Florencja, a wysokiego renesansu – Rzym.
   d. Centrum wczesnego renesansu był Rzym, a wysokiego renesansu – Florencja.

2. **Jaka była charakterystyczna cecha obrazów malowanych w epoce renesansu północnego?**
   a. Były bardziej realistyczne niż wcześniejsze dzieła.
   b. Były bardziej wyidealizowane niż wcześniejsze dzieła.
   c. Podejmowały wyłącznie tematykę religijną.
   d. Były zamawiane przez Medyceuszy.

3. **3. Czym jest język znaków graficznych (albo język wizualny)?**
   a. Umiejętnością robienia zdjęć.
   b. Umiejętnością czytania z ekranu telewizora.
   c. Umiejętnością tworzenia typografii.
   d. Umiejętnością posługiwania się obrazami.

4. **Co jest pomocne w posługiwaniu się językiem znaków graficznych?**
   a. Kolor.
   b. Typografia.
   c. Fotografie.
   d. Zarówno (a), (b) i (c).

5. **Które z podanych poniżej stosunków wyrażają wartość liczby π?**
   a. Pole/średnica.
   b. Obwód/średnica.
   c. Średnica/pole.
   d. Pole/obwód.

6. **Czym jest liczba przestępna?**
   a. Liczbą zaokrągloną do 50 miejsc po przecinku.
   b. Liczbą niebędącą pierwiastkiem żadnej liczby algebraicznej.
   c. Liczbą, której nie da się wyrazić w formie ułamka dziesiętnego skończonego lub stosunku dwóch liczb całkowitych.
   d. Liczbą, która składa się z mniej niż 10 cyfr.

7. **Najniebezpieczniejsze tornada to:**
   a. tornada pochodzące z komórek burzowych;
   b. tornada niepochodzące z komórek burzowych;
   c. tornada szkwałowe;
   d. trąby wodne.

8. **Tajfuny i cyklony to inne nazwy określające:**
   a. lawiny;
   b. tsunami;
   c. tornada;
   d. huragany.

9. **9. Jakie litery dodano do alfabetu portugalskiego w wyniku reformy z 1990 r.?**
   a. *Q, x* oraz *b.*
   b. *K, w* oraz *y.*
   c. *K, w* oraz *c.*
   d. *Q, x* oraz *y.*

10. **Jaki język najbardziej przypomina portugalski?**
    a. Hiszpański.
    b. Galisyjski.
    c. Leoński.
    d. Mirandyjski.

Odpowiedzi: c, a, d, d, b, b, a, d, b, b.

HISTORIA: Dynastia Ming

Zapoczątkowanie dynastii Ming, Wczesne rządy, Złoty okres, Upadek dynastii Ming, Gospodarka dynastii Ming, Wielki mur chiński

 MATEMATYKA: Kąty

Czym jest kąt?, Rodzaje kątów, Kąty dopełniające i przyległe, Obliczanie kątów, Funkcje trygonometryczne, Kąty skierowane (dodatnie i ujemne)

 SZTUKA JĘZYKA: Alfabet Braille'a

Historia alfabetu Braille'a, Źródła, Jak działa alfabet Braille'a?, Czytanie za pomocą dotyku, Alfabet Braille'a II stopnia, Alfabet Braille'a III stopnia

 PRZYRODA: Układ Słoneczny

Czym jest Układ Słoneczny?, Planety, Słońce, Pas planetoid, Droga Mleczna, Planety karłowate

Lekcja 12

 JĘZYKI OBCE: Niderlandzki

Początki, Dialekty, Zmiany w języku, Szczególna odmiana niderlandzkiego, Współczesny język niderlandzki, Użyteczne zwroty

DYNASTIA MING

Zapoczątkowanie dynastii Ming Rządy mongolskiej dynastii Yuan pozostawiły gospodarkę i rolnictwo kraju w fatalnym stanie. Grupa chłopów należących do uciskanego przez dynastię Yuan narodu Han postanowiła dokonać przewrotu. Rebeliantom przewodził Zhu Yuanzhang i po tym, jak ostatni władca dynastii Yuan zbiegł na północ, założył on dynastię Ming. Ogłosił się cesarzem i przejął kontrolę nad stolicą, tym samym oficjalnie kończąc rządy dynastii Yuan.

 ALFABET BRAILLE'A

Historia alfabetu Braille'a Alfabet Braille'a został wynaleziony w 1825 r. przez niewidomego Francuza, Louisa Braille'a. Początkowo opierał się on na kodzie wojskowym stworzonym przez Charles'a Barbiera na życzenie Napoleona, który chciał, aby żołnierze mogli bezgłośnie porozumiewać się nocą. Kod został jednak ostatecznie odrzucony jako zbyt trudny do opanowania. W 1821 r. Barbier odwiedził Narodowy Instytut Niewidomych w Paryżu i spotkał tam Louisa Braille'a, który uprościł jego kod i stworzył system sześciokropkowych komórek, nazwany później alfabetem Braille'a.

 KĄTY

Czym jest kąt? Pojęcie kąta wywodzi się z klasycznej geometrii euklidesowej. Kąt zostaje utworzony przez płaszczyznę zawartą między dwoma prostymi (ramionami) przecinającymi się w tym samym punkcie (wierzchołku). Rozmiar kąta określa wartość łuku pomiędzy dwoma prostymi albo wartość rotacji. Istnieje pięć podstawowych rodzajów kątów: zerowy, ostry, prosty, rozwarty, wklęsły oraz pełny.

 UKŁAD SŁONECZNY

Czym jest Układ Słoneczny? Układ Słoneczny składa się ze Słońca, Ziemi, Marsa, Merkurego, Wenus, Jowisza, Saturna, Neptuna, Uranu, księżyców orbitujących wokół planet, a także z planet karłowatych i pasa planetoid. Ma on kształt elipsy i znajduje się w nieustannym ruchu. Najpotężniejszym elementem Układu jest Słońce, wokół którego kręcą się wszystkie pozostałe obiekty. Wiek Układu Słonecznego ocenia się na 4 miliardy lat.

 NIDERLANDZKI

Początki Niderlandzki należy do języków zachodniogermańskich, a konkretnie jest to język zachodnio-dolno-frankoński. Jego początki sięgają 500 r. n.e., kiedy to język starofrankijski poddał się podziałowi wywołanemu wysokogermańską zmianą spółgłoskową. W historii niderlandzkiego można wyróżnić trzy etapy rozwoju: staroniderlandzki (500–1150), średnioniderlandzki (1150–1500) oraz współczesny język niderlandzki (od 1500 do dzisiaj).

DYNASTIA MING

Wczesne rządy Po dojściu do władzy Zhu Yuanzhang wprowadził serię uchwał mających za zadanie zmniejszenie obowiązków obarczających chłopstwo. Przykładał też dużą wagę do karania urzędników oskarżonych o korupcję, planując jej ukrócenie. Po śmierci Zhu Yuanzhanga władzę przejął jego syn, został jednak obalony w wyniku przewrotu dokonanego przez Zhu Di, który już wkrótce miał być znany jako cesarz Yongle (albo Chengzu). Czas jego rządów okazał się okresem największego dobrobytu podczas panowania dynastii Ming.

ALFABET BRAILLE'A

Źródła Alfabet Braille'a jest oparty na alfabecie łacińskim; jego symbole zostały ułożone w pozycjach przypominających pozycje kolejnych liter alfabetu. Przykładowo a składa się z jednej kropki, b – z dwóch itd. Także cyfry poukładane są według powyższego wzoru. Alfabet Braille'a jest pierwszym układem binarnym, w którym określone symbole pełnią rolę poszczególnych liter alfabetu.

KĄTY

Rodzaje kątów W miarę zwiększania się rozmiaru kąta zmienia się jego nazwa. Kąt zerowy jak sama nazwa wskazuje ma miarę 00. Kąty ostre muszą mieć więcej stopni niż 0, ale mniej niż 90. Kąt prosty mierzy 90 stopni, rozwarty ma z kolei więcej niż 90 stopni, ale mniej niż 180 stopni. Kąt wklęsły jest większy niż rozwarty, czyli ma więcej niż 180, ale mniej niż 360 stopni. Wartość kąta pełnego wynosi 360 stopni.

UKŁAD SŁONECZNY

Planety W Układzie Słonecznym znajduje się 8 planet. Merkury, Wenus, Ziemia i Mars są znane jako skaliste planety wewnętrzne. Są mniejsze i gęstsze niż reszta, zawierają mniejszą ilość gazu i składają się głównie ze skał i metali, a Merkury i Mars nie mają nawet atmosfery. Pozostałe cztery planety, zwane zewnętrznymi, są większe, mają gęstszą atmosferę i mniejsze jądra.

NIDERLANDZKI

Dialekty Dialekty języka niderlandzkiego są bardzo zróżnicowane, a można ich rozróżnić aż 28. Flamandzki to nazwa dialektu, którym posługują się mieszkańcy Belgii, a w regionie tego kraju zwanym Flandrią (albo Regionem Flamandzkim) ludzie mówią aż czterema odmianami: zachodnioflamandzkim, wschodnioflamandzkim, brabanckim oraz limburskim. Flamandzki jest określany jako „lżejszy" dialekt, w którym występuje wiele starszych słów. Z kolei dialekt niderlandzko-holenderski brzmi bardzo „ostro", a według niektórych – wręcz wrogo. Na wschodzie Niderlandów używa się miejscowej odmiany dolnosaksońskiego, a w Holandii – holenderskiego.

DYNASTIA MING

Złoty okres Lata panowania cesarza Yongle, znane jako epoka Yongle, są uznawane za złoty okres dynastii Ming. Cesarz wziął udział w pięciu wojnach z Mongolią, a co najważniejsze – to właśnie za jego rządów zbudowano Zakazane Miasto. Poprawiły się wówczas relacje z mniejszościami narodowymi, a cesarz Yongle był pierwszym władcą, który ustanowił stolicę kraju w Pekinie, co miało trwać przez kolejnych 500 lat.

 ALFABET BRAILLE'A

Jak działa alfabet Braille'a? W alfabecie Braille'a jest do wykorzystania sześć kropek, które mogą oznaczać albo litery, albo cyfry. Pierwsze dziesięć liter alfabetu korzysta wyłącznie z czterech górnych kropek. Następnych dziesięć różni się od wcześniejszych tylko tym, że dodawana jest do nich dodatkowa kropka. U, v, x, y oraz z są niemal identyczne jak litery od a do e, z tym że dodawane są do nich dodatkowe kropki. Jedyną literą, która nie została stworzona według tego samego systemu, jest w, jako że pierwotnie alfabet Braille'a tworzono według alfabetu francuskiego, w którym w nie istnieje.

 KĄTY

Kąty dopełniające i przyległe Kąty dopełniające oraz przyległe wymagają połączenia ze sobą dwóch kątów w taki sposób, że mają wspólny wierzchołek o jednym ramieniu. Dopełniające to para wypukłych kątów o jakiejkolwiek wartości, które po połączeniu dają kąt o mierze 90 stopni – a więc tworzą kąt prosty. Przyległe zaś to para kątów o jakiejkolwiek wartości, które po połączeniu dają kąt o mierze 180 stopni, tworząc kąt półpełny.

 UKŁAD SŁONECZNY

Słońce Centrum Układu Słonecznego stanowi Słońce, najbliższa gwiazda i największy obiekt. Jego masa to 99,8% procent całkowitej masy Układu Słonecznego; jest ponad 330 tys. razy większa od masy Ziemi. Energia słoneczna powstaje w wyniku reakcji jądrowych, a następnie przesyłana jest w przestrzeń kosmiczną w formie światła i ciepła. Na powierzchni Słońca panuje temperatura 5800 kelwinów.

 NIDERLANDZKI

Zmiany w języku W minionym wieku nastąpiła znacząca zmiana w wymowie języka niderlandzkiego. Standardowa stała się wymowa bezdźwięczna niektórych głosek, co oznacza, że są one wypowiadane bez udziału więzadeł głosowych. Ewolucja ta odzwierciedla zachodzący od jakiegoś czasu proces zamieniania pisowni niderlandzkiej na bliższą formie fonologicznej. Inna zmiana, która nie jest jednak oficjalna i dotyczy przede wszystkim młodszego pokolenia, to powstanie tzw. *poldernederlands*.

DYNASTIA MING

Upadek dynastii Ming Rządy dynastii Ming zaczęły podupadać w okresie panowania cesarza Wanli. Po śmierci jego kanclerza, Zhang Juzhenga, zaczęto zaniedbywać sprawy państwowe, a potem armia chińska została pokonana przez wojska mandżurskie. Ostatnim władcą był cesarz Chongzhen, a czas jego rządów był naznaczony korupcją i niezwykle trudnymi warunkami życia wynikającymi z licznych klęsk żywiołowych. W 1628 r., po ataku rebeliantów, upadł Pekin. Cesarz Chongzhen odebrał sobie życie, kończąc tym samym rządy dynastii Ming.

 ALFABET BRAILLE'A

Czytanie za pomocą dotyku Alfabet Braille'a korzysta ze zmysłu dotyku. Podczas czytania należy przesuwać od lewej do prawej palcem wskazującym jednej dłoni, podczas gdy za pomocą drugiej dłoni odnajduje się kolejny wers tekstu. Sam tekst składa się z wypukłych kropek umieszczonych w szeregu komórek, a każda komórka pozwala na 64 kombinacje znaków.

 KĄTY

Obliczanie kątów Kąty są najczęściej oznaczane małymi literami alfabetu greckiego np. α, długość łuku okręgu oznacza się za pomocą małego l, a długość promienia za pomocą małego r. Małą literą k oznaczamy stałą równą $\frac{360^0}{2\pi}$. Podstawowy wzór na wartość kąta to:

$$\alpha = k\,\frac{l}{r}$$

 UKŁAD SŁONECZNY

Pas planetoid Planetoidy to kawałki skał będące pozostałością po procesie tworzenia Słońca oraz planet. Najczęściej spotyka się je orbitujące wokół Słońca pomiędzy Marsem i Jowiszem. Obszar ten jest znany jako pas planetoid – odkryto ich tam ponad 7 tys. Całkowita masa planetoid krążących w tym obszarze jest jednak mniejsza niż masa Księżyca.

 NIDERLANDZKI

Szczególna odmiana niderlandzkiego Wspomniana wcześniej odmiana języka niderlandzkiego zwana *poldernederlands* (terminu tego użył po raz pierwszy Jan Stroop) jest używana przede wszystkim przez młodsze pokolenie, a polega na wymawianiu dyftongów niżej i z szerzej otwartymi ustami. Początki *poldernederlands* to lata 70. XX w.; językiem tym posługiwały się wówczas głównie kobiety w średnim wieku oraz ludzie należący do wyższej klasy średniej. Od tamtego czasu *poldernederlands* znacząco się upowszechnił.

DYNASTIA MING

Gospodarka dynastii Ming Rządy dynastii Ming przyniosły kres feudalizmowi i zapoczątkowały kapitalizm. Od czasu objęcia władzy przez Zhu Yuanzhanga głównym dobrem kraju stała się porcelana, zaczęto też coraz bardziej interesować się towarami pochodzącymi z Europy i Ameryki. W miastach takich jak Pekin, Nankin czy Yangzhou widać było błyskawicznie zachodzący proces urbanizacji i już wówczas zaczęły powstawać chińskie metropolie handlowe.

 ALFABET BRAILLE'A

Alfabet Braille'a II stopnia Wersja stosowana przez użytkowników języka angielskiego. Poza literami i cyframi alfabet Braille'a II stopnia składa się również ze znaków przestankowych, przydatnych symboli, skrótów oraz charakterystycznych dla języka angielskiego połączeń kilku wyrazów w jeden. Podczas gdy w tradycyjnej wersji każda komórka odpowiada jednej literze, cyfrze lub symbolowi, w przypadku alfabetu Braille'a II stopnia pojedyncza komórka może także odpowiadać całemu słowu.

 KĄTY

Funkcje trygonometryczne W trygonometrii używane są takie pojęcia, jak sinus, cosinus i tangens, mające za zadanie ukazać związek pomiędzy kątami trójkąta prostokątnego a długościami jego boków. Podstawowe równania to:

$$\sin \alpha = \frac{y}{r}$$

$$\cos \alpha = \frac{x}{r}$$

$$\operatorname{tg} \alpha = \frac{y}{x}$$

gdzie x to prosta przyległa do kąta, y to prosta przeciwległa do danego kąta, a r – przeciwprostokątna.

 UKŁAD SŁONECZNY

Droga Mleczna Galaktyka spiralna, w której znajduje się m.in. nasz Układ Słoneczny to Droga Mleczna. Jest dobrze widoczna z Ziemi w postaci szerokiej jasnej smugi na nocnym niebie. Składa się co najmniej z 400 miliardów gwiazd, na których orbitach krążą planety i inne obiekty. Droga Mleczna to zaledwie jedna z 200 miliardów galaktyk, jakie zaobserwowano z Ziemi.

 NIDERLANDZKI

Współczesny język niderlandzki Niderlandzkim posługują się dziś 22 miliony ludzi na świecie. Jest językiem urzędowym Holandii, Belgii, a także dawnych kolonii i terytoriów zależnych – m.in. Surinamu, Aruby i Antyli Holenderskich. Jeśli chodzi o podobieństwa brzmieniowe, niderlandzki znajduje się pomiędzy angielskim i niemieckim, choć na pewno bliżej mu do tego drugiego języka. Współczesny język niderlandzki coraz bardziej zaczyna przypominać dialekt, jakim posługują się mieszkańcy Holandii.

DYNASTIA MING

Wielki mur chiński Większa część istniejącego dziś wielkiego muru chińskiego powstała właśnie za czasów dynastii Ming (1368–1644). Budowa ciągłego systemu fortyfikacji, ciągnącego się od granic Korei aż po pustynię Gobi, zajęła ponad 100 lat. Powstał on, aby chronić poddanych dynastii Ming przed ludami z Wielkiego Stepu, przede wszystkim przed plemionami mongolskimi rządzonymi przez północną dynastię Yuan.

ALFABET BRAILLE'A

Alfabet Braille'a III stopnia Umożliwia czytanie skrótów stenograficznych. Nie dokonano standaryzacji alfabetu Braille'a III stopnia – zazwyczaj używa się go, aby ułatwić zadanie czytającemu. Ta wersja jest uboższa o wiele samogłosek, a spacje pomiędzy słowami i akapitami są znacznie mniejsze. Zdarza się również, że zamiast słów używane są pewne kombinacje znaków interpunkcyjnych.

KĄTY

Kąty skierowane (dodatnie i ujemne) Jeśli kąt obliczany jest w kierunku przeciwnym do ruchu wskazówek zegara, będzie miał wartość dodatnią. Jeśli natomiast obliczamy jego wartość zgodnie z ruchem wskazówek zegara – wartość ujemną. Kąt równy -50 stopni i kąt równy 50 stopni nie są dokładnie takie same. Kąty charakteryzują się zarówno stopniem rotacji, jak i kierunkiem rotacji, więc choć kąty o wartości -50 i 50 stopni mają taki sam stopień rotacji, ale ich kierunki rotacji są przeciwne, a to czyni je różnymi kątami.

UKŁAD SŁONECZNY

Planety karłowate Do niedawna Pluton zaliczany był do planet Układu Słonecznego, jednak obecnie jest on definiowany jako planeta karłowata. Tego typu karły krążą wokół Słońca, nie mogą być satelitami innych planet, a ich masa przewyższa masę planetoid, ale nie dorównuje masie normalnych planet. Karły są nie tyle rodzajem planet, ile zupełnie innymi obiektami. W Układzie Słonecznym znajdują się trzy takie planety: Pluton, Ceres i Eris.

NIDERLANDZKI

Użyteczne zwroty Oto kilka zwrotów, które mogą się okazać przydatne podczas podróży do krajów, w których mówi się po niderlandzku:

Cześć – *Hallo*
Dzień dobry – *Goedemorgen* (przed południem)/*Goedemiddag* (po południu)
Dzień wieczór – *Goedenavond*
Miłego dnia – *Nog een prettige dag*
Nie rozumiem – *Ik begrijp het niet*
Przepraszam – *Neem me niet kwalijk*
Ile to kosztuje? – *Hoeveel kost dit?*
Dziękuję – *Dank U*
Gdzie jest toaleta? – *Waar is de WC?*
Do widzenia – *Tot ziens*

1. Jednym z osiągnięć okresu Yongle było:
a. doprowadzenie do rozwoju handlu z Europą i Ameryką;
b. pokonanie wojsk mandżurskich;
c. zmniejszenie liczby obowiązków ciążących na chłopach;
d. wybudowanie Zakazanego Miasta.

2. Które z poniższych zdarzeń miało miejsce za czasu rządów Zhu Yuan-zhanga?
a. Wyrób porcelany stał się głównym źródłem finansów.
b. Zakwitł handel z Europą i Ameryką.
c. Rozpoczął się proces urbanizacji miast i zaczęły powstawać metropolie handlowe.
d. Zmniejszono liczbę obowiązków ciążących na chłopach.

3. Ile kombinacji umożliwia jedna komórka alfabetu Braille'a?
a. 89.
b. 64.
c. 46.
d. 98.

4. Które z poniższych zdań jest prawdziwe?
a. W tradycyjnej wersji alfabetu Braille'a jedna komórka odpowiada jednej literze, a w alfabecie Braille'a II stopnia jedna komórka może odpowiadać całemu słowu.
b. W tradycyjnej wersji alfabetu Braille'a jedna komórka odpowiada jednemu słowu, a w alfabecie Braille'a II stopnia jedna komórka odpowiada jednej literze.
c. W tradycyjnej wersji alfabetu Braille'a jedna komórka odpowiada jednej literze, a w alfabecie Braille'a II stopnia jedna komórka odpowiada jednej cyfrze.
d. W tradycyjnej wersji alfabetu Braille'a jedna komórka odpowiada jednej cyfrze, a w alfabecie Braille'a II stopnia jedna komórka odpowiada jednej literze.

5. Jakie dwa kąty nazywamy dopełniającymi?
a. Takie, które w sumie dają 180 stopni.
b. Dwa kąty rozwarte.
c. Takie, które w sumie dają więcej niż 90 stopni.
d. Takie, które w sumie dają 90 stopni.

6. Który z poniższych kątów jest kątem ostrym?
a. 91°.
b. 90°.
c. 89°.
d. 100°.

7. Co jest największym obiektem Układu Słonecznego?
a. Jowisz.
b. Słońce.
c. Pas planetoid.
d. Ceres.

8. Pluton, Ceres i Eris to przykłady:
a. planet zewnętrznych;
b. planet wewnętrznych;
c. planet karłowatych;
d. galaktyk.

9. Jakim językiem jest niderlandzki?
a. Zachodniosłowiańskim.
b. Wschodniogermańskim.
c. Zachodniogermańskim.
d. Wschodniosłowiańskim.

10. Ile istnieje dialektów niderlandzkiego?
a. 16.
b. 28.
c. 7.
d. 12.

HISTORIA: Krzysztof Kolumb i Nowy Świat

Kolumb podejmuje podróż na Wschód, Pierwsza wyprawa, Druga wyprawa, Trzecia wyprawa, Czwarta wyprawa, Skutki dla rodowitych mieszkańców Ameryki

MATEMATYKA: Twierdzenie Pitagorasa

Co mówi twierdzenie Pitagorasa?, Dowód za pomocą trójkątów podobnych, Dowód Euklidesa, Dowód algebraiczny, Dowód różniczkowy, Trójki pitagorejskie

SZTUKA JĘZYKA: Dialekty

Czym jest dialekt?, Upowszechnione dialekty, Socjolekt, Gwara, Interlingua, Obszary ogniskujące i tradycyjne

PRZYRODA: Wielki wybuch

Coś z niczego, Rozszerzanie się wszechświata, Dowód na prawdziwość teorii wielkiego wybuchu, Błędne przekonania, Inne teorie, Gdzie tu miejsce dla Boga?

Lekcja 13

JĘZYKI OBCE: Szwedzki

Początki, Staroszwedzki, Współczesny szwedzki, Jak dziś mówią Szwedzi?, Dialekty, Użyteczne zwroty

LEKCJA 13A

 KRZYSZTOF KOLUMB I NOWY ŚWIAT

Kolumb podejmuje podróż na Wschód Krzysztof Kolumb spędził sporą część swego życia, pływając po wodach Oceanu Atlantyckiego. Interesowało go dotarcie na Daleki Wschód, który – jak wierzył – znajdował się na przeciwnym brzegu Atlantyku. Założył sobie, że odnajdzie drogę morską do Indii i zdobędzie złoto oraz przyprawy. Kolumb zabiegał o wsparcie finansowe dla swojej wyprawy u portugalskiego króla Jana II Doskonałego, nie udało mu się go jednak uzyskać. Później spotkał się z władcami Hiszpanii, królem Ferdynandem i królową Izabelą, którzy – choć wcześniej także odmówili jego prośbom – ostatecznie zdecydowali się wesprzeć planowaną wyprawę.

 DIALEKTY

Czym jest dialekt? Dialekt to szczególna odmiana danego języka, jaką posługuje się wybrana grupa społeczeństwa. Zazwyczaj różni się od powszechnie używanego języka wymową, a posługiwanie się nim jest zależne od czynników społecznych, geograficznych i ekonomicznych oraz od pochodzenia. Dialekty mogą posiadać odrębną gramatykę, składnię, morfologię oraz słownictwo.

 TWIERDZENIE PITAGORASA

Co mówi twierdzenie Pitagorasa? Teza twierdzenia Pitagorasa to jeden z najbardziej znanych wzorów matematycznych:

$$a^2 + b^2 = c^2$$

Litery a i b oznaczają tu dwie przyprostokątne trójkąta prostokątnego, a litera c – przeciwprostokątną. Twierdzenie Pitagorasa ma zastosowanie tylko w przypadku trójkątów prostokątnych (a więc takich, w których jeden z kątów ma miarę 90 stopni). Istnieje co najmniej 370 sposobów na dowiedzenie prawdziwości tego twierdzenia.

 WIELKI WYBUCH

Coś z niczego Teoria wielkiego wybuchu jest najpopularniejszą naukową hipotezą wyjaśniającą powstanie wszechświata. Przed jego stworzeniem nie istniało dosłownie nic. Wszechświat pojawił się nagle około 13,7 mld lat temu. Wydarzenie to określa się mianem osobliwości, będącej fenomenem istniejącym we wnętrzu czarnych dziur i przeczącym prawom znanej nam fizyki. Czarne dziury charakteryzują się olbrzymim ciśnieniem osiąganym dzięki sile grawitacji, w związku z czym cała materia tworząca czarną dziurę koncentruje się w samym centrum, tworząc osobliwość.

SZWEDZKI

Początki Szwedzki jest językiem północno-germańskim, z silnymi wpływami średnio-nisko-niemieckiego. Wywodzi się on z języka staronordyjskiego, który w IX w. podzielił się na staro-zachodnio-nordyjski oraz staro-wschodnio-nordyjski. Ta druga odmiana obowiązywała na terenach Szwecji i Danii. W XII w. języki obu tych krajów zaczęły rozwijać się osobnymi torami, jako staroszwedzki i staroduński.

🏛 KRZYSZTOF KOLUMB I NOWY ŚWIAT

Pierwsza wyprawa Do pierwszej wyprawy Krzysztof Kolumb przygotował trzy statki: „Niña", „Pinta" i „Santa María". Kolumb został kapitanem „Santa Marii", a jego bracia – dwóch pozostałych. 3 sierpnia 1492 r. statki wyruszyły w podróż, a 12 października przybiły do brzegu wyspy San Salvador na Bahamach, którą członkowie wyprawy niezwłocznie przejęli. Wkrótce potem Kolumb odkrył Kubę (którą wziął za Chiny), a w grudniu dotarł na wyspę Haiti (którą pomylił z Japonią) i założył tam kolonię składającą się z 39 osób. W marcu 1493 r. Kolumb powrócił do Hiszpanii z bogactwami, przyprawami i „indiańskimi" niewolnikami.

🌿 DIALEKTY

Upowszechnione dialekty Istnieją dialekty, które osiągnęły znaczną popularność i przestały być używane przez nieliczną grupę społeczeństwa, stając się językami stosowanymi powszechnie. Przykładowo, standardowy angielski, standardowy australijski-angielski czy standardowy kanadyjski-angielski są dialektami tego samego języka.

TWIERDZENIE PITAGORASA

Dowód za pomocą trójkątów podobnych Najprostszym sposobem na udowodnienie prawdziwości twierdzenia Pitagorasa jest wykorzystanie trójkątów podobnych, w których poszczególne boki zachowują względem siebie te same proporcje, niezależnie od tego, jaką mają długość. Zgodnie z rysunkiem równanie wygląda następująco:

$$\frac{a}{c} = \frac{e}{a} \ oraz \ \frac{b}{c} = \frac{d}{b}$$

Tak więc $a^2 = c \times e$ oraz $b^2 = c \times d$

Po wykonaniu dodawania, otrzymujemy:

$$a^2 + b^2 = c \times e + c \times d = c(e + d)$$

co daje nam:

$$a^2 + b^2 = c^2$$

✳ WIELKI WYBUCH

Rozszerzanie się wszechświata Po wytworzeniu się osobliwości zaczęła się ona rozszerzać niczym nadmuchiwana piłka (stąd nazwa „wielki wybuch"). Proces ten nie polegał jednak na rozszerzaniu się materii w przestrzeni kosmicznej, ale raczej na utworzeniu i rozrastaniu się przestrzeni obejmującej materię. Wielki wybuch rozpoczął się w niezwykle wysokiej temperaturze, która – w miarę jak się rozszerzał – stopniowo malała. Do dziś wszechświat wciąż się rozszerza i wychładza.

🜨 SZWEDZKI

Staroszwedzki Językiem staroszwedzkim posługiwano się od 1225 r. aż do schyłku XIV w. Był on znacznie bardziej złożony niż współczesny szwedzki, z wyraźnymi wpływami języka średnio-nisko-niemieckiego. Ogromną rolę w życiu społecznym odgrywał wówczas Kościół, a teksty tworzono po łacinie, do staroszwedzkiego przeniknęły więc również słowa łacińskie, a także greckie i niderlandzkie.

KRZYSZTOF KOLUMB I NOWY ŚWIAT

Druga wyprawa W październiku 1493 r. Kolumb wyruszył w kolejną podróż morską – tym razem z flotą 17 statków i 1500 osadników. W listopadzie statki dotarły do Małych Antyli, a Kolumb odkrył kolejno Portoryko i Wyspy Podwietrzne. Po powrocie na Haiti odkryto, że pozostawieni tam koloniści zostali wymordowani przez tubylców. Kolumb założył następną kolonię, po czym wyruszył eksplorować Kubę i, jak się miało okazać, odkryć Jamajkę. Kiedy powrócił do Hiszpanii, jego brat zdecydował się pozostać na Haiti, gdzie założył pierwszą stałą europejską osadę w Ameryce o nazwie Santo Domingo.

DIALEKTY

Socjolekt Dialekt uwarunkowany statusem społecznym to socjolekt. Osoby z wyższym wykształceniem należą zazwyczaj do wyższych klas i używają najbardziej rozpowszechnionego dialektu, natomiast osoby z niższym wykształceniem trzymają się zazwyczaj pierwotnego dialektu danego regionu. Na obszarach zurbanizowanych dialekty są zwykle bardziej innowacyjne, podczas gdy na terenach wiejskich hołduje się dialektom tradycyjnym.

TWIERDZENIE PITAGORASA

Dowód Euklidesa Zgodnie z dowodem Euklidesa, duży kwadrat zostaje podzielony na dwa prostokąty, jeden większy, drugi mniejszy. Następnie większy prostokąt dzieli się na dwa równe trójkąty, z których każdy zajmuje połowę pola prostokąta. W ten sam sposób należy postąpić z mniejszym prostokątem, otrzymując w efekcie dwa trójkąty przystające.

Po zastosowaniu serii reguł, otrzymujemy równanie: $|AB|^2 + |AC|^2 = |BC|^2$

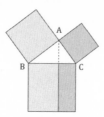

WIELKI WYBUCH

Dowód na prawdziwość teorii wielkiego wybuchu Naukowcy są przekonani, że wszechświat musiał mieć swój początek, a prawo Hubble'a z 1929 r. mówi, że galaktyki poruszają się z prędkością proporcjonalną do ich odległości, co oznacza, że wszechświat musiał być niegdyś zwarty, a obecnie się rozszerza. Naukowcy podróżujący przez przestrzeń kosmiczną natknęli się także na pozostałości ciepła, pochodzące prawdopodobnie z pierwotnego ciepła wytworzonego przez wielki wybuch.

SZWEDZKI

Współczesny szwedzki Po wynalezieniu prasy drukarskiej i okresie reformacji język szwedzki zaczął ulegać znaczącym przemianom. Staroszwedzki mieszał się z kolokwialną odmianą tego języka, którą się w tamtym okresie posługiwano, a niektóre dźwięki zaczęto wymawiać w odmienny sposób.

KRZYSZTOF KOLUMB I NOWY ŚWIAT

Trzecia wyprawa W 1498 r. Kolumb wyruszył na trzecią wyprawę, a w związ-ku z mało optymistycznymi wiadomościami z Haiti zmuszony był zabrać do Nowe-go Świata skazańców. Tym razem popłynął jeszcze dalej w kierunku południowym, odkrywając po drodze Trynidad, i nie ustawał w poszukiwaniach, dopóki nie dotarł do nieznanego brzegu. Zanim jednak zbadał odkryty ląd, musiał się udać na Haiti. W 1500 r., w związku z fatalnymi wieściami docierającymi z wyspy, pojawił się na niej wysłannik królewski, który miał za zadanie ocenić tamtejszą sytuację. W efekcie Ko-lumb powrócił do Hiszpanii zakuty w kajdany.

 # DIALEKTY

Gwara Duże zróżnicowanie dialektów zależy przede wszystkim od czynników geo-graficznych. Mowa jednej społeczności zawsze będzie się w jakiś sposób różniła od mowy innej społeczności. Granica pomiędzy obszarami, których mieszkańcy posługu-ją się językami o innych właściwościach lingwistycznych, zwana jest izoglosą. Izoglosy często pojawiają się na terenach, gdzie dochodziło do licznych migracji, albo na grani-cach państw. Przykładem izoglosy jest linia La Spezia–Rimini, która oddziela dialekty środkowowłoskie od dialektów północnowłoskich.

 # TWIERDZENIE PITAGORASA

Dowód algebraiczny Prawdziwości twierdzenia Pitagorasa można także dowieść w sposób algebraiczny. W tym celu należy wyjść od równania:

$$c^2 = (b - a)^2 + 4(ab/2) = (b - a)^2 + 2\,ab = a^2 + b^2$$

Po rozwiązaniu równanie to zamienia się w:

$$c^2 = a^2 + b^2$$

 # WIELKI WYBUCH

Błędne przekonania Wbrew temu, co może sugerować sama nazwa, wielki wy-buch nie był eksplozją, ale polegał na rozszerzaniu się przestrzeni kosmicznej (proces ten trwa do dziś). Nie jest też prawdą, że – jak sądzą niektórzy – osobliwość była kulą ognia, która pojawiła się w przestrzeni kosmicznej, ponieważ przed wielkim wybu-chem nie istniała ani przestrzeń, ani czas, ani też energia czy materia. W rzeczywisto-ści przestrzeń zrodziła się wewnątrz osobliwości. Naukowcy wciąż nie są pewni, gdzie pojawiłaby się osobliwość, gdyby nie zaistniała przestrzeń.

 # SZWEDZKI

Jak dziś mówią Szwedzi? Dziś w Szwecji używa się języka o nazwie nusvenska, co dosłownie oznacza „teraz szwedzki". Jego początki datuje się na koniec XIX w., a cha-rakteryzuje go to, że język pisany w znacznym stopniu upodobnił się do języka mówio-nego i stał się mniej formalny. Kiedy w 1906 r. nastąpiła reforma pisowni, język uległ standaryzacji, a w latach 60. XX w. wprowadzono kolejną znaczącą zmianę, znaną pod nazwą du-reformen („reforma dotycząca słowa ty"), w której wyniku wszystkie tytuły i nazwiska zastąpiono zwrotem du.

KRZYSZTOF KOLUMB I NOWY ŚWIAT

Czwarta wyprawa W 1502 r. Kolumb zdołał zorganizować cztery statki, które miały wziąć udział w jego czwartej wyprawie, a ta, jak liczył, miała przywrócić mu dobre imię. Najpierw przybił do wybrzeża Hondurasu, a następnie, próbując po raz kolejny przedostać się na Haiti, utknął na mieliźnie u brzegów Jamajki. Tam ciężko zachorował i gdy nadeszła pomoc, musiał wracać do Hiszpanii, co nastąpiło w 1504 r. Zmarł dwa lata później, wciąż wierząc, że dotarł do Azji.

DIALEKTY

Interlingua W latach 1937–1951 rozwinął się „sztuczny" język o nazwie interlingua, dla którego pozostałe języki Zachodu miały stanowić coś na kształt dialektów. Opierając się na obserwacji podobieństw między językami, lingwiści wykorzystali słownictwo z angielskiego, hiszpańskiego, portugalskiego, włoskiego, francuskiego, rosyjskiego i niemieckiego, aby stworzyć mówiony i pisany język, który wszyscy byliby w stanie zrozumieć. Język ten jest również znany jako „międzynarodowy język pomocniczy".

TWIERDZENIE PITAGORASA

Dowód różniczkowy Prawdziwości twierdzenia Pitagorasa można także dowieść za pomocą rachunku różniczkowego. W tym wypadku należy przeanalizować sposób, w jaki zmiany długości boku trójkąta wpływają na długość przeciwprostokątnej. To tzw. dowód metryczny, nieopierający się na wielkości pola, ale na długościach.

WIELKI WYBUCH

Inne teorie Teoria wielkiego wybuchu nie jest jedyną naukową hipotezą związaną z powstaniem wszechświata. W 2003 r. fizyk Robert Gentry zaproponował własną teorię, twierdząc, że hipotezy dotyczące wielkiego wybuchu opierają się na błędnych założeniach. Teoria Gentry'ego odwołuje się do twierdzenia Einsteina na temat czasoprzestrzeni i prowadzi do wniosku, że istnieje centrum wszechświata, które ani się nie rozszerza, ani nie kurczy. Gentry podaje także szereg dowodów na prawdziwość swojej teorii.

SZWEDZKI

Dialekty Istnieje sześć podstawowych dialektów języka szwedzkiego: północnoszwedzki, południowoszwedzki, fińsko-szwedzki, szwedzki ze Szwecji Właściwej, gotalandzki i gotlandzki. Funkcjonują niezależnie od powszechnie przyjętej formy języka szwedzkiego i rozwijają się już od czasów języka staronordyjskiego. Są ściśle powiązane z określonymi obszarami kraju, a ich użytkownicy posługują się także standardowym szwedzkim.

KRZYSZTOF KOLUMB I NOWY ŚWIAT

Skutki dla rodowitych mieszkańców Ameryki W ciągu stulecia wszyscy rodowici mieszkańcy wyspy Haiti (wówczas noszącej nazwę Hispaniola) zostali wymordowani przez hiszpańskich osadników. W 1493 r. wprowadzono nową politykę dotyczącą niewolnictwa i na jej mocy doprowadzono do eksterminacji miejscowej ludności. W ciągu trzech lat życie straciło 5 milionów rodowitych mieszkańców Ameryki – powieszonych, zastrzelonych bądź wycieńczonych pracą niewolniczą.

DIALEKTY

Obszary ogniskujące i tradycyjne Na tzw. obszarach ogniskujących dochodzi do uwspółcześniania dialektów. Zazwyczaj są to tereny zurbanizowane, gdzie prężnie rozwija się kultura i gospodarka. Z kolei obszary tradycyjne to takie, do których nie dotarły jeszcze nowinki związane z dialektami z obszarów ogniskujących. Obszary tradycyjne również wprowadzają pewne innowacje w swoich dialektach, ale nie mają one takiej siły przebicia jak tereny ogniskujące. Przykładowo, Kraków można by uznać za obszar ogniskujący, a półwysep Hel – za obszar tradycyjny.

TWIERDZENIE PITAGORASA

Trójki pitagorejskie Trójki pitagorejskie to trzy dodatnie liczby całkowite (np. 3, 4 i 5), które sprawdzają się jako wartości równania Pitagorasa i mogłyby być bokami trójkąta prostokątnego. Inne przykłady takich trójek to: 5, 12 i 13 lub 7, 24 i 25. Aby stworzyć trójkę pitagorejską, należy wziąć do kwadratu jakąkolwiek liczbę nieparzystą, a następnie znaleźć dwie następujące po sobie liczby, których suma da nam taką samą wartość, jak kwadrat pierwszej liczby.

WIELKI WYBUCH

Gdzie tu miejsce dla Boga? Teoria wielkiego wybuchu jest kontrowersyjna, ponieważ kwestionuje udział Boga w tworzeniu wszechświata. Podczas gdy jedne religie zaakceptowały ją i dopasowały do swoich wierzeń, inne całkowicie ją odrzuciły. W 1951 r. papież Pius XII ogłosił, że teoria wielkiego wybuchu nie kłóci się z założeniami religii katolickiej.

SZWEDZKI

Użyteczne zwroty Oto kilka zwrotów, które mogą się okazać przydatne podczas podróży do Szwecji:

Cześć – *Hej*
Dzień dobry – *God morgon* (przed południem)/*God eftermiddag* (po południu)
Dobry wieczór – *God kväll*
Dobranoc – *God natt*
Nie rozumiem – *Jag förstår inte*

Ile to kosztuje? – *Hur mycket kostar det?*
Na zdrowie! – *Skål!*
Przepraszam – *Ursäkta*
Dziękuję – *Tack*
Do widzenia – *Hej då*

1. **Jaka była nazwa pierwszej stałej europejskiej osady w Nowym Świecie?**
   a. Hispaniola.
   b. Wyspy Podwietrzne.
   c. Santo Domingo.
   d. Santa María.

2. **W 1493 r. wprowadzono w Nowym Świecie nową politykę dotyczącą niewolnictwa i zaczęto dokonywać masowych mordów. Ilu rodowitych mieszkańców Ameryki straciło życie w ciągu trzech następnych lat?**
   a. 2 miliony.
   b. 9 milionów.
   c. 5 milionów.
   d. 500.

3. **Który z poniższych czynników ma wpływ na kształtowanie się dialektów?**
   a. Status społeczny.
   b. Umiejscowienie geograficzne.
   c. Urbanizacja.
   d. Wszystkie czynniki wymienione w odpowiedziach (a), (b) i (c).

4. **Odmiany języka angielskiego uznane za język standardowy w Ameryce, Australii i Anglii to przykłady:**
   a. dialektów upowszechnionych;
   b. obszarów tradycyjnych;
   c. obszarów ogniskujących;
   d. języka interlingua.

5. **Jeśli teza twierdzenia Pitagorasa wyraża się wzorem $c^2 = a^2 + b^2$, to literą c oznaczono:**
   a. lewy bok trójkąta;
   b. prawy bok trójkąta;
   c. przyprostokątną;
   d. przeciwprostokątną.

6. **Które z poniższych liczb to trójki pitagorejskie?**
   a. 7, 24, 25.
   b. 9, 18, 27.
   c. 7, 8, 9.
   d. 7, 25, 26.

7. **Które z poniższych twierdzeń jest prawdziwe?**
   a. Przed wielkim wybuchem nie istniało absolutnie nic.
   b. Wielki wybuch doprowadził do stworzenia i rozszerzenia przestrzeni wypełnionej materią.
   c. Wielki wybuch został zainicjowany przez osobliwość.
   d. Zarówno (a), (b) i (c).

8. **Co mówi prawo Hubble'a?**
   a. Wszechświat się nie rozszerza.
   b. Wszechświat się rozszerza.
   c. Przez wszechświat płynie ciepło.
   d. Wszechświat nigdy się nie skurczył.

9. **Za jakie ważne wydarzenie jest odpowiedzialny król Gustaw I Waza?**
   a. Doprowadził do zmiany dialektu gotalandzkiego na dialekt gotlandzki.
   b. Dokonał unifikacji dialektów północnych i południowych.
   c. Zarządził *du-reformen*.
   d. Zarządził tłumaczenie Biblii na język szwedzki.

10. **Jak powiedzieć po szwedzku „dziękuję"?**
    a. Hej då.
    b. Tack.
    c. Ursäkta.
    d. Hej.

HISTORIA: Wojna o niepodległość Stanów Zjednoczonych

Bitwa pod Lexington i Concord, Bitwa pod Bunker Hill, Ewakuacja Bostonu, Bitwa pod Trenton, Bitwa pod Saratogą, Bitwa o Yorktown

MATEMATYKA: Ciąg Fibonacciego

Czym jest ciąg Fibonacciego?, Złota liczba, Ciąg Fibonacciego w naturze, Ciąg Fibonacciego w muzyce, Mężczyzna stojący za Fibonaccim, Króliki Leonardo Pisano Bogollo

SZTUKA JĘZYKA: Figury retoryczne

Czym są figury retoryczne?, Porównanie, Metafora, Hiperbola, Oksymoron, Inne popularne figury retoryczne

Przyroda: Galileusz

Kim był Galileusz?, Teleskop, Księżyc, Jowisz, Galileusz kontra Kościół, Galileusz a teorie kopernikańskie

Lekcja 14

Języki obce: Fiński

Początki, Fiński w czasach średniowiecza, System pisma, Modernizacja fińskiego, Dialekty, Użyteczne zwroty

WOJNA O NIEPODLEGŁOŚĆ STANÓW ZJEDNOCZONYCH

Bitwa pod Lexington i Concord Nie wiadomo, która ze stron oddała „strzał, który usłyszał cały świat", ale 19 kwietnia 1775 r. wojska brytyjskie stoczyły z amerykańskimi osadnikami pierwszą bitwę w wojnie o niepodległość Stanów Zjednoczonych. Gdy rozeszła się wieść, że do Concord wysłano oddział 700 brytyjskich żołnierzy, których zadaniem jest zajęcie tamtejszego magazynu broni i amunicji należących do osadników, emigrant i amerykański patriota Paul Revere wyprzedził konno maszerujących Brytyjczyków, ostrzegł kolonistów przed ich nadejściem i zwołał ich pod broń. Doszło do wymiany strzałów, podczas której większe straty ponieśli Brytyjczycy.

FIGURY RETORYCZNE

Czym są figury retoryczne? Figury retoryczne to środki ekspresji językowej, które poprzez wykorzystanie brzmieniowych, znaczeniowych i uczuciowych walorów wyrazów wzmacniają emocjonalność i obrazowość języka. Figury retoryczne nazywa się też figurami stylistycznymi lub zwrotami literackimi. Są używane we wszystkich odmianach języka i w mowie potocznej, ale szczególne znaczenie mają w stylu poetyckim, który pozwala autorowi na znacznie większą kreatywność.

CIĄG FIBONACCIEGO

Czym jest ciąg Fibonacciego? Ciąg Fibonacciego to sekwencja liczb, które podlegają prostej regule, mówiącej, że jakakolwiek liczba należąca do ciągu musi być sumą poprzednich dwóch liczb. Pierwszych dziesięć liczb ciągu Fibonacciego prezentuje się następująco:

$$0, 1, 1, 2, 3, 5, 8, 13, 21, 34$$

Ciąg Fibonacciego zapisuje się jako:

$$\begin{cases} x_1 = 0 \\ x_2 = 1 \\ x_n = x_{n-1} + x_{n-2} \end{cases}$$

GALILEUSZ

Kim był Galileusz? Galileusz (właśc. Galileo Galilei; 1564–1642) był włoskim matematykiem, fizykiem, filozofem i astronomem. Odegrał kluczową rolę w rewolucji naukowej, która rozpoczęła się pod koniec renesansu i przyniosła epokę oświecenia. Galileusz jest dziś uznawany za „ojca współczesnej nauki", a przede wszystkim twórcę podstaw nowożytnej fizyki. Jego dokonania wciąż odgrywają olbrzymią rolę.

◐ FIŃSKI

Początki Fiński, podobnie jak węgierski, estoński czy lapoński zalicza się do grupy języków ugrofińskich z rodziny uralskiej. Wywodzi się z prajęzyka fińsko-permskiego, z którego kilka tysięcy lat temu powstały wczesne formy języków bałtyckofińskich oraz język saami (lapoński). Wczesny fiński zaczerpnął wiele zapożyczeń z języków indoeuropejskich, zwłaszcza bałtyckich i germańskich. Właściwy język fiński ukształtował się dopiero w czasach nowożytnych.

WOJNA O NIEPODLEGŁOŚĆ STANÓW ZJEDNOCZONYCH

Bitwa o Bunker Hill Po bitwie pod Lexington i Concord siły amerykańskich kolonistów podeszły pod Boston od strony okalających miasto wzgórz. Dowiedziawszy się, że Brytyjczycy planują atak na wzgórza Bunker i Breed's, wysłano 1500 ludzi, aby zbudowali umocnienia i fortyfikacje. 17 czerwca 1775 r. 2600 brytyjskich żołnierzy podjęło atak na wzgórza. Większość walk toczyła się wokół Breed's Hill. Po przypuszczeniu przez Brytyjczyków trzeciej szarży osadnicy musieli się wycofać, ale choć brytyjscy żołnierze ostatecznie zajęli wzgórze, odnieśli przy tym bardzo wiele strat.

FIGURY RETORYCZNE

Porównanie Jedną z najpopularniejszych figur retorycznych jest porównanie. Polega na zestawieniu pojęć na podstawie ich podobieństwa, przy zastosowaniu wyrazów „jak", „jakby", „niczym" itp. Przykładem typowych porównań będą więc zdania: „On je jak świnia" albo „To jest lekkie niczym piórko". Rozbudowane porównania, z którymi mamy często do czynienia w poezji, noszą nazwę homeryckich, były bowiem charakterystyczne dla tego poety.

CIĄG FIBONACCIEGO

Złota liczba Wyrażana za pomocą symbolu φ (fi) stała matematyczna o wartości 1,6180339887. Złota liczba określa taki podział odcinka na dwie części, aby stosunek długości dłuższej z nich do krótszej był taki sam, jak stosunek całego odcinka do części dłuższej. Przedstawia to wzór:

$$\frac{a+b}{a} = \frac{a}{b} = \varphi$$

Stosunek jakichkolwiek dwóch kolejnych liczb z ciągu Fibonacciego będzie zbliżony do złotej liczby.

GALILEUSZ

Teleskop W 1609 r. Galileusz dowiedział się o holenderskim wynalazku zwanym lunetą, dzięki któremu odległe obiekty sprawiały wrażenie znacznie bliższych. Naukowiec postanowił sam dojść do tego, jak taki wynalazek działa, i nie mając do czynienia z prototypem lunety, a opierając się wyłącznie na tym, co o niej zasłyszał, w ciągu 24 godzin stworzył teleskop umożliwiający trzykrotne powiększenie. Po wprowadzeniu pewnych zmian ulepszył go tak, że zapewniał już dziesięciokrotne powiększenie. Wynalazek zaprezentował weneckiemu senatorowi, wyjaśniając zasady jego działania.

FIŃSKI

Fiński w czasach średniowiecza Przed nastaniem wieków średnich fiński był wyłącznie językiem mówionym. W średniowieczu nastąpiła aneksja Finlandii przez katolicką Szwecję. Językiem urzędowym był szwedzki, w sferze religijnej posługiwano się łaciną, a przeprowadzając interesy – średnio-nisko-niemieckim. Nie pozostawało więc zbyt wiele okazji do używania fińskiego, a jednak to właśnie z tamtego okresu, a dokładnie z roku 1450, pochodzi pierwszy dowód na istnienie pisanej formy tego języka.

WOJNA O NIEPODLEGŁOŚĆ STANÓW ZJEDNOCZONYCH

Ewakuacja Bostonu Ewakuacja Brytyjczyków z Bostonu stanowiła ważne zwycięstwo amerykańskich osadników, a także pierwszy poważny militarny sukces generała Jerzego Waszyngtona, który objął dowództwo nowo utworzonej Armii Kontynentalnej. Po bitwie o Bunker Hill Brytyjczycy zdawali sobie sprawę z poniesionych strat. Wprawdzie wciąż mieli przewagę liczebną, ale armia Waszyngtona otrzymała wsparcie artyleryjskie. Oficer artylerii Henry Knox sprowadził 50 ciężkich dział z fortu Ticonderoga i wycelował je w brytyjskie statki zacumowane w bostońskim porcie. 5 marca 1776 r. brytyjski generał Howe zarządził ewakuację floty oraz armii do Halifaxu w Kanadzie.

 # FIGURY RETORYCZNE

Metafora Przenośnia (inaczej metafora) jest zbliżona do porównania, ale nie tyle zestawia dwa pojęcia, ile utożsamia je ze sobą. Najprościej rzecz ujmując, zamiast porównywać jedną rzecz do drugiej, za pomocą metafory stwierdzamy, że jedna rzecz jest drugą rzeczą. Przykładowo, „Ona jest jak żmija" to porównanie, „Ona jest żmiją" to metafora. Zespół wyrazów składających się na metaforę zyskuje nieco inne znaczenie od tego, jakie wynikałoby ze znaczeń poszczególnych wyrazów. Wypowiadając zdanie „Jego dom to chlew", nie chcemy powiedzieć, że ktoś faktycznie mieszka w chlewie, ale że jego dom jest bardzo zaniedbany.

 # CIĄG FIBONACCIEGO

Ciąg Fibonacciego w naturze Ciąg Fibonacciego pojawia się w naturze z zadziwiającą częstotliwością. Odnajdziemy go zarówno w ilości płatków kwiatu, jak i w układzie gałęzi drzewa, rozmieszczeniu liści na łodydze czy spiralnych wzorów na szyszce, a nawet łusek na skorupie ananasa. Szczególnie ciekawym przykładem występowania ciągu Fibonacciego w naturze jest sposób rozmnażania się pszczół – sekwencje pszczelich rodziców i przodków idealnie odpowiadają wartościom ciągu Fibonacciego.

 # GALILEUSZ

Księżyc W czasach Galileusza panowało przekonanie, że powierzchnia Księżyca jest całkowicie gładka. Kiedy jednak Galileusz ustawił świeżo wynalezioną lunetę w kierunku ziemskiego satelity, okazało się, że prawda jest zupełnie inna. Powierzchnia Księżyca była nierówna i naznaczona kraterami. Odkrycie Galileusza nie zyskało jednak akceptacji, a niektórzy ludzie wciąż woleli uważać, że powierzchnię Księżyca pokrywa niewidzialna warstwa gładkiego kryształu.

 # FIŃSKI

System pisma W XVI w. fiński biskup Mikael Agricola stworzył pierwszy pełny system pisma języka fińskiego. Pisownię oparł na łacinie, szwedzkim i niemieckim, a głównym celem utworzenia systemu było przetłumaczenie Biblii na język fiński. W późniejszym okresie system pisma Agricoli został zmodyfikowany, aby jak najbardziej upodobnić go do wymowy, i w związku z tym pozbyto się niektórych fonemów.

WOJNA O NIEPODLEGŁOŚĆ STANÓW ZJEDNOCZONYCH

Bitwa pod Trenton W Boże Narodzenie 1776 r. Jerzy Waszyngton poprowadził 2500 ludzi przez rzekę Delaware podczas szalejącej burzy śnieżnej do ataku na brytyjskich i najemnych żołnierzy stacjonujących w Trenton w stanie New Jersey. Zaskoczył ich we śnie, biorąc w niewolę 1000 jeńców i zabijając ponad stu ludzi bez strat własnych.

FIGURY RETORYCZNE

Hiperbola Przesadnia (inaczej hiperbola) to figura zawierająca wyraźną przesadę, wyolbrzymienie, co ma wywołać u odbiorcy silną reakcję. Hiperboli nie należy traktować poważnie, zwłaszcza że często używa się jej dla osiągnięcia efektu komicznego. Zdania: „On jest starszy niż dinozaury" albo „Jestem milion razy mądrzejszy od ciebie" to właśnie hiperbole. Ten środek stylistyczny bardzo często spotyka się w mediach i reklamie.

CIĄG FIBONACCIEGO

Ciąg Fibonacciego w muzyce Sekwencję pierwszych 8 liczb ciągu Fibonacciego odnajdujemy również w muzyce. Skala składa się z ośmiu nut, a trzecia i piąta nuta stanowią podstawę akordów. Te są oparte na pełnym tonie, który znajduje się o dwa tony dalej od tonu podstawowego, będącego jednocześnie pierwszą nutą. Ciąg Fibonacciego można odnaleźć również w proporcjach rytmicznych niektórych utworów muzycznych, np. węgierskiego kompozytora Béli Bartóka.

GALILEUSZ

Jowisz Do stycznia 1610 r. Galileuszowi udało się skonstruować lunetę umożliwiającą 30-krotne powiększenie. Naukowiec obserwował za jej pomocą niebo i pewnego dnia zwrócił uwagę na trzy jasne obiekty tworzące prostą linię niedaleko Jowisza. Następnego wieczoru przesunęły się one w kierunku zachodnim względem planety, ale wciąż tworzyły prostą linię. Galileusz odkrył w ten sposób trzy księżyce Jowisza – Europę, Kallisto i Ganimedesa – i choć początkowo uważał, że są to gwiazdy, z czasem doszedł do wniosku, że muszą to być satelity, a skoro krążą wokół innej planety, to być może Ziemia wcale nie jest centrum wszechświata. Potwierdzało to kopernikańską teorię heliocentryzmu, której był zwolennikiem.

FIŃSKI

Modernizacja fińskiego W XIX w. pojawiła się wyraźna potrzeba modyfikacji języka fińskiego. Od momentu stworzenia przez Agricolę fińskiego systemu pisma, język ten był używany niemal wyłącznie w kwestiach związanych z religią. W miarę jak rosło wsparcie dla języka narodowego, czynione były także starania, aby go udoskonalić i unowocześnić. Pod koniec XIX stulecia fiński stał się obok szwedzkiego oficjalnym językiem używanym w literaturze, nauce i administracji.

LEKCJA 14D

WOJNA O NIEPODLEGŁOŚĆ STANÓW ZJEDNOCZONYCH

Bitwa pod Saratogą Jest uważana za jedno z najważniejszych zwycięstw w wojnie o niepodległość Stanów Zjednoczonych, a także za jej punkt zwrotny. Brytyjczycy chcieli przejąć kontrolę nad rzeką Hudson i odciąć Nową Anglię od pozostałych kolonii, zostali jednak osaczeni i pokonani przez przeważające siły Amerykanów. 19 września 1777 r. doszło do pierwszej bitwy pod Saratogą, a 7 października – do drugiej. W ich wyniku brytyjskie wojska zmuszone były złożyć broń. Ważną rolę w obu bitwach odegrał Tadeusz Kościuszko.

 # FIGURY RETORYCZNE

Oksymoron Epitet sprzeczny (oksymoron) polega na połączeniu ze sobą dwóch przeciwstawnych wyrazów, co daje nam zupełnie nowe znaczenie lub wprowadza efekt paradoksu. Przykładowo, w zwrocie „słodko-gorzki" wykorzystano sprzeczne przymiotniki, ale po ich połączeniu pojawiło się nowe znaczenie. Inne przykłady oksymoronów to: „ogłuszająca cisza", „mały olbrzym" czy „zimny ogień".

 # CIĄG FIBONACCIEGO

Mężczyzna stojący za Fibonaccim Ciąg Fibonacciego został nazwany na cześć Włocha Leonarda Pisano Bogollo, żyjącego w latach 1170–1250. Jego przydomek brzmiał właśnie „Fibonacci", a więc: „syn Bonacciego". Choć ciąg ten opisali już wcześniej matematycy hinduscy, to właśnie Leonardo Pisano Bogollo pomógł rozpowszechnić go w Europie Zachodniej. To samo zrobił zresztą z liczebnikami hindusko-arabskimi (systemem używanym do dzisiaj), które zastąpiły w Europie powszechne dotąd liczebniki rzymskie.

 # GALILEUSZ

Galileusz kontra Kościół Galileusz kontynuował obserwacje nieba i nieustannie odkrywał nowe fakty dotyczące poszczególnych planet, a jego odkrycia niejednokrotnie zdawały się zaprzeczać naukom Kościoła. Sam Galileusz był człowiekiem religijnym i nie odrzucał Biblii, ale propagowanie tezy o heliocentrycznej budowie świata doprowadziło w 1616 r. do oskarżenia go przez Inkwizycję o głoszenie herezji. Ostatecznie uznano go za niewinnego, ale 16 lat później, po wydaniu przez niego dzieła rozwijającego teorie kopernikańskie, zastosowano wobec niego areszt domowy, w którym pozostał aż do śmierci.

 # FIŃSKI

Dialekty Istnieją dwie podstawowe odmiany dialektów języka fińskiego: wschodnia i zachodnia. Są do siebie stosunkowo podobne, ale różnią się w kwestii użycia dyftongów, rytmu oraz sposobu wymawiania samogłosek. Najłatwiej je rozróżnić, zwracając uwagę na wymowę litery *d*. Ich gramatyka, słownictwo i fonologia są właściwie identyczne.

WOJNA O NIEPODLEGŁOŚĆ STANÓW ZJEDNOCZONYCH

LEKCJA 14F

Bitwa o Yorktown Choć bitwa o Yorktown nie była ostatnim etapem wojny o niepodległość Stanów Zjednoczonych, bez wątpienia należała do jej kluczowych potyczek. Klęska Brytyjczyków pod Saratogą skłoniła Francję do przystąpienia do wojny po stronie amerykańskiej. 5 września 1781 r. flota francuska odniosła zwycięstwo nad marynarką brytyjską, a pod koniec miesiąca połączone armie sojusznicze rozpoczęły oblężenie wojsk brytyjskich w Yorktown. Brak perspektyw odsieczy i kończące się zapasy zmusiły brytyjskiego generała Cornwallisa do kapitulacji 19 października 1781 r. Wielka Brytania uznała wojnę za przegraną.

 # FIGURY RETORYCZNE

Inne popularne figury retoryczne Inne figury retoryczne to m.in.: aliteracja (polegająca na powtarzaniu początkowej litery lub sylaby), anafora (powtórzenia określonych słów czy zwrotów), onomatopeja (użycie słów imitujących dźwięki) oraz antyteza (gdzie prezentuje się tuż obok siebie dwie sprzeczne ze sobą idee).

 # CIĄG FIBONACCIEGO

Króliki Leonarda Pisano Bogollo Leonardo Pisano Bogollo po raz pierwszy wspomniał o ciągu Fibonacciego w swoim dziele *Liber Abaci*. Zbadał w nim nierealistyczny przyrost liczby królików, zastanawiając się, ile par królików pojawiłoby się w ciągu jednego roku, gdyby mogły się rozmnażać już w wieku jednego miesiąca, pod koniec kolejnego miesiąca samica byłaby w stanie urodzić kolejną parę, króliki nigdy by nie zdychały, a począwszy od drugiego miesiąca nowa para pojawiałaby się na świecie co miesiąc.

 # GALILEUSZ

Galileusz a teorie kopernikańskie Galileusz był wyznawcą i nauczycielem teorii Mikołaja Kopernika, opierających się na założeniu, że Ziemia nie stanowi centrum wszechświata. Zakaz rozpowszechniania dzieła Galileusza, które sprowadziło na niego dożywotni areszt domowy, został zdjęty przez Kościół katolicki w 1822 r., ale dopiero w roku 1992 Watykan oficjalnie oczyścił Galileusza ze wszystkich stawianych mu wcześniej zarzutów.

 # FIŃSKI

Użyteczne zwroty Oto kilka zwrotów, które mogą się okazać przydatne podczas podróży do Finlandii.

Cześć – *Terve*
Dzień dobry – *Hyvää huomenta* (przed południem)/*Hyvää päivää* (po południu)
Dobry wieczór – *Hyvää iltaa*
Tak – *Kyllä*
Nie – *Ei*
Dziękuję – *Kiitos*

Czy mówicie po angielsku? – *Puhutteko englantia?*
Nie mówię po fińsku – *Minä en puhu suomea*
Nie rozumiem – *Minä en ymmärrä*
Gdzie jest toaleta? – *Missä on WC?*
Do widzenia – *Näkemiin*

1. **Który z poniższych opisów odpowiada faktycznemu przebiegowi bitwy pod Trenton?**
   a. W Boże Narodzenie 1776 r. Waszyngton poprowadził 2500 żołnierzy przez rzekę Delaware w trudnych warunkach burzy śnieżnej, aby niespodziewanie zaatakować wojska brytyjskie i najemne.
   b. Brytyjczycy planowali połączyć siły dwóch oddziałów, aby pokonać osadników, co uniemożliwiła interwencja wojsk francuskich.
   c. Brytyjczycy ewakuowali się z Bostonu.
   d. Oddano „strzał, który usłyszał cały świat".

2. **Która z poniższych bitew okazała się dla Amerykanów porażką?**
   a. Bitwa o Yorktown.
   b. Bitwa pod Bunker Hill.
   c. Bitwa pod Trenton.
   d. Bitwa pod Saratogą.

3. **Które z poniższych zdań jest metaforą?**
   a. On jest zupełnie jak świnia.
   b. On jest brudny jak świnia.
   c. On jest milion razy brudniejszy niż świnia.
   d. Świnia z niego.

4. **Które z poniższych zdań jest hiperbolą?**
   a. On jest zupełnie jak świnia.
   b. On jest brudny jak świnia.
   c. On jest milion razy brudniejszy niż świnia.
   d. Świnia z niego.

5. **Jaka jest następna liczba w ciągu Fibonacciego: 0, 1, 1, 2, 3, 5...?**
   a. 9.
   b. 5.
   c. 7.
   d. 8.

6. **Co możemy uznać za przykład ciągu Fibonacciego w naturze?**
   a. Układ liści na łodydze.
   b. Spiralne wzory na szyszce.
   c. Układ łusek na skorupie ananasa.
   d. Zarówno (a), (b) i (c).

7. **Do jakiego wniosku doszedł Galileusz, odkrywając satelity krążące wokół Jowisza?**
   a. Skoro satelity krążą wokół innej planety, to być może Ziemia wcale nie stanowi centrum wszechświata.
   b. Satelity Jowisza są nieznanymi planetami.
   c. Satelity Jowisza są kometami.
   d. Ziemia stanowi centrum wszechświata.

8. **Dzięki nowemu teleskopowi Galileusz dostrzegł, że powierzchnia Księżyca:**
   a. jest równa i gładka;
   b. jest nierówna i naznaczona kraterami;
   c. jest pokryta niewidzialną warstwą kryształu;
   d. nie jest zrobiona z sera.

9. **Przed nastaniem średniowiecza fiński:**
   a. był wyłącznie językiem pisanym;
   b. był używany wyłącznie w zachodniej części kraju;
   c. był wyłącznie językiem mówionym;
   d. nie charakteryzował się żadną z cech wymienionych w odpowiedziach (a), (b) i (c).

10. **Fińskie dialekty najłatwiej rozróżnić zwracając uwagę na wymowę litery**
    e. *b*;
    f. *g*;
    g. *c*;
    h. *d*.

HISTORIA: Polskie konstytucje

O ustawie zasadniczej, Konstytucja 3 maja, Konstytucje pod zaborami, Konstytucje w dwudziestoleciu międzywojennym, Konstytucja PRL, Konstytucja Rzeczpospolitej Polskiej

MATEMATYKA: Pierwiastek kwadratowy

Uproszczone pierwiastkowanie, Mnożenie pierwiastków kw., Dodawanie i odejmowanie pierwiastków kw., Dzielenie pierwiastków kw., Pozbywanie się pierwiastków z mianownika, Pierwiastki wyższego stopnia

SZTUKA JĘZYKA: Terminy literackie

Gatunek, Alegoria, Katharsis, Motyw, Wieloznaczność, Metanoja

PRZYRODA: Stephen Hawking

O Stephenie Hawkingu, Teoria osobliwości, Czarne dziury, Jednolita teoria pola, *Krótka historia czasu*, Zakład Thorne'a, Hawkinga i Preskilla

Lekcja 15

JĘZYKI OBCE: Islandzki

Początki, Średnioislandzki, Współczesny język islandzki, Wpływy na język islandzki, Fonologia, Użyteczne zwroty

POLSKIE KONSTYTUCJE

O ustawie zasadniczej Konstytucja (od łac. *constituo, -ere* – urządzać, ustanawiać, regulować) to akt prawny, zwany także ustawą zasadniczą, który ma najwyższą moc prawną w systemie danego państwa, określając podstawowe zasady jego ustroju politycznego i społecznego. Współczesne państwa mają na ogół konstytucje pisane, których tradycja sięga XVIII wieku. Najstarszą ustawą zasadniczą tego typu jest konstytucja Stanów Zjednoczonych (1787), drugą – polska Konstytucja 3 maja (1791), trzecią – konstytucja francuska (IX 1791). Na przestrzeni dziejów Polska miała w sumie 5 konstytucji.

 TERMINY LITERACKIE

Gatunek Bardzo łatwo zorientować się, czy utwór podlega konwencjom takiego czy innego gatunku. Przykłady gatunków literackich to: literatura faktu (skupiająca się na wydarzeniach autentycznych), kryminał (opisujący zbrodnię, której szczegóły są do samego końca wyjaśniane) czy też fantastyka (opierająca się na całkowicie wyimaginowanych wydarzeniach).

 PIERWIASTEK KWADRATOWY

Uproszczone pierwiastkowanie Aby uprościć równania z użyciem pierwiastków, przede wszystkim należy wyciągnąć pierwiastki ze wszystkich liczb, które przyniosą wynik w postaci liczby naturalnej. Przykładowo:

$$\sqrt{25} = \sqrt{5^2} = 5$$

W przypadku wyższych liczb, można uprościć sobie zadanie, rozkładając liczbę na czynniki, z których później będzie łatwiej poddać pierwiastkowaniu. Na przykład:

$$\sqrt{400} = \sqrt{100 \times 4} = \sqrt{100} \times \sqrt{4} = 10 \times 2 = 20$$

Powyższy proces ułatwia wykonywanie działania także wtedy, gdy jeden z czynników, na które rozłożymy pierwotną liczbę, nie daje pierwiastka w postaci liczby naturalnej. Oto przykład:

$$\sqrt{98} = \sqrt{49} \times \sqrt{2} = 7 \times \sqrt{2} = 7\sqrt{2}$$

 STEPHEN HAWKING

O Stephenie Hawkingu Brytyjski matematyk i fizyk, który dokonał ważnych odkryć w dziedzinie kosmologii, koncentrując się zwłaszcza na tajemnicach funkcjonowania wszechświata. Stephen Hawking studiował fizykę na uniwersytecie w Oxfordzie i ukończył tę uczelnię z najwyższą lokatą w 1962 r. Kiedy kontynuował studia w podyplomowej szkole w Cambridge, wykryto u niego stwardnienie zanikowe boczne, które na resztę życia miało go przykuć do wózka inwalidzkiego.

 ISLANDZKI

Początki Islandzki jest językiem północnogermańskim i stanowi dialekt norweskiego. W IX w. na Islandii osiedlili się Normanowie, posługujący się staronordyjskim. Ze względu na położenie geograficzne Islandii, z czasem używany tam język zaczął się coraz bardziej różnić od norweskiego. Ten drugi zaczął odbiegać od staronordyjskiego, podczas gdy islandzki, na skutek izolacji, zmieniał się nieznacznie i ze wszystkich języków wykształconych ze staronordyjskiego jest do niego dziś najbardziej podobny.

POLSKIE KONSTYTUCJE

Konstytucja 3 maja Druga na świecie i pierwsza w Europie konstytucja została uchwalona 3 maja 1791 r. przez Sejm Czteroletni. Jej autorami byli m.in. Stanisław August Poniatowski, Hugo Kołłątaj, Stanisław Staszic i Ignacy Potocki. Konstytucja regulowała ustrój prawny Rzeczpospolitej Obojga Narodów, będącej wówczas po pierwszym rozbiorze. Wprowadziła nowoczesną monarchię parlamentarną opartą na trójpodziale władzy na ustawodawczą (dwuizbowy parlament), wykonawczą (król) i sądowniczą, ograniczyła przywileje szlachty i sejmików ziemskich, zlikwidowała liberum veto i wolną elekcję. Obowiązywała tylko przez rok, po czym została obalona przez armię rosyjską i konfederację targowicką w wyniku przegranej wojny polsko-rosyjskiej, zakończonej drugim rozbiorem.

 TERMINY LITERACKIE

Alegoria W literaturze przez alegorię rozumiemy opowieść, która coś symbolizuje. W alegoriach odnajdujemy więc zarówno znaczenie dosłowne, jak i głębsze znaczenie symboliczne, ukryte za zwyczajną historią. Przykładowo, odczytując w dosłowny sposób *Władcę much* Williama Goldinga, otrzymujemy opowieść o grupie chłopców, którzy znaleźli się na nieznanej wyspie i muszą sobie poradzić bez pomocy dorosłych; odczytując tę książkę alegorycznie otrzymujemy natomiast przypowieść o całej cywilizacji ludzkiej i o związanym z nią złu.

 PIERWIASTEK KWADRATOWY

Mnożenie pierwiastków kwadratowych Podczas mnożenia pierwiastków kwadratowych należy sprowadzić je do najprostszej postaci. Przykładowo:

$$\sqrt{10} = \sqrt{5} \times \sqrt{2} = \sqrt{5}\sqrt{2}$$

Odwracając ten proces, należy zadbać o to, aby wynik nie zawierał więcej niż jednego pierwiastka. Na przykład:

$$\sqrt{3}\sqrt{12} = \sqrt{3} \times \sqrt{3} \times \sqrt{4} = \sqrt{3} \times \sqrt{3} \times 2 = 3 \times 2 = 6$$

 STEPHEN HAWKING

Teoria osobliwości Była pierwszym ważnym wkładem Stephena Hawkinga w rozwój fizyki. Korzystając z osiągnięć Alberta Einsteina i Rogera Penrose'a (z którymi swego czasu współpracował), Hawking dowiódł, że wszechświat powstał w niekończącej się osobliwości. Wyniki badań Hawkinga potwierdziły prawdziwość teorii wielkiego wybuchu i zapoczątkowały zainteresowanie naukowca czarnymi dziurami.

 ISLANDZKI

Średnioislandzki W latach 1350–1550 różnice pomiędzy norweskim i islandzkim w znaczącym stopniu się pogłębiły. Islandzki zaczął się charakteryzować szczególną dychotomią: część języka pozostawała czysta, tradycyjna, a druga część zaczęła przechodzić poważną transformację. Wśród zmian, jakie wówczas zaszły, było m.in. przekształcenie długich samogłosek w dyftongi, rozluźnienie krótkich samogłosek, pojawienie się nieobecnych wcześniej fonemów spółgłoskowych, a także wykorzystanie przydechu przy wymowie spółgłosek bezdźwięcznych. Wszystkie te zmiany słychać było w wymowie, ale oficjalnie nigdy ich nie zatwierdzono.

POLSKIE KONSTYTUCJE

Konstytucje pod zaborami W okresie rozbiorowym uchwalono dwie namiastki ustaw zasadniczych. Pierwszą z nich była konstytucja Księstwa Warszawskiego, nadana w 1807 r. przez Napoleona, razem z jego Kodeksem. Wzorowała ona ustrój Księstwa na ustroju cesarstwa francuskiego i głosiła równość wszystkich ludzi wobec prawa. Konstytucja Królestwa Polskiego została nadana przez cara Aleksandra I w 1815 r. Dawała ona Królestwu pewną odrębność, jednocześnie pełnię władzy wykonawczej i kontrolę nad parlamentem przyznając królowi, czyli carowi Rosji.

 TERMINY LITERACKIE

Katharsis Terminem katharsis określamy w literaturze taki moment snutej opowieści, w którym następuje wyzwolenie emocji, co albo pozwala głównemu bohaterowi znaleźć wyjście z danej sytuacji, albo też pomaga czytelnikowi zrozumieć owego bohatera. Pojęcie to pochodzi od greckiego słowa *kathoros*, oznaczającego „oczyszczenie". W literaturze po raz pierwszy użył go na kartach *Poetyki* Arystoteles, opisując wpływ przedstawienia teatralnego na widza.

 PIERWIASTEK KWADRATOWY

Dodawanie i odejmowanie pierwiastków kwadratowych Jeśli dodajemy pierwiastki kwadratowe z tej samej liczby, wystarczy dodać do siebie liczby poprzedzające te pierwiastki. Na przykład:

$$3\sqrt{5} + 2\sqrt{5} = 5\sqrt{5}$$

Jeśli pierwiastki można zamienić na liczby naturalne, to właśnie od tego należy rozpocząć wykonywanie działania. Przykładowo:

$$3\sqrt{25} + 2\sqrt{25} = 3(5) + 2(5) = 25$$

W związku z tym, że można dodawać wyłącznie pierwiastki z tej samej liczby, wyniku dodawania pierwiastków z dwóch różnych liczb nie da się w żaden sposób uprościć i będzie nim np. $2\sqrt{3} + 3\sqrt{7}$.

 STEPHEN HAWKING

Czarne dziury Hawking dowiódł, że kiedy dwie czarne dziury łączą się ze sobą, powierzchnia nowej czarnej dziury jest większa niż suma dwóch składających się na nią dziur, a do tego powierzchnia ta nigdy się nie zmniejsza, może tylko rosnąć. Dwa największe odkrycia Hawkinga mówią, że czarne dziury wydzielają ciepło oraz że podczas wielkiego wybuchu powstały miliony małych czarnych dziur.

 ISLANDZKI

Współczesny język islandzki Ukształtował się około 1550 r. wraz z wprowadzeniem do użytku prasy drukarskiej, pojawieniem się tłumaczenia Biblii i rozpowszechnieniem reformacji luterańskiej. Współczesny alfabet języka islandzkiego został stworzony dopiero w XIX w., a oparto go na alfabecie XII-wiecznym, wprowadzając jednak pewne zmiany wynikające z konwencji języków germańskich. W XX w. wprowadzono literę *é* (jako zastępstwo *je*) i usunięto literę *z*.

POLSKIE KONSTYTUCJE

Konstytucje w dwudziestoleciu międzywojennym Po odzyskaniu przez Polskę niepodległości, 20 lutego 1919 r. uchwalono tymczasową Małą Konstytucję, skupiającą władzę wykonawczą w rękach Józefa Piłsudskiego jako Naczelnika Państwa. Konstytucja marcowa, uchwalona 17 marca 1921 r., wprowadzała ustrój republiki demokratycznej opartej na systemie parlamentarno-gabinetowym i trójpodziale władzy, likwidowała wszelkie przywileje stanowe i przyznawała władzę zwierzchnią narodowi. Po przewrocie majowym w 1926 r. weszła w życie tzw. nowela sierpniowa, zwiększająca uprawnienia prezydenta wobec parlamentu. Jej potwierdzeniem i rozwinięciem była konstytucja kwietniowa, uchwalona 23 kwietnia 1935 r., która wprowadzała system prezydencki.

 TERMINY LITERACKIE

Motyw Motyw literacki to powracający obraz, element, zwrot, powiedzenie, słowo, sytuacja lub przedmiot, mający symboliczne znaczenie w przedstawianej historii. Motyw może pomagać w tworzeniu myśli przewodniej danej historii. Może to być także sytuacja, bohater, obraz, pomysł lub zdarzenie z innego utworu. Przykładami motywów literackich są: trójkąt miłosny czy nadużywanie władzy.

 PIERWIASTEK KWADRATOWY

Dzielenie pierwiastków kwadratowych Bardzo prostym działaniem jest dzielenie pierwiastków kwadratowych. Należy zacząć od uproszczenia samego pierwiastka. Przykładowo:

$$\frac{\sqrt{32}}{2} = \sqrt{16} = 4$$

Jeśli otrzymujemy pierwiastek z ułamka, wówczas możemy uprościć wynik, wyciągając pierwiastek z licznika lub mianownika. Na przykład:

$$\sqrt{\frac{3}{36}} = \frac{\sqrt{3}}{\sqrt{6 \times 6}} = \frac{\sqrt{3}}{6}$$

 STEPHEN HAWKING

Jednolita teoria pola W latach 80. XX w. Stephen Hawking wyjaśnił jedną z najsłynniejszych teorii Alberta Einsteina, która od lat pozostawiała wiele pytań – jednolitą teorię pola. Umożliwia ona zrozumienie warunków, jakie musiały panować w momencie narodzin wszechświata oraz fizycznych praw rządzących przyrodą. Według teorii Hawkinga, dochodzi do interakcji czterech sił: potężnej siły nuklearnej, siły elektromagnetycznej, słabej nuklearnej siły radiomagnetycznej oraz siły grawitacji.

 ISLANDZKI

Wpływy na język islandzki Choć w pewnym okresie urzędowym językiem Islandii był duński, niewiele pozostało z niego we współczesnym języku islandzkim. W XIX w. „oczyszczono" islandzki z duńskich wpływów i dziś używa się zaledwie kilku duńskich słów. Co prawda germańskie korzenie duńskiego tkwią w łacinie, jednak tak naprawdę żaden język nie wpłynął znacząco na kształt islandzkiego – z wyjątkiem angielskiego, który młodsze pokolenie dostosowało do islandzkiej morfologii i fonologii.

POLSKIE KONSTYTUCJE

Konstytucja PRL Uchwalona w 1950 r. konstytucja Polskiej Rzeczypospolitej Ludowej była wzorowana na stalinowskiej konstytucji ZSRR z 1936 r. Polskojęzyczną wersję opracował Bolesław Bierut. Na mocy nowej ustawy wprowadzono instytucję Rady Państwa, zrywając tym samym z zasadą trójpodziału władzy i wprowadzając zasadę jednolitości władzy państwowej. Termin „naród" zastąpiono „ludem pracującym". Konstytucja była wielokrotnie nowelizowana, m.in. w 1976 r. wprowadzono do niej zapis o przewodniej sile PZPR oraz umacnianiu przyjaźni i współpracy z ZSRR.

 TERMINY LITERACKIE

Wieloznaczność Umożliwia różnorodne interpretacje danego tekstu i sprawia, że staje się on tekstem otwartym. W niektórych przypadkach można też uznać wieloznaczność za wadę tekstu, ponieważ zdarza się, że wynika ona z braku odpowiednio szczegółowych opisów lub nieostrej charakterystyki postaci. Stosowana z rozmysłem, wieloznaczność może jednak wzbogać tekst.

 PIERWIASTEK KWADRATOWY

Pozbywanie się pierwiastków z mianownika Mianownik ułamka nie powinien zawierać pierwiastka, w związku z czym w niektórych przypadkach trzeba poszukać całkowitego mianownika, a robi się to w taki sam sposób, w jaki ustala się wspólny mianownik dla dwóch ułamków. Trzeba najpierw znaleźć całkowity mianownik, mnożąc zarówno licznik, jak i mianownik przez tę samą liczbę różną od zera. Przykładowo, mając:

$$\frac{8\sqrt{2}}{\sqrt{3}}$$

trzeba wykonać następujące działanie:

$$\frac{8\sqrt{2}}{\sqrt{3}} = \frac{(\sqrt{3})}{(\sqrt{3})} \cdot \frac{8\sqrt{6}}{\sqrt{3\times3}} = \frac{8\sqrt{6}}{3}$$

 STEPHEN HAWKING

Krótka historia czasu Stephen Hawking napisał wiele książek, ale najbardziej popularnym tytułem jego autorstwa jest *Krótka historia czasu* wydana po raz pierwszy w 1988 r. W książce tej autor w bardzo przystępny sposób wyjaśnia tak skomplikowane pojęcia, jak teoria wielkiego wybuchu, czarne dziury czy stożki czasoprzestrzenne. Próbuje odpowiedzieć na pytania o początek i koniec Wszechświata oraz o naturę czasu, a także o ostateczne granice ludzkiego poznania.

 ISLANDZKI

Fonologia W związku z tym, że językiem islandzkim posługuje się niewielka liczba ludzi na jednym, gęsto zaludnionym obszarze, nie wykształciły się w nim dialekty, ale w poszczególnych regionach kraju da się zauważyć pewne naleciałości. W islandzkim funkcjonują dyftongi, czyste samogłoski o niezmiennej wymowie, a także spółgłoski, które mogą przyjmować formę dźwięczną lub bezdźwięczną. Jest też wyraźny kontrast w przydechu (nagłym rozwarciu narządów mowy) spółgłosek zwarto-wybuchowych.

120

POLSKIE KONSTYTUCJE

Konstytucja Rzeczpospolitej Polskiej W październiku 1992 r. uchwalono Małą Konstytucję, która uchylała przepisy konstytucji PRL i wprowadzała nowe, stanowiące podstawę nowego ustroju politycznego i gospodarki rynkowej. Obowiązywała do czasu wejścia w życie właściwej konstytucji Rzeczpospolitej Polskiej (uchwalonej 2 kwietnia 1997 r.), co nastąpiło w październiku, po ogólnonarodowym referendum konstytucyjnym. Trybunał Konstytucyjny, badając zgodność z konstytucją podpisanego w 2007 r. traktatu lizbońskiego, orzekł, iż wyrażona w traktacie zasada pierwszeństwa prawa wspólnotowego nad prawem krajowym nie ma zastosowania w przypadku polskiej ustawy zasadniczej.

 TERMINY LITERACKIE

Metanoja Pojęcie metanoja wywodzi się od greckiego słowa oznaczającego przemianę umysłu, nawrócenie. Stosuje się je wtedy, kiedy bohater najpierw przechodzi załamanie, a później rozpoczyna proces regenerowania sił, odmiany i transformacji. Metanoja stanowi więc pewną formę katharsis.

 PIERWIASTEK KWADRATOWY

Pierwiastki wyższego stopnia Działania z pierwiastkami wyższego stopnia, np. sześciennymi albo czwartego stopnia, wyglądają bardzo podobnie jak działania z pierwiastkami kwadratowymi. Wyciągając pierwiastek sześcienny z jakiejś liczby, staramy się odnaleźć liczbę trzykrotnie pomnożoną przez siebie, a wyciągając pierwiastek czwartego stopnia – szukamy liczby czterokrotnie pomnożonej przez siebie. Przykładowo:

$$\sqrt[4]{16} = \sqrt[4]{2 \times 2 \times 2 \times 2} = 2$$
$$\sqrt[3]{54} = \sqrt[3]{3 \times 3 \times 3 \times 2} = 2^3\sqrt[3]{3 \times 2} = 2^3\sqrt[3]{6}$$

 STEPHEN HAWKING

Zakład Thorne'a, Hawkinga i Preskilla W zakładzie, upublicznionym w 1997 r., wzięli udział trzej teoretycy fizyki: Kip Thorne, John Preskill oraz Stephen Hawking, a dotyczył on paradoksu związanego z istnieniem czarnych dziur. Hawking i Thorne twierdzili, że w związku z odkryciami Hawkinga trzeba będzie zmodyfikować całą mechanikę kwantową, Preskill zaś uważał, że nie będzie to potrzebne. W 2004 r. Hawking dał za wygraną, a w 2008 r. ogłosił, że znalazł rozwiązanie paradoksu.

 ISLANDZKI

Użyteczne zwroty Oto kilka zwrotów, które mogą się okazać przydatne podczas podróży do Islandii:

Cześć – *Halló*
Dzień dobry – *Godan dag* (przed południem)/*Godan daginn* (po południu)
Dobranoc – *Goda nott*
Dziękuję – *Takk*
Nie rozumiem – *Eg skil ekk*
Czy mówicie po angielsku? – *Talardu ensku?*
Ile to kosztuje? – *Hvad kostar?*
Do widzenia – *Bless*

LEKCJA 15 – TEST

1. **Autorami Konstytucji 3 maja byli:**
   a. Stanisław August Poniatowski i Hugo Kołłątaj;
   b. Stanisław Staszic i Ignacy Potocki;
   c. Jan i Jędrzej Śniadeccy;
   d. zarówno (a) i (b).

2. **Konstytucja kwietniowa z 1935 r. wprowadzała system:**
   a. monarchii konstytucyjnej;
   b. parlamentarny;
   c. parlamentarno-gabinetowy;
   d. prezydencki.

3. **Czym jest motyw literacki?**
   a. Momentem, w którym bohater najpierw przechodzi załamanie, a następnie rozpoczyna proces regeneracji sił, przemiany i transformacji.
   b. Pozostawieniem czytelnikowi możliwości niejednoznacznej interpretacji tekstu.
   c. Opowieścią, która stanowi symbol czegoś innego.
   d. Powracającym obrazem, elementem, zwrotem, powiedzonkiem, słowem, sytuacją lub przedmiotem, z których każde ma jakieś symboliczne znaczenie.

4. **Które z poniższych określeń stanowi przykład gatunku literackiego?**
   a. Fantastyka naukowa.
   b. Romans.
   c. Fantasy.
   d. Zarówno (a), (b) i (c).

5. **Jaki będzie wynik równania $5\sqrt{7} + 4\sqrt{7}$?**
   a. $9\sqrt{14}$
   b. $9\sqrt{7}$
   c. $9\sqrt{49}$
   d. 9.

6. **Ile wynosi $\sqrt{8\frac{1}{3}}$?**
   a. 9.
   b. $\sqrt{27}$
   c. 3
   d. $\sqrt{3}$

7. **Stephen Hawking dowiódł, że po połączeniu dwóch czarnych dziur:**
   a. powstaje czarna dziura o powierzchni większej niż suma powierzchni obu składających się na nią czarnych dziur;
   b. powstaje czarna dziura o powierzchni równej sumie powierzchni obu składających się na nią czarnych dziur;
   c. powstaje czarna dziura o powierzchni równej różnicy powierzchni obu składających się na nią czarnych dziur;
   d. powstaje czarna dziura o niezmieniającej się powierzchni.

8. **W teorii osobliwości Hawking dowiódł, że:**
   a. wszechświat narodził się w osobliwości, która kiedyś się skończy;
   b. wszechświat narodził się w niekończącej się osobliwości;
   c. wszechświat nie narodził się w osobliwości;
   d. wszechświat narodził się w osobliwości, która przestała się poruszać.

9. **Współczesny język islandzki uformował się około 1550 r. wraz z:**
   a. wprowadzeniem prasy drukarskiej;
   b. rozpowszechnieniem reformacji;
   c. przetłumaczeniem Biblii;
   d. wydarzeniami wymienionymi w odpowiedziach (a), (b) i (c).

10. **Jakim typem języka jest islandzki?**
    a. Wschodniogermańskim.
    b. Zachodniosłowiańskim.
    c. Północnogermańskim.
    d. Południowogermańskim.

HISTORIA: Rewolucja przemysłowa

Czym była rewolucja przemysłowa?, Przemysł tkacki, Maszyna parowa, Transport, Żelazo i węgiel, Odziarniarka

 MATEMATYKA: Geometria

Wielokąty, Pole, Obwód, Obwód koła, Objętość, Pole powierzchni figur przestrzennych

 SZTUKA JĘZYKA: Składniki dzieła literackiego

Fabuła, Główny bohater, Bohater negatywny, Sugerowanie przyszłych wydarzeń, Punkt widzenia, Miejsce akcji

 PRZYRODA: Układ okresowy pierwiastków

Czym jest układ okresowy pierwiastków?, Historia układu okresowego, Grupy, Okresy, Bloki, Nazwy pierwiastków

Lekcja 16

 JĘZYKI OBCE: Chorwacki

Początki, Próba standaryzacji chorwackiego, Illiryzm, Alfabet, Współczesny język chorwacki, Użyteczne zwroty

REWOLUCJA PRZEMYSŁOWA

Czym była rewolucja przemysłowa? Rewolucję przemysłową można podzielić na dwa etapy: pierwszy, który rozpoczął się w Anglii i trwał od roku 1750 do roku 1850, a także drugi, jaki miał miejsce w Ameryce w latach 1850–1940. Rewolucja przemysłowa stanowiła ogromny krok naprzód w dziedzinie postępu technologicznego. Dzięki niej świat oparty na gospodarce rolnej odmienił swoje oblicze i przekształcił się w świat zurbanizowany, oparty na nowoczesnym przemyśle.

 # SKŁADNIKI DZIEŁA LITERACKIEGO

Fabuła Historia, jaką opowiada książka czy film to fabuła. Niemiecki pisarz Gustav Freytag wyznaczył pięć części składowych fabuły: wprowadzenie (gdzie poznajemy głównych bohaterów, ich przeszłość oraz łączące ich więzi), zawiązanie akcji (gdzie pojawia się jakiś konflikt, zazwyczaj wynikający z dążenia bohatera do określonego celu), punkt kulminacyjny (moment zwrotny opowiadanej historii), rozwiązanie akcji (gdzie padają odpowiedzi na wszystkie najważniejsze pytania związane z przedstawianą historią) oraz puenta lub finał.

 # GEOMETRIA

Wielokąty Są to figury zbudowane z płaszczyzny ograniczonej łamaną zwyczajną zamkniętą. Wielokąty foremne to takie figury, których wszystkie kąty wewnętrzne oraz wszystkie boki są równe. Figurę składającą się z trzech boków i trzech kątów nazywamy trójkątem. Wielokąt składający się z czterech boków i czterech kątów nazywany jest czworobokiem albo czworokątem. Figura składająca się z pięciu boków i pięciu kątów nazywana jest pięciokątem, a sześć boków i sześć kątów tworzy sześciokąt. I tak dalej.

 # UKŁAD OKRESOWY PIERWIASTKÓW

Czym jest układ okresowy pierwiastków? Układ okresowy pierwiastków stanowi podstawę systematyki pierwiastków i ma formę tabeli. Ujęto w niej wszystkie znane pierwiastki chemiczne – jest ich obecnie 118. Są uszeregowane są według wzrastającej liczby atomowej i okresowo powtarzających się struktur elektronowych. Ważną rolę pełni podział na kolumny i rzędy. Jeśli pierwiastki znajdują się w tym samym rzędzie, z których każdy jest nazywany okresem, oznacza to, że mają ze sobą coś wspólnego. Pierwiastki umiejscowione w środku tabeli noszą nazwę pierwiastków przejściowych.

CHORWACKI

Początki Chorwacki jest językiem południowosłowiańskim. Jego korzenie tkwią w staro-cerkiewno-słowiańskim, który w IX w. stał się oficjalnym językiem tamtych terenów. Chorwacki wyrósł z miejscowego dialektu staro-cerkiewno-słowiańskiego, a jego podstawę stanowiły trzy różne alfabety: cyrylica, głagolica i alfabet łaciński. Z biegiem czasu chorwacki ulegał wpływom słoweńskiego oraz serbskiego.

REWOLUCJA PRZEMYSŁOWA

Przemysł tkacki W 1750 r. dzięki wynalezieniu maszyn elektrycznych w Anglii powstały nowoczesne przędzalnie. Wcześniej przędzenie było wykonywane ręcznie. Gdy w fabrykach pojawiły się przędzarki, pracownik uruchamiał maszynę, która wykonywała całą resztę pracy. Najsławniejszym modelem ówczesnych przędzarek była spinning Jenny. W latach 40. XVIII w. zaczęły pojawiać się pierwsze duże zakłady tkackie. Czterdzieści lat później było ich ponad 120.

 SKŁADNIKI DZIEŁA LITERACKIEGO

Główny bohater Centralna postać, nazywana protagonistą, to główny bohater, wokół którego toczy się fabuła opowieści. Choć fabuła *Czarnoksiężnika z krainy Oz* zmierza do odnalezienia tytułowej postaci książki, a więc czarnoksiężnika, w rzeczywistości główną bohaterką jest Dorotka, jako że to jej towarzyszymy w podróży do krainy Oz, a nie czarnoksiężnikowi.

 GEOMETRIA

Pole Przestrzeń wewnętrzna, jaką wyznaczają boki danej figury geometrycznej nazywamy polem. Wzór pomagający obliczyć pole kwadratu jest bardzo prosty. Wystarczy pomnożyć długość przez wysokość. Aby obliczyć pole równoległoboku, należy pomnożyć długość podstawy przez jego wysokość. W przypadku trapezu, który składa się z czterech boków, gdzie dwa równoległe boki nazywamy podstawami, należy dodać do siebie długości podstaw, podzielić wynik przez dwa, a następnie pomnożyć tę liczbę przez wysokość.

 UKŁAD OKRESOWY PIERWIASTKÓW

Historia układu okresowego Współczesny układ okresowy pierwiastków stworzył Dmitrij Mendelejew w 1869 r. Nie był jednak pierwszą osobą, która podjęła się zadania usystematyzowania pierwiastków. W 1789 r. opublikowano listę 33 pierwiastków chemicznych, podzielonych wówczas na metale ziem alkalicznych, gazy, metale i niemetale. W 1829 r. Johann Wolfgang Döbereiner doszedł do wniosku, że opierając się na właściwościach chemicznych można podzielić pierwiastki na triady. Do roku 1869 podjęto kilka prób udoskonalenia układu, a szczególną cechą tablicy Mendelejewa było to, że pozostawiała miejsce dla pierwiastków, które jeszcze nie zostały odkryte. Poza tym w niektórych przypadkach ignorowano w tym układzie liczbę atomową, aby wyraźniej ukazać chemiczne podobieństwa między pierwiastkami.

 CHORWACKI

Próba standaryzacji chorwackiego W XVII w. podjęto próbę zjednoczenia Chorwacji, którą rządziły wówczas dwie dynastie. Wspólnym językiem miał być dialekt ikawsko-kajkawski, ponieważ wydawał się najłatwiejszy do przyswojenia dla obu stron. Ostatecznie jednak zarzucono pomysł korzystania ze standaryzowanego języka i zastąpiono go nowosztokawskim.

LEKCJA 16C

 REWOLUCJA PRZEMYSŁOWA

Maszyna parowa Dzięki maszynom parowym fabryki zyskały tanie i wydajne źródło mocy. Pierwszy model maszyny skonstruowano w 1712 r. W latach 70. XVIII w. udoskonalił ją szkocki wynalazca James Watt. Maszyna parowa pełniła kluczową rolę w rewolucji przemysłowej, jako że zapewniała napęd dla różnego rodzaju urządzeń fabrycznych. Wkrótce zaczęto jej używać nie tylko do napędzania maszyn w fabrykach, ale także jako napęd lokomotyw oraz statków.

 SKŁADNIKI DZIEŁA LITERACKIEGO

Bohater negatywny Postać przeciwstawiana głównemu bohaterowi (albo bohaterowi pozytywnemu). Bohater negatywny może także reprezentować zagrożenie wobec idei uosabianych przez główną postać. Jeśli główną postacią opowieści jest superbohater, to bohaterem negatywnym jest zwykle czarny charakter również obdarzony jakimiś nadludzkimi zdolnościami. Przykładami bohaterów negatywnych mogą być lord Voldemort albo Severus Snape z powieści o Harrym Potterze. Harry jest w tym wypadku bohaterem pozytywnym, któremu przeciwstawieni zostają Voldemort i Snape.

 GEOMETRIA

Obwód Podobnie jak pole, obwód oblicza się w bardzo prosty sposób. Obwodem nazywamy sumę długości wszystkich boków danej figury, a więc najprostszym sposobem na obliczenie obwodu jest dodanie do siebie długości poszczególnych boków. Przykładowo, jeśli prostokąt ma dwa boki o długości 7 cm i dwa boki o długości 3 cm, to jego obwód obliczamy za pomocą równania: $7 + 7 + 3 + 3 = 20$ cm.

 UKŁAD OKRESOWY PIERWIASTKÓW

Grupy Kolumny w układzie okresowym pierwiastków są nazywane grupami. Stanowią najważniejszy sposób klasyfikacji. W obecnie stosowanym nazewnictwie w układzie grupy są ponumerowane od 1 do 18, od strony lewej do prawej. Pierwiastki znajdujące się w tej samej grupie wykazują podobieństwo co do charakteryzujących je cech metaliczności lub niemetaliczności. Nazwy tych grup obejmują m.in. metale alkaliczne, metale ziem alkalicznych, halogeny, azotowce czy tlenowce.

 CHORWACKI

Iliryzm W XIX w. podjęto próbę stworzenia wspólnego południowosłowiańskiego języka literackiego. Odpowiedzialny był za to ruch kulturowy zwany iliryzmem. Wspólnym językiem Chorwatów i Serbów miał być dialekt sztokawski. Planowano ponadto ustandaryzowane języka serbsko-chorwackiego. W 1954 r. na mocy porozumienia zawartego w Nowym Sadzie serbsko-chorwacki uznano za jeden język o dwóch odmianach. Porozumienia te obowiązywały aż do upadku Jugosławii w 1991 r., kiedy wznowiono debaty na temat wspólnego języka.

REWOLUCJA PRZEMYSŁOWA

Transport Przed rewolucją przemysłową jedynymi środkami transportu były różnego rodzaju wozy konne i łodzie. W XIX w. skonstruowano pierwszą łódź parową. Nie minęło kilka lat, a łodzie parowe zaczęły dominować w branży transportowej w Stanach Zjednoczonych i w Anglii. Jeszcze ważniejszym wydarzeniem było wynalezienie lokomotywy – kolej zrewolucjonizowała transport.

SKŁADNIKI DZIEŁA LITERACKIEGO

Sugerowanie przyszłych wydarzeń Sugerowanie przyszłych wydarzeń polega na zamieszczaniu w opowieści sygnałów, które mogą stanowić zapowiedź tego, co zdarzy się później. Sygnały te pojawiają się zazwyczaj w formie pewnych zdarzeń, sytuacji czy gestów, które mogą naprowadzić odbiorcę na dalszy rozwój wydarzeń. Terminem red herring określa się mylące sugerowanie przyszłych wydarzeń, mające prowadzić do zaskoczenia odbiorcy.

GEOMETRIA

Obwód koła Obliczając obwód koła nie możemy, jak ma to miało miejsce w przypadku wielokątów, pomnożyć przez siebie długości poszczególnych boków. Trzeba w związku z tym zastosować wzór i podstawić do niego odpowiednie dane, co wymaga nieco więcej pracy niż obliczanie obwodu wielokątów. Aby obliczyć obwód koła, należy pomnożyć długość średnicy koła przez liczbę π (którą zwykle zaokrągla się w tym celu do 3,14). Jeśli podana jest długość promienia, a nie długość średnicy, należy pomnożyć jego wartość przez dwa, aby uzyskać długość średnicy, a następnie pomnożyć wynik przez liczbę π.

UKŁAD OKRESOWY PIERWIASTKÓW

Okresy Rzędy układu okresowego są nazywane okresami. Wszystkie pierwiastki zaliczane do tego samego okresu mają taką samą liczbę powłok elektronowych (obecnie maksymalna liczba tych powłok wynosi 7), a różną liczbę elektronów walencyjnych. W miarę poruszania się po kolejnych rzędach układu okresowego rośnie liczba atomowa pierwiastków. Oznacza ona liczbę protonów znajdujących się w jądrze atomu.

CHORWACKI

Alfabet Wywodzący się z łaciny alfabet języka chorwackiego składa się z trzydziestu liter, z których 25 to spółgłoski, a 5 to samogłoski. Samogłoski mogą przyjmować formę długą lub krótką, a gdy są akcentowane, wymawia się je z tonacją wznoszącą lub opadającą. Nieco trudniejsze jest opanowanie chorwackich spółgłosek: są one albo spółgłoskami zwarto-szczelinowymi (najpierw wymawianymi tak, jak spółgłoski zwarte, ale w końcowej fazie pozostawiają częściowy opór dla przebiegu powietrza), albo spółgłoskami podniebiennymi (wymawianymi z językiem dotykającym podniebienia).

🏛 REWOLUCJA PRZEMYSŁOWA

Żelazo i węgiel Bez żelaza i węgla nie byłoby rewolucji przemysłowej. Węgiel zapewniał moc potrzebną do działania silników parowych oraz energię, dzięki której można było wytapiać żelazo. Żelaza używano do budowy maszyn, statków czy mostów. Wielka Brytania stała się najważniejszym krajem rewolucji przemysłowej, a w efekcie pierwszym państwem, w którym zaszedł proces industrializacji, m.in. ze względu na znajdujące się na jej obszarze bogate złoża węgla i żelaza.

SKŁADNIKI DZIEŁA LITERACKIEGO

Punkt widzenia Określa perspektywę, z jakiej odbiorca ogląda przedstawiane wydarzenia. Możemy mieć do czynienia z narracją pierwszoosobową, w przypadku której wydarzenia są przedstawiane z punktu widzenia narratora. W narracji trzecioosobowej wydarzenia są przedstawiane z punktu widzenia obiektywnego obserwatora, który nie bierze w nich bezpośrednio udziału. Narrator wszystkowiedzący może relacjonować wydarzenia ze wszystkich możliwych punktów widzenia i ma dostęp nawet do najskrytszych myśli wszystkich bohaterów. Ograniczony narrator wszystkowiedzący również wie wszystko, ale tylko o jednym albo dwóch postaciach.

GEOMETRIA

Objętość Obliczając pole, mamy do czynienia z figurami płaskimi. Obliczając objętość, określamy przestrzeń wewnętrzną figur przestrzennych. Aby obliczyć objętość prostopadłościanu, należy pomnożyć długość jego krawędzi w podstawie przez wysokość. Aby obliczyć objętość ostrosłupa, wykonuje się takie samo działanie, a następnie dzieli wynik przez trzy. W przypadku bardziej skomplikowanych figur komplikuje się także wzór na objętość. Przykładowo wzór na objętość stożka to $\frac{1}{3}$ wyniku iloczynu pola podstawy i wysokości.

UKŁAD OKRESOWY PIERWIASTKÓW

Bloki Zbiory pierwiastków o tym samym typie podpowłoki zmieniającej się podczas reakcji chemicznej tworzą bloki. Wyróżnia się pięć bloków: blok s (pierwsze dwie grupy), blok p (sześć ostatnich grup wyłączając hel), blok d (metale przejściowe), blok f (część lantanowców i aktynowców) oraz blok g (hipotetyczny). Podział na bloki oddaje układ elektronów w pierwiastkach.

CHORWACKI

Współczesny język chorwacki Chorwackim posługuje się dziś 6 milionów ludzi. Mówią nim przede wszystkim Chorwaci mieszkający w Chorwacji. Można go także usłyszeć w Hercegowinie, Bośni, we Włoszech, w Austrii oraz na Węgrzech. Chociaż chorwacki, bośniacki i serbski są do siebie niezwykle podobne, na Bałkanach zazwyczaj podkreśla się ich odmienność, co wynika ze skomplikowanej przeszłości kulturalno-polityczno-religijnej łączącej (dzielącej) te trzy kraje.

REWOLUCJA PRZEMYSŁOWA

Odziarniarka Symbolem rewolucji przemysłowej w Ameryce jest odziarniarka wynaleziona przez Eli Whitneya. Wcześniej wiele godzin spędzano na ręcznym oddzielaniu nasion od włókna. Dzięki odziarniarce w ciągu dnia można było oczyścić około stu kilogramów bawełny. Choć wynalazek ten umożliwił duży postęp technologiczny, przyczynił się również do rozpowszechnienia niewolnictwa na południu Stanów Zjednoczonych.

 SKŁADNIKI DZIEŁA LITERACKIEGO

Miejsce akcji Umiejscowienie akcji to coś więcej niż tylko scenografia, w jakiej rozgrywają się kolejne wydarzenia. Określa ono bowiem nastrój i ton opowieści, a także podpowiada odbiorcy kontekst niezbędny do zrozumienia wszystkich niuansów przedstawianej historii. Umiejscowienie akcji wyznacza także okres historyczny, w jakim rozgrywa się opowieść, a także wiążące się z nim detale kulturowe i geograficzne. W niektórych przypadkach umiejscowienie akcji może się okazać równie ważne, jak sami bohaterowie opowieści.

 GEOMETRIA

Pole powierzchni figur przestrzennych Suma wszystkich pól figur płaskich, jakie się na nią składają to pole powierzchni figury przestrzennej. W przypadku prostopadłościanu jego pole obliczamy, dodając do siebie pola wszystkich ścian (można to oczywiście uprościć, obliczając pole jednej ściany, a następnie mnożąc wynik przez dwa, aby uzyskać od razu pole przeciwległej ściany; to samo należy wówczas powtórzyć dla każdej pary ścian). Aby obliczyć pole walca, należy zastosować wzór $2\pi r^2 + 2\pi rH$.

 UKŁAD OKRESOWY PIERWIASTKÓW

Nazwy pierwiastków Różne są sposoby powstawania nazw pierwiastków. Czasami pochodzą od symbolu, jakim oznaczany jest dany pierwiastek (np. tlen oznaczany jest symbolem O, co odpowiada angielskiej nazwie *oxygen*, a wodór oznaczany jest literą H, odpowiadającą nazwie *hydrogen*), czasami wiążą się z łacińską nazwą pierwiastka (złoto oznaczane jest jako Au, co wiąże się z łacińskim słowem *aurum*), a w jeszcze innych przypadkach nazwa wiąże się z imieniem odkrywcy pierwiastka albo z innymi szczegółami historii jego odkrycia (np. polon jest oznaczany jako Po, co odnosi się do Polski – ojczyzny Marii Skłodowskiej-Curie, która odkryła go wraz z mężem Piotrem Curie).

 CHORWACKI

Użyteczne zwroty Oto kilka zwrotów, które mogą się okazać przydatne podczas podróży do Chorwacji:

Cześć – *Zdravo*
Miło mi cię poznać – *Drago mi je*
Dzień dobry – *Dobro jutro* (rankiem) /
Dobar dan (w późniejszych godzinach)
Dobranoc – *Laku noć*
Tak – *Da*
Nie – *Ne*

Proszę – *Molim*
Dziękuję – *Hvala*
Przepraszam – *Oprostite*
Nie rozumiem – *Ja ne razumijem*
Ile to kosztuje? – *Koliko košta?*
Gdzie jest toaleta? – *Gdje je zahod?*
Do widzenia – *Zbogom*

1. **Jednym z efektów rewolucji przemysłowej było:**
   a. przekształcenie się gospodarki industrialno-przemysłowej w wiejsko-rolniczą;
   b. przekształcenie się gospodarki wiejsko-rolniczej w przemysłowo-industrialną;
   c. przekształcenie się gospodarki wiejsko-industrialnej w rolniczo-zurbanizowaną;
   d. przekształcenie się gospodarki wiejsko-industrialnej w industrialno-rolniczą.

2. **Wielka Brytania stała się jednym z czołowych krajów rewolucji przemysłowej dzięki:**
   a. użyciu pary;
   b. dużej liczbie spinning Jenny;
   c. dużej liczbie odziarniarek;
   d. bogatym złożom węgla i żelaza.

3. **Narrator, który przedstawia odbiorcy najskrytsze myśli jednego z bohaterów (a nie swoje własne), jest nazywany:**
   a. pierwszoosobowym;
   b. trzecioosobowym;
   c. wszystkowiedzącym;
   d. ograniczonym wszystkowiedzącym.

4. **Przez pojęcie red herring rozumiemy:**
   a. sytuację, w której poznajemy historię wyłącznie z perspektywy jednego lub dwóch bohaterów;
   b. umiejscowienie akcji;
   c. mylącą sugestię przyszłego rozwoju wydarzeń;
   d. postać przeciwstawianą głównemu bohaterowi.

5. **Jaki będzie obwód kwadratu o boku długości 6 cm?**
   a. 12 cm.
   b. 24 cm.
   c. 36 cm.
   d. 18 cm.

6. **Ile wynosi pole prostokąta, którego boki mierzą 7 cm i 9 cm?**
   a. 63 cm.
   b. 32 cm.
   c. 58 cm.
   d. 16 cm.

7. **Co określa liczba atomowa?**
   a. Liczbę neutronów w jądrze atomu.
   b. Liczbę atomów.
   c. Liczbę protonów w jądrze atomu.
   d. Liczbę elektronów w jądrze atomu.

8. **Sąsiadujące ze sobą grupy mogą się łączyć w:**
   a. okresy;
   b. bloki;
   c. tlenowce;
   d. zarówno w (a), jak i (c).

9. **Czego chciał dokonać ruch ilirycki?**
   a. Ograniczyć alfabet do 30 liter.
   b. Uczynić łacinę językiem urzędowym.
   c. Zjednoczyć dwie rządzące krajem dynastie.
   d. Stworzyć wspólny literacki język południowosłowiański.

10. **Jak powiedzieć po chorwacku „cześć"?**
    a. *Hvala.*
    b. *Zbogom.*
    c. *Molim.*
    d. *Zdravo.*

HISTORIA: Rewolucja francuska

Przysięga w sali do gry w piłkę, Zdobycie Bastylii, Marsz kobiet na Wersal, Obalenie monarchii, Masakry wrześniowe, Nowa Republika

MATEMATYKA: Podstawy algebry

Czym jest algebra?, Dodawanie i odejmowanie wyrażeń algebraicznych, Mnożenie wyrażeń algebraicznych, Dzielenie wyrażeń algebraicznych, Odnajdowanie wartości x, Odwracanie równań

SZTUKA JĘZYKA: Akapit

Czym jest akapit?, Zdanie wprowadzające, Zdania pomocnicze, Zdanie końcowe, Sprawdzanie akapitu, Kiedy zacząć nowy akapit?

PRZYRODA: Wzory chemiczne

Czym jest wzór chemiczny?, Polimery, Jony, Izotopy, Skład chemiczny, Zapis Hilla

Lekcja 17

JĘZYKI OBCE: Białoruski

Początki, Reforma gramatyki, Wpływ II wojny światowej, Dialekty, Alfabety, Użyteczne zwroty

REWOLUCJA FRANCUSKA

Przysięga w sali do gry w piłkę W przedrewolucyjnej Francji obowiązywał system klasowy. W myśl jego zasad klasy wyższe dostępowały specjalnych przywilejów i nie musiały np. płacić podatków. Mimo nadejścia ciężkich czasów, król Ludwik XVI odmówił wprowadzenia zmian w tym systemie. Przedstawiciele stanu trzeciego, który obejmował najliczniejsze klasy nieuprzywilejowane, ogłosili się Zgromadzeniem Narodowym. 20 czerwca 1789 r., po tym, jak nie dopuszczono do obrad Zgromadzenia Narodowego pod pretekstem remontu sali, jego członkowie przenieśli się do pobliskiej sali do gry w piłkę i właśnie tam podpisali przysięgę mówiącą, że Zgromadzenie Narodowe nie ulegnie rozwiązaniu dopóki we Francji nie powstanie konstytucja.

 # AKAPIT

Czym jest akapit? Akapit to grupa zdań powiązanych ze sobą wspólnym tematem. Tworzenie przemyślanych akapitów to jedna z cech dobrego pisarstwa i jednocześnie niezbędny warunek właściwej komunikacji z czytelnikiem. Poszczególne akapity tekstu służą takiemu pogrupowaniu zdań, aby wypływające z nich wnioski były zrozumiałe i podane w przejrzysty sposób. Najprostszym sposobem na tworzenie dobrych akapitów jest skupianie się w każdym akapicie na jednym punkcie przygotowanej argumentacji.

 # PODSTAWY ALGEBRY

Czym jest algebra? W równaniach algebraicznych pojawiają się niewiadome, czyli liczby oznaczane za pomocą liter. Na podstawie informacji zawartych w równaniu należy wówczas obliczyć wartość niewiadomej. Litery mogą oznaczać zarówno wartości zmienne, a więc takie, które będą się zmieniać, jak i wartości stałe, takie jak np. liczba π.

 # WZORY CHEMICZNE

Czym jest wzór chemiczny? Wzór chemiczny to umowny, graficzny sposób prezentacji związku chemicznego. Przedstawiając poszczególne pierwiastki składające się na dany związek chemiczny, liczbę atomów każdego pierwiastka wpisuje się w dolnym indeksie zamieszczanym tuż za symbolem pierwiastka. Wzór chemiczny wody to H_2O, co oznacza, że związek ten tworzą dwa atomy wodoru i jeden atom tlenu.

 # BIAŁORUSKI

Początki Białoruski jest językiem wschodniosłowiańskim. Wyewoluował ze starobiałoruskiego, którym Białorusini posługiwali się od XIV do XVII w. Współczesny białoruski opiera się na potocznej odmianie starobiałoruskiego. Rozwój współcześnie używanego języka był powiązany ze wzrastającym wewnętrznym konfliktem politycznym. Języka tego, niegdyś uważanego za język chłopstwa, w XIX w. zaczęto używać w urzędach.

REWOLUCJA FRANCUSKA

Zdobycie Bastylii Bastylia była królewskim więzieniem, a jednocześnie symbolem ucisku. Przechowywano tam również broń oraz proch strzelniczy. 14 lipca 1789 r. setki wściekłych obywateli zażądały wydania broni. Kiedy im tego odmówiono, tłum ruszył na Bastylię. Strażnicy otwarli ogień do atakujących i zabili około stu osób, ale później część z nich przeszła na stronę szturmujących twierdzę i otwarła bramy. Zarządzający więzieniem został ścięty, a jego głowę wbito na pal.

AKAPIT

Zdanie wprowadzające Mówi czytelnikowi, o czym będzie traktowała reszta akapitu. Choć zdaniem wprowadzającym wcale nie musi być pierwsze zdanie danego akapitu, najpraktyczniej przyjąć taką właśnie zasadę. Zdanie wprowadzające powinno w pewnym sensie stanowić streszczenie całego akapitu. Nie zawsze już w pierwszym zdaniu trzeba wyliczać o czym dokładnie będziemy pisać dalej, ale jeśli tego nie robimy, należy zadbać, aby wywód był dla czytelnika zrozumiały.

PODSTAWY ALGEBRY

Dodawanie i odejmowanie wyrażeń algebraicznych Przykładem jednomianu jest $6x$, gdzie 6 oznacza współczynnik liczbowy, a x oznacza zmienną. Wartości te są przez siebie mnożone. Dodawać i odejmować można jedynie jednomiany podobne. W wyrażeniu algebraicznym $7x + 9z$, $7x$ oraz $9z$ nie są wyrażeniami podobnymi, w związku z czym wyrażenia algebraicznego nie da się już bardziej uprościć. W wyrażeniu algebraicznym $7x + 9x$, jednomian $7x$ i $9x$ są podobne, w związku z tym, że obie zmienne to x w takiej samej potędze. Powyższe wyrażenie można uprościć otrzymując jednomian $16x$.

WZORY CHEMICZNE

Polimery Makromolekuły składające się z powtarzalnych struktur, czyli monomerów, to polimery. Zapisując wzór polimeru, nie trzeba zapisywać wielokrotnie każdej powtarzającej się jednostki. Zamiast tego, należy wziąć ją w nawias i w dolnym indeksie wpisać liczbę powtórzeń. Przykładowo w cząstce węglowodoru $CH_3(CH_2)_{50}CH_3$ cząsteczka CH_2 powtarza się 50 razy.

BIAŁORUSKI

Reforma gramatyki Przeprowadzono dwie oficjalne reformy gramatyki języka białoruskiego: w 1933 r. oraz w 1959 r. Pierwsza doprowadziła do uproszczenia gramatyki, wyrugowała polskie naleciałości, zadbała o zachowanie różnic pomiędzy białoruskim a rosyjskim, a także doprowadziła do usunięcia wulgaryzmów i neologizmów. Druga wprowadziła kolejne zmiany, dzięki czemu ukształtowała się gramatyka, jakiej używa się obecnie, choć po 1959 r. zaszło w niej jeszcze kilka zmian.

REWOLUCJA FRANCUSKA

Marsz kobiet na Wersal Marsz kobiet na Wersal jest jednym z najbardziej znaczących wydarzeń, jakie miały miejsce w okresie rewolucji francuskiej. 5 i 6 października 1789 r. siedem tysięcy kobiet pracujących na paryskim targowisku połączyło się w marszu do królewskiego pałacu i zażądało obniżenia cen chleba i innych artykułów spożywczych. Tłum zmusił króla do powrotu do Paryża. Tym samym nieodwołalnie podważono autorytet monarchy, a klasy niższe zaczęły zyskiwać coraz większy wpływ na sposób rządzenia krajem.

AKAPIT

Zdania pomocnicze Zdania pomocnicze, jak wskazuje ich nazwa, mają za zadanie wspieranie zdania wprowadzającego. Jeśli w zdaniu wprowadzającym prezentowana była jakaś hipoteza, zdania pomocnicze powinny nieść odpowiednie informacje wspierające tę hipotezę, np. szczegółowe dane czy analizy. Idealna proporcja to 5–7 zdań pomocniczych na akapit. To wystarczająco dużo, aby poprzeć odpowiednimi argumentami tezę przedstawioną w zdaniu wprowadzającym.

PODSTAWY ALGEBRY

Mnożenie wyrażeń algebraicznych W przypadku mnożenia należy przestrzegać reguł dotyczących wykładnika potęgi.

Przykładowo: $x^4(x^3 + 6a) = x^7 + 6ax^4$

To najprostszy sposób uproszczenia wyrażenia algebraicznego. W przypadku równania, w którym dochodzi do mnożenia wyrażeń zamkniętych w dwóch nawiasach, pierwszy z nich należy rozbić jak w przykładzie poniżej:

$$(x + 7)(a - 2)$$
$$x(a - 2) + 7(a - 2)$$

Następnie wykonuje się dodawanie lub odejmowanie w zależności od znaku w drugim nawiasie. To daje:

$$xa - 2x + 7a - 14$$

Tego wyrażenia nie da się już uprościć, a więc jest ono wynikiem końcowym.

WZORY CHEMICZNE

Jony Atomy lub grupy atomów obdarzone dodatnim lub ujemnym ładunkiem elektrycznym nazywamy jonami. Wynika to z faktu, że liczba elektronów w danym atomie nie jest identyczna z liczbą protonów. Wartość ładunku jonów można zaznaczać małym plusem lub małym minusem zamieszczanym w indeksie górnym tuż za symbolem pierwiastka lub cząsteczki, np. Na^+. W przypadku bardziej złożonych jonów, dodatkowo używa się w tym celu nawiasów.

BIAŁORUSKI

Wpływ II wojny światowej Białoruś po II wojnie światowej znalazła się pod panowaniem ZSRR, a językiem urzędowym był rosyjski. Także w codziennej komunikacji posługiwano się wówczas rosyjskim. Ostoją białoruskiego pozostały wsie. Rosyjski był językiem urzędowym aż do lat 80. XX w. Kiedy rozpoczęła się pieriestrojka, złagodniała kontrola polityczna Białorusi i zaczęła wzrastać rola języka narodowego.

REWOLUCJA FRANCUSKA

Obalenie monarchii 10 sierpnia 1792 r. trzydzieści tysięcy Francuzów ruszyło na pałac w Tuileries, próbując pojmać króla Ludwika XVI. Król dowiedział się o nadciągającym tłumie i ukrył się wraz z rodziną. Strzegący pałacu żołnierze nie wiedzieli o tym i kiedy tłum nadszedł, próbowali go powstrzymać, ale po pewnym czasie zostali zmuszeni do kapitulacji. Wdarłszy się do pałacu, rozwścieczony tłum wymordował wszystkich, którzy znajdowali się w środku. Potem odnaleziono i aresztowano Ludwika XVI. Nadszedł kres monarchii.

AKAPIT

Zdanie końcowe Jest w pewnym sensie przeciwieństwem zdania wprowadzającego. Zdanie końcowe zamiast prezentować temat, który zostanie poddany analizie, jak to miało miejsce w przypadku zdania wprowadzającego, zawiera konkluzję. Jednym ze sposobów na tworzenie zdań końcowych może być podsumowywanie tego, co zostało powiedziane we wcześniejszych zdaniach. Nie każdy akapit będzie wymagał zastosowania zdania końcowego, ale jeśli jest on stosunkowo długi i zawiera mnóstwo szczegółowych informacji, to w takim przypadku zdanie końcowe może się okazać nadzwyczaj przydatne.

PODSTAWY ALGEBRY

Dzielenie wyrażeń algebraicznych Wykonując dzielenie wyrażeń algebraicznych, najpierw należy zapisać wyrażenie w formie ułamka. Następnie trzeba uprościć współczynniki zmienności, a potem skrócić zmienne zarówno w liczniku, jak i w mianowniku.
Przykładowo:

$$8ab^4 \div 2ab = \frac{8 \times a \times b \times b \times b \times b}{2 \times a \times b} = 4b^3$$

WZORY CHEMICZNE

Izotopy Różne odmiany tego samego pierwiastka, które charakteryzują się inną liczbą neutronów to izotopy. Oznacza się je małymi cyframi po lewej stronie symbolu. Przykładowo izotop uranu 235 jest oznaczany jako ^{235}U. Liczba 235 odnosi się do sumy neutronów i protonów występujących w izotopie, zwanej także masą.

BIAŁORUSKI

Dialekty Choć niektórzy uważają, że białoruski jest dialektem rosyjskiego, przeważa jednak opinia, że to odrębny język. Na Białorusi można spotkać dwa rodzaje dialektów: południowo-zachodnie oraz północno-wschodnie. Dialekty te są przedzielone hipotetyczną linią Oszmiana-Mińsk-Bobrujsk-Homel. Południowo-zachodnie dialekty charakteryzuje twardsze „r", a północno-wschodnie dialekty miększe „r".

REWOLUCJA FRANCUSKA

Masakry wrześniowe 2 września 1792 r. rozpoczęły się masowe egzekucje więźniów. Po obaleniu króla Ludwika XVI zaczęto obawiać się interwencji austriackiej lub pruskiej, mającej na celu przywrócenie monarchii. Francuzi podejrzewali również, że więźniowie polityczni połączą siły i wzniecą bunt. Egzekucje trwały pięć dni. Zamordowano 1200 więźniów.

AKAPIT

Sprawdzanie akapitu Czasami trudno ocenić, czy w akapicie nie znajduje się zbyt dużo albo zbyt mało informacji. Poniżej znajduje się kilka wskazówek, jak należy sprawdzać stworzony akapit. Przede wszystkim trzeba się upewnić, że w jasny sposób określiliśmy o czym piszemy i wsparliśmy taką czy inną tezę wystarczającą liczbą argumentów (cytatów, analiz itd.). Warto jak najczęściej odwoływać się do przyczyn i skutków wybranego tematu, cytować ważne fakty, podawać szczegółowe dane, ilustrować temat historyjkami lub anegdotami, definiować niektóre pojęcia, a także stosować porównania.

PODSTAWY ALGEBRY

Odnajdowanie wartości x Szukając wartości niewiadomej x, należy próbować doprowadzić do sytuacji, kiedy x znajduje się samo po jednej stronie równania. Np.:

$$2x = 10$$

Aby otrzymać samo x po lewej stronie równania, należy podzielić obie strony przez 2. Otrzymujemy wówczas wynik $x = 5$. Niezależnie od tego, z jak złożonym równaniem mamy do czynienia, jeśli będziemy pamiętać o doprowadzeniu do sytuacji, w której samo x znajduje się po jednej ze stron, będziemy w stanie to równanie rozwiązać.

WZORY CHEMICZNE

Skład chemiczny Za pomocą składu chemicznego można w prosty sposób wyrazić stosunek poszczególnych pierwiastków występujących w danym związku chemicznym. Przykładowo glukozę można przedstawić jako $C_6H_{12}O_6$, ale chcąc pokazać skład chemiczny glukozy, można jeszcze uprościć ten zapis, sprowadzając go do wzoru CH_2O.

BIAŁORUSKI

Alfabety W związku z dość zagmatwaną historią i licznymi konfliktami politycznymi alfabet języka białoruskiego to w rzeczywistości połączenie dwóch różnych alfabetów: cyrylicy oraz alfabetu łacińskiego. Starobiałoruski opierał się pierwotnie na cyrylicy. W XVI w. zaczął tworzyć się język białoruski oparty na alfabecie łacińskim. W XIX w. białoruskie teksty można było zapisywać zarówno za pomocą cyrylicy, jak i alfabetu łacińskiego. Po II wojnie światowej oficjalnym alfabetem była cyrylica. Po uzyskaniu przez Białoruś niepodległości w roku 1991 zaczęto czynić starania zmierzające do powrotu do alfabetu łacińskiego.

REWOLUCJA FRANCUSKA

Nowa Republika 22 września 1792 r. Konwent Narodowy powołał I Republikę Francuską. Obalono monarchię, przyjęto nową konstytucję – Francja stała się republiką. Ten stan miał trwać 14 lat, do momentu, kiedy władzę zdobył Napoleon Bonaparte

AKAPIT

Kiedy zacząć nowy akapit? O tym, kiedy należy zacząć nowy akapit, można zdecydować na kilka sposobów. Najbardziej oczywistym z nich jest moment, kiedy wprowadza się nowy temat. Również wtedy, gdy zaczynamy pisać o czymś, co kontrastuje z tym, co opisywaliśmy wcześniej. Czasami nawet wtedy, gdy chcemy kontynuować argumentację związaną z bieżącym tematem, ale czujemy, że akapit jest już zbyt długi. Czytanie zbyt długich akapitów jest dla czytelnika męczące i przerzucenie części argumentów do kolejnego pozwoli mu odpocząć. Odrębne akapity są też niezbędne, by wydzielić z dłuższego tekstu wstęp i zakończenie.

PODSTAWY ALGEBRY

Odwracanie równań Polega na zastosowaniu całej dotychczasowej wiedzy na temat równań algebraicznych, w celu przekształcenia ich w taki sposób, aby odnaleźć także drugą niewiadomą. Jeśli mamy równanie $2b = c$, możemy w bardzo prosty sposób odnaleźć zarówno wartość b, jak i c. Aby odnaleźć wartość b, wystarczy podzielić obie strony równania przez 2. Tak więc $b = \dfrac{c}{2}$.

WZORY CHEMICZNE

Zapis Hilla Innym sposobem zapisu wzorów sumarycznych wzorów związków chemicznych jest zapis Hilla. Dla związków organicznych, np. glukozy (zawierających wodór i węgiel), najpierw oznacza się liczbę atomów węgla, później wodoru, a potem innych pierwiastków w kolejności alfabetycznej. W przypadku glukozy zapis nie ulegnie zmianie, ponieważ $C_6H_{12}O_6$ Tlenek uranu zapisuje się zwykle jako U_3O_8, a w zapisie Hilla wzór ten zamienia się na O_8U_3. Takiej właśnie formy zapisu używa się zwykle w bazach danych.

BIAŁORUSKI

Użyteczne zwroty Oto kilka zwrotów, które mogą się okazać przydatne podczas podróży na Białoruś (zostały zapisane fonetycznie):

Cześć – *Witaju*
Jak się masz? – *Jak sprawy?*
Miło mi cię poznać – *Prijemna paznajomitsa*
Dzień dobry – *Dobraj ranitsy*
Dobry wieczór – *Dobry weczar*
Dobranoc – *Dobranacz*
Na zdrowie! – *Za zdarowie!*
Nie rozumiem – *Nie razumieju*
Gdzie jest toaleta? – *Dze tualet?*
Do widzenia – *Da pabaczenija*

1. **Które z poniższych wydarzeń doprowadziło do podważenia autorytetu monarchy i zapewniło niższym klasom większy wpływ na sposób rządzenia krajem?**
   a. Konwent Narodowy.
   b. Masakry wrześniowe.
   c. Szturm na pałac w Tuileries.
   d. Marsz kobiet na Wersal.

2. **Stan Trzeci reprezentował:**
   a. króla;
   b. możnowładców;
   c. klasę wyższą;
   d. klasy niższe.

3. **Kiedy należy rozpocząć nowy akapit?**
   a. Rozpoczynając analizę nowego problemu.
   b. Gdy odnosimy wrażenie, że akapit jest zbyt długi i czytelnik może potrzebować przerwy.
   c. Kiedy chcemy napisać wstęp lub zakończenie.
   d. We wszystkich sytuacjach wymienionych w odpowiedziach (a), (b) i (c).

4. **Czym jest zdanie pomocnicze?**
   a. Zdaniem zawierającym cytaty albo analizy związane z tematem.
   b. Zdaniem wprowadzającym nowy temat.
   c. Zdaniem wprowadzającym zakończenie.
   d. Zdaniem prezentującym główny temat akapitu.

5. **Jaka jest wartość x w równaniu $x + 4 = y$?**
   a. $x = y + 4$.
   b. $x = y - 4$.
   c. $x = 4$.
   d. $x = \dfrac{y}{4}$.

6. **Wyrażenie $x4(x + 7)$ można zapisać:**
   a. $2x + 7$;
   b. $x^5 + 7$;
   c. $x^5 + 7x^4$;
   d. $5x + 7x^4$.

7. **Które z poniższych oznaczeń odnosi się do jonu?**
   a. $Na+$.
   b. H^2O.
   c. CO_2.
   d. ^{235}U.

8. **Które z poniższych oznaczeń odnosi się do polimeru?**
   a. ^{235}U.
   b. $CH_3(CH_2)_{50}CH_3$.
   c. Na^+.
   d. H^2O.

9. **Który z poniższych opisów jest prawdziwy?**
   a. Dialekty południowo-zachodnie charakteryzuje twardsze „s", a dialekty północno-wschodnie – miększe „s".
   b. Dialekty południowo-zachodnie charakteryzuje twardsze „g", a dialekty północno-wschodnie – miększe „g".
   c. Dialekty południowo-zachodnie charakteryzuje twardsze „r", a dialekty północno-wschodnie – miększe „r".
   d. Dialekty południowo-zachodnie charakteryzuje twardsze „p", a dialekty północno-wschodnie – miększe „p".

10. **Jak powiedzieć po białorusku „Miło mi cię poznać"?**
    a. *Za zdarowie.*
    b. *Da pabaczenija.*
    c. *Dobry weczar.*
    d. *Prijemna paznajomitsa.*

Odpowiedzi: d, d, d, a, b, c, a, b, c, d.

HISTORIA: Wojna secesyjna

Secesja z Unii, I bitwa nad Bull Run, Bitwa pod Shiloh, Proklamacja Emancypacji, Przemowa gettysburska, Kapitulacja wojsk generała Lee

MATEMATYKA: Algebra liniowa

Czym jest algebra liniowa?, Równania liniowe, Macierz, Przestrzeń wektorowa, Liczby zespolone, Przydatne twierdzenia

SZTUKA JĘZYKA: Virginia Woolf

O Virginii Woolf, Grupa Bloomsbury, *Podróż w świat*, *Pani Dalloway*, *Do latarni morskiej*, Śmierć Virginii Woolf

PRZYRODA: John Dalton

O Johnie Daltonie, Daltonizm, Waga atomowa, Teoria atomistyczna, Prawo Daltona, Znaczenie teorii atomistycznej

Lekcja 18

JĘZYKI OBCE: Czeski

Początki, XV wiek, Język chłopów, Czeski i słowacki, Dialekty, Użyteczne zwroty

139

WOJNA SECESYJNA

Secesja z Unii Nim Abraham Lincoln objął urząd prezydenta Stanów Zjednoczonych, mieszkańcy Południowej Karoliny uznali, że zagraża ich interesom i zwołali spotkanie delegatów wszystkich stanów. W głosowaniu, które odbyło się w grudniu 1860 r., uczestnicy zjazdu podjęli decyzję o wykluczeniu Południowej Karoliny z Unii. Wkrótce potem z Unii wystąpiły kolejne stany: Missisipi, Alabama, Floryda, Luizjana, Georgia i Teksas. 4 lutego 1861 r. utworzyły one Skonfederowane Stany Ameryki. Później do Konfederacji dołączyły jeszcze cztery stany: Wirginia, Tennessee, Arkansas i Północna Karolina.

VIRGINIA WOOLF

O Virginii Woolf Pisarka urodziła się w 1882 r. jako Adeline Virginia Stephen. Kształciła się w domu pod nadzorem ojca, który zasłynął jako redaktor cenionego słownika biograficznego *Dictionary of National Biography*. Virginia Woolf przez całe życie zmagała się z depresją i chorobą umysłową. Pierwsze załamanie psychiczne przeżyła w wieku trzynastu lat po śmierci matki. Kiedy w 1904 r. zmarł jej ojciec, musiała poddać się hospitalizacji. Dzieła jej autorstwa uznaje się za jedne z największych dokonań feminizmu oraz modernizmu.

ALGEBRA LINIOWA

Czym jest algebra liniowa? Algebra liniowa to dziedzina matematyki zajmująca się zgłębianiem teorii równań i przekształceń liniowych. Równania liniowe mają swe źródło w geometrii. Występują w nich takie pojęcia jak linie, przestrzeń czy wektory. W celu uzyskania rozwiązania równania te sprowadza się do równań algebraicznych, a następnie wynik można ponownie przedstawić w sposób geometryczny. Algebra liniowa jest kluczową gałęzią współczesnej matematyki oraz innych dziedzin naukowych.

JOHN DALTON

O Johnie Daltonie Dzięki Johnowi Daltonowi chemia stała się odrębną nauką. Dalton urodził się 6 września 1766 r. w rodzinie kwakrów w Cumberland w Anglii. W młodości zainteresował się meteorologią i notował wszelkie zmiany pogodowe związane z ciśnieniem atmosferycznym i temperaturą. Dziennik prowadził przez 57 lat, aż do śmierci w 1844 r.

⊙ CZESKI

Początki Czeski jest językiem zachodniosłowiańskim, który aż do XIX w. znany był jako *bohemian* (z łac. *Bohemia* – Czechy). Najwcześniejsze dokumenty spisane w języku czeskim datowane są na XI w. Ze względu na położenie geograficzne oraz burzliwą historię polityczną kraju język czeski wykazuje spore wpływy języka niemieckiego, a jego charakterystyka gramatyczna i fonetyczna przywodzi na myśl zarówno języki germańskie, jak i słowiańskie.

WOJNA SECESYJNA

I bitwa nad Bull Run Pierwszą ważną potyczką wojny secesyjnej była bitwa nad Bull Run, mająca miejsce 21 lipca 1861 r. Gdy oczywistym stało się, że dla zachowania jedności państwa należy zdławić rebelię Południa, podjęto decyzję o ataku na stolicę konfederatów – Richmond w stanie Wirginia. Wojska Unii i Konfederacji spotkały się w Manassas. Początkowo sądzono, że na tej jednej bitwie wojna się zakończy.

VIRGINIA WOOLF

Grupa Bloomsbury Po drugim załamaniu nerwowym pisarki jej siostra Vanessa oraz brat Adrian kupili dom w Bloomsbury. Woolf zaprzyjaźniła się z kilkoma ówczesnymi intelektualistami, m.in. Rogerem Fry'em i Duncanem Grantem. Wspólnie utworzyli grupę Bloomsbury – koło zrzeszające brytyjskich artystów i intelektualistów. O grupie stało się szczególnie głośno, kiedy w 1910 r. została zamieszana w mistyfikację zwaną Dreadnought Hoax, w wyniku której dowództwo pancernika HMS „Dreadnought" zostało poinformowane, że ma do czynienia z abisyńską rodziną królewską i umożliwiło członkom grupy zwiedzenie okrętu. Virginia brała udział w mistyfikacji przebrana za mężczyznę. Grupa Bloomsbury była też bardzo liberalna w kwestii seksu. Virginia wkrótce związała się uczuciowo z inną pisarką.

ALGEBRA LINIOWA

Równania liniowe Równanie algebraiczne, w którym pojawia się stała (albo jej pochodna) oraz jedna zmienna w pierwszej potędze to równanie liniowe. Przykładami równań liniowych mogą być więc: $x + 6 = 0$, $4x + 7y = 0$ czy $5x + 3 = 0$. Nie będzie nim natomiast $x^2 = 0$ (x nie występuje tu w pierwszej potędze), $4xy + 6$ (nie może dochodzić do mnożenia dwóch zmiennych) czy $6x : 8y = 0$ (nie można dzielić dwóch różnych zmiennych).

JOHN DALTON

Daltonizm Dalton cierpiał na ślepotę barw. Napisał pracę, w której wysunął hipotezę, że przypadłość ta jest spowodowana niewłaściwym działaniem siatkówki oka. W związku z tym, że o ślepocie barw wiedziano wówczas niewiele, początkowo zbagatelizowano tę teorię, ale ostatecznie zyskała ona ogromną popularność. Jedną z odmian ślepoty barw (niewidzenie koloru zielonego i czerwonego) nazwano daltonizmem. W 1995 r. zachowaną gałkę oczną Daltona poddano szczegółowemu badaniu, wykazując, że w rzeczywistości cierpiał on na rzadką odmianę ślepoty barw umożliwiającą rozróżnianie tylko takich kolorów jak: niebieski, fioletowy i żółty.

CZESKI

XV wiek Reformator religijny Jan Hus w XV w. dokonał standaryzacji pisowni języka czeskiego. Efektem jego prac było przydzielenie odpowiedniej litery każdemu dźwiękowi. Dodając do niektórych liter różne rodzaje akcentów (w formie kropek lub linii), Hus stworzył reguły pisowni oparte na alfabecie łacińskim. Do dziś używa się ustalonego wówczas systemu.

WOJNA SECESYJNA

Bitwa pod Shiloh Znana jako jedna z najkrwawszych bitew wojny secesyjnej. W bitwie pod Shiloh zginęło lub odniosło rany około 23 750 żołnierzy, z czego 13 tys. po stronie Unii. 6 kwietnia 1862 r. armia konfederatów niespodziewanie zaatakowała wojska generała Ulyssesa S. Granta w Pittsburg Landing pod miastem Shiloh w stanie Tennessee. Zaskoczeni unioniści bronili się aż do nadejścia posiłków, a następnego dnia przeprowadzili kontratak, zmuszając konfederatów do wycofania się i zapewniając sobie zwycięstwo.

 VIRGINIA WOOLF

Podróż w świat Debiutancka powieść Virginii Woolf pt. *Podróż w świat* ukazała się w 1915 r. Została napisana w okresie, kiedy autorka zmagała się z silną depresją, podejmując co najmniej jedną próbę samobójczą. W książce można odnaleźć zarówno jej odczucia wobec bardzo tradycyjnego wychowania, jak i późniejszych doświadczeń w grupie Bloomsbury. W *Podróży w świat* uwidoczniły się także zainteresowania autorki tematami seksualności, kobiecości oraz śmierci, którymi będzie poświęcać jeszcze więcej uwagi w późniejszych dziełach.

 ALGEBRA LINIOWA

Macierz Prostokątna tablica prezentująca układ liczb, wyrażeń lub symboli to macierz. Liczby znajdujące się wewnątrz macierzy to jej elementy (albo wyrazy). Mogą one funkcjonować jako współczynniki umożliwiające rozwiązanie równania liniowego. Macierze tej samej wielkości można do siebie dodawać i odejmować (element po elemencie), a także mnożyć. Przykładowa matryca to:

$$\begin{bmatrix} 3 & 5 & 8 \\ 4 & 11 & 7 \end{bmatrix}$$

 JOHN DALTON

Waga atomowa Pierwsza opublikowana przez Daltona tablica wag atomowych obejmowała sześć pierwiastków: wodór (z wagą równą 1), tlen, węgiel, azot, fosfor oraz siarkę. Dalton był przekonany, że wszystkie gazy składają się z atomów i postanowił zmierzyć średnice tych atomów. Badania wagi atomowej przeprowadzane przez Daltona doprowadziły go do sformułowania teorii atomistycznej.

 CZESKI

Język chłopów Aż do XIV w. język czeski był piętnowany jako język chłopów, czyli niegodny użycia w literaturze czy też poddania standaryzacji. Literatura wykorzystała go po raz pierwszy dopiero po reformie Jana Husa. W XIX w. rozpoczął się ruch mający za zadanie doprowadzenie do standaryzacji języka i przywrócenia mu dawnej formy. Na Morawach i Śląsku ludzie wciąż posługują się tym właśnie dialektem.

WOJNA SECESYJNA

Proklamacja Emancypacji We wrześniu 1862 r. sporządzono wstępną wersję Proklamacji Emancypacji. Zgodnie z zawartymi w niej tezami wszyscy niewolnicy ze stanów Konfederacji mieli uzyskać wolność. Konfederaci nie zgodzili się na taką propozycję, w związku z czym 1 stycznia 1863 r. ogłoszono Proklamację Emancypacji, na mocy której dawano wolność niewolnikom we wszystkich stanach Ameryki. W praktyce wyglądało to nieco inaczej: niewolnicy z południa nie zostali wyzwoleni, ale zaczęli masowo uciekać na północ, gdzie wcielano ich do armii, aby walczyli po stronie Unii.

VIRGINIA WOOLF

Pani Dalloway Jedną z najsłynniejszych powieści Virginii Wolf jest *Pani Dalloway* z 1925 r. Jest to opis dnia z życia tytułowej bohaterki Clarissy Dalloway, mieszkającej w Anglii po I wojnie światowej. Opowieść w znacznej mierze rozgrywa się w umyśle bohaterki i charakteryzują ją gwałtowne przeskoki w czasie. Woolf porusza tematykę choroby psychicznej, depresji, homoseksualizmu, feminizmu oraz kwestie egzystencjalne. Powieść jest także kluczowym element fabuły filmu *Godziny* (2002) Stephena Daldry'ego.

ALGEBRA LINIOWA

Przestrzeń wektorowa Zbiór wektorów tworzy przestrzeń wektorową (zwaną także przestrzenią liniową). Obiekty, które można do siebie dodawać albo mnożyć nazywane są skalarami, co oznacza, że można je skalować. Przestrzeń wektorową definiuje się za pomocą aksjomatów, które wyznaczają też podstawowe reguły, jakie należy w jej przypadku stosować, np. $u + (v + w) = (u + v) + w$ czy $v + w = w + v$, gdzie u, v i w oznaczają wektory.

JOHN DALTON

Teoria atomistyczna Największym osiągnięciem Daltona w dziedzinie nauki była teoria atomistyczna. Mówi ona, że każdy pierwiastek składa się z drobnych cząsteczek zwanych atomami. Atomy różnych pierwiastków różnią się od siebie i mają inną wagę atomową, a atomy danego pierwiastka zawsze są takie same. Wiązania chemiczne umożliwiają łączenie atomów jednego pierwiastka z atomami innego pierwiastka. Atomów nie da się rozdzielić, stworzyć ani zniszczyć. W czasie reakcji chemicznych zmienia się tylko ich wzajemne ułożenie i powiązanie.

CZESKI

Czeski i słowacki Język czeski i język słowacki są do siebie bardzo podobne. Te dwa kraje jeszcze niedawno stanowiły jedną całość – Czechosłowację. Po upadku reżimu komunistycznego rozpadły się, tworząc Czechy (Republikę Czeską) oraz Słowację. Choć między językami tych krajów istnieją drobne różnice, Czesi bez problemu rozumieją słowacki zarówno w mowie i w piśmie. I odwrotnie.

LEKCJA 18D

WOJNA SECESYJNA

Przemowa gettysburska 19 listopada 1863 r. prezydent Abraham Lincoln wygłosił jedną z najsłynniejszych mów w historii Ameryki, która jest dziś znana jako przemowa gettysburska. Miało to miejsce w Gettysburgu w stanie Pensylwania, w cztery i pół miesiąca po tym, jak wojska Unii pokonały wojska konfederatów w bitwie pod Gettysburgiem. Lincoln składał w swej przemowie hołd wszystkim poległym żołnierzom i, unikając słów nienawiści, wychwalał zasady demokratycznego państwa.

 VIRGINIA WOOLF

Do latarni morskiej Książka ta jest uznawana za jedno z największych dokonań Virginii Woolf i arcydzieło modernizmu. W centrum powieści nie znajduje się fabuła, ale introspekcje i świadomość głównej bohaterki. Brak też tradycyjnego narratora, a historia jest relacjonowana przez strumienie świadomości różnych postaci. Toczone w książce dyskusje dotyczą m.in. istnienia Boga, które zostaje zakwestionowane.

 ALGEBRA LINIOWA

Liczby zespolone Liczby, które składają się z części rzeczywistej oraz części urojonej nazywamy liczbami zespolonymi. Ich istnienie pozwala na rozwiązywanie równań, których nie udałoby się rozwiązać przy użyciu wyłącznie liczb rzeczywistych. Część urojona liczb zespolonych jest przedstawiana za pomocą litery i, a liczby zespolone – za pomocą litery z. Każdą liczbę zespoloną można zapisać w postaci wzoru: $z = a + bi$, gdzie a i b oznaczają liczby rzeczywiste, a i^2 jest równe -1.

 JOHN DALTON

Prawo Daltona Zainteresowanie Daltona zmianami pogodowymi doprowadziło do ogłoszenia przez niego w 1803 r. prawa ciśnień cząstkowych, zwanego również prawem Daltona. Mówi ono, że ciśnienie wywierane przez mieszaninę gazów jest równe sumie ciśnień wywieranych przez wszystkie składowe tej mieszaniny. Wyraża to wzór:

$$P_{Suma} = p_1 + p_2 + p_3$$
$$p = p_1 + p_2 + p_3 + \ldots p_n = \sum_{i=1}^{n} Pi$$

 CZESKI

Dialekty W języku czeskim wyróżnia się trzy podstawowe grupy dialektów: czeskie właściwe, hanackie i laskie. Współczesny język literacki bardzo różni się od języka potocznego, którym mówią wszyscy Czesi, bez względu na pochodzenie społeczne, wykształcenie i miejsce zamieszkania.

WOJNA SECESYJNA

Kapitulacja wojsk generała Lee Wiosną 1865 r. generał wojsk Konfederacji Robert E. Lee wycofał swoje oddziały do Appomattox County, ścigany przez armię Granta. W siedem dni po zdobyciu Richmond, 9 kwietnia 1865 r., Lee zdał sobie sprawę z tego, że Grant prawdopodobnie wygra następną bitwę i postanowił spotkać się z nim w wiosce Appomattox Court House. Podczas spotkania Robert E. Lee złożył oświadczenie o kapitulacji.

VIRGINIA WOOLF

Śmierć Virginii Woolf Po wybuchu II wojny światowej stan Virginii Woolf pogorszył się znacznie. Ciosem było także zniszczenie w czasie bombardowania jej domu w Londynie. 27 marca 1941 r. mąż Virginii zawiózł ją do lekarza. Podczas wizyty pisarka twierdziła, że czuje się dobrze, ale zaczyna słyszeć głosy. Następnego dnia napisała dwa listy, jeden do męża, a drugi do siostry, a później wypełniła kieszenie kamieniami i utopiła się w rzece Ouse.

ALGEBRA LINIOWA

Przydatne twierdzenia Każda przestrzeń liniowa ma bazę, czyli zbiór wektorów, które mogą być odpowiednikami każdego wektora w danej przestrzeni liniowej. Każde dwie bazy danej przestrzeni wektorowej mają taką samą moc zbioru, czyli liczbę elementów w zbiorze. Jeśli zbiorem tym jest (4, 6, 8), to liczba elementów (moc zbioru) wynosi 3.

JOHN DALTON

Znaczenie teorii atomistycznej Teoria atomistyczna Daltona pozwoliła na zrozumienie wielu zagadnień współczesnej fizyki i chemii, a Dalton dzięki niej zyskał miano ojca chemii. Choć jego teoria miała pewne wady, pozwoliła na rozwój nowej dziedziny nauki, a do tego miała ona wpływ na wiele innych odkryć, doprowadzając m.in. do odkrycia cząstek subatomowych.

CZESKI

Użyteczne zwroty Oto kilka zwrotów, które mogą się okazać przydatne podczas podróży do Czech:

Cześć – *Ahoj*
Dzień dobry – *Dobré ráno* (przed południem)/*Dobrý den* (po południu)
Dobry wieczór – *Dobry večer*
Jak się nazywasz? – *Jak se jmenujete?*
Nie mówię po czesku – *Nemluvím česky*
Nie rozumiem – *Nerozumím*
Dziękuję – *Děkuji*
Gdzie jest toaleta? – *Kde jsou toalety?*
Ile to kosztuje? – *Kolik to stojí?*
Do widzenia – *Na shledanou*

1. Co było bezpośrednim efektem wydania Proklamacji Emancypacji?

a. Ogłoszenie secesji stanów południowych.
b. Wszczęcie wojny przez wojska Unii.
c. Masowe ucieczki niewolników na północ i wcielanie ich do armii Unii.
d. Masowe ucieczki niewolników na południe i wcielanie ich do armii Konfederacji.

2. Która z poniższych bitew jest uznawana za najkrwawszą?

a. Bitwa pod Shiloh.
b. Bitwa pod Gettysburgiem.
c. I bitwa nad Bull Run.
d. Bitwa o fort Sumter.

3. Która z poniższych kwestii należała do najważniejszych tematów, jakie Virginia Woolf poruszała w swoich dziełach?

a. Seksualność.
b. Kobieca świadomość.
c. Śmierć.
d. Zarówno (a), (b) i (c).

4. Na krótko przed śmiercią Virginia Woolf mówiła lekarzowi o:

a. bólu brzucha;
b. głosach, jakie słyszy w głowie;
c. bólu głowy;
d. problemach z widzeniem.

5. Obiekty, które można dodawać i mnożyć zwane są:

a. skalarami;
b. aksjomatami;
c. liczbami zespolonymi;
d. macierzami.

6. Jaka jest moc zbioru (4, 7, 9)?

a. 7.
b. 20.
c. 9.
d. 3.

7. Daltonizm to inne określenie:

a. prawa Daltona;
b. teorii wag atomowych Daltona;
c. jednej z odmian ślepoty barw;
d. teorii atomistycznej Daltona.

8. Wzór $P_{Suma} = p_1 + p_2 + p_3$ ... wyraża:

a. teorię atomistyczną Daltona;
b. prawo Daltona;
c. daltonizm;
d. teorię wag atomowych Daltona.

9. Za co był odpowiedzialny Jan Hus?

a. Za rozpad Czechosłowacji.
b. Za ujednolicenie pisowni języka czeskiego.
c. Za stworzenie mieszanki polskiego i czeskiego.
d. Za ustanowienie niemieckiego jako urzędowego języka na terenie Czech.

10. Które z poniższych zdań jest prawdziwe:

a. urzędowym językiem Czech jest słowacki;
b. w XIV w. czeski był urzędowym językiem Niemiec;
c. swego czasu czeskim posługiwał się król oraz możnowładcy;
d. do XIV w. czeski był uznawany za język chłopów, niewart używania w literaturze czy poddania standaryzacji.

HISTORIA: Wojna amerykańsko-hiszpańska

Kubańska walka o niepodległość, Żółte dziennikarstwo, Zatonięcie okrętu USS „Maine", Wypowiedzenie wojny, Filipiny, Traktat paryski

 MATEMATYKA: Współczesna algebra

Czym jest współczesna algebra?, Historia współczesnej algebry, Grupy, Pierścienie, Ciała, Algebra uniwersalna

 SZTUKA JĘZYKA: Jane Austen

O życiu Jane Austen, Powieść sentymentalna, *Rozważna i romantyczna*, *Duma i uprzedzenie*, *Emma*, Odbiór dzieł Austen

 PRZYRODA: Pogoda

Cykl hydrologiczny, Chmury, Grzmoty, Błyskawice, Wiatr, Przewidywanie pogody

Lekcja 19

 JĘZYKI OBCE: Węgierski

Początki, Wpływ języków tureckich, Cztery sposoby wyrażania grzeczności, Alfabet, Dialekty, Użyteczne zwroty

WOJNA AMERYKAŃSKO-HISZPAŃSKA

Kubańska walka o niepodległość Kuba była kolonią Hiszpanii od 1492 r. W połowie XIX w. na wyspie zaczęło narastać niezadowolenie z tej sytuacji. Rozpoczęto starania o uzyskanie niepodległości. Hiszpanie sprzeciwili się, więc kubańscy nacjonaliści podjęli walkę – wybuchła wojna dziesięcioletnia (1868–1878). W 1896 r. Hiszpanie wysłali na Kubę generała Weylera, zwanego „Rzeźnikiem", który zbudował obozy koncentracyjne, gdzie tysiące Kubańczyków straciło życie. Kiedy wieści z Kuby dotarły do Stanów Zjednoczonych, prezydent Cleveland stwierdził, że nawet jeśli Kongres podejmie decyzję o wypowiedzeniu wojny, wojska amerykańskie nie wezmą w niej udziału.

JANE AUSTEN

O życiu Jane Austen W biografii Jane Austen jest wiele niewiadomych. Urodziła się 16 grudnia 1775 r. w Hampshire w Anglii. Pisać sztuki, wiersze oraz opowiadania zaczęła w roku 1787. W wieku 23 lat napisała pierwotne wersje *Dumy i uprzedzenia*, *Rozważnej i romantycznej* oraz *Opactwa Northanger*. Od początku czytelnicy cenili jej szczególne poczucie humoru oraz celne obserwacje dotyczące klasowego podziału społeczeństwa. Jej dzieła charakteryzowały: realizm, humor oraz komentarz społeczny.

WSPÓŁCZESNA ALGEBRA

Czym jest współczesna algebra? Współczesna algebra, nazywana również algebrą abstrakcyjną, to gałąź matematyki zajmująca się abstrakcyjnymi pojęciami matematycznymi, takimi jak liczby zespolone, liczby rzeczywiste, macierze czy przestrzenie wektorowe a nie zbiorami liczb. Najważniejsze określenia wiążące się ze współczesną algebrą to: pierścienie, grupy oraz ciała. Algebrę liniową uznaje się za część współczesnej algebry.

POGODA

Cykl hydrologiczny Tym pojęciem określa się obieg wody w przyrodzie. Na ziemi występuje ograniczona ilość wody, która regularnie krąży w cyklu hydrologicznym. Zaczyna się on od parowania, kiedy to słońce podgrzewa wodę do tego stopnia, że zamienia się w parę. Po obniżeniu się temperatury, para tworzy chmury – w meteorologii ten proces nazywany jest kondensacją. Kiedy ilość wody w powietrzu przekroczy pewien próg, zaczyna padać deszcz lub śnieg.

◐ WĘGIERSKI

Początki Węgierski (w swojej ojczyźnie nazywany *magyar*) jest językiem ugrofińskim. Nie ma nic wspólnego z językami indoeuropejskimi, gdyż języki uralskie mają źródło w paśmie gór Ural. Historię węgierskiego można podzielić na pięć etapów: język protowęgierski (kiedy to narodził się węgierski), starowęgierski (w okresie średniowiecza), średniowęgierski (kiedy język przyjął formę podobną do współczesnej), nowowęgierski (okres reform językowych), i wreszcie współczesny język węgierski (wykształcenie się formy języka używanej do dziś).

WOJNA AMERYKAŃSKO-HISZPAŃSKA

Żółte dziennikarstwo Yellow Journalism, czyli żółte dziennikarstwo, to nazwa, jaką nadano sensacyjnym artykułom pojawiającym się w amerykańskiej prasie na temat sposobu traktowania Kubańczyków przez Hiszpanów. Choć opierały się na faktach, napisano je tylko po to, by wywołać u czytelników silne reakcje emocjonalne. Taki sposób pisania popierali William Randolph Hearst z „New York Journal" oraz Joseph Pulitzer z „New York World". Żółte dziennikarstwo znacząco wpłynęło na opinię publiczną w kwestii wypowiedzenia wojny Hiszpanii.

 # JANE AUSTEN

Powieść sentymentalna Popularny XVIII-wieczny gatunek literacki zbliżonym do romansu, w którym na pierwszy plan wysuwały się emocje i uczucia. Powieści sentymentalne skupiały się na reakcjach emocjonalnych – zarówno ze strony bohaterów, jak i czytelników. Fabuła opierała się nie tyle na mnożeniu kolejnych wydarzeń, co na potęgowaniu emocji wiążących się z opowiadaną historią. *Rozważna i romantyczna* była w pewnym sensie satyrą na ten rodzaj literatury.

 # WSPÓŁCZESNA ALGEBRA

Historia współczesnej algebry Na przełomie XIX i XX w. w metodologii matematycznej nastąpiły zasadnicze zmiany. Naukowcy zaczęli odchodzić od badania konkretnych obiektów, a coraz bardziej interesowały ich ogólne pojęcia teoretyczne. Podstawy współczesnej, czy też abstrakcyjnej algebry współtworzyli m.in.: Ernst Steinitz, David Hillbert, Emmy Noether czy Emil Artin.

 # POGODA

Chmury Olbrzymie skupiska kropel wody lub kryształków lodu, które są tak drobne, że mogą utrzymywać się w powietrzu to chmury. Jak powstają? Ciepłe powietrze, unosząc się, ochładza się i rozszerza. Następnie zaczyna gromadzić się w postaci kropelek wody, a miliardy takich kropelek łączą się ze sobą, tworząc chmury. Rozróżniamy trzy typy chmur: pierzaste (zwane również wysokimi), kłębiaste (średnie) oraz warstwowe (niskie).

 # WĘGIERSKI

Wpływ języków tureckich W latach 400–896 Węgrzy prowadzili wędrowny tryb życia. Osiedliwszy się na wybrzeżu Morza Czarnego mieli kontakt z Turkami, co zasadniczo wpłynęło na ich język. Po klęsce Attyli na tym samym terenie osiedlili się Hunowie, a Węgrzy znaleźli się pod ich zwierzchnictwem. Pomiędzy VI a VIII w. Hunowie tracili swoją pozycję, a ich miejsce zajęli Turcy. Tak oto Węgrzy poznali turecki alfabet, na którym oparli starowęgierski. Słowo *magyar* pochodzi od tureckiego *onugor*, a wymowa języka węgierskiego również wykazuje liczne naleciałości tureckie.

WOJNA AMERYKAŃSKO-HISZPAŃSKA

Zatonięcie okrętu USS „Maine" W 1897 r. Stany Zjednoczone wysłały na Kubę okręt wojenny USS „Maine" w celu zbadania sytuacji oraz umożliwienia ewakuacji znajdującym się tam Amerykanom. 15 lutego 1898 r. wybuch na okręcie pozbawił życie 266 Amerykanów i choć nie był wynikiem ataku Hiszpanów, ale awarii, dziennikarze i tak szybko zrzucili winę na Hiszpanów, budząc w USA silne antyhiszpańskie nastroje.

 JANE AUSTEN

Rozważna i romantyczna Powieść z 1811 r. to pierwsze opublikowane dzieło Jane Austen. Ukazała się pod pseudonimem A Lady (Pewna dama). Jane Austen wydawała swoje dzieła pod pseudonimem aż do śmierci. O tym, że to w rzeczywistości ona jest ich autorką, wiedziała tylko rodzina. *Rozważna i romantyczna* opowiada o dwóch siostrach, które po śmierci ojca przeprowadzają się do nowego domu, a następnie przeżywają romanse i zawody miłosne. Pierwsze wydanie powieści miało nakład 750 egzemplarzy, które bardzo szybko się rozeszły.

 WSPÓŁCZESNA ALGEBRA

Grupy Grupy to zbiory elementów skończonych i nieskończonych, które wraz z działaniami dwuargumentowymi (takimi, które korzystają z jednych i drugich wyrażeń) spełniają warunki: domkniętości, przemienności, tożsamości oraz łączności. Domkniętość mówi, że jeśli elementy a i b zawierają się w zbiorze G, to wynik ich mnożenia – a więc ab – również będzie zawierał się w tym zbiorze. Przemienność oznacza, że działania na wszystkich elementach zbioru muszą być przemienne, tzn. $(a \times b) = (b \times a)$. Tożsamość określa istnienie elementu e (neutralnego) jako należącego do zbioru G, i dla każdego a ze zbioru G wyznacza równanie: $e \times a = a \times e = a$. Łączność można wyrazić równaniem: $(a \times b) \times c = a \times (b \times c)$.

 POGODA

Grzmoty Odgłosy grzmotu są wywoływane przez błyskawice. Kiedy błyskawica przechodzi przez chmurę, tworzy korytarz albo niewielką dziurę w powietrzu, a kiedy błyskawica znika, powietrze zasklepia się, wywołując falę dźwiękową. W związku z tym, że światło porusza się z większą prędkością niż dźwięk, najpierw widzimy błyskawicę, a dopiero później słyszymy grzmot.

WĘGIERSKI

Cztery sposoby wyrażania grzeczności W języku węgierskim istnieją cztery sposoby wyrażania grzeczności wobec rozmówcy. Jednego z nich używa się, aby okazać rozmówcy należny respekt. Drugiego, dystansując się od czegoś, co powiedział lub zrobił rozmówca. Trzeciego w podobnej sytuacji do dwóch poprzednich, ale z wykorzystaniem innego słownictwa (stosuje się go np. wobec przyjaciół rodziny). Czwarty ma zastosowanie w sytuacjach nie objętych poprzednimi trzema sposobami.

WOJNA AMERYKAŃSKO-HISZPAŃSKA

Wypowiedzenie wojny Choć prezydent McKinley nie chciał wszczynać wojny, nastroje części społeczeństwa oraz niektórych polityków, m.in. Theodore'a Roosevelta, były znacznie bardziej radykalne. 11 kwietnia 1898 r. McKinley w Kongresie oficjalnie poparł wojnę z Hiszpanią. 24 kwietnia Hiszpania wypowiedziała wojnę Stanom Zjednoczonym, a następnego dnia Stany Zjednoczone wypowiedziały wojnę Hiszpanii.

JANE AUSTEN

Duma i uprzedzenie Kolejna powieść pisarki, *Duma i uprzedzenie*, została wydana w 1813 r. Powieść ta, podobnie jak większość dzieł Austen, wykorzystuje mowę pozornie zależną (a więc taką, w której narrator występujący w trzeciej osobie wypowiada w rzeczywistości myśli głównych bohaterów). Skupia się ona na znaczeniu środowiska, jego wpływie na późniejsze wychowanie oraz na fakcie, że bogactwo oraz wysoki status społeczny niekoniecznie muszą dawać przewagę.

WSPÓŁCZESNA ALGEBRA

Pierścienie Zbiór oznaczany symbolem P, w którym zostały określone dwa działania dwuargumentowe (zazwyczaj są to dodawanie i mnożenie). Przykładem pierścienia może być: $R = (P, 0_1, 0_2, e)$, gdzie P to zbiór liczb rzeczywistych, 0_1 to dodawanie (którego elementem przeciwnym będzie odejmowanie), 0_2 to mnożenie, a e to element neutralny pierwszego działania, czyli tzw. zero.

POGODA

Błyskawice Bryłki lodu poruszające się w chmurze burzowej uderzają o siebie, co powoduje wyładowania elektryczne. W efekcie cała chmura ma ładunek elektryczny. Protony gromadzą się w części górnej, a elektrony – w dolnej. Kiedy ładunki zderzają się, niewielka część energii przekształcana jest na błysk i grzmot.

WĘGIERSKI

Alfabet Kiedy król Stefan I Święty objął władzę w roku 1000, starowęgierski alfabet był stopniowo zastępowany alfabetem łacińskim. Współczesny węgierski alfabet wciąż opiera się na alfabecie łacińskim, do którego dodano kilka liter, np.: á, é, í, ú, ö oraz ü.

WOJNA AMERYKAŃSKO-HISZPAŃSKA

Filipiny Wiceprezydent Theodore Roosevelt rozkazał flocie Stanów Zjednoczonych, chroniącej wody w regionie Filipin, zaatakowanie hiszpańskich okrętów w stolicy Filipin. Flota hiszpańska została szybko pokonana.

 # JANE AUSTEN

Emma Powieść opublikowana w grudniu 1815 r. Autorka w *Emmie* po raz kolejny skupiła się w niej na miłosnych pomyłkach kobiet z wyższych sfer. Rozpoczynając pisanie powieści, Austen zapowiedziała: „Tym razem bohaterką uczynię kobietę, której nie polubi zbyt wiele osób poza mną samą". Emma jest rozpuszczoną dziewczyną, przekonaną o tym, że rzekomo świetnie swata innych. Jest to też pierwsza bohaterka Austen, która nie ma problemów finansowych, w związku z czym powieść stanowi odejście od typowej dla tej autorki tematyki (obejmującej m.in. kwestie poszukiwania partnera czy bezpieczeństwo finansowe).

 # WSPÓŁCZESNA ALGEBRA

Ciała Ciało to pierścień przemienny (taki, gdzie określono działanie mnożenia), w którym każdy niezerowy element jest odwracalny. Jest to struktura algebraiczna, którą można poddawać dodawaniu, odejmowaniu, mnożeniu oraz dzieleniu. Każde ciało musi się składać z co najmniej dwóch elementów.

 # POGODA

Wiatr Ruchy powietrza wywołane różnicą ciśnień i ukształtowania powierzchni Ziemi tworzą wiatr. Słońce nierównomiernie ogrzewa powierzchnię, co oznacza, że niektóre regiony są gorętsze niż inne. Ciepłe powietrze jest lżejsze niż zimne i dlatego szybko zaczyna się wznosić, a wówczas zimne powietrze przemieszcza się tam, gdzie jeszcze niedawno było ciepłe powietrze – i w ten sposób powstaje wiatr.

WĘGIERSKI

Dialekty Wyróżnia się osiem podstawowych dialektów języka węgierskiego: cisański, zadunajski, zachodni, południowy, północno-wschodni, środkowo-siedmiogrodzki, szeklerski oraz palóc. Mówiący nimi Węgrzy bez trudu mogą się ze sobą porozumiewać. Jedynie dialekt csángó, którym posługuje się społeczność oderwana od Węgier, zamieszkująca tereny rumuńskiej wioski Bacău, dość znacząco różni się od pozostałych.

WOJNA AMERYKAŃSKO-HISZPAŃSKA

Traktat paryski W 1898 r. wojna amerykańsko-hiszpańska została zakończona traktatem paryskim. Trwała pół roku. Na mocy traktatu Hiszpania odstępowała Stanom Zjednoczonym wyspę Guam i Portoryko, a Kuba uzyskiwała niepodległość. W zamian za 20 milionów dolarów Amerykanie przejęli też kontrolę nad Filipinami, a po podpisaniu poprawki Platta – mogli również stworzyć bazę wojskową w kubańskiej Zatoce Guantanamo.

JANE AUSTEN

Odbiór dzieł Austen Książki Jane Austen czytelnicy i krytycy przyjmowali bardzo ciepło. W recenzjach chwalono realizm oraz ciekawy sposób prowadzenia narracji. W XIX w., kiedy drukowano literaturę wiktoriańską i romantyczną, dzieła Austen straciły nieco na znaczeniu. Kiedy ukazały się *Wspomnienia o Jane Austen* autorstwa Jamesa Edwarda Austen-Leigh, książki autorki ponownie zaczęły zyskiwać na popularności. W XX w. dokonania Austen stały się przedmiotem badań literaturoznawców, a także podstawą wielu adaptacji filmowych.

WSPÓŁCZESNA ALGEBRA

Algebra uniwersalna Zajmuje się badaniem struktur algebraicznych, a nie ich modeli. W algebrze uniwersalnej strukturą tą jest zbiór A, w którym przeprowadza się szereg operacji. Operacja n-arna wykorzystuje n elementów struktury albo zbioru A i daje jeden element tej struktury. Po ustaleniu konkretnych operacji strukturę można zawęzić jeszcze bardziej, do aksjomatów.

POGODA

Przewidywanie pogody Dzięki obserwacji zmian zachodzących pomiędzy różnymi masami powietrza można przewidzieć pogodę. Jednym ze sposobów prognozowania jest obserwowanie frontów atmosferycznych – mas zimnego powietrza przesuwającego się w kierunku frontu ciepłego. Kiedy zimne powietrze kurczy się, staje się cięższe i opada poniżej warstwy ciepłego powietrza, a wówczas ciepłe powietrze umiejscawia się tam, gdzie dotąd było zimne powietrze.

WĘGIERSKI

Użyteczne zwroty Oto kilka zwrotów, które mogą się okazać przydatne podczas podróży na Węgry:

Dzień dobry – *Jó reggelt kívánok* (przed południem)
/*Jó napot kívánok* (po południu; funkcjonuje także jako *cześć*)
Dobry wieczór – *Jó estét kívánok*
Dobranoc – *Jó éjszakát*
Dziękuję – *Köszönöm*
Nie rozumiem – *Nem értem*
Nie mówię po węgiersku – *Nem beszélek magyarul*
Przepraszam – *Elnézést*
Gdzie jest toaleta? – *Hol van a mosdó?*
Do widzenia – *Szia*

1. **W jaki sposób przedstawiciele żółtego dziennikarstwa opisali zatonięcie okrętu USS „Maine"?**
   a. Niezwykle szybki.
   b. Nadano tej historii posmak sensacji i obwiniono o tragedię Hiszpanów.
   c. Wyjaśniono, że zatonięcie spowodowała awaria na okręcie.
   d. Żadne z powyższych.

2. **Na mocy traktatu paryskiego Amerykanie uzyskali kontrolę nad:**
   a. wyspą Guam;
   b. portoryko;
   c. hiszpanią;
   d. zarówno (a) i (b).

3. **Jane Austen zawsze pisała pod pseudonimem. Jakiego pseudonimu użyła, wydając *Rozważną i romantyczną*?**
   a. J.A.
   b. Kobieta.
   c. Pewna dama.
   d. Anonim.

4. **Która z poniższych cech nie występuje zwykle w powieściach Jane Austen?**
   a. Realizm.
   b. Gwałtowne wybuchy emocji.
   c. Humor.
   d. Komentarz społeczny.

5. **Współczesną algebrę nazywa się również:**
   a. algebrą liniową;
   b. algebrą abstrakcyjną;
   c. algebrą podstawową;
   d. algebrą drugiego stopnia.

6. **Jaka własność mówi, że jeśli a i b są elementami zbioru G, to ab także należy do tego zbioru?**
   a. Domkniętości.
   b. Przemienności.
   c. Tożsamości.
   d. Łączności.

7. **Który z poniższych opisów właściwie obrazuje poszczególne etapy cyklu hydrologicznego?**
   a. Parowanie, kondensacja, opady.
   b. Kondensacja, parowanie, opady.
   c. Parowanie, opady, kondensacja.
   d. Opady, kondensacja, parowanie.

8. **Która z poniższych nazw nie odnosi się do podziału chmur względem wysokości, na jakiej występują?**
   a. Pierzaste.
   b. Warstwowe.
   c. Burzowe.
   d. Kłębiaste.

9. **Który węgierski dialekt najbardziej różni się od pozostałych?**
   a. Północno-wschodni.
   b. Szeklerski.
   c. Zachodni.
   d. Csángó.

10. **Ile różnych sposobów okazywania grzeczności wobec rozmówcy istnieje w języku węgierskim?**
    a. 2.
    b. 3.
    c. 4.
    d. 9.

Odpowiedzi: b, d, c, b, b, a, c, d, c, c.

HISTORIA: Wojna
brytyjsko-amerykańska

Co to za wojna?, Inwazja
na Kanadę, Zajęcie Detroit,
Konwent w Hartford, Traktat
gandawski, Bitwa pod Nowym
Orleanem

 MATEMATYKA: Krzywa

Czym jest krzywa?, Krzywa
stożkowa, Okrąg, Elipsa, Parabola,
Hiperbola

 SZTUKA JĘZYKA:
Dyskusja

Zapoznawanie się z faktami,
Przyczynowość, Odstępstwo
od średniej, Stosowanie
aluzji, Precyzyjność,
Poddawanie się
emocjom

 PRZYRODA: Globalne
ocieplenie

Gazy cieplarniane, Efekt cieplarniany,
Industrializacja, Wpływ globalnego
ocieplenia, Ustawa o czystym
powietrzu, Fakt czy fikcja?

Lekcja 20

 JĘZYKI OBCE:
Koreański

Początki, Alfabet,
Słownictwo, Dialekty,
Różnice między
północnokoreańskim
i południowokoreańskim,
Użyteczne zwroty

WOJNA BRYTYJSKO-AMERYKAŃSKA

Co to za wojna? Wojna brytyjsko-amerykańska wybuchła w 1812 r. Działania zbrojne trwały do roku 1815. Brytyjczycy, prowadzący wówczas w wojnę z Francją, chcieli ograniczyć handel pomiędzy Stanami Zjednoczonymi a Francją. Amerykanie uznali takie działania za bezprawne. Po latach zmagania się z restrykcjami i atakami na amerykańskie statki, po latach odpierania ataków Indian wspieranych przez Brytyjczyków, powiedzieli: dość. Postanowili wypowiedzieć wojnę Wielkiej Brytanii i zaatakować jej kolonie w Kanadzie. Ta wojna była dowodem na to, że Stany Zjednoczone chcą uniezależnić się od Wielkiej Brytanii.

DYSKUSJA

Zapoznawanie się z faktami Jednym z pierwszych kroków do osiągnięcia sukcesu podczas dyskusji jest dokładne zapoznanie się ze wszystkimi faktami, jakie chce się zaprezentować. Ich źródło może pozytywnie lub negatywnie wpłynąć na argumentację. Jeśli jest nim gazeta lub czasopismo, warto się upewnić, że podane informacje są obiektywne. Warto też sprawdzić dane, jakimi chcemy się posłużyć, w kilku różnych źródłach, najlepiej skierowanych do różnych odbiorców (np. prasa międzynarodowa prezentuje pewne wydarzenia z nieco innej perspektywy niż prasa lokalna).

KRZYWA

Czym jest krzywa? Krzywa w pewnym sensie przypomina prostą, jako że tworzą ją położone tuż obok siebie punkty. Początek krzywej bywa taki sam, jak w przypadku prostej, jednak później może ona ulegać różnym deformacjom. Konkretny kształt, jaki przyjmują krzywe, zależny jest od odpowiadających im równań. Krzywe zamknięte to takie, które są ograniczone, a krzywe otwarte mają nieskończoną długość.

GLOBALNE OCIEPLENIE

Gazy cieplarniane Atmosfera ziemska składa się z wielu gazów. Szczególnie ważną rolę spełniają gazy cieplarniane, ponieważ przepuszczają światło, ale nie przepuszczają ciepła. Wchłaniają olbrzymie ilości energii i ciepła pochodzące z promieniowania podczerwonego. Najważniejszymi gazami cieplarnianymi w atmosferze są: dwutlenek węgla, para wodna, tlenek diazotu, metan, freony oraz ozon. Gdyby nie gazy cieplarniane, życie na Ziemi nie byłoby możliwe.

◐ KOREAŃSKI

Początki Koreański jest językiem uralo-ałtajskim. Ta liga wywodzi się z północnej Azji, a obejmuje takie języki jak np.: turecki, mongolski, fiński, węgierski oraz mandżurski. Pomimo pewnych podobieństw gramatycznych, nie odkryto dotąd związku pomiędzy koreańskim a japońskim. Od 108 r. p.n.e. 313 r. n.e. Korea Północna była okupowana przez Chińczyków, w związku z czym w V w. klasyczny chiński stał się oficjalnym językiem pisanym tego kraju, a do języka mówionego również przeniknęło wiele chińskich zapożyczeń.

WOJNA BRYTYJSKO-AMERYKAŃSKA

Inwazja na Kanadę Gdy Stany Zjednoczone wypowiedziały wojnę Wielkiej Brytanii, wojska amerykańskie ruszyły na Kanadę. Amerykanie rozdzielili się: 12 lipca 1812 r. pierwsza grupa atakowała od strony jeziora Champlain, druga od Detroit. Podzielona armia nie była jednak w stanie stawić czoła siłom Brytyjczyków i walki przeniosły się na terytorium amerykańskie.

 DYSKUSJA

Przyczynowość Należy unikać błędów logicznych – związków przyczynowych określanych jako *post hoc ergo propter hoc*, a więc takich, które mówią, że skoro najpierw zdarzyło się A, a zaraz potem B, to A musiało być przyczyną B. Jeśli ktoś kichnął, a później zapaliło się światło, niemądrze będzie wnioskować, że światło zapaliło się w wyniku kichnięcia. Nie można też wychodzić z założenia, że korelacja przyczynowo-skutkowa będzie prawdziwa nawet jeśli ją odwrócimy. Przykładowo, jeśli powiemy, że właściciele psów nie mają na nie alergii, nie oznacza to jednocześnie, że jeśli komuś podarujemy psa, automatycznie nie będzie miał alergii na psy.

 KRZYWA

Krzywa stożkowa Krzywa stożkowa to zakrzywiona forma algebraiczna. Powstaje na skutek przecięcia stożka przez różnego typu płaszczyznę przecinającą. Cztery popularne krzywe stożkowe to: okrąg, elipsa, parabola i hiperbola. Można je zapisać za pomocą równania:

$$Ax^2 + Bxy + Cy^2 + Dx + Ey + F = 0$$

 GLOBALNE OCIEPLENIE

Efekt cieplarniany Naturalny proces ogrzewania powierzchni Ziemi oraz atmosfery ziemskiej to efekt cieplarniany. Podczas gdy energia przenika przez atmosferę, jej część (26%) odbija się od chmur i rozprasza ponownie w przestrzeni wokół planety. Chmury wchłaniają 19% tej energii, a kolejne 4% odbija się od powierzchni Ziemi i powraca w przestrzeń. 51% energii słonecznej, jaka dociera do powierzchni Ziemi, zostaje wykorzystanych w licznych procesach, takich jak np. ogrzewanie Ziemi. Większość tej energii zostaje wchłonięta przez gazy cieplarniane, a następnie wyemitowana, dzięki czemu tworzy się trwały cykl polegający na ogrzewaniu tą energią planety, dopóki da się ją jeszcze wchłaniać.

 KOREAŃSKI

Alfabet Koreański alfabet, zwany hangul, został stworzony w 1444 r. Kształt nadany spółgłoskom ma przypominać kształt, jaki przyjmują usta podczas ich wypowiadania. Kierunek pisania (pionowy, od prawej do lewej) oraz metoda zapisywania symboli w blokach zostały zaczerpnięte z języka chińskiego. Po wprowadzeniu alfabetu Koreańczycy potrafili pisać zarówno za jego pomocą, jak i za pomocą klasycznego alfabetu chińskiego. W XIX i XX w. popularność zyskała mieszanka obu systemów (hanja). Po 1945 r. zaczęto odchodzić od używania chińskich symboli.

LEKCJA 20C

 # WOJNA BRYTYJSKO-AMERYKAŃSKA

Zajęcie Detroit 15 sierpnia 1812 r. wojska brytyjskie zajęły Detroit. Tak naprawdę nie doszło jednak wówczas do żadnych walk. Brytyjski generał Isaac Brock wraz z sprzymierzonymi z Brytyjczykami Indianami przechytrzyli amerykańskiego generała Williama Hulla. Choć Amerykanie mieli przewagę liczebną, Hull myślał, że jest odwrotnie, i podjął decyzję o poddaniu fortu i miasta Detroit.

 # DYSKUSJA

Odstępstwo od średniej Biorąc udział w dyskusji, należy pamiętać o tym, aby przedstawiając fakty, wziąć pod uwagę odstępstwo od średniej, a więc szczęśliwy traf. Im mniej wiarygodne wyniki badań, tym większe będzie w nich odstępstwo od średniej. Jeśli więc zgromadzimy wyniki badań przeprowadzonych na dużej grupie społeczeństwa, a następnie wybierzemy z nich tylko wyniki najlepsze i najgorsze i po raz kolejny dokonamy stosownych obliczeń, to te osoby, które osiągnęły najlepsze wyniki będą miały zaniżoną średnią, a te, które osiągnęły najsłabsze wyniki – zawyżoną.

 # KRZYWA

Okrąg Najpopularniejszym rodzajem krzywej jest okrąg. Tworzy go linia, która nie ciągnie się w nieskończoność, ale w pewnym punkcie osiąga koniec. Korzystając z wykresu w kartezjańskim układzie współrzędnych, można stworzyć klasyczne równanie pozwalające utworzyć okrąg, a więc $x^2 + y^2 = r^2$, gdzie x, y – dowolne liczby rzeczywiste, a r – dodatnia stała liczba określająca odległość punktów płaszczyzny od środka okręgu. Obie wartości są podniesione do kwadratu. Innym wzorem na okrąg może być:

$$(x - h)^2 + (y - k)^2 = r^2$$

W tym wypadku h oraz k określają współrzędne x oraz y, jakie znajdują się w środku okręgu, a r oznacza długość promienia. Przykładowo, jeśli środek okręgu ma współrzędne (8,5) i promień długości 10, to wzór na taki okrąg będzie wyglądał następująco:

$$(x - 8)^2 + (y - 5)^2 = 100$$

 # GLOBALNE OCIEPLENIE

Industrializacja Uprzemysłowienie, czyli industrializacja, ma wpływ nie tylko na sytuację gospodarczą świata, ale również na liczne zmiany w atmosferze. Spalanie paliw kopalnych – węgla, gazu ziemnego czy ropy naftowej – skutkowało wprowadzaniem do atmosfery gazów cieplarnianych, np. dwutlenku węgla. W związku z tym Ziemia zaczęła wchłaniać i zatrzymywać więcej ciepła niż emitowała w przestrzeń.

 # KOREAŃSKI

Słownictwo Język koreański stanowi mieszankę słów czysto koreańskich oraz zapożyczeń z chińskiego. Dziś w koreańskim jest także wiele anglicyzmów. Słownictwo północnokoreańskie w znacznie większym stopniu opiera się na tradycyjnym słownictwie koreańskim niż na sino-koreańskim.

WOJNA BRYTYJSKO-AMERYKAŃSKA

Konwent w Hartford 14 grudnia 1814 r. delegaci federalni z Massachusetts, Connecticut, Vermont, New Hampshire i Rhode Island spotkali się, aby przedyskutować swoje stanowisko wobec wojny, a nawet ewentualnej secesji Nowej Anglii. Na konwencie w Hartford zaproponowali wprowadzenie kilku poprawek do konstytucji: wypowiedzenie wojny oraz zatwierdzenie wszelkich przepisów, które ograniczały władzę Kongresu, miało wymagać zdobycia 2/3 głosów tego gremium, dwaj kolejni prezydenci nie mogli pochodzić z tego samego stanu, a sprawować urząd powinni tylko przez jedną kadencję.

DYSKUSJA

Stosowanie aluzji Aluzje czynione podczas dyskusji dotyczą spraw, których nie da się powiedzieć wprost, np. plotek albo przesądów. Choć stosowanie aluzji nie jest szczególnie eleganckie, to bywa, że przynosi oczekiwany efekt. Dzięki tej metodzie możemy odwołać się do pewnych ludzkich uprzedzeń, czyniąc to jednak poza właściwą argumentacją, co nie wymaga powoływania się na konkretne fakty. W przypadku plotek czy przesądów byłoby to zresztą niemożliwe.

KRZYWA

Elipsa Kolejny przykład krzywej zamkniętej to elipsa. Przypomina okrąg, ale ściśnięty. Tworzą ją dwa wyróżnione punkty zwane ogniskami elipsy, które oznacza się jako F_1 i F_2. Suma odległości dowolnego punktu elipsy od tych ognisk jest stała. Podstawowy wzór na elipsę:

$$\frac{(x-h)^2}{a^2} + \frac{(y-k)^2}{b^2} = 1$$

gdzie x, y – dowolne liczby rzeczywiste, (h, k) – środek elipsy, a, b – długość półosi.

GLOBALNE OCIEPLENIE

Wpływ globalnego ocieplenia Gdy wzrasta ilość gazów cieplarnianych, rośnie temperatura na Ziemi. Globalne ocieplenie może mieć bardzo poważne skutki dla planety. Najgroźniejsze z nich to: wystąpienie z brzegów oceanów, częstsze huragany, susze i upały, a także topnienie gór lodowych. Może to doprowadzić do całkowitego zaburzenia ekosystemów na Ziemi.

KOREAŃSKI

Dialekty Koreański ma wiele dialektów. Język powszechnie używany w Korei Południowej opiera się na dialekcie seulskim, a w Korei Północnej – na dialekcie z Pjongjang. Zarówno dialekty z Korei Południowej, jak i z Korei Północnej, nie są trudne do zrozumienia dla mówiących inną odmianą koreańskiego. Jedynym dialektem, który odbiega od pozostałych, jest dialekt z wyspy Czedżu (Jeju Island). Można w nim odnaleźć wiele archaicznych słów, które dawno zniknęły ze współczesnego języka koreańskiego.

WOJNA BRYTYJSKO-AMERYKAŃSKA

Traktat gandawski Wojna brytyjsko-amerykańska zakończyła się 24 grudnia 1814 r. podpisaniem przez Stany Zjednoczone i Wielką Brytanię traktatu gandawskiego. Na jego mocy postanowiono ogłosić amnestię dla wszystkich Indian biorących udział w wojnie, zapewnić powrót wszystkich jeńców wojennych, zwrócić zagarnięte ziemie, pozwolić powrócić niewolnikom oraz zakończyć międzynarodowy handel niewolnikami.

 DYSKUSJA

Precyzyjność Podczas dyskusji wymieniamy się argumentami z kimś, kto ma odmienną opinię na określony temat i będzie się starał przedstawić nas w złym świetle. Właśnie dlatego precyzyjny sposób wyrażania się jest jedną z najważniejszych rzeczy. Nasze słowa bez wątpienia zostaną poddane interpretacji, w związku z czym trzeba je bardzo starannie dobierać. Należy unikać ogólników i wieloznaczności, stosować jasne pojęcia, a swoją opinię wypowiadać w przejrzysty sposób.

 KRZYWA

Parabola Krzywa w kształcie litery U będąca zbiorem punktów równoodległych od prostej, czyli kierownicy paraboli, oraz punktu zwanego ogniskiem paraboli. Typowe równanie pozwalające utworzyć parabolę to:

$$y - k = a(x - h)^2$$

Jeśli a jest większe niż zero, parabola otwiera się ku górze, a jeśli jest mniejsze niż zero – otwiera się ku dołowi.

 GLOBALNE OCIEPLENIE

Ustawa o czystym powietrzu W 1963 r. przyjęto w Stanach Zjednoczonych ustawę federalną mającą na celu zapobiegnięcie nadmiernemu zanieczyszczaniu powietrza (*Clean Air Act*). Od tamtego czasu zatwierdzono dwie ważne poprawki do niej, jedną w 1970 r., a drugą w 1990 r. W 2007 r. amerykański Sąd Najwyższy uznał, że emitowanie związków wywołujących globalne ocieplenie będzie uznawane za zanieczyszczanie powietrza i karane zgodnie z ustawą z 1963 r., jeśli udowodni się ich negatywny wpływ na ludzkie zdrowie. W 2009 r. amerykańska Agencja Ochrony Środowiska (EPA) opublikowała wyniki badań potwierdzające szkodliwość emisji związków wywołujących globalne ocieplenie dla zdrowia człowieka. W 2010 r. senat Stanów Zjednoczonych odrzucił te wyniki.

 KOREAŃSKI

Różnice między północnokoreańskim i południowokoreańskim Choć w Korei Północnej i Korei Południowej używa się tego samego języka, to jednak długotrwały rozdział polityczny między tymi krajami stał się przyczyną różnic pomiędzy północnokoreańskim i południowokoreańskim. W obu krajach używa się tych samych liter, jednak niektóre z nich występują pod różnymi nazwami. W Korei Północnej pisze się litery w nieco odmienny sposób niż w Korei Południowej, a litery oznaczające złożone samogłoski w Korei Północnej są zapisywane jak jedna litera, a w Korei Południowej – osobno.

WOJNA BRYTYJSKO-AMERYKAŃSKA

Bitwa pod Nowym Orleanem Wiadomość o podpisaniu traktatu gandawskiego rozchodziła się bardzo powoli. Nieświadome niczego oddziały dowodzone przez Andrew Jacksona wzięły udział w bitwie pod Nowym Orleanem, która okazała się największym militarnym sukcesem Amerykanów w tej wojnie. Armia brytyjska liczyła 7500 żołnierzy, a amerykańska zaledwie 5000. W wyniku starcia śmierć poniosło 2036 Brytyjczyków, a tylko 21 Amerykanów, co uczyniło dowodzącego bitwą Andrew Jacksona bohaterem narodowym.

 # DYSKUSJA

Poddawanie się emocjom Choć dyskusja jest w pewnym sensie kłótnią, uleganie emocjom przynosi więcej złego niż dobrego. Nie należy ubliżać adwersarzowi, nazywając go np. komunistą czy dzieciobójcą. Takie zachowanie stawia dyskutujących w złym świetle. Chodzi przecież o to, aby udowodnić swoją rację za pomocą faktów i danych, a nie poprzez krytykę stylu życia czy charakteru drugiej osoby.

 # KRZYWA

Hiperbola Przypomina dwie połączone parabole tworzące coś na kształt litery X. Istnieją dwa rodzaje hiperbol: pionowa i pozioma. Wzór na hiperbolę poziomą to:

$$\frac{(x-h)^2}{a^2} - \frac{(y-v)^2}{b^2} = 1$$

Natomiast wzór na hiperbolę pionową to:

$$\frac{(y-v)^2}{a^2} - \frac{(x-h)^2}{b^2} = 1$$

 # GLOBALNE OCIEPLENIE

Fakt czy fikcja? Nie brak naukowców twierdzących, że globalne ocieplenie to wymysł. Uważają oni, że brakuje wystarczającej ilości dowodów na to, że gazy cieplarniane rzeczywiście ogrzewają planetę albo że taki scenariusz będzie miał miejsce w przyszłości. Utrzymują, że wiarygodne źródła pomiaru temperatury nie wskazują na nadmierne nagrzewanie się planety. Twierdzą, że nie istnieją jeszcze dość zaawansowane komputery, które byłyby w stanie przewidzieć, jaki będzie klimat w przyszłości. Niektórzy przekonują nawet, że jeśli faktycznie dojdzie do globalnego ocieplenia, to będzie ono korzystne dla społeczeństwa.

 # KOREAŃSKI

Użyteczne zwroty Oto kilka zwrotów, które mogą się okazać przydatne podczas podróży do Korei (zapisano je w przybliżonej formie fonetycznej):

Cześć – *Annyeonghaseyo*
Jak się masz? – *Eotteohke jinaseyo?*
Miło mi cię poznać – *Mannaseo
bangapseumnida*
Dzień dobry/Dobry wieczór – *Annyeong
hashimnikka*

Nie rozumiem – *Moreugesseumnida*
Ile to kosztuje? – *Ige eolmayeyo?*
Dziękuję – *Kamsahamnida*
Gdzie jest toaleta? – *Hwajangsiri eodiyeyo*
Przepraszam – *Shillehagessumnida*
Do widzenia – *Annyeonghi gyeseyo*

1. **Czego nie obejmowała poprawka wprowadzona na konwencie w Hartford?**
   a. Ustalenia, że do wypowiedzenia wojny i przegłosowania jakiegokolwiek prawa ograniczającego władzę Kongresu, potrzebnych jest 2/3 głosów w Kongresie.
   b. Ustalenia, że dwaj kolejni prezydenci nie mogą pochodzić z tych samych stanów.
   c. Ustalenia, że prezydenci wybierani są tylko na jeden okres sprawowania władzy.
   d. Ustalenia o secesji Nowej Anglii.

2. **W dwa tygodnie po podpisaniu traktatu gandawskiego Amerykanie i Brytyjczycy starli się w bitwie pod:**
   a. Nowym Orleanem;
   b. Detroit;
   c. Hartford;
   d. Niagarą.

3. **Z czym wiąże się następujący przykład: jeśli zgromadzimy wyniki badań przeprowadzonych na dużej grupie społeczeństwa, a następnie wybierzemy z nich tylko wyniki najlepsze i najgorsze i po raz kolejny dokonamy obliczeń, to te osoby, które osiągnęły najlepsze wyniki będą miały zaniżoną średnią, a te, które osiągnęły najsłabsze wyniki – zawyżoną?**
   a. Z hiperbolą.
   b. Ze stosowaniem aluzji.
   c. Z odstępstwem od średniej.
   d. Z przyczynowością.

4. **Osobiste przytyki są przykładem:**
   a. przyczynowości;
   b. stosowania aluzji;
   c. precyzji wypowiedzi;
   d. poddania się emocjom.

5. **Jaką nazwę nosi krzywa, której wykres jest w kształcie litery U?**
   a. Hiperbola.
   b. Parabola.
   c. Elipsa.
   d. Okrąg.

6. **Jaki kształt ma wykres krzywej wyrażonej następującym wzorem: $x^2 + y^2 = r^2$?**
   a. Hiperboli.
   b. Paraboli.
   c. Elipsy.
   d. Okręgu.

7. **Co jest możliwym efektem globalnego ocieplenia?**
   a. Wystąpienie z brzegów wód oceanów.
   b. Większa liczba suszy i upałów.
   c. Roztopienie się gór lodowych na biegunie.
   d. Zarówno (a), (b) i (c).

8. **Które z poniższych twierdzeń jest prawdziwe?**
   a. Gazy cieplarniane przepuszczają światło, ale nie przepuszczają ciepła.
   b. Gazy cieplarniane wchłaniają olbrzymią ilość energii i ciepła z promieniowania podczerwonego.
   c. Najważniejsze gazy cieplarniane to: dwutlenek węgla, para wodna, tlenek diazotu, metan oraz ozon.
   d. Zarówno (a), (b) i (c).

9. **Czym jest hanja?**
   a. Nazwą dialektu seulskiego.
   b. Nazwą koreańskiego alfabetu.
   c. Nazwą mieszanki alfabetu koreańskiego oraz klasycznego chińskiego.
   d. Nazwą dialektu z Pjongjang.

10. **Który z koreańskich dialektów najbardziej różni się od pozostałych?**
    a. Dialekt z wyspy Czedżu.
    b. Dialekt północnokoreański.
    c. Dialekt południowokoreański.
    d. Dialekt z Pjongjang.

Odpowiedzi: d, a, c, d, b, d, d, c, a.

HISTORIA: Procesy
czarownic z Salem
O Salem, Dziwne zdarzenia
dotyczące dzieci, Początek
polowania na czarownice, Bridget
Bishop, Procesy, Koniec procesów
czarownic

 MATEMATYKA:
Algebra
Czym jest algebra?, Funkcje,
Wielomiany, Funkcje kwadratowe,
Wzory skróconego mnożenia,
Permutacje

 SZTUKA JĘZYKA:
Poezja
Rytm, Metrum, Zwrotka,
Poezja narracyjna, Epos,
Sonety

 PRZYRODA:
Isaac Newton
O Izaaku Newtonie, Prawo
powszechnego ciążenia, I zasada
dynamiki, II zasada dynamiki,
III zasada dynamiki, Spektrum
barw

Lekcja 21

 JĘZYKI OBCE:
Japoński
Początki, System pisma,
Fonetyka, Formuły
grzecznościowe, Dialekty,
Użyteczne zwroty

⊞ PROCESY CZAROWNIC Z SALEM

O Salem W latach 1692–1693 w Salem w stanie Massachusetts nastąpiła seria procesów czarownic, w wyniku których dokonano egzekucji 19 osób. Począwszy od XIV w. aż do XVII stulecia w Europie panowało przekonanie, że dzięki czarom można zdobyć moc, która pozwala krzywdzić innych ludzi. Kiedy doszło do procesów czarownic z Salem, na starym kontynencie tego rodzaju praktyki już właściwie zaniknęły. Był to jednak okres wojny między Anglią i Francją, co zaowocowało konfliktem pomiędzy koloniami należącymi do obu krajów i jednoczącymi się z nimi Indianami. W związku z walkami w Salem znalazło się wielu obcych, co doprowadziło do napięcia nastrojów w miasteczku. Mieszkańcy Salem uznali, że winę za nie ponosi szatan i czarownice.

POEZJA

Rytm Stosowany w poezji rytm jest odpowiednikiem rytmu muzycznego. W przypadku wierszy zależy on od liczby sylab w poszczególnych wersach i od sposobu rozłożenia w nich akcentów. Niektóre słowa można przeciągać lub wymawiać z większym naciskiem (emfazą) niż inne, co również ma wpływ na określony rytm. Istnieją także wiersze wolne, w których nie obowiązują rytmiczne rygory.

ALGEBRA

Czym jest algebra? Dzięki nauce algebry uczniowie poznają wszystko to, co będzie im w przyszłości niezbędne, aby poradzić sobie z rachunkiem różniczkowym i całkowym. Najważniejsze pojęcia algebraiczne to: funkcje, wielomiany, funkcje kwadratowe, uzupełnianie kwadratu oraz permutacje.

ISAAC NEWTON

O Izaaku Newtonie Sir Isaac Newton żył w latach 1643–1727. Został zapamiętany przede wszystkim jako twórca prawa powszechnego ciążenia, praw dynamiki, rachunku różniczkowego i całkowego, a także odkrywca spektrum barw. W 1661 r. zaczął studiować na uniwersytecie w Cambridge, ale kiedy wybuchła epidemia dżumy, musiał wrócić do domu. Sześć lat później ponownie podjął studia i w 1668 r. wynalazł teleskop zwierciadlany. W 1687 r. opublikował swoje największe dzieło, zatytułowane *Philosophiae naturalis principia mathematica*, w którym opisał znaczenie ciążenia.

JAPOŃSKI

Początki Język japoński jest powiązany z językami ałtajskimi i riukiuańskimi. Przeszedł on cztery fazy rozwoju, znane jako: starojapoński (którego zaprzestano używać ok. VIII w., kiedy coraz większy wpływ zaczął zyskiwać język chiński), wczesny średniojapoński (używany w latach 794–1185), późny średniojapoński (używany w latach 1185–1600, kiedy na japoński zaczęły znacząco wpływać języki europejskie) oraz współczesny język japoński (od roku 1600 aż do dziś).

PROCESY CZAROWNIC Z SALEM

Dziwne zdarzenia dotyczące dzieci W styczniu 1692 r. córka purytańskiego pastora Elizabeth Parris oraz jej bratanica Abigail Williams zaczęły cierpieć na niewytłumaczalne ataki. Dziewczęta dostawały konwulsji, krzyczały, i rzucały różnymi przedmiotami. Objawy te pojawiły się również u innej dziewczyny o nazwisku Ann Putnam. Miejscowy lekarz orzekł, że przyczyny tych ataków muszą być nadnaturalne. Kiedy dziewczęta zmuszono do podania nazwisk, oskarżyły Titubę, niewolnicę rodziny Parrisów, oraz dwie ubogie kobiety – Sarę Good i Sarę Osborne.

 POEZJA

Metrum Powtarzający się wzorzec akcentowanych i nieakcentowanych sylab występujących w kolejnych wersach to metrum. Do różnych rodzajów poezji używa się różnego metrum, np. wiersz jambiczny zaczyna się od sylab nieakcentowanych, a po nich następują sylaby akcentowane, z kolei wiersz daktyliczny zaczyna się od akcentowanej sylaby, po której następują dwie sylaby nieakcentowane.

 ALGEBRA

Funkcje Mają zasadnicze znaczenie w tworzeniu równań matematycznych. Funkcje polegają na odnajdowaniu jednej wartości dzięki skorelowanej z nią drugiej wartości. Np. w równaniu *7x + 3 = y*, aby odnaleźć wartość *y*, należy najpierw odnaleźć wartość *x*. Z funkcją mamy więc do czynienia wówczas, gdy zmienna *y* jest zależna od zmiennej *x* i można znaleźć tylko jedno rozwiązanie równania (tzn. niezależnie od tego, ile wynosi wartość *x*, istnieje tylko jedna możliwa wartość *y*).

 ISAAC NEWTON

Prawo powszechnego ciążenia Newtonowskie prawo jest dobrze znane dzięki ilustrującej je opowieści o jabłku spadającym z drzewa. Prawo to mówi, że każdy obiekt przyciąga inne obiekty z siłą, która jest wprost proporcjonalna do iloczynu mas obu obiektów i odwrotnie proporcjonalna do kwadratu odległości między ich środkami. Wzór ilustrujący prawo Newtona wygląda następująco:

$$F_g = G \frac{m_1 m_2}{r_2}$$

F_g = siła ciążenia
m_1 oraz m_2 = masy ciał
r = odległość między środkami ciał
G = stała grawitacji.

 JAPOŃSKI

System pisma Współczesny system pisma japońskiego stanowi mieszankę systemu chińskiego, dwóch systemów pisma sylabicznego *kana* (alfabetów opartych na symbolach, które rozwinęły się w IX w. w celu uproszczenia procesu pisania) oraz rzymskich liczb i liter. Od III do V w. w Japonii używano klasycznego systemu chińskiego, ale w miarę jak język podlegał rozwojowi, zaczęły się pojawiać różnice pomiędzy japońskim i chińskim sposobem zapisywania symboli. Największa różnica polega na tym, że chiński jest językiem monosylabicznym (każdy symbol oznacza jedną sylabę), a japoński – wielosylabicznym.

PROCESY CZAROWNIC Z SALEM

Początek polowania na czarownice Podczas gdy Osborne i Good próbowały się bronić, Tituba wyznała, że szatan złożył jej wizytę i nakazał jej zostać swoją służebnicą. Opisała go jako czarną postać, która kazała jej podpisać księgę i zdradziła, że istnieje więcej czarownic mających za zadanie zniszczyć purytanów. Wszystkie trzy kobiety osadzono w areszcie, a w Salem zaczęła się szerzyć paranoja. Dziesiątki mieszkańców sprowadzono na przesłuchania. Niezidentyfikowana osoba zapłaciła kaucję za Titubę, a wkrótce potem niewolnica zniknęła bez śladu.

 POEZJA

Zwrotka Zwana inaczej strofą, to co najmniej dwa wersy stanowiące całość, umożliwiająca podział wiersza na części. Zwrotki są zazwyczaj tej samej długości i korzystają z tych samych stóp metrycznych. Strofa składająca się z dwóch rymujących się ze sobą wersów nazywana jest dystychem. Z kolei tercyna składa się z trzech wierszy, zwykle powiązanych rymami ze strofą poprzednią i następną. Najpopularniejszym rodzajem zwrotki jest tetrastych, czyli cztery wersy, które mogą korzystać z różnych układów rymu. Następne w kolejności są pentastych, sekstyna, septyma i oktawa.

 ALGEBRA

Wielomiany Wyrażenia będące sumą stałych i potęg jednej zmiennej. Każda składowa wielomianu nazywana jest wyrazem. Aby powstał wielomian, jego wyrazy muszą spełniać pewne reguły. Nie mogą być nimi pierwiastki kwadratowe zmiennych, ułamki ani potęgi ułamków. Zmienna musi być podniesiona do dowolnej nieujemnej liczby całkowitej. Oto przykład wielomianu:

$$7x^2 + 8x - 9$$

I nie dajcie się zwieść wyrazowi $8x$. Choć nie zaznaczono w nim żadnej potęgi, w rzeczywistości można go określić jako $8x^1$, a więc nie narusza on definicji wielomianu.

 ISAAC NEWTON

I zasada dynamiki Pierwsza zasada dynamiki Newtona odnosi się do inercji (bezwładności). Mówi ona, że jeśli na ciało nie działa żadna siła lub siły działające równoważą się, to ciało pozostaje w spoczynku lub porusza się ruchem jednostajnym prostoliniowym. Jeśli natomiast siła lub siły działające na ciało wynoszą więcej niż zero, wówczas następuje przyspieszenie tego ruchu.

 JAPOŃSKI

Fonetyka Język japoński nie zawiera żadnych dyftongów, co oznacza, że japońskie samogłoski są czyste. Jest ich pięć – *a, i, u, o, e* – i każda z nich ma długą oraz krótką formę. Większość sylab w języku japońskim kończy się samogłoską. Japoński charakteryzuje się akcentem tonowym, co oznacza, że po akcentowanej sylabie występuje tonacja opadająca.

PROCESY CZAROWNIC Z SALEM

Bridget Bishop 27 maja 1692 r. zwołano sąd nadzwyczajny. Jako pierwszy odbył się proces Bridget Bishop, która udzielając odpowiedzi na pytanie, czy dopuściła się czarów, rzekła: „Jestem niewinna niczym nienarodzone dziecko". Uznano ją jednak za winną zarzucanych czynów i 10 czerwca powieszono.

 POEZJA

Poezja narracyjna Poezja narracyjna w pewnym sensie przypomina prozę – ponieważ także opowiada konkretną historię – ale używa w tym celu wiersza. Przykładem tego rodzaju poezji są eposy i ballady, np. *Opowieści kanterberyjskie* Geoffreya Chaucera, a także poemat narracyjny *Pan Tadeusz* Adama Mickiewicza.

 ALGEBRA

Funkcje kwadratowe Wielomiany wyrażane przez wzór $f(x) = ax^2 + bx + c$ mają specjalną nazwę – to funkcje kwadratowe. Przykładowy wzór funkcji kwadratowej w postaci ogólnej:

$$f(x) = x^2 + 6x + 8$$

Aby znaleźć postać iloczynową powyższej funkcji, najpierw rozbijamy tę funkcję na iloczyn dwóch wyrażeń:

$$f(x) = (x + ?)(x + ?)$$

Później podstawiamy liczby i sprawdzamy:

$$f(x) = (x + 4)(x + 2) = x^2 + 2x + 4x + 8 = x^2 + 6x + 8$$

Odpowiedź stanowi równanie $f(x) = (x + 4)(x + 2)$.

 ISAAC NEWTON

II zasada dynamiki Druga zasada dynamiki Newtona wyjaśnia, jak zmienia się przyspieszenie, kiedy obiekt zostaje popchnięty lub pociągnięty. Mówi ona, że jeśli siły działające na ciało nie równoważą się, to ciało porusza się z przyspieszeniem wprost proporcjonalnym do siły wypadkowej (tzn. jeśli popchniemy ciało z dwukrotnie większą siłą, będzie się ono poruszało z dwukrotnie większą prędkością), a odwrotnie proporcjonalnym do masy ciała. Zasadę tę ilustruje wzór $a = F/m$, gdzie F to siła, m – masa, a – przyspieszenie.

 JAPOŃSKI

Formuły grzecznościowe W kwestii wyrażania grzeczności wobec rozmówcy japoński posługuje się złożonym systemem. Istnieją co najmniej cztery sposoby odnoszenia się do drugiego człowieka, pozwalające wyrazić respekt, jakim go darzymy. Kwestia wyboru jednego z tych sposobów zależy od takich czynników, jak wiek, stanowisko i doświadczenie, a jeszcze innych formuł należy używać, prosząc rozmówcę o przysługę. Istnieją różnice pomiędzy językiem wyrażającym grzeczność (teineigo), respekt (sonkeigo) oraz uniżoność (kenjōgo), a także pomiędzy formułami honorowymi i uniżonymi.

PROCESY CZAROWNIC Z SALEM

Procesy Pięć dni po egzekucji Bridget Bishop powszechnie szanowany pastor poprosił sąd, aby nie brać pod uwagę zeznań na temat snów i wizji. Jego prośbę zignorowano i w lipcu powieszono pięć kolejnych kobiet. Później wykonano egzekucje następnych jedenastu osób, a niektórzy z oskarżonych, np. Giles Corey, byli torturowani na śmierć. Na stryczku życie straciło w sumie 19 osób, również wspomniany pastor.

POEZJA

Epos Długi wiersz narracyjny, który zazwyczaj opowiada o losach heroicznego bohatera, w szczegółach opisując jego podróż oraz czyny, jakich dokonał nazywamy eposem. Eposy często istniały wyłącznie w formie mówionej, ale już w starożytnej Grecji zaczęto je także spisywać. Jednym z najsłynniejszych eposów jest *Odyseja* Homera, przedstawiająca podróż Odyseusza powracającego do domu z wojny trojańskiej.

ALGEBRA

Wzory skróconego mnożenia Niektóre równania kwadratowe da się obliczyć w bardzo łatwy sposób, korzystając z tzw. wzorów skróconego mnożenia. Najpopularniejsze wzory dotyczą właśnie równań kwadratowych. Są to:
Kwadrat sumy: $(a + b)^2 = a^2 + 2ab + b^2$
Kwadrat różnicy: $(a - b)^2 = a^2 - 2ab + b^2$
Różnica kwadratów: $a^2 - b^2 = (a + b)(a - b)$.

ISAAC NEWTON

III zasada dynamiki W trzeciej zasadzie dynamiki Newtona mamy do czynienia z więcej niż jednym ciałem. Mówi ona, że oddziaływania ciał są zawsze wzajemne. Jeśli ciało A działa na ciało B siłą F (akcja), to ciało B działa na ciało A siłą (reakcja) o takiej samej wartości i kierunku, lecz o przeciwnym zwrocie.

◑ JAPOŃSKI

Dialekty Ze względu na górzysty teren i wewnętrzną oraz zewnętrzną izolację, w japońskim rozróżniamy wiele dialektów. Różnią się one słownictwem, akcentem tonowym, morfologią niektórych słów, a nawet wymową. Choć można by wymienić dziesiątki japońskich dialektów, łatwo je podzielić na dwie podstawowe grupy: wschodnie i zachodnie. Wschodnie dialekty większy nacisk kładą na spółgłoski, natomiast dialekty zachodnie – na samogłoski.

PROCESY CZAROWNIC Z SALEM

Koniec procesów czarownic Po tym, jak na temat czarów musiała zeznawać żona gubernatora Massachusetts, zarządził on wstrzymanie dalszych aresztowań, kazał wypuścić wielu oskarżonych i rozwiązał sąd. W maju 1693 r. uniewinnił wszystkich oskarżonych o uprawianie czarów. W sumie o uprawianie czarów było oskarżonych około 200 osób. Wielu z tych, którzy brali udział w przeprowadzaniu procesów, wystosowało później publiczne przeprosiny, a w 1702 r. uznano te procesy za bezprawne. W 1957 r. stan Massachusetts przeprosił za wydarzenia, do których doszło ponad 250 lat wcześniej.

POEZJA

Sonet Kunsztowna forma utworu poetyckiego, z której zasłynęli m.in. Petrarka, William Szekspir (własna odmiana sonetu) i Adam Mickiewicz. Klasyczny sonet składa się z 14 wersów zgrupowanych zazwyczaj w dwóch tetrastychach (czterowierszach; rymy abba abba) i dwóch tercynach (rymy cdd cdc lub cdc dcd). Pierwsze cztery wersy wprowadzają w temat utworu, następna zwrotka odnosi go do podmiotu wiersza, a tercyny zawierają refleksję i podsumowanie.

ALGEBRA

Permutacje Wszystkie możliwe kombinacje, jakich możemy dokonać w określonym zbiorze elementów to permutacja. Przykładowo, permutacją elementów abc będzie:

abc	cba
bac	bca
acb	cab

W tym wypadku istnieje więc sześć permutacji. Im więcej elementów zbioru, tym większa liczba permutacji. Aby poznać rozwiązania bardziej skomplikowanych przypadków, należy posłużyć się wcześniej poznanymi silniami. Permutacje zapisuje się jako: $_8P_3$. Liczba po lewej stronie oznacza ilość elementów w zbiorze, a liczba po prawej określa liczbę wykorzystywanych elementów. Mamy tu więc do czynienia z równaniem: $8 \times 7 \times 6 = 336$.

ISAAC NEWTON

Spektrum barw Sir Isaac Newton odkrył również, że białe światło tworzone jest przez wiele różnych kolorów wchodzących w skład spektrum barw. Za pomocą pryzmatu udało mu się rozszczepić białe światło na widmo barw, a następnie, przy użyciu soczewki i drugiego pryzmatu, ponownie połączyć części składowe widma w białe światło. Newton, jak wielu współczesnych mu fizyków, zakładał, że światło składa się z cząstek; dopiero pod koniec XIX wieku przyjęto teorię falową.

JAPOŃSKI

Użyteczne zwroty Oto kilka zwrotów, które mogą się okazać przydatne podczas podróży do Japonii; zapisano je w przybliżonej formie fonetycznej:

Cześć/Dzień dobry – *Konnichiwa*
Jak się masz? – *O genki desu ka?*
Miło mi cię poznać – *Hajimemashite*
Dzień dobry – *Ohayō gozaimasu*
Dobry wieczór – *Konbanwa*

Przepraszam – *Sumimasem*
Ile to kosztuje? – *Ikura desu ka?*
Dziękuję – *Dōmo*
Gdzie jest toaleta? – *Benjo wa doko desu ka?*
Do widzenia – *Sayōnara*

1. **Podczas pierwszych aresztowań w związku z oskarżeniami o czary do kontaktów z szatanem przyznała się:**
   a. Sarah Good;
   b. Niewolnica rodziny Parrisów, Tituba;
   c. Sarah Osborne;
   d. Bridget Bishop.

2. **Ile osób powieszono w wyniku procesów czarownic w Salem?**
   a. 11.
   b. 9.
   c. 19.
   d. 21.

3. **Jak nazywa się powtarzalny wzorzec akcentowanych i nieakcentowanych sylab w kolejnych wersach wiersza?**
   a. Rym.
   b. Metrum.
   c. Sonet.
   d. Epos.

4. **Które z poniższych pojęć oznacza formę poezji składającą się z czternastu wersów zgrupowanych w dwóch czterowierszach i dwóch tercynach?**
   a. Sonet.
   b. Epos.
   c. Poezja narracyjna.
   d. Strofa.

5. **Ile wynosi $_8P_3$?**
   a. 24.
   b. 512.
   c. 6561.
   d. 336.

6. **Do jakiego równania można sprowadzić $x^2 + 6x + 8$?**
   a. $(x + 2)(x + 2)$.
   b. $(x + 4)(x + 2)$.
   c. $(x + 4)(x + 4)$.
   d. $x(x + 8)$.

7. **Zgodnie z którą zasadą czy prawem Newtona na każdą siłę oddziałuje siła o takiej samej wartości i kierunku, lecz przeciwnym zwrocie?**
   a. Zgodnie z I zasadą dynamiki.
   b. Zgodnie z II zasadą dynamiki.
   c. Zgodnie z III zasadą dynamiki.
   d. Zgodnie z prawem powszechnego ciążenia.

8. **Która zasada czy prawo Newtona mówi, że jeśli na ciało nie działa żadna siła lub siły działające równoważą się, to ciało pozostaje w spoczynku lub porusza się ruchem jednostajnym prostoliniowym?**
   a. I zasada dynamiki.
   b. II zasada dynamiki.
   c. III zasada dynamiki.
   d. Prawo powszechnego ciążenia.

9. **Teineigo, sonkeigo oraz kenjōgo to przykłady:**
   a. wschodnich dialektów;
   b. zachodnich dialektów;
   c. czystych samogłosek;
   d. sposobów wyrażania grzeczności.

10. **Które z poniższych twierdzeń jest prawdziwe?**
    a. W języku japońskim rozróżniamy tylko pięć samogłosek.
    b. Większość sylab w języku japońskim kończy się samogłoską.
    c. Japoński charakteryzuje się akcentem tonowym.
    d. Zarówno (a), (b) i (c).

Odpowiedzi: b, c, b, a, d, b, c, a, d, d.

HISTORIA: Gandhi

Wczesne lata Gandhiego, Gandhi w Afryce Południowej, Rozwój duchowy i wyjazd z Afryki Południowej, Obywatelskie nieposłuszeństwo, Marsz do Dandi, Ruch „Opuśćcie Indie"

MATEMATYKA: Rachunek różniczkowy i całkowy

Czym jest rachunek różniczkowy i całkowy?, Pochodne, Własności funkcji pochodnej, Granice, Minima i maksima funkcji, Całka

SZTUKA JĘZYKA: Horror

Horror gotycki, Robert Louis Stevenson, Bram Stoker, Mary Shelley, H.P. Lovecraft, Stephen King

PRZYRODA: Mechanika kwantowa

Czym jest mechanika kwantowa?, Zasada nieoznaczoności Heisenberga, Promieniowanie ciała doskonale czarnego, Model atomu Bohra, Kot Schrödingera, Efekt fotoelektryczny

Lekcja 22

JĘZYKI OBCE: Mandaryński

Początki, Staromandaryński, Standaryzacja, Różnice fonologiczne, Dialekty, Użyteczne zwroty

GANDHI

Wczesne lata Gandhiego Mohandas Gandhi urodził się 2 października 1869 r. w miasteczku położonym na północ od Bombaju. W wieku trzynastu lat ożenił się z kobietą wybraną dla niego przez rodzinę, a choć pragnął studiować medycynę, jego ojciec nalegał, aby podjął studia prawnicze, co było zgodne z tradycjami kasty, do której przynależał. We wrześniu 1888 r. Gandhi wybrał się do Anglii, aby rozpocząć studia, a kiedy je zakończył, powrócił do Bombaju i Rajkot, gdzie rozpoczął pracę jako prawnik; przez krótki czas zatrudniał go książę Porbandar.

 HORROR

Horror gotycki Jedna z najbardziej zasłużonych odmian literatury grozy. Horror gotycki ma genezę w dziele Horace'a Walpole'a pt. *Zamczysko w Otranto. Powieść gotycka* z 1765 r., a szczególną popularnością cieszył się w XVIII i XIX w. Literatura gotycka łączyła elementy horroru, romansu i kryminału, największy nacisk kładąc na budowanie odpowiedniej atmosfery. Nie brakowało w niej również różnego rodzaju monstrów, i to właśnie z niej wywodzą się niektóre z najznakomitszych horrorów w historii literatury.

 RACHUNEK RÓŻNICZKOWY I CAŁKOWY

Czym jest rachunek różniczkowy i całkowy? Rachunek różniczkowy i całkowy to jedno z najważniejszych narzędzi matematycznych, pozwalające na badanie funkcji zmiennej rzeczywistej lub zespolonej i znajdujące wiele zastosowań w życiu praktycznym. Pomaga on zrozumieć, dlaczego pewne obiekty ulegają zmianom, jak należy tworzyć ich modele i jak za pomocą tych modeli przewidywać zmiany. Rachunek różniczkowy i całkowy wprowadza także pojęcie nieskończoności poprzez twierdzenie, że jeśli coś ulega nieustannym zmianom, to będzie się zmieniało nieskończenie długo.

 MECHANIKA KWANTOWA

Czym jest mechanika kwantowa? Mechanika kwantowa została stworzona niezależnie przez Wernera Heisenberga i Erwina Schrödingera w 1925 r. Jest to nauka o cząsteczkach atomowych i subatomowych, a więc np. protonach, elektronach, fotonach czy atomach, oraz ruchu, w jakim się znajdują. Zgodnie z zasadami mechaniki kwantowej, tak małe cząsteczki zachowują się w inny sposób, niż by się można spodziewać, co oznacza, że istnieją ogromne różnice pomiędzy zasadami mechaniki kwantowej a prawami Newtona. Zastosowanie mechaniki kwantowej jest konieczne dla zjawisk zachodzących w mikroświecie, bo klasyczna mechanika nie daje ich poprawnego opisu.

◯ MANDARYŃSKI

Początki Istnieje wiele różnych odmian języka chińskiego, a jedną z nich jest właśnie mandaryński, zaliczany do języków sino-tybetańskich (zwanych też chińsko-tybetańskimi). Posługują się nim mieszkańcy południowo-zachodnich oraz północnych Chin. Korzenie mandaryńskiego tkwią w czasach dynastii Ming, kiedy to używano go na dworze cesarskim, a ukształtował go w znacznym stopniu dialekt pekiński. W XVII w. dialektu pekińskiego uczono w szkołach, a w 1909 r. został ogłoszony językiem urzędowym. Pozostał nim aż do powstania Republiki Chińskiej i pojawienia się zapotrzebowania na nieco prostszy język.

GANDHI

Gandhi w Afryce Południowej W 1893 r. Gandhiemu zaoferowano pracę w Afryce Południowej. Podczas podróży w wagonie pierwszej klasy pewien biały mężczyzna kazał mu opuścić przedział. Wówczas właśnie Gandhi postanowił, że poświęci się pracy nad zlikwidowaniem uprzedzeń rasowych i wkrótce potem rozpoczął kampanię na rzecz poprawy statusu prawnego kolorowych w Afryce Południowej. W 1896 r. Gandhi powrócił do kraju, by zabrać do Afryki Południowej żonę i dziecko. W miarę, jak informował innych o nastawieniu do Hindusów w Afryce Południowej, rosło tam niezadowolenie z jego buntowniczej postawy. Kiedy wrócił, czekał na niego wściekły tłum gotowy dokonać na nim linczu.

HORROR

Robert Louis Stevenson Autor wielu bestsellerów, wśród których znajduje się także słynna nowela grozy pt. *Doktor Jekyll i pan Hyde*, opublikowana w 1886 r. Opowiada ona historię londyńskiego lekarza, który po wypiciu eksperymentalnej mikstury przemienia się w monstrum. Jest to więc przypowieść o dwoistości ludzkiej natury, o skłonności do czynienia zarówno dobra, jak i zła.

RACHUNEK RÓŻNICZKOWY I CAŁKOWY

Pochodne Jedną z podstawowych koncepcji, na których opiera się rachunek różniczkowy i całkowy jest pochodna. Pochodne można przedstawić na dwa sposoby: w ujęciu geometrycznym będą to linie pochyłe; w ujęciu fizycznym będzie to wskaźnik zachodzących zmian. Prosta linia funkcji określa prędkość zachodzenia zmian, a w przypadku linii krzywej zachodzą zmiany w pochyłości, dla których oznaczenia używa się pochodnych.

MECHANIKA KWANTOWA

Zasada nieoznaczoności Heisenberga Jedną z podstawowych zasad mechaniki kwantowej jest zasada nieoznaczoności Heisenberga. Niemiecki fizyk doszedł do wniosku, że nie ma możliwości nieskończenie dokładnego pomiaru jednocześnie położenia i pędu cząstki, bo każdy pomiar z samej swojej natury oddziałuje na badany obiekt, zmieniając jego właściwości. Nawet promień światła umożliwiający uczonemu obserwowanie pewnych zjawisk wpływa na reakcje międzycząsteczkowe. Pojawia się więc paradoks: aby zbadać układ cząsteczek, należy go obserwować, ale obserwacja w przeważającej części zmienia stan tego układu i zniekształca wynik badania. Aby uniknąć tego problemu, fizycy kwantowi muszą dokonywać eksperymentów myślowych, które potwierdzą lub zaprzeczą pewnym założeniom teorii kwantowej.

MANDARYŃSKI

Staromandaryński W latach 960–1127 Chiny znalazły się pod panowaniem północnej dynastii Song, której rządy zapoczątkował cesarz Taizu. Kiedy nadszedł jej zmierzch, na terenach Chin zaczęła się rozwijać nowa mowa potoczna, tzn. język staromandaryński. Rozkwitała wówczas także literatura i sztuka, dzięki czemu staromandaryński zyskał formę pisaną. Znaczna część ówczesnej gramatyki i składni zachowała się we współczesnym języku mandaryńskim.

LEKCJA 22C

 GANDHI

Rozwój duchowy i wyjazd z Afryki Południowej Gandhi zajął się dodatkowo bezpłatną pracą na rzecz ludzi spoza jego kasty, a jego życie przybrało prostszą formę. Zaczął pościć, a w 1906 r. rozpoczął życie w celibacie i biedzie. Rozwinął koncept zwany satjagraha, mający pozwolić mu odnaleźć prawdę. W 1907 r. został aresztowany po tym, jak namawiał południowoafrykańskich Hindusów do ignorowania przepisu o konieczności zarejestrowania się i złożenia odcisków palców. Wkrótce został uwolniony i, zainspirowany twórczością Lwa Tołstoja, założył tzw. farmę Tołstoja skupiającą społeczność gotową do przeciwstawienia się władzy. Przed opuszczeniem Afryki Południowej stworzył jeszcze prawo ustanawiające ważność hinduskich związków małżeńskich oraz umorzenie podatków nałożonych na byłych hinduskich służących.

 HORROR

Bram Stoker Kolejny znany autor, Bram Stoker, zasłynął z wprowadzenia do kanonu grozy jednego z najsłynniejszych bohaterów: hrabiego Drakuli. Co prawda opowieści o wampirach pojawiały się w literaturze jeszcze przed publikacją *Drakuli* Stokera w roku 1872 r., jednak żadna z nich nie miała tak ogromnego wpływu na rozwój horroru. Powieść porusza tematy seksualności, religii i przesądów, a poza samym Drakulą wprowadza jeszcze innego słynnego bohatera – łowcę wampirów o nazwisku Van Helsing.

 RACHUNEK RÓŻNICZKOWY I CAŁKOWY

Własności funkcji pochodnej Funkcja pochodnej umożliwia odnalezienie pochodnej. Istnieje kilka właściwości funkcji pochodnej, określających m.in. stałą, którą można sprowadzić do stwierdzenia, że jeśli $F(x) = C$, wówczas $F'(x) = 0$ (np. jeśli $F(x) = 5$, to $F'(x) = 0$), a także potęgowanie $(F(x)=x^n)$, wyrażające się wzorem $F'(x) = nx^{n-1}$, gdzie n jest rzeczywistym wykładnikiem potęgi. Np. jeśli $F(x) = x^4$ to $F'(x) = 4x^3$.

 MECHANIKA KWANTOWA

Promieniowanie ciała doskonale czarnego Ciało doskonale czarne całkowicie pochłania padające na nie promieniowanie elektromagnetyczne. Jego czarny kolor wynika z faktu, że w normalnych temperaturach nie odbija ono światła. Zgodnie z teorią Prévosta, ciało doskonale czarne nie tylko znakomicie pochłania promieniowanie, ale też w idealny sposób je emituje. Nagrzane ciało doskonale czarne będzie emitowało promieniowanie na niższych falach i zmieni kolor na niebieski (w niższych temperaturach na czerwony).

 MANDARYŃSKI

Standaryzacja Mandaryński pozostał urzędowym językiem chińskim nawet po upadku dynastii Qing i nastaniu Republiki Chińskiej. W 1949 r., wraz z powstaniem Chińskiej Republiki Ludowej, kontynuowano starania, aby uczynić go językiem narodowym; ostatecznie został nim dialekt pekiński (obecnie znany jako standardowy chiński). Mandaryńskiego używa się w mediach oraz w szkolnictwie i nawet w regionach, gdzie wciąż obowiązuje kantoński (czyli na Tajwanie i w części Chin kontynentalnych, w tym w Hongkongu), ludzie i tak płynnie posługują się mandaryńskim. Oficjalnie istnieją dwie odmiany mandaryńskiego: pierwszej z nich używał rząd Chińskiej Republiki Ludowej, drugiej – rząd Republiki Chińskiej.

GANDHI

Obywatelskie nieposłuszeństwo W styczniu 1915 r. Gandhi powrócił do Indii, przyjmując imię Mahatma, co oznacza „wspaniałą duszę". Ustawa Rowlatt z 1919 r., która zezwalała Brytyjczykom na aresztowanie bez sądu każdej osoby biorącej udział w zamieszkach politycznych, wywołała liczne protesty społeczności Indii i Gandhi zarządził strajk (choć ostatecznie zdecydował się go odwołać, kiedy użyto przemocy wobec Anglików). Później doszło do masakry w Amritsar, kiedy w dniu świątecznym Brytyjczycy otwarli ogień do nieuzbrojonych mężczyzn, kobiet i dzieci, zabijając od 300 do 1500 osób. W następstwie masakry Gandhi zapoczątkował ruch obywatelskiego nieposłuszeństwa, namawiając ludzi do bojkotów, rezygnowania z pracy u Brytyjczyków oraz do odmawiania płacenia podatków.

 HORROR

Mary Shelley W 1818 r. Mary Shelley powołała do życia potwora, który po dziś dzień pozostaje jedną z najsłynniejszych postaci w literaturze grozy. Stało się to za sprawą książki *Frankenstein albo współczesny Prometeusz*, która łączy elementy horroru gotyckiego i romansu, a także stanowi jedno z najwcześniejszych dokonań z gatunku fantastyki naukowej. Shelley rozpoczęła pracę nad *Frankensteinem* w wieku 18 lat, kiedy założyła się z kilkoma innymi pisarzami o to, kto z nich napisze najlepszą historię z dreszczykiem.

 RACHUNEK RÓŻNICZKOWY I CAŁKOWY

Granice Granice funkcji jednej rzeczywistej zmiennej w punkcie c wyraża się następującym wzorem:

$$\lim_{x \to c} f(x) = n$$

Granice wiążą się ze zmianami w przebiegu wykresu funkcji w otoczeniu wartość *c*. Przykładowo, jeśli *f(x)* = *x²* dla *c* = *2*, to możemy wstawić tę wartość do wzoru, aby określić wartość *n*. Granice określają po prostu, do jakiego miejsca może dotrzeć krzywa wykresu zmierzając do stałej *c*.

 MECHANIKA KWANTOWA

Model atomu Bohra Modyfikacja modelu Rutherforda, dokonana przez Nielsa Bohra w 1915 r. Model atomu Bohra prezentował ujemnie naładowane elektrony orbitujące wokół dodatnio naładowanego jądra. Zgodnie z modelem Bohra, orbity elektronów mają określoną wielkość i energię; energia jest powiązana z wielkością, tzn. najmniej energii jest na najmniejszych orbitach. Kiedy elektrony wędrują z orbity na orbitę, dochodzi do emisji i wchłaniania energii. Z tego rodzaju modelem atomu wiąże się kilka problematycznych kwestii, jak np. pominięcie zasady nieoznaczoności Heisenberga i nieumiejętność przewidywania natężenia linii spektralnych.

 MANDARYŃSKI

Różnice fonologiczne Mandaryński jest językiem tzw. „odmierzonego akcentu", co oznacza, że choć sylaby mogą być w różny sposób rozciągnięte w czasie, to między sylabami akcentowanymi wciąż pozostaje taki sam odstęp czasu. Mandaryński tym właśnie różni się od innych chińskich języków, takich jak kantoński czy minnański.

GANDHI

Marsz do Dandi Po sześcioletnim pobycie w więzieniu Gandhi wziął udział w swoim najsłynniejszym akcie nieposłuszeństwa obywatelskiego: marszu do Dandi. Trasa marszu wynosiła ponad 300 km, a odbywał się on w proteście przeciwko nałożeniu przez Brytyjczyków podatku na sól. Po dotarciu do Dandi Gandhi oraz inni protestujący zajęli się wytwarzaniem własnej soli, wykorzystując w tym celu wodę morską – a przy tym łamiąc prawo. Marsz trwał 24 dni; w jego wyniku aresztowano ponad 60 tys. osób.

 HORROR

H.P. Lovecraft Autor powieści grozy nie zyskał za życia aż takiej popularności, jak Mary Shelley czy Bram Stoker, ale z biegiem czasu udało się Lovecraftowi zdobyć kultowy status w dziedzinie literackiego horroru i często stawiano go obok Edgara Allana Poego. Znana jest zwłaszcza jego „mitologia Cthulhu", a więc uniwersum, w którym toczyły się zarówno niektóre z opowieści grozy Lovecrafta, jak i horrory zaprzyjaźnionych z nim pisarzy. Do najbardziej znanych opowiadań autora należy *Zew Cthulhu*, a także zbiór opowieści pod tym samym tytułem.

 RACHUNEK RÓŻNICZKOWY I CAŁKOWY

Minima i maksima Zwane również ekstremami, minima i maksima to najmniejsze i największe wartości funkcji – albo w pewnym wydzielonym obszarze (minima i maksima lokalne), albo w obszarze całej funkcji (minima i maksima globalne). Maksimum lokalne to najwyższy punkt funkcji w pewnym otwartym otoczeniu tego punktu, które musi spełnić następującą nierówność: $f(a) \geq f(x)$. Minimum lokalne jest przeciwieństwem maksimum lokalnego, a więc spełnia nierówność: $f(a) \leq f(x)$.

 MECHANIKA KWANTOWA

Kot Schrödingera Jednym z najsłynniejszych paradoksów teorii kwantowej jest ten, który opisał Erwin Schrödinger. W jego teoretycznym eksperymencie kot zostaje zamknięty w stalowym pudle z fiolką substancji radioaktywnej. Jeśli choć jeden atom ulegnie rozpadowi, fiolka pęknie i kot zdechnie. Obserwator z zewnątrz nie będzie jednak wiedział, czy kot jest żywy, czy martwy, aż do momentu otwarcia pudła. Należy założyć, że kot będzie zarówno żywy, jak i martwy. Problem ten jest nazywany nieokreślonością kwantową i sprowadza się do wniosku, że aż do momentu wykonania badania nie ma żadnych pewników.

 MANDARYŃSKI

Dialekty Mandaryński należy do najczęściej używanych języków świata, a ze względu na ogromny obszar i populację Chin istnieje także mnóstwo jego dialektów. Należą do nich: dialekt północno-wschodni, dialekt południowo-zachodni, dialekt pekiński (na którym opiera się standardowy język chiński), dialekt nizinny oraz dialekt ji-lu (zwany też północnym). Niemal wszystkie chińskie miasta mają swoją własną odmianę mandaryńskiego.

GANDHI

Ruch „Opuśćcie Indie" W przededniu II wojny światowej Gandhi ogłosił, że Indie nie wesprą Brytyjczyków w walce. Coraz dobitniej domagał się niepodległości dla swojego kraju i wkrótce rozpoczął kampanię „Opuśćcie Indie", która miała zmusić Brytyjczyków do powrotu do ojczyzny. Spotkało się to z ogromnym poparciem ze strony Hindusów i potężnym oporem ze strony Brytyjczyków. Tysiące ludzi straciło życie, a Gandhi oraz Kongres zostali objęci aresztem. Wkrótce po zakończeniu II wojny światowej nastąpił kres brytyjskich rządów w Indiach.

 HORROR

Stephen King W ciągu ostatnich 40 lat na szczególne wyróżnienie zasługuje zwłaszcza jedno nazwisko, które bez wątpienia zapisze się w historii literatury grozy: Stephen King. Autor ten został uhonorowany sześcioma nagrodami Horror Guild, taką samą liczbą nagród im. Brama Stokera, trzema nagrodami World Fantasy, pięcioma nagrodami pisma „Locus" oraz nagrodą za całokształt dorobku. Do jego najważniejszych dzieł należą: *Lśnienie, Carrie, Miasteczko Salem* oraz *To*.

 RACHUNEK RÓŻNICZKOWY I CAŁKOWY

Całkowanie Ma dwa podstawowe zadania: odnalezienie funkcji pierwotnej, czego dokonuje się w procesie stanowiącym odwrotność odnajdowania funkcji pochodnej, a także ustalenie wartości pola pod wykresem funkcji. Całkowanie określa się za pomocą symbolu $\int f(x)dx$, gdzie dx to różnica pomiędzy x_n a x_{n-1}. Podstawowy wzór związany z całkowaniem to:

$$\text{Jeśli } f(x) = cxn, \text{ to } \int f(x)\,dx = cx^{n+1}/(n+1)$$

 MECHANIKA KWANTOWA

Efekt fotoelektryczny Wyjaśniony przez Alberta Einsteina efekt fotoelektryczny w roku 1921 przyniósł mu Nagrodę Nobla. Zgodnie z tą teorią, kiedy światło pada na kawałek metalu, przepływa przezeń prąd. Światło dostarcza energię elektronom w atomach metalu, co wprawia je w ruch kołowy i tworzy prąd. Nie każde światło wywoła jednak podobny efekt. Einstein wnioskował, że o świetle nie należy myśleć jako o fali, jako że jest ono złożone z fotonów pełniących rolę cząsteczek.

 MANDARYŃSKI

Użyteczne zwroty Oto kilka zwrotów, które mogą się okazać przydatne podczas podróży do Chin; zapisano je w przybliżonej formie fonetycznej:

Cześć – *Nǐ hǎo*
Dzień dobry – *Zǎoān* (przed południem)/*Wǔān* (po południu)
Dobry wieczór – *Wǎnān*
Nie rozumiem – *Wǒ tīngbùdǒng*
Przepraszam – *Duìbùqǐ*
Gdzie jest toaleta? – *Cèsuǒ zài nǎli?*
Ile to kosztuje? – *Zhège duōshǎo qián?*
Do widzenia – *Zàijiàn*

1. Co oznacza nazwa satjagraha?
a. Ruch mający zmusić Brytyjczyków do opuszczenia Indii.
b. Marsz w proteście przeciwko opodatkowaniu soli.
c. Koncept mający pomóc w odnalezieniu prawdy.
d. Społeczność gotową na przeciwstawienie się władzy.

2. Które z poniższych zdań na temat marszu do Dandi jest prawdziwe?
a. Jego trasa wynosiła ponad 300 km i odbywał się on w proteście przeciwko opodatkowaniu soli.
b. W Dandi Gandhi i inni protestujący złamali prawo, wytwarzając własną sól z wody morskiej.
c. Marsz trwał 24 dni, a w jego wyniku aresztowano ponad 60 tys. osób.
d. Zarówno (a), (b) i (c).

3. Robert Louis Stevenson jest autorem:
a. *Doktora Jekylla i pana Hyde'a*;
b. *Zamczyska w Otranto. Powieści gotyckiej*;
c. *Drakuli*;
d. *Lśnienia*.

4. Bram Stoker wprowadził do literatury grozy:
a. potwora Frankensteina;
b. Cthulhu;
c. Drakulę;
d. To.

5. Największa wartość, jaką osiąga funkcja w określonym obszarze to jej:
a. minimum;
b. maksimum;
c. granica;
d. pochodna.

6. Co oznacza zapis $\int f(x)dx$?
a. Granicę.
b. Całkowanie.
c. Potęgowanie funkcji.
d. Stałość funkcji.

7. Zgodnie z zasadami mechaniki kwantowej, cząsteczki na poziomie atomowym i subatomowym zachowują się:
a. w inny sposób niż można by zakładać;
b. zgodnie z prawami Newtona;
c. jak protony;
d. jak elektrony.

8. Które z poniższych pojęć wyjaśnia, dlaczego gdy oświetlamy kawałek metalu, zaczyna w nim przepływać prąd?
a. Kot Schrödingera.
b. Promieniowanie ciała doskonale czarnego.
c. Model atomu Bohra.
d. Efekt fotoelektryczny.

9. Na jakim dialekcie mandaryńskiego jest oparty standardowy język chiński?
a. Północno-wschodnim.
b. Południowo-zachodnim.
c. Pekińskim.
d. Nizinnym.

10. Jak powiedzieć w języku mandaryńskim „Do widzenia"?
a. *Nǐ hǎo.*
b. *Zàijiàn.*
c. *Duìbùqǐ.*
d. *Zǎoān.*

HISTORIA: Rewolucje w Rosji

Stuletni ucisk, Rewolucja lutowa, Bolszewicy, Lato 1917 r., Rewolucja październikowa, Po rewolucji

 MATEMATYKA: Trygonometria

Stosunki, Twierdzenie cosinusów, Twierdzenie sinusów, Radiany, Odwrotności funkcji trygonometrycznych, Funkcje cyklometryczne

 Sztuka Języka: Humor

Mark Twain, John Kennedy Toole, P.G. Wodehouse, Terry Pratchett, Douglas Adams, David Sedaris

 PRZYRODA: Albert Einstein

O Albercie Einsteinie, Teoria względności, $E = mc^2$, Zaćmienie Słońca, Ruchy Browna, Mózg Einsteina

Lekcja 23

 JĘZYKI OBCE: Kantoński

Początki, Różnice pomiędzy kantońskim a mandaryńskim, System pisma, Fonologia, Dzisiejszy kantoński, Użyteczne zwroty

REWOLUCJE W ROSJI

Stuletni ucisk Po wojnach napoleońskich w Europie zaczęło się popularyzować pojęcie demokracji. Rosjanie znajdujący się pod rządami cara Aleksandra I zaczęli domagać się konstytucji, która zapewniłaby im podstawowe prawa. Po jego śmierci, kiedy władzę objął jego młodszy brat Mikołaj I, w kraju zapanował chaos. Późniejsze rządy syna Mikołaja I, Aleksandra II, wiązały się z wprowadzeniem ostrych represji policyjnych, co nie przysporzyło carowi sympatii społeczeństwa.

HUMOR

Mark Twain Do najpopularniejszych amerykańskich pisarzy humorystycznych należy Mark Twain. Ma on w swoim dorobku tak klasyczne powieści, jak *Przygody Tomka Sawyera* czy *Przygody Hucka*. Drugą z nich uznaje się często za jedno z najlepszych dokonań literatury amerykańskiej. Począwszy od 1998 r. Kennedy Center przyznaje nagrodę Marka Twaina artystom, którzy mają wpływ na kształtowanie współczesnej komedii. Zostali nią uhonorowani m.in. Bill Cosby, Richard Pryor, Tina Fey czy George Carlin.

TRYGONOMETRIA

Stosunki Trygonometria opiera się na badaniu trójkątów prostokątnych (a więc takich, które posiadają kąt prosty) i określa stosunki zachodzące pomiędzy ich bokami. Używa się w tym celu zarówno liczebników głównych (1, 2, 3, 4 itd.), jak i porządkowych (pierwszy, drugi, trzeci, czwarty itd.). Kiedy wyższa liczba jest wielokrotnością innej, mniejszej liczby, wówczas mniejsza liczba stanowi określoną część większej liczby. Przykładowo, 3 to pierwsza wielokrotność liczby 3, a 9 to druga wielokrotność liczby 3. Stosunek dwóch liczb polega na ukazaniu związku pomiędzy ich wielkościami. Np. jeśli mielibyśmy określić stosunek 3 do 9, odpowiedź brzmiałaby: 3 jest trzecią częścią liczby 9.

ALBERT EINSTEIN

O Albercie Einsteinie Albert Einstein (1879–1955) jest uważany za najsłynniejszego naukowca naszych czasów. Urodził się w Niemczech, studiował fizykę i matematykę w Zurychu, a w 1905 r. otrzymał obywatelstwo szwajcarskie. W 1909 r. został profesorem specjalizującym się w teorii fizyki na Uniwersytecie w Zurychu, a w rok później objął identyczną posadę na Uniwersytecie Niemieckim w Pradze. W 1913 r. otrzymał angaż w Pruskiej Akademii Nauk w Berlinie i wykładając na Uniwersytecie Berlińskim, odzyskał obywatelstwo niemieckie. Po narodzinach ruchu nazistowskiego w Niemczech Einstein wyjechał do Stanów Zjednoczonych. Tam aż do śmierci wykładał w Instytucie Badań Zaawansowanych w Princeton w stanie New Jersey.

KANTOŃSKI

Początki Kantoński powstał w południowej części Chin, w Hongkongu i Makau. Jest to najbardziej prestiżowy dialekt języka yue. Najprawdopodobniej narodził się po upadku dynastii Han w 220 r. n.e. W czasach rządów dynastii Tang w 618 r. n.e. kantoński został zastąpiony przez język będący pierwotnie jego odległym dialektem. W związku z tym, że od połowy XIX w. Hongkong stanowił brytyjską kolonię, był on w znacznym stopniu odgrodzony od reform językowych, jakie zachodziły w Chinach, a co szczególnie ważne – również od procesu przechodzenia na język mandaryński.

REWOLUCJE W ROSJI

Rewolucja lutowa W latach 1916/1917 w Rosji panował głód; dochodziło do strajków i protestów, które niejednokrotnie kończyły się wybuchami przemocy. 23 lutego 1917 r. obchodzono Międzynarodowy Dzień Kobiet, a świętowanie szybko przerodziło się w protest, w którym wzięli udział mężczyźni i kobiety zatrudnieni w fabrykach i zakładach przemysłowych. Kiedy car Mikołaj II wydał wojsku rozkaz ataku na demonstrantów, wielu wojskowych odwróciło się od niego i przyłączyło do protestujących. W mieście zapanował chaos. Do 27 lutego zbuntowało się już 80 tys. żołnierzy. Mikołaj II abdykował, przekazując władzę swojemu bratu. Ten jednak nie chciał jej przyjąć, chyba że zostałaby mu ona przekazana przez Konstytuantę. Następnego dnia złożył rezygnację i Rosja została pozbawiona głowy państwa.

 HUMOR

John Kennedy Toole Autor jednej z najsłynniejszych powieści humorystycznych XX w. – *Sprzysiężenia osłów*. Jego dzieło opublikowano pośmiertnie w 1980 r., w 11 lat po tym, jak 31-letni Toole odebrał sobie życie. Po ukończeniu rękopisu *Sprzysiężenia osłów* autor przesłał go wydawcy, ale został on odrzucony. Po śmierci Toole'a jego matka namówiła pisarza Walkera Percy'ego, aby przeczytał książkę. Kiedy to zrobił, zakochał się w niej bez pamięci. Wydano ją w następnym roku, a jej autora uhonorowano pośmiertnie nagrodą Pulitzera.

 TRYGONOMETRIA

Twierdzenie cosinusów W przypadku trójkątów nieposiadających kąta prostego stosuje się tzw. twierdzenia sinusów i cosinusów. Jeśli chcemy obliczyć długość trzeciego boku, a znamy długość pozostałych dwóch boków i tworzonego przez nie kąta, wówczas zastosujemy twierdzenie cosinusów. Wyraża je wzór:

$$c^2 = a^2 + b^2 - 2ab \cos \alpha$$

Przykładowo, jeśli mamy trójkąt ABC, w którym bok a ma długość 9 cm, bok b 11 cm, a miara kąta α to 60°, to jaka będzie długość boku c?
Obliczenia będą wyglądały następująco:
$c^2 = 9^2 + 11^2 - 2 \times 9 \times 11 \times \cos 60°$
$c^2 = 202 - 99$
$c^2 = \underline{103}$
$c = \sqrt{103}$

 ALBERT EINSTEIN

Teoria względności Teorię względności Einsteina można podzielić na dwie części: szczególną teorię względności z 1905 r. oraz ogólną teorię względności opublikowaną w 1915 r. Pierwsza z nich mówi, że niezależnie od tego, z jaką prędkością poruszają się dwa ciała, dotyczące ich prawa fizyki zawsze pozostają niezmienne, a prędkość światła jest stała. Innymi słowy, nie wiemy, czy się poruszamy, dopóki nie mamy porównania z innym ciałem, ale niezależnie od tego zasady fizyki zawsze mają zastosowanie. Ogólna teoria względności rozbudowuje wcześniejszą wersję o kwestię grawitacji. Mówi ona, że nie sposób poznać różnicy pomiędzy ciążeniem a bezwładnością, oraz że ciążenie, choć zachowuje się jak siła, w rzeczywistości nią nie jest. Ciążenie zakrzywia czasoprzestrzeń.

KANTOŃSKI

Różnice pomiędzy kantońskim oraz mandaryńskim Choć kantoński i mandaryński mają ten sam alfabet, używane w tych językach dźwięki zasadniczo się od siebie różnią. Kantoński jest uznawany za bardziej złożony od mandaryńskiego, jako że obejmuje aż osiem różnych tonacji, podczas gdy mandaryński zaledwie cztery. Mandaryńskiego używa się przede wszystkim w Chinach kontynentalnych i na Tajwanie, kantońskim mówi się zaś głównie w południowej części Chin. Przysłowie powiada, że podobieństwo między mandaryńskim i kantońskim jest niczym podobieństwo między kurą a kaczką. Niby i jedno, i drugie jest ptakiem, ale w rzeczywistości bardzo się od siebie różnią.

REWOLUCJE W ROSJI

Bolszewicy Włodzimierz Lenin, polityk i intelektualista, który zasłynął jako zwolennik rewolucji i socjalizmu, mieszkał na uchodźstwie w Szwajcarii i okres politycznej niestabilności w Rosji objawił mu się jako idealny moment dla zaistnienia w ojczyźnie jego partii bolszewickiej. Po negocjacjach z Niemcami w sprawie powrotu do Rosji, w kwietniu 1917 r. udało mu się przyjechać do kraju. W ojczyźnie przywitano go entuzjastycznie. Lenin niezwłocznie ogłosił tzw. tezy kwietniowe, w których poparł ideę zakończenia wojny i dał do zrozumienia, że nie będzie podejmował współpracy z tymi, którzy nie popierają komunizmu.

HUMOR

P.G. Wodehouse Sir P.G. Wodehouse żył w latach 1881–1975. Jego pierwsza książka humorystyczna zatytułowana *Miłość i skarabeusz* została wydana w 1915 r. W sumie napisał 96 książek, a największą popularność przyniósł mu cykl o kamerdynerze Jeevesie i lordzie Woosterze. Charakterystycznymi cechami jego twórczości są niezwykle ekscentryczni bohaterowie oraz wielopłaszczyznowa fabuła. Wodehouse był również autorem sztuk teatralnych i tekstów piosenek (stworzył m.in. teksty do musicalu *Anything Goes*).

TRYGONOMETRIA

Twierdzenie sinusów W przypadku twierdzenia sinusów zajmujemy się trójkątami, w których stosunek długości boków jest taki sam jak stosunek sinusów przeciwległych kątów. Tak więc, a: b: c = sin α : sin β : sin γ. Stąd stosunek boków a i b jest równy stosunkowi sin α oraz sin β i analogicznie możemy postąpić z bokami b i c. Wyraża to wzór:

$$\frac{a}{b} = \frac{\sin\alpha}{\sin\beta} \text{ oraz } \frac{b}{c} = \frac{\sin\beta}{\sin\gamma}$$

ALBERT EINSTEIN

$E = mc^2$ Ze szczególnej teorii względności Einsteina pochodzi jeden z najbardziej znanych wzorów matematycznych: $E = mc^2$. Oznacza on, że energia (E) jest równa masie (m) pomnożonej przez podniesioną do kwadratu prędkość światła (c). Prędkość światła – wynosząca 299 792 468 metrów na sekundę – daje po podniesieniu do kwadratu olbrzymią liczbę. Oznacza to, że niewielka masa jest w stanie wytworzyć znaczną ilość energii. Równanie Einsteina mówi również, że masa stanowi inną formę energii.

KANTOŃSKI

System pisma Literatura w języku kantońskim jest rozwinięta bardziej niż w jakimkolwiek innym chińskim języku. Choć zasadniczo mamy tu do czynienia z tym samym systemem pisma, co w przypadku mandaryńskiego, to kantoński system pisma posiada dodatkowe znaki, a do tego niektóre ze wspólnych znaków przybierają w kantońskim inne znaczenie. Znajdziemy tu również słowa, które nie mają żadnych odpowiedników w mandaryńskim. Prócz tego użytkownicy kantońskiego inaczej wymawiają poszczególne wyrazy.

REWOLUCJE W ROSJI

Lato 1917 r. W lipcu 1917 r. Rząd Tymczasowy, utworzony po rewolucji lutowej, ujawnił w prasie dokumenty świadczące o zagranicznym finansowaniu bolszewików i zdelegalizował ich partię, oskarżając ją o współpracę z Niemcami. Wielu bolszewików aresztowano, a sam Lenin zbiegł do Finlandii, skąd dalej kierował partią. W tym okresie napisał książkę *Państwo a rewolucja*. Do Rosji powrócił potajemnie dopiero 20 października 1917, w przededniu kolejnej rewolucji.

HUMOR

Terry Pratchett Sir Terry Pratchett urodził się w 1948 r. Jego genialne książki, stanowiące połączenie fantasy i science-fiction, tryskają błyskotliwym humorem. Pierwsza powieść, pt. *Dywan*, została wydana w 1971 r., a najsłynniejsze dzieła należą do cyklu „Świat Dysku", który obecnie składa się z około czterdziestu pozycji. W 1990 r. Pratchett podjął współpracę z Neilem Gaimanem nad powieścią *Dobry omen* stanowiącą parodię horroru *Omen* oraz tematyki apokaliptycznej.

TRYGONOMETRIA

Radiany Wzór na obrót koła o promieniu równym 1 to 2π, a więc pół obrotu wynosi π. Oznacza to, że każdy trójkąt prostokątny wpisany w okrąg może mieć maksymalnie połowę prostego kąta, a więc wynosi 45°. Oznacza to, że 2π to w rzeczywistości 360°. Aby przeliczyć tę wartość na radiany, stosujemy wzór:

$$\alpha = \frac{stopnie}{180^0} \cdot \pi \ [rad]$$

Przekształcając 90° na radiany, mamy więc:

$$\alpha = \frac{90^0}{180^0} \cdot \pi = \frac{\pi}{2}[rad]$$

ALBERT EINSTEIN

Zaćmienie Słońca Fotony światła nie posiadają żadnej masy, ale mają energię. Zgodnie ze wzorem Einsteina $E = mc^2$, energia zachowuje się jak masa, co oznaczałoby, że światło gwiazd także jest zakrzywiane przez grawitację Słońca. 29 maja 1919 r. brytyjski astronom Arthur Eddington zbadał pozycję gwiazd podczas zaćmienia Słońca i odniósł wrażenie, że uległa ona zmianie, co oznaczało, że pole grawitacyjne Słońca faktycznie wpływa na ich światło.

KANTOŃSKI

Fonologia Wymowa kantońskiego opiera się na języku używanym w stolicy prowincji Guangdong – Kantonie (Guangzhou). Sylabariusz kantoński zawiera około 630 dźwięków i 1760 sylab. Wykorzystywane w nim dziewięć tonacji nadaje sylabom inne znaczenie. Z fonologicznego punktu widzenia kantoński jest językiem znacznie trudniejszym do zrozumienia niż mandaryński.

REWOLUCJE W ROSJI

Rewolucja październikowa Lenin powrócił do kraju z gotowym planem zamachu stanu mającym na celu obalenie Rządu Tymczasowego. 23 października 1917 r., w czasie historycznego posiedzenia Biura Politycznego bolszewików, zapadła decyzja o rozpoczęciu powstania, które nastąpiło w nocy z 24 na 25 października (6 i 7 listopada wg kalendarza gregoriańskiego). Wojska lojalne wobec bolszewików zajęły budynki rządowe, a 26 października aresztowano Rząd Tymczasowy. Lenin objął stanowisko przewodniczącego nowego rządu – Rady Komisarzy Ludowych i zajął się tworzeniem państwa radzieckiego.

🖋 HUMOR

Douglas Adams Twórcą bardzo popularnej serii *Autostopem przez galaktykę* był Douglas Adams. Odkrył go Graham Chapman – jeden z twórców należących do grupy Monty Pythona. Adams zaczynał karierę, tworząc scenariusze programów radiowych dla BBC. *Autostopem przez galaktykę* narodziło się właśnie w formie audycji radiowej przygotowanej dla tej rozgłośni. Ostatecznie program zamienił się w pięciotomowy cykl powieści. Od początku cieszył się ogromną popularnością. Na jego podstawie powstał serial, gra wideo, film kinowy oraz seria komiksów.

TRYGONOMETRIA

Odwrotności funkcji trygonometrycznych Dana tożsamość jest prawdziwa niezależnie od wartości zmiennych. Np. nie istnieje wartość x, dla której $(x + 3)(x - 3)$ $= x^2 - 9$ nie byłoby prawdziwe. W ten właśnie sposób powstają tożsamości trygonometryczne. Istnieje także kilka odwrotności funkcji trygonometrycznych, które warto znać:

$$\sin x = \frac{1}{\csc x} \qquad \csc x = \frac{1}{\sin x}$$

$$\cos x = \frac{1}{\sec x} \qquad \sec x = \frac{1}{\cos x}$$

$$\tan x = \frac{1}{\cot x} \qquad \cot x = \frac{1}{\tan x}$$

ALBERT EINSTEIN

Ruchy Browna W 1905 r. Einstein sformułował teorię ruchów Browna, dotyczącą chaotycznego ruchu maleńkich cząsteczek w gazach i cieczach. Nazwa wzięła się od szkockiego biologa Roberta Browna, który w 1827 r. zaobserwował przez mikroskop ruchy pyłków kwiatowych w cząsteczkach wody. Brown nigdy nie doszedł jednak do przyczyny tych ruchów, tymczasem Einstein odkrył, że wywoływało je uderzanie o pyłki molekuł wody. Einstein był także w stanie określić prędkość, z jaką poruszały się molekuły wody oraz liczbę molekuł uderzających o pojedynczy pyłek. W tym samym czasie niezależnie podobną teorię stworzył polski fizyk Marian Smoluchowski.

KANTOŃSKI

Dzisiejszy kantoński Kantońskim posługuje się 71 milionów ludzi, m.in. w Hong-kongu, prowincji Guangdong, Makau, na wyspie Hajnan oraz w regionie Kuangsi. Więk-szość Chińczyków emigrujących za granicę było użytkownikami kantońskiego. Dziś społeczności posługujące się kantońskim łatwiej znaleźć w innych krajach niż w sa-mych Chinach. Pomijając Hongkong i Chiny kontynentalne, najwięcej osób mówiących językiem kantońskim mieszka w Stanach Zjednoczonych i Kanadzie, a w samym San Francisco społeczność używająca tego języka sięga 180 tys. osób.

REWOLUCJE W ROSJI

Po rewolucji Po dojściu do władzy Lenin prowadził pokojową politykę wobec Niemiec, rozpoczął natomiast agresję wobec Polski, Ukrainy, Łotwy i Estonii. Pochód bolszewików na Zachód został zatrzymany przez Polaków 15 sierpnia 1920 r. podczas bitwy warszawskiej, zwanej „cudem nad Wisłą". W kraju z kolei doszło do wojny domowej pomiędzy Białymi (przeciwnikami bolszewików) a Czerwonymi (komunistami). 17 lipca 1918 r. rozstrzelano w Jekaterynburgu byłego cara Mikołaja II i jego rodzinę. Ostatecznie, po czterech latach walk, zwycięstwo odnieśli Czerwoni i w 1922 r. ustanowiono Związek Radziecki. Po śmierci Lenina w 1923 r., do władzy doszedł Józef Stalin.

HUMOR

David Sedaris Jeden z najpłodniejszych współczesnych pisarzy satyrycznych. Książki Davida Sedarisa to zazwyczaj zbiory krótkich tekstów pełnych złośliwych i zabawnych komentarzy dotyczących zdarzeń z jego własnego życia. Jednym z najsłynniejszych dzieł są *Santaland Diaries*. Do popularnych dzieł należy również *Me Talk Pretty One Day* (Ja kiedyś mówić pięknie).

TRYGONOMETRIA

Funkcje cyklometryczne Kiedy znamy wartość funkcji, a mamy znaleźć miarę kąta, wówczas stosujemy tzw. funkcje cyklometryczne. Są to: arcus sinus, arcus cosinus, arcus tangens, arcus cotangens, arcus secans i arcus cosecans. Jeśli $f(x) = sin\ x$ i $g(x) = arcsin\ x$, to wzorem na funkcje cyklometryczne będzie: $f(g(x)) = x\ lub\ g(f(x)) = x$. Tak więc, $arcsin\ x = y$, co prowadzi do wzoru $x = sin\ y$.

ALBERT EINSTEIN

Mózg Einsteina Albert Einstein zmarł 18 kwietnia 1955 r. w wieku 76 lat. Jego ciało poddano kremacji, ale mózg zachowano do przyszłych badań. W 1999 r. odkryto, że mózg Einsteina był pozbawiony jednej zmarszczki płata ciemieniowego noszącej nazwę *parietal operculum*, co było rekompensowane zwiększoną aktywnością innej części płata ciemieniowego odpowiadającej za umiejętności matematyczne oraz zdolność wizualizacji nieistniejących obrazów.

KANTOŃSKI

Użyteczne zwroty Oto kilka zwrotów, które mogą się okazać przydatne podczas podróży do Hongkongu; zapisano je w przybliżonej formie fonetycznej:

Cześć – *Néih hóu*
Dzień dobry – *Jóusàhn*
Dobry wieczór – *Máahn ōn*
Przepraszam – *Mhgòi*
Ile to kosztuje? – *Nīgo géidō chín a?*
Dziękuję – *Dòjeh*
Gdzie jest toaleta? – *Chisó hái bindouh a?*
Czy mówisz po angielsku? – Neih sīkmhsīk góng yìngmán a?
Czy możesz to dla mnie przetłumaczyć? – Néih hómhhóyh bòng ngóh fáanyihk a?
Do widzenia – *Joigin*

1. **Z jakim wydarzeniem wiąże się zamach stanu, w którym Leninowi i bolszewikom udało się obalić Rząd Tymczasowy?**
   a. Z rewolucją lutową.
   b. Z rewolucją październikową.
   c. Z obchodami Międzynarodowego Dnia Kobiet.
   d. Z latem 1917 r.

2. **Co stało się po dojściu Lenina do władzy?**
   a. Rosja zaczęła prowadzić pokojową politykę względem Niemiec.
   b. Rosja wszczęła agresję wobec zachodnich sąsiadów.
   c. Wybuchła wojna domowa pomiędzy Białymi i Czerwonymi.
   d. Zarówno (a), (b) i (c).

3. **Którą z poniższych książek napisał Mark Twain?**
   a. *Przygody Hucka.*
   b. *Sprzysiężenie osłów.*
   c. *Ja kiedyś mówić pięknie.*
   d. Zarówno (a) i (c).

4. **Autorem *Autostopem przez galaktykę* jest:**
   a. P.G. Wodehouse;
   b. Terry Pratchett;
   c. Douglas Adams;
   d. David Sedaris.

5. **5. Ile wynosi 60° w radianach?**
   a. π/3   b. π/4
   b. π/2   c. π

6. **Jaka będzie długość boku *c* w dowolnym trójkącie ABC, w którym długość boku *a* wynosi 9 cm, boku *b* – 11 cm, a kąt między nimi mierzy 60°?**
   a. 103   b. 10609
   b. $\sqrt{103}$ c. $\sqrt{10609}$

7. **Ze szczególnej teorii względności Einsteina oraz równania E = mc² możemy wnioskować, że:**
   a. masa to nie energia;
   b. masa to inna forma energii;
   c. światło jest inną formą energii;
   d. prędkość światła nie jest tak duża, jak by się mogło wydawać.

8. **Na jakie dwie części możemy podzielić teorię względności Einsteina?**
   a. Na szczególną teorię względności oraz teorię ruchów Browna.
   b. Na ogólną teorię względności oraz teorię ruchów Browna.
   c. Na szczególną teorię względności oraz *parietal operculum*.
   d. Na szczególną teorię względności oraz ogólną teorię względności.

9. **Które z poniższych zdań jest prawdziwe?**
   a. Choć w kantońskim stosuje się podobny zapis jak w mandaryńskim, to ma on pewne dodatkowe symbole.
   b. Pewne słowa z języka kantońskiego nie mają żadnego znaczenia w języku mandaryńskim.
   c. Więcej społeczności posługujących się kantońskim można zaleźć poza granicami Chin niż w samych Chinach.
   d. Zarówno (a), (b) i (c).

10. **10. Które z poniższych zdań jest prawdziwe?**
    a. Kantoński obejmuje cztery tonacje, a mandaryński aż dziewięć.
    b. Kantoński obejmuje aż dziewięć tonacji, a mandaryński zaledwie cztery.
    c. Kantoński i mandaryński mają taką samo liczbę tonacji.
    d. Kantoński obejmuje cztery tonacje, a mandaryński – pięć.

Odpowiedzi: b, d, a, c, a, c, b, d, d, b.

188

HISTORIA: I wojna
światowa

Zabójstwo arcyksięcia Franciszka
Ferdynanda, I bitwa nad Marną,
Bitwa pod Tannenbergiem, Bitwa pod
Cambrai, Stany Zjednoczone włączają
się do wojny, Traktat wersalski

MATEMATYKA: Logika

Czym jest logika?, Skracanie
zdań, Łączniki, Wykorzystanie
nawiasów, Prawa logiczne,
Modus ponens, modus tollens
oraz prawo przechodniości

SZTUKA JĘZYKA:
Kryminał

Edgar Allan Poe, Sherlock
Holmes, Złoty wiek powieści
detektywistycznej, Dorothy
Sayers, Agatha Christie,
Louise Penny

PRZYRODA: Kopenhaska
interpretacja mechaniki
kwantowej

Samobójstwo kwantowe,
Teoria wielu światów, Czym jest
kopenhaska interpretacja mechaniki
kwantowej?, Funkcja falowa,
Załamanie się funkcji
falowej, Krytyka

Lekcja 24

JĘZYKI OBCE:
Wietnamski

Początki, Wpływ
chińskiego, Quốc ngữ,
Dialekty, Modulacja
głosu, Użyteczne zwroty

I WOJNA ŚWIATOWA

Zabójstwo arcyksięcia Franciszka Ferdynanda 28 czerwca 1914 r. arcyksiążę Franciszek Ferdynand, dziedzic tronu cesarstwa austro-węgierskiego, został zastrzelony przez członka serbskiej grupy terrorystycznej o nazwie Czarna Ręka. To właśnie wydarzenie doprowadziło ostatecznie do wybuchu wojny między dwoma wrogimi sojuszami – trójporozumieniem (ententą; Wielka Brytania, Francja, Rosja) oraz trójprzymierzem (Niemcy, Austro-Węgry, Włochy).

 KRYMINAŁ

Edgar Allan Poe Choć prawdopodobnie szerzej znany jako autor mrocznych wierszy (np. *Kruka*) czy opowieści grozy (takich jak *Serce oskarżycielem*), Edgar Allan Poe jest w rzeczywistości uznawany za ojca opowieści kryminalnej. Jego opowiadanie *Zabójstwo przy Rue Morgue* opublikowane w 1841 r. uważa się za pierwszą historię detektywistyczną. Jej głównym bohaterem jest detektyw C. Auguste Dupin, który próbuje rozwikłać zagadkę zabójstwa dwóch kobiet. Wiele cech współczesnego kryminału można odnaleźć w takich utworach Poego, jak *Skradziony list* czy *Złoty żuk*.

 LOGIKA

Czym jest logika? Logika to nauka o dedukcji, czyli właściwym wyciąganiu wniosków. Jej początki sięgają czasów Arystotelesa, który postrzegał logikę raczej jako narzędzie praktyczne niż jako filozofię. W ten sposób zresztą do dziś traktują ją matematycy i filozofowie. Aby bowiem dowieść, że coś jest prawdziwe, potrzebna jest logika, która będzie operowała odpowiednimi pojęciami umożliwiającymi prezentację takiego dowodu – i dokładnie taki jest właśnie cel tej nauki.

 KOPENHASKA INTERPRETACJA MECHANIKI KWANTOWEJ

Samobójstwo kwantowe Podobnie jak kot Schrödingera, który jest zarówno żywy, jak i martwy, teoria samobójstwa kwantowego także proponuje pozornie paradoksalną hipotezę. Mężczyzna siedzi z pistoletem przystawionym do głowy, a broń odmierza obrót cząsteczki i za każdym razem, gdy mężczyzna pociąga za spust, odmierzany jest obrót cząsteczki (albo kwarka). Zgodnie z tymi pomiarami, broń może wypalić lub nie. Jeśli kwark obróci się w kierunku zgodnym z ruchem wskazówek zegara, wówczas broń wypali, a jeśli obróci się odwrotnie, usłyszymy tylko kliknięcie, ale broń nie wypali. Pociągając raz za razem za spust mężczyzna słyszy ciągłe klikanie, co oznacza, że kwark obraca się w kierunku przeciwnym do ruchu wskazówek zegara i broń nigdy nie wypali. Jeśli jednak zaczniemy wszystko od początku i kwark zacznie poruszać się zgodnie z ruchem wskazówek zegara, wówczas mężczyzna zginie. Skoro obie sytuacje są jednakowo możliwe, mężczyzna jest zarówno żywy, jak i martwy, a za każdym razem kiedy pociąga za spust, wszechświat dzieli się na dwie części.

 WIETNAMSKI

Początki Wietnamski należy do języków austroazjatyckich i tworzy wśród nich gałąź języków Mon-Khmer. Przed II w. p.n.e. doszło do połączenia się dwóch społeczności, w wyniku czego powstał tzw. język Viet-Muong. W II w. p.n.e. do władzy doszli Chińczycy, przynosząc ze sobą swój język i zasady gramatyczne. W latach 1884–1946 Wietnam został skolonizowany przez Francuzów, co również wpłynęło na język.

I bitwa nad Marną Bitwa nad Marną stanowiła pierwsze poważne starcie zbrojne w trakcie I wojny światowej, które było sygnałem, że wojna będzie długotrwała. Pod koniec sierpnia 1914 r. trzy armie niemieckie ruszyły na Paryż, aby zająć miasto i podbić Francję. Dowódca armii francuskiej zaplanował atak na pierwszą armię niemiecką, do którego doszło 6 września. Rozbijając wojska niemieckie, Francuzi i Brytyjczycy mogli dalej przeć naprzód, a Niemcy nie potrafili się przebić przez ich siły. 9 września Niemcy wykonali odwrót, a 10 września walka była zakończona.

 KRYMINAŁ

Sherlock Holmes Postać będąca symbolem powieści detektywistycznych to Sherlock Holmes. Stworzył ją Sir Arthur Conan Doyle, opisując pierwszą sprawę Holmesa w książce *Studium w szkarłacie*, opublikowanej w 1887 r. Najpopularniejszym dziełem autora okazał się *Pies Baskerville'ów* wydany w 1902 r. Tworząc swojego bohatera, Doyle inspirował się wymyśloną przez Poego postacią detektywa C. Auguste'a Dupina. Sherlock Holmes pojawił się w czterech powieściach i mnóstwie opowiadań, a filmowcy wciąż chętnie sięgają po tę postać.

 LOGIKA

Skracanie zdań Przykładem rozumowania logicznego może być:
Założenie: Kot jest pomarańczowy.
Założenie: Kot jest płci żeńskiej.
Wniosek: Kot jest pomarańczowy i płci żeńskiej.
Odwołując się do logiki, zawsze wykorzystuje się charakterystyczny sposób skracania zdań. Zamiast za każdym razem powtarzać pełne zdania, wybiera się literę, która będzie to zdanie reprezentowała. Tak więc zdanie „Kot jest pomarańczowy" można by przedstawić jako p, natomiast zdanie „Kot jest płci żeńskiej" – jako q.

 KOPENHASKA INTERPRETACJA MECHANIKI KWANTOWEJ

Teoria wielu światów Choć po raz pierwszy zaproponowano ją w 1957 r., teoria wielu światów początkowo nie została potraktowana w świecie nauki poważnie. Było tak do momentu, kiedy pojawiła się teoria kwantowego samobójstwa, która częściowo pokrywa się z teorią wielu światów. Ta ostatnia mówi, że za każdym razem, gdy dochodzi do sytuacji, która może się rozwiązać na kilka sposobów, świat dzieli się na części i w każdej z nich realizuje się jeden z możliwych scenariuszy. Człowiek nie jest oczywiście świadom, że istnieją również inne wersje wszechświata. Teorii wielu światów zaprzecza kopenhaska interpretacja mechaniki kwantowej.

 WIETNAMSKI

Wpływ chińskiego W czasach Viet-Muong istniały dwa dialekty: nizinny i wyżynny. Kiedy Chińczycy zaczęli rządzić Wietnamem nizinnym, wprowadzono na tych terenach chińskie symbole, język oraz administrację. Chińczycy sprawowali władzę w tym regionie przez 1000 lat i choć oficjalnie używanym językiem pisanym był chiński, to jednak wietnamski język mówiony nieustannie się rozwijał, a jego modelem był dialekt nizinny.

I WOJNA ŚWIATOWA

Bitwa pod Tannenbergiem Trwała od 26 do 31 sierpnia 1914 r. Bitwę pod Tannenbergiem uznaje się za największe zwycięstwo Niemców i najsroższą porażkę Rosji w czasie I wojny światowej. Dwie armie rosyjskie – dowodzone przez generałów Pawła Rennenkampfa i Aleksandra Samsonowa – planowały atak na Prusy Wschodnie. Utraciły jednak ze sobą kontakt, co wykorzystali Niemcy, pokonując osamotnioną armię Samsonowa. W ciągu następnych kilku dni pozostała przy życiu już tylko połowa żołnierzy rosyjskich, a 29 sierpnia Samsonow popełnił samobójstwo. Niemcy wzięli wówczas w niewolę 92 tys. Rosjan.

 KRYMINAŁ

Złoty wiek powieści detektywistycznej Lata 1920–1939 uznaje się za złoty wiek powieści detektywistycznej. To właśnie wówczas swoje najważniejsze dzieła tworzyli tak płodni autorzy, jak Agatha Christie, Dorothy Sayers czy Freeman Wills Crofts. Podczas gdy Poe i Doyle powołali gatunek do życia, twórcy tego okresu pomogli wykształcić jego właściwą formę. Ich książki angażowały czytelnika i zmuszały go do rozwiązywania kolejnych zagadek wraz z detektywami. Z tego też powodu ustanowiono pewne reguły tworzenia historii detektywistycznych: np. przestępca musiał zostać wspomniany na początku opowieści, detektywom nie mógł pomagać instynkt ani łut szczęścia, niedozwolone były nadnaturalne wyjaśnienia zagadek i żadnych wskazówek nie wolno było utrzymywać w tajemnicy przed czytelnikiem. Wraz z nastaniem II wojny światowej gatunek zaczął tracić na popularności.

 LOGIKA

Łączniki Łączniki stosuje się, aby połączyć ze sobą zdania oznaczane jako p oraz q. Są nimi:

i $\wedge$
lub $\vee$
jeśli, ... to $\Rightarrow$
nieprawda, że $\sim$
wtedy i tylko wtedy $\Leftrightarrow$

Wcześniejsze zdania o kocie wyglądałyby więc następująco:
Kot jest pomarańczowy i płci żeńskiej. (p $\wedge$ q)
Kot jest pomarańczowy lub jest płci żeńskiej. (p $\vee$ q)
Jeśli kot jest pomarańczowy, to jest płci żeńskiej. (p $\Rightarrow$ q)
Kot nie jest pomarańczowy. ($\sim$ p)
Kot jest pomarańczowy wtedy i tylko wtedy, gdy jest płci żeńskiej. (p $\Leftrightarrow$ q)

KOPENHASKA INTERPRETACJA MECHANIKI KWANTOWEJ

Czym jest kopenhaska interpretacja mechaniki kwantowej? Jako pierwszy kopenhaską interpretację mechaniki kwantowej zaproponował Niels Bohr w roku 1920. Zgodnie z nią, cząsteczki kwantowe nie znajdują się w takim czy innym stanie, ale we wszystkich możliwych stanach jednocześnie. Dopiero kiedy dokonujemy obserwacji takiej cząsteczki, można określić jakieś prawdopodobieństwo. Warto przypomnieć sobie kota Schrödingera, który był teoretycznie zarówno żywy, jak i martwy. Był to zresztą podstawowy przykład, na którym oparto kopenhaską interpretację mechaniki kwantowej. Według niej, teoria kwantowego samobójstwa nie sprawdza się, ponieważ po pierwsze można zaobserwować kierunek, w którym porusza się kwark, a po drugie ostatecznie odwróci się on zgodnie z ruchem wskazówek zegara i zabije mężczyznę.

◯ WIETNAMSKI

Quốc ngữ W XVI i XVII w. języki azjatyckie zaczęły podlegać procesowi romanizacji w związku ze staraniami księży katolickich pragnących doprowadzić do przetłumaczenia Biblii. Francuski jezuita Alexandre de Rhodes stworzył w tym celu quốc ngữ, a więc wietnamski system pisma wzorowany na piśmie rzymskim (oparty na alfabecie łacińskim), stosowany do dziś. De Rhodes przyjechał do Wietnamu w 1627 r. i w ciągu sześciu miesięcy nauczył się płynnie prawić kazania. Quốc ngữ zyskiwał wśród społeczeństwa wietnamskiego coraz większą popularność i został uznany za urzędowy system pisma w Wietnamie, gdy na początku XX w. kraj ten uniezależnił się od Francji i uzyskał niepodległość.

LEKCJA 24D

 # I WOJNA ŚWIATOWA

Bitwa pod Cambrai Bitwa pod Cambrai rozpoczęła się 7 listopada 1917 r. i trwała aż do grudnia. Była to pierwsza bitwa I wojny światowej przeprowadzona na naprawdę dużą skalę, z użyciem czołgów (choć te pojawiły się po raz pierwszy już w bitwie pod Fiers-Courcelette w 1916 r.). Po porażce w III bitwie pod Ypres (gdzie panowały nieodpowiednie dla nich warunki) stracono nieco wiarę w użyteczność czołgów, twierdząc, że często się psują i są przydatne jedynie w bardzo rzadkich przypadkach. I choć Brytyjczycy w bitwie pod Cambrai ponieśli klęskę, dostrzeżono wówczas użyteczność tych maszyn.

 # KRYMINAŁ

Dorothy Sayers W 1923 r. Dorothy Sayers opublikowała swą pierwszą powieść pt. *Whose Body?* (Czyje to ciało?). Wprowadziła w niej postać detektywa, który miał powrócić w kolejnych jedenastu powieściach i dwudziestu jeden opowiadaniach: lorda Petera Wimseya. W latach 30. XX w. Sayers zaprzestała tworzenia historii kryminalnych, skupiając się na sztukach radiowych i dramatach teologicznych. W 1929 r. założyła tzw. Detection Club (Klub tropicieli), który skupiał brytyjskich twórców kryminałów, m.in. G.K. Chestertona i Agathę Christie.

 # LOGIKA

Wykorzystanie nawiasów Nawiasy odgrywają dużą rolę w tworzeniu argumentów logicznych. Np. jeśli chcemy zaprzeczyć jakiemuś zdaniu, wówczas użyjemy symbolu ~. Jednak jeśli napiszemy ~ p $\wedge$ q, nie oznacza to, że negujemy całe wyrażenie, ale jedynie zdanie p. Nawiasy pomagają nam grupować zdania, którym chcemy zaprzeczyć, a więc jeśli chcemy zaprzeczyć zdaniu p oraz q, to należy zapisać to jako: ~ (p $\wedge$ q). Nawiasy pomagają również zachować porządek podczas rozumowania. Równania logiczne mogą być bardzo złożone – czasami składają się nawet z trzydziestu linijek – i dzięki nawiasom pozostają przejrzyste.

 # KOPENHASKA INTERPRETACJA MECHANIKI KWANTOWEJ

Funkcja falowa Inny aspekt kopenhaskiej interpretacji mechaniki kwantowej dotyczy tzw. funkcji falowej, która zgodnie z tą interpretacją opisuje całkowity stan kwantowy cząstki. Oznacza to, że jeśli jakaś informacja nie zawiera się w funkcji falowej, to po prostu nie istnieje. Przykładowo, jeśli fala mieści się na bardzo dużym obszarze, wówczas nie można ustalić szczegółowego umiejscowienia cząsteczki, a co za tym idzie – umiejscowienie tej cząsteczki nie istnieje.

WIETNAMSKI

Dialekty W języku wietnamskim wyróżnia się trzy dialekty, odpowiadające trzem różnym regionom geograficznym Wietnamu. Są to: dialekt północny (Hanoi), dialekt południowy (Ho Chi Minh) oraz dialekt centralny (Hue). Niektórzy badacze uważają również, że istnieją różnice pomiędzy dialektem północnym a północno-centralnym. Język urzędowy jest oparty na dialekcie północnym, ale użytkownicy odmiennych dialektów zazwyczaj bez trudu się ze sobą porozumiewają.

🏛 I WOJNA ŚWIATOWA

Stany Zjednoczone włączają się do wojny Kiedy wybuchła wojna, Stany Zjednoczone zachowały neutralność i propagowały politykę izolacjonizmu, mimo że przez kraj przetoczyła się probrytyjska propaganda. 7 maja 1915 r. brytyjski transatlantyk „Lusitania", przewożący pasażerów ze Stanów Zjednoczonych do Wielkiej Brytanii, został storpedowany przez niemiecki okręt podwodny. Zatopienie statku, na którego pokładzie znajdowali się obywatele Stanów Zjednoczonych, rozwścieczyło Amerykanów. 6 kwietnia 1917 r. Stany Zjednoczone wypowiedziały wojnę Niemcom.

🎼 KRYMINAŁ

Agatha Christie Należy do najpopularniejszych i najpłodniejszych twórców gatunku. Wykreowana przez Agathę Christie postać belgijskiego prywatnego detektywa Herkulesa Poirot pojawiła się w 42 z 78 książek jej autorstwa, w tym w najsłynniejszej powieści pt. *Zabójstwo Rogera Ackroyda*, opublikowanej w 1926 r. Christie stworzyła też postać detektywa w spódnicy, uroczej panny Marple. Podobnie jak Sayers, autorka umiejscawiała swe historie w brytyjskich domach należących do ludzi z wyższej i średniej klasy, a także na wsi czy nawet w pociągach. Pisarka potrafiła tworzyć dzieła niezwykle szczegółowe i złożone, a przy tym zabawne i oparte na niezwykle wnikliwych badaniach (stała się np. ekspertką od trucizn).

⚬ LOGIKA

Prawa logiczne Tautologie (prawa logiczne) mogą mieć dowolną ilość złożeń. Podamy kilka używanych w logice tautologii:

1. Implikacja: *Jeśli zakładamy p i otrzymujemy q, wówczas możemy napisać: (p ⇒ q)*

2. Przemienność koniunkcji: *Jeśli mamy (p ∧ q), wówczas możemy mieć i q, p. Możemy to prawo zapisać: (p ∧ q) ⇒ (p ∧ q)*

3. Prawo identyczności: *Jeśli mamy p, wówczas możemy mieć p. Możemy to zapisać: p ⇒p*

4. Przemienność alternatywy: *Jeśli mamy p lub q, wówczas mamy (q ∨ p).* Można to zapisać: *(p ∨ q) ⇒ (q ∨ p)*

5. Reguła odrywania: *Jeśli mamy p i mamy (p ⇒ q), wówczas możemy mieć q.* Można to zapisać następująco: *[p ∧ (p ⇒ q) ⇒ q]*

6. Równoważność można zastąpić koniunkcją dwóch implikacji: *Jeśli mamy (p ⇒ q) i (p ⇒ q), wówczas mamy (p ⇔ q).* Zapisać to można: *(p ⇒ q) ∧ (p ⇒ q) ⇔ (p ⇔ q)*

7. Sylogizm równoważnościowy: *Jeśli mamy (p ⇔ q) i mamy p, wówczas mamy także q (i odwrotnie).* Co można zapisać: *[(p ⇔ q) ∧ p ⇔ q]*

8. *Jeśli mamy p i znajdujemy jego przeciwieństwo, wówczas możemy mieć ~ p.* Dlatego można napisać: *[p ∧ (~p) ⇒ (~p)]*

9. *Jeśli mamy ~ p i znajdujemy jego przeciwieństwo, wówczas możemy mieć p.* Można napisać: *[~p ∧ p ⇒ p]*

10. Trzecie prawo symplifikacji: *Jeśli mamy p, wówczas niezależnie od wszystkiego możemy napisać p ∨ q.* Co można zapisać: p ⇒ *(p ∨ q)*.

Przedstawione powyżej tautologie są tylko wybranymi prawami.

LEKCJA 24E

✸ KOPENHASKA INTERPRETACJA MECHANIKI KWANTOWEJ

Załamanie się funkcji falowej Kolejnym aspektem kopenhaskiej interpretacji mechaniki kwantowej jest kwestia załamywania się fal. Skoro funkcja falowa istnieje zanim dokonujemy jej obserwacji, to aby umożliwić nam obserwację, musi dojść do jej załamania. Mierząc pęd cząsteczki, jej funkcja falowa zmienia się nagle z fali o wielu pędach w falę o jednym, konkretnym pędzie – tym, który jest właśnie mierzony. W ten sposób obserwujmy załamanie się funkcji falowej.

◷ WIETNAMSKI

Modulacja głosu Mówiąc w języku wietnamskim, należy zwracać uwagę na to, jak się moduluje głos czy też jakiej się używa tonacji, ponieważ wpływa to na znaczenie wypowiadanych słów. Właśnie dlatego wietnamski określa się mianem języka tonalnego. Rozróżnia się w nim siedem różnych tonów: średni, niski, wysoki wznoszący, niski opadający, wznoszący się po opadnięciu, niski załamany oraz wysoki załamany. Jeśli ton określa się jako załamany, oznacza to, że jest on glottalizowany. Wietnamski wykorzystuje również zjawisko reduplikacji, czyli powtarzania słowa bądź jego części, co może oznaczać np. liczbę mnogą. W wietnamskim takie rzeczowniki, jak rośliny, owoce, ptaki czy owady bardzo często podlegają reduplikacji.

I WOJNA ŚWIATOWA

Traktat wersalski Wojna zakończyła się w 1918 r. traktatem wersalskim, podpisanym przez Niemcy, mocarstwa ententy oraz państwa sprzymierzone i stowarzyszone. Na jego mocy Niemcy musieli zwrócić znaczną część zagarniętych terytoriów, poddać się częściowej demilitaryzacji i zapłacić 132 mld marek w złocie jako rekompensatę za zniszczenia dokonane w trakcie wojny (kwotę tę spłacono w całości dopiero w 2010 r.). Traktat ustalił wiele granic międzypaństwowych w Europie oraz wprowadził nowy ład polityczny. Utworzono Ligę Narodów, aby zapobiec dalszym niepokojom.

KRYMINAŁ

Louise Penny Debiutancka powieść Louise Penny zatytułowana *Still Life*, opublikowana w 2005 r., zdobyła znakomite recenzje oraz kilka ważnych nagród, m.in. Dagger Award, Barry Award i nagrodę Arthura Ellisa. Dzieła Penny opowiadają o przygodach inspektora Armanda Gamache'a, szefa wydziału zabójstw w Quebeku. I choć rozgrywają się w Kanadzie, to można w nich odnaleźć wiele cech typowej brytyjskiej historii kryminalnej. Penny jest autorką ośmiu powieści, cztery razy z rzędu uhonorowaną prestiżową Agatha Award za najlepszy kryminał.

LOGIKA

Modus ponens, modus tollens oraz prawo przechodniości Modus ponens to bardzo proste prawo mówiące, że jeśli mamy $(p \Rightarrow q)$ i mamy p, to możemy również mieć q. Modus tollens jest odwrotnością modus ponens i mówi, że jeśli mamy $(p \Rightarrow q)$ i mamy $\sim q$, to możemy również mieć $\sim p$. Innymi słowy, jeśli q jest nieprawdziwe, p również nie może być prawdą. Prawo przechodniości mówi z kolei, że jeśli mamy $(p \Rightarrow q)$ i mamy również $(q \Rightarrow r)$, wówczas mamy $(p \Rightarrow r)$.

KOPENHASKA INTERPRETACJA MECHANIKI KWANTOWEJ

Krytyka Najsłynniejszą próbą zakwestionowania teorii mechaniki kwantowej i jej interpretacji kopenhaskiej była teoria Einsteina, Podolsky'ego i Rosena. W 1935 r. Albert Einstein, Boris Podolsky oraz Nathan Rosen zaproponowali eksperyment mający dowieść, że teoria mechaniki kwantowej jest niepełna. Wychodząc z założenia, że nie ma nic szybszego od światło (czego dowodziła ogólna teoria względności Einsteina), uznali, że żaden obiekt nie może się przenieść z jednego miejsca w drugie z większą prędkością.

◯ WIETNAMSKI

Użyteczne zwroty Oto kilka zwrotów, które mogą się okazać przydatne podczas podróży do Wietnamu:

Cześć – *Chào anh* (do mężczyzny)/*Chào chị* (do kobiety)

Dzień dobry – *Chào buổi sang* (przed południem)/*Xin chào* (po południu)

Dobry wieczór – *Chào buổi tối*

Dobranoc – *Chúc ngủ ngon*

Przepraszam – *Xin lỗi*

Dziękuję – *Cảm ơn ông* (do mężczyzny)/*Cảm ơn bà* (do kobiety)

Gdzie jest toaleta? – *Cầu tiêu ở đâu?*

Ile to kosztuje? – *Cái này giá bao nhiêu?*

Do widzenia – *Chào anh* (do mężczyzny)/*Chào chị* (do kobiety)

1. **Która z poniższych bitew była pierwszą znaczącą potyczką zbrojną I wojny światowej, mogącą sugerować, że wojna będzie długotrwała i rozegra się w sposób pozycyjny?**
   a. Bitwa pod Cambrai.
   b. Bitwa pod Tannenbergiem.
   c. I bitwa pod Wersalem.
   d. I bitwa pod Marną.

2. **Co było efektem podpisania traktatu wersalskiego?**
   a. Niemcy musiały zwrócić większość terenów zagarniętych w trakcie wojny.
   b. Dokonano częściowej demilitaryzacji Niemiec.
   c. Ustalono wiele granic międzypaństwowych w Europie oraz powołano Ligę Narodów.
   d. Zarówno (a), (b) i (c).

3. **Kto z poniższych autorów kryminałów nie należał do Detection Club?**
   a. Dorothy Sayers.
   b. Louise Penny.
   c. Agatha Christie.
   d. G.K. Chesterton.

4. **_Zabójstwo przy Rue Morgue_ zostało opublikowane w 1841 r., a napisał(a) je:**
   a. Edgar Allan Poe;
   b. Dorothy Sayers;
   c. C. Auguste Dupin;
   d. Sir Arthur Conan Doyle.

5. **Które z poniższych zdań prezentuje prawo identyczności?**
   a. _Jeśli mamy p, wówczas możemy mieć p._
   b. _Jeśli mamy p, wówczas niezależnie od wszystkiego możemy napisać $p \vee q$._
   c. _Jeśli zakładamy p i otrzymujemy q, wówczas możemy napisać $(p \Rightarrow q)$._
   d. _Jeśli mamy $(p \vee q)$ i $(p \Rightarrow s)$, i $(r \Rightarrow s)$, wówczas możemy mieć s._

6. **W jaki sposób zaprzeczymy $p \wedge q$?**
   a. $\sim p \wedge q$
   b. $\sim (p \wedge q)$
   c. $\sim (p \vee q)$
   d. $p \wedge \sim q$

7. **Kopenhaska interpretacja mechaniki kwantowej zaprzecza:**
   a. kotu Schrödingera;
   b. załamywaniu się fal;
   c. teorii mechaniki kwantowej;
   d. teorii wielu światów.

8. **Najsłynniejszym wyzwaniem rzuconym kopenhaskiej interpretacji mechaniki kwantowej jest:**
   a. teoria Einsteina, Podolsky'ego i Rosena;
   b. samobójstwo kwantowe;
   c. kot Schrödinera;
   d. teoria wielu światów.

9. **W języku wietnamskim, średni, niski, wysoki wznoszący, niski opadający, wznoszący się po opadnięciu, niski załamany oraz wysoki załamany są przykładami:**
   a. różnego nasilenia;
   b. liczby mnogiej;
   c. różnych tonów;
   d. rodzajów reduplikacji.

10. **Alfabet wietnamski nosi nazwę:**
    a. _xin chào_;
    b. _qu c ng_;
    c. _chào anh_;
    d. _chào ch_.

HISTORIA: Bracia Wright

Próby wzniesienia się w powietrze przed braćmi Wright, Obserwowanie ptaków, Szybowce braci Wright, Powstanie „Flyera", Pierwszy samolot pilotowany przez człowieka, Lot „Vin Fiza"

 MATEMATYKA: Rachunek prawdopodobieństwa

Czym jest rachunek prawd.?, Prawdopodobieństwo zdarzenia, Zdarzenia przeciwne, Rachunek prawd. a pole, Prawd. w rzucaniu monetą, Wzajemnie wykluczające się wydarzenia

 SZTUKA JĘZYKA: Edgar Allan Poe

Wczesne życie Poego, Amerykański romantyzm, *Kruk*, Śmierć Poego, Nekrolog Griswolda, Toasty za Poego

 PRZYRODA: Teoria strun

Fizyka teoretyczna, Struny i membrany, Grawitacja kwantowa, Połączenie sił, Supersymetria, Inne wymiary

Lekcja 25

 JĘZYKI OBCE: Hebrajski

Początki, Renesans hebrajskiego, Współczesny izraelski hebrajski, Hebrajski w judaizmie, System pisma, Użyteczne zwroty

BRACIA WRIGHT

Próby wzniesienia się w powietrze przed braćmi Wright Ludzie od zawsze marzyli o lataniu. Pod koniec XV stulecia Leonardo da Vinci stworzył projekt maszyny ze skrzydłami przypominającymi skrzydła ptaka i nazwał ją ornitopterem. W 1783 r. Joseph Michel i Jacques Etienne Montgolfier skonstruowali pierwszy balon na gorące powietrze, a w pierwszych latach XIX w. sir George Cayley zaprojektował pierwsze szybowce, które były w stanie unieść człowieka. W 1891 r. niemiecki inżynier Otto Lilienthal stworzył pierwszy szybowiec, który mógł pokonywać dalekie dystanse. W 1894 r. Octave Chanute stworzył biplan, który miał się stać podstawą wynalazku braci Wright.

EDGAR ALLAN POE

Wczesne życie Poego Edgar Allan Poe urodził się 19 stycznia 1809 r. w Bostonie, w stanie Massachusetts. W 1826 r. rozpoczął studia na uniwersytecie w Wirginii. Niecały rok później musiał jednak opuścić uczelnię ze względu na uzależnienie od alkoholu i poważne długi. Rok później poszedł do wojska. W 1835 r. mieszkał już w Baltimore i pracował jako redaktor miejscowej gazety. W 1836 r. poślubił swoją 13-letnią kuzynkę i przeniósł się do Nowego Jorku. W 1845 r., dwa lata po opublikowaniu przez Poego *Kruka*, jego żona zmarła na gruźlicę.

RACHUNEK PRAWDOPODOBIEŃSTWA

Czym jest rachunek prawdopodobieństwa? Rachunek prawdopodobieństwa polega na określaniu szans na zajście danego zdarzenia. Próbując rozwiązać zadanie z wykorzystaniem rachunku prawdopodobieństwa, przede wszystkim należy zidentyfikować wszystkie przypadki mogące stać się następstwem takiego czy innego zdarzenia. Rzucając monetą, chcemy się dowiedzieć, jakie jest prawdopodobieństwo wyrzucenia reszki lub orła. Kiedy wyciągamy kartę z talii, chcemy wiedzieć, jakie jest prawdopodobieństwo trafienia na siódemkę lub kiera. Prawdopodobieństwo to więc ustalenie, jak duże są szanse, że dane wydarzenie będzie miało miejsce.

TEORIA STRUN

Fizyka teoretyczna W fizyce teoretycznej do opisania zjawisk zachodzących w przyrodzie używa się pojęć matematycznych. Zazwyczaj tworzy się równania, aby przedstawić pewne zjawiska, których nie można przetestować na modelach – i to jest właśnie podstawowa różnica pomiędzy fizyką teoretyczną a empiryczną. Ta pierwsza ma za zadanie właściwie objaśnić i przewidzieć pewne zjawiska, opierając się wyłącznie na wcześniejszych obserwacjach, w jakimś stopniu ograniczonych. Teoria strun to jedna z najbardziej znanych teorii tej gałęzi fizyki.

◐ HEBRAJSKI

Początki Hebrajski należy do rodziny języków afroazjatyckich. Zgodnie z naukami judaizmu, był pierwszym językiem używanym na Ziemi. Jest to północno-zachodni język semicki, który narodził się około III w. p.n.e. Pierwsze dowody na istnienie języka w formie pisanej pochodzą z ok. X w. p.n.e. – były to zapiski w tzw. klasycznym (lub biblijnym) hebrajskim. Około 1700 lat temu mówiona odmiana hebrajskiego została zastąpiona aramejskim, choć hebrajski wciąż stosowano w formie pisanej. Renesans mówionego języka hebrajskiego nastąpił dopiero w XIX w.

BRACIA WRIGHT

Obserwowanie ptaków W latach 1897–1899 bracia Wright – Orville i Wilbur – pojechali na rowerach do popularnego miejsca piknikowego niedaleko Dayton w stanie Ohio, zwanego Pinnacles. Było tam mnóstwo ptactwa, a szczególne ukształtowanie geograficzne tworzyło silny, wznoszący się w górę prąd powietrza, stwarzający idealne warunki dla dużych ptaków szybujących. Podczas ich obserwacji bracia Wright doszli do wniosku, że konstruując maszynę latającą, należy się na nich wzorować.

 # EDGAR ALLAN POE

Amerykański romantyzm Twórczość Poego jest zaliczana do nurtu tzw. amerykańskiego romantyzmu, który skupiał się na przyrodzie, sile wyobraźni oraz indywidualności. Dzieła amerykańskiego romantyzmu są uważane za ogromny wkład Stanów Zjednoczonych w historię światowej literatury. Życie Poego było mroczne i nasycone skrajnymi emocjami, co znakomicie oddają jego utwory.

 # RACHUNEK PRAWDOPODOBIEŃSTWA

Prawdopodobieństwo zdarzenia Jeśli rozwiązujemy zadania z wykorzystaniem rachunku prawdopodobieństwa, ich wynikiem zawsze będzie jakieś zdarzenie. Aby określić prawdopodobieństwo zajścia zdarzenia A, musimy zastosować wzór:

$$P(A) = \frac{\textit{liczba rozwiązań, w których dochodzi do zdarzenia A}}{\textit{całkowita liczba równie prawdobodobnych rozwiązań}} = \frac{n(A)}{n(S)}$$

Przykładowo, każdą literę słowa „pizza" zapisujemy na kartce papieru, a następnie wrzucamy je wszystkie do kapelusza. Jakie jest prawdopodobieństwo wylosowania „z"?
$S = \{P, I, Z_1, Z_2, A\}$
A – rozwiązanie, w którym dochodzi do wyciągnięcia $A = \{Z_1, Z_2\}$

$$P(A) = \frac{2}{5}$$

 # TEORIA STRUN

Struny i membrany Kiedy w latach 70. XX w. pojawiła się teoria strun, sądzono, że struny – drobne włókienka energii – są jednowymiarowe i istnieją w dwóch postaciach: otwartej i zamkniętej. Struny te, oznaczane jako struny typu I, mogły wchodzić w interakcje na pięć różnych sposobów. Fizycy byli zdania, że struny zamknięte mogą być przydatne w opisie grawitacji. Później odkryto, że potrzeba do tego czegoś więcej niż tylko strun. Chodziło o tzw. brany, a więc powierzchnie, do których struny mogą przylegać jednym lub obydwoma końcami.

 # HEBRAJSKI

Renesans hebrajskiego Od IV w. do XIX w. hebrajski funkcjonował wyłącznie jako język pisany. W 1881 r. żydowski lingwista Eliezer ben Jehuda zaproponował nową, mówioną wersję, opartą na języku liturgicznym. Jego praca polegała przede wszystkim na ujednoliceniu i uproszczeniu zasad gramatycznych, zaczerpnięciu słownictwa z Biblii oraz języka arabskiego i języków indoeuropejskich oraz stworzeniu nowych słów i nowych zasad interpunkcji. Dziś jest on uznawany za twórcę współczesnego języka hebrajskiego.

BRACIA WRIGHT

Szybowce braci Wright W ciągu następnych trzech lat bracia Wright zbudowali szereg szybowców, korespondując w tej sprawie m.in. z Octave'em Chanute'em. Po udanym teście zbudowali pełnowymiarowy szybowiec i postanowili poddać go próbie w Kitty Hawk w Północnej Karolinie, ze względu na tamtejszy górzysty teren, odosobnienie oraz silne wiatry. Szybowiec, ważący ponad 20 kg i o 5-metrowej rozpiętości skrzydeł, został przetestowany w Kitty Hawk w roku 1900, zarówno z pilotem, jak i bez. W rok później podobnym testom poddano największy z dotychczasowych szybowców (ważył ok. 50 kg i miał skrzydła o rozpiętości 6,5 m), tym razem w Kill Devil Hills w Północnej Karolinie. Szybowiec napotkał jednak pewne trudności i bracia Wright doszli do wniosku, że ich obliczenia nie są bez zarzutu. Zbudowali więc tunel powietrzny, aby przetestować w nim skrzydła o różnych kształtach i wkrótce rozpoczęli prace nad konstruowaniem największego ze swoich szybowców, o 9,5-metrowej rozpiętości skrzydeł.

 EDGAR ALLAN POE

Kruk Najsłynniejszy poemat Poego, *Kruk,* został opublikowany 29 stycznia 1845 r. w czasopiśmie „New York Evening Mirror" i zebrał znakomite recenzje. Opowiada on o mężczyźnie tęskniącym za ukochaną kobietą, która zmarła. Odwiedza go tytułowy ptak, w kółko powtarzając jedno słowo: „Nevermore" (co w polskich przekładach tłumaczono m.in. jako „Nigdy już", „Próżny trud" czy nawet „Kres i krach"). Mężczyzna jest pochłonięty osobistym dramatem i uznaje wypowiedź kruka za potwierdzenie, że już nigdy nie połączy się ze swoją ukochaną. Poe tłumaczył później, że *Kruk* stanowi komentarz na temat masochistycznych skłonności ludzkiej natury do poddawania się psychicznym torturom.

 RACHUNEK PRAWDOPODOBIEŃSTWA

Zdarzenia przeciwne Ze zdarzeniami przeciwnymi mamy do czynienia wtedy, gdy nie dochodzi do zdarzenia, które nas interesuje. Przedstawia się je za pomocą wzoru:

$$P(A') = 1 - P(A)$$

Przykładowo, prawdopodobieństwo ściągnięcia z wieszaka zielonego ręcznika wynosi ¼. Jakie jest prawdopodobieństwo nieściągnięcia zielonego ręcznika?

$$P(A') = 1 - ¼ = ¾$$

W miarę, jak zadania robią się bardziej skomplikowane, możemy również stosować symbole podane poniżej.

Na wieszaku wiszą zielone i niebieskie ręczniki. Prawdopodobieństwo ściągnięcia niebieskiego ręcznika wynosi $\frac{3}{5}$. Jakie jest prawdopodobieństwo ściągnięcia zielonego ręcznika?

A – ściągnięcie niebieskiego ręcznika

B – ściągnięcie zielonego ręcznika

A i B to zdarzenia przeciwne, a więc zamiast pisać P(B), równie dobrze możemy napisać P(A')

$$P(A') = 1 - P(A) = 1 - \frac{3}{5} = \frac{2}{5}$$

TEORIA STRUN

Grawitacja kwantowa We współczesnej fizyce istnieją dwa podstawowe prawa, odnoszące się do odmiennych gałęzi tej nauki: prawo ogólnej względności oraz prawo fizyki kwantowej. Ogólna względność zajmuje się badaniem przyrody na szerszą skalę, tzn. skupiając się na planetach, galaktykach i całym wszechświecie. Z kolei fizyka kwantowa zajmuje się badaniem najmniejszych obiektów, jakie można znaleźć w przyrodzie. Teoria strun miała połączyć te dwie różne teorie, a każda teoria, która ma taki cel, zwana jest grawitacją kwantową.

 HEBRAJSKI

Współczesny izraelski hebrajski W latach 80. XIX w. istniały w języku hebrajskim trzy rodzaje akcentów: sefardyjski (hiszpańsko-śródziemnomorski), aszkenazyjski (niemiecki) oraz akcent stosowany przez pozostałych Żydów zamieszkujących Irak, Jemen, Maroko i Tunezję. Standardowy hebrajski zaproponowany przez Eliezera ben Jehudę miał być oparty na wymowie sefardyjskiej i pisowni misznaickiej, jednak okazało się, że tak wielu wczesnych użytkowników tego języka posługiwało się jidysz, że to właśnie z jidysz zapożyczono wiele idiomów i dosłownych tłumaczeń. Zamiast wymowy sefardyjskiej jako model zastosowano ostatecznie wymowę aszkenazyjską.

BRACIA WRIGHT

Powstanie „Flyera" W 1902 r. bracia Wright rozpoczęli testy nowego szybowca o 9,5-metrowej rozpiętości skrzydeł. Ich badania wykazały, że ruchomy ogon pomaga szybowcowi zachować równowagę w powietrzu. Wynalazcy podpięli więc ogon do linek odpowiedzialnych za sterowanie skrzydłami. Po pozytywnych testach w tunelu powietrznym bracia uznali, że powinni stworzyć samolot napędzany silnikiem. Zbadali sposób działania śmigieł i stworzyli silnik oraz samolot, który był wystarczająco wytrzymały, by ten silnik udźwignąć i jednocześnie znieść wytwarzane przez niego wibracje. Nowy samolot nosił nazwę „Flyer" i ważył ok. 350 kg.

EDGAR ALLAN POE

Śmierć Poego Do dziś nie wiadomo, co było bezpośrednią przyczyną śmierci Poego 7 października 1849 r. w Baltimore. Kilka dni wcześniej znaleziono go w pobliżu baru, leżącego na ułożonych na ziemi deskach, i zawieziono do szpitala. Był wówczas w stanie delirium, miał halucynacje, drgawki i ostatecznie zapadł w śpiączkę. Kiedy z niej wyszedł, początkowo był opanowany, później jednak zaczął ponownie popadać w delirium i stał się agresywny. Po czterech dniach znaleziono go martwego. Jako przyczynę śmierci na świadectwie zgonu podano skrzep w mózgu. Przypuszczano, że śmierć Poego była wynikiem uzależnienia od alkoholu, choć ustalono, że na kilka miesięcy przed śmiercią pisarz w ogóle nie pił alkoholu. Współcześni badacze przypuszczają, że mógł umrzeć na skutek zakażenia wścieklizną.

RACHUNEK PRAWDOPODOBIEŃSTWA

Rachunek prawdopodobieństwa a pole Zadania wykorzystujące rachunek prawdopodobieństwa mogą też mieć na celu obliczenia pola jakiejś figury geometrycznej. Przykładowo:

Jeśli rzucimy strzałką w tarczę, jakie będzie prawdopodobieństwo, że trafi ona w pole zaznaczone na szaro?

Pole całego koła: $\pi \times 16^2 = 804{,}25$
Pole białego obszaru: $\pi \times 8^2 = 201{,}06$

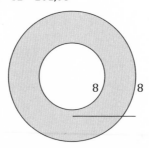

Pole szarego obszaru: $804{,}25 - 201{,}06 = 603{,}19$, co po zaokrągleniu daje 603.

Tak więc: $P(A) = \dfrac{603}{804} = \dfrac{3}{4}$

TEORIA STRUN

Połączenie sił W świecie istnieją cztery podstawowe siły: siła ciążenia, słaba siła jądrowa, silna siła jądrowa oraz pole elektromagnetyczne. Obecnie wszystkie te siły są od siebie oddzielone i stanowią całkowicie odrębne zjawiska. Zwolennicy teorii strun twierdzą, że mogłaby ona je ze sobą połączyć. Siły są w niej opisane jako struny, które wchodziły ze sobą w interakcję we wczesnych stadiach istnienia wszechświata, kiedy dochodziło do wymiany olbrzymich ilości energii.

HEBRAJSKI

Hebrajski w judaizmie Język hebrajski istnieje od ponad 2 tys. lat. Na przestrzeni dziejów zaszły w nim bardzo niewielkie zmiany. Jest mocno zakorzeniony w religii żydowskiej: używa się go w modlitwach i zgłębianiu wiedzy religijnej, jest nim również napisana Tora. Choć ustalona została oficjalna współczesna odmiana hebrajskiego, podczas obrządków religijnych wciąż funkcjonują odmiany aszkenazyjska, sefardyjska i misznaicka.

BRACIA WRIGHT

Pierwszy samolot pilotowany przez człowieka Aby nadać startującemu „Flyerowi" odpowiednią prędkość, bracia Wright zbudowali ruchomą pochylnię. 13 grudnia 1903 r., po zaledwie dwóch próbach (z których jedna skończyła się niepowodzeniem), Orville Wright pilotował „Flyera" przez całe dwanaście sekund. Był to pierwszy w historii udany lot samolotu napędzanego silnikiem i pilotowanego przez człowieka. 9 listopada 1904 r. na ponad pięć minut wzniósł się w powietrze „Flyer II", tym razem pilotowany przez Wilbura.

 # EDGAR ALLAN POE

Nekrolog Griswolda Rufus Wilmot Griswold, twórca antologii, dziennikarz, redaktor i krytyk, który pracował z Poem i regularnie się z nim spierał, po śmierci pisarza zamieścił na łamach „New York Daily Tribune" jego nekrolog podpisany pseudonimem Ludwig. Stwierdził w nim, że Poe był nieodpowiedzialnym pijakiem i pozbawionym przyjaciół szaleńcem, za którym mało kto będzie tęsknił. W 1850 r. Griswold oznajmił, że jest spadkobiercą praw autorskich wydanej pośmiertnie biografii Poego, która zdobyła złą sławę kłamliwym opisem pisarza jako narkomana i szaleńca i, jak później ustalono, znaczna jej część została zmyślona.

 # RACHUNEK PRAWDOPODOBIEŃSTWA

Prawdopodobieństwo w rzucaniu monetą Aby rozwiązać zadania rachunku prawdopodobieństwa trzykrotnego rzutu monetą, należy użyć trzech diagramów drzewkowych. Są bardzo proste, ponieważ stanowią po prostu wizualizację wszystkich możliwych sytuacji, do jakich dochodzi podczas rzutu monetą.

Jeśli moneta zostaje rzucona trzykrotnie, prawdopodobieństwo wyrzucenia orła lub reszki jest przedstawiane w następujący sposób:

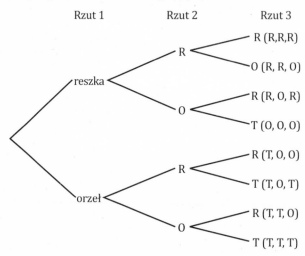

TEORIA STRUN

Supersymetria Zgodnie z teorią strun wszechświat składa się z dwóch rodzajów cząsteczek: fermionów i bozonów, między którymi zachodzi relacja zwana supersymetrią – aby istniały jedne, muszą także istnieć drugie. Koncepcja supersymetrii powstała niezależnie od teorii strun w połowie lat 70. XX w., a następnie włączono ją do teorii strun, tworząc tym samym tzw. teorię superstrun. Zjawisko supersymetrii jest czysto teoretyczne, a naukowcy wciąż zajmują się obserwacją cząsteczek.

HEBRAJSKI

System pisma Alfabet hebrajski stosuje się, pisząc od prawej strony do lewej. Jest to tzw. abdżad, a więc alfabet spółgłoskowy (składa się z 22 liter, z których wszystkie są spółgłoskami) oraz tzw. pismo kwadratowe, oparte na piśmie aramejskim zwanym ashuritem. Nie rozróżnia się w nim liter wielkich i małych. Istnieje również odmiana tego alfabetu pisana kursywą. Jeśli niezbędne są samogłoski, wówczas zaznacza się to za pomocą znaków diakrytycznych umieszczanych nad literami lub pod nimi, a bywa również, że zamiast samogłosek używane są spółgłoski.

BRACIA WRIGHT

Lot „Vin Fiza" 30 lipca 1909 r. rząd Stanów Zjednoczonych kupił pierwszy samolot. Był to dwupłat skonstruowany przez braci Wright i sprzedany za 25 tys. dolarów, do których dołożono jeszcze 5 tys. dolarów, ponieważ przekraczał prędkość 60 km/godz. W 1911 r. zbudowany przez braci Wright „Vin Fiz" został pierwszym samolotem, któremu udało się przebyć dystans od jednego do drugiego wybrzeża Stanów Zjednoczonych. Zakupił go od konstruktorów niejaki Calbraith Perry Rogers, który po zaledwie 90-minutowym treningu zasiadł za sterami i wybrał się w 84-dniową podróż z siedemdziesięcioma przystankami i tak wieloma lądowaniami awaryjnymi, że pod koniec lotu pozostała bardzo niewielka część oryginalnego samolotu.

 EDGAR ALLAN POE

Toasty za Poego W 1949 r., a więc sto lat po śmierci Poego, tajemniczy, odziany na czarno mężczyzna w białym szaliku w dniu urodzin pisarza zaczął przynosić na jego grób trzy róże, butelkę francuskiego koniaku, a czasami również liściki. Robił to co rok aż do 1998 r. Próby jego zidentyfikowania spełzły na niczym. W 2010 r. mężczyzna po raz pierwszy się nie pojawił, a kiedy zabrakło go także w następnym roku, uznano, że zmarł, kończąc tym samym trwającą 60 lat tradycję.

 RACHUNEK PRAWDOPODOBIEŃSTWA

Wzajemnie wykluczające się zdarzenia Jeśli jakieś zdarzenia toczą się jednocześnie, to znaczy, że się wzajemnie wykluczają. Przykładowo, jeśli rzucimy monetą i wypadnie reszka, to nie możemy jednocześnie wyrzucić orła. Jeśli zdarzenia wykluczają się wzajemnie, wówczas prawdopodobieństwo zajścia A lub B jest przedstawiane jako P(A) + P(B).
Na przykład:
Jakie jest prawdopodobieństwo rzutu kością i wyrzucenie 3 lub 4?

$$P(3) = \frac{1}{6}$$

$$P(4) = \frac{1}{6}$$

$$P(3) + P(4) = \frac{1}{6} + \frac{1}{6} = \frac{2}{6} = \frac{1}{3}$$

Prawdopodobieństwo wyrzucenie kością 3 lub 4 wynosi więc $\frac{1}{3}$.

 TEORIA STRUN

Inne wymiary Nasz wszechświat jest obecnie pojmowany jako składający się z trzech wymiarów: góra/dół, przód/tył oraz lewo/prawo. Teoria strun będzie miała sens jedynie wówczas, gdy okaże się, że w rzeczywistości tych wymiarów jest więcej. Naukowcy mają oczywiście swoje teorie na temat tego, czym mogłyby być owe dodatkowe wymiary. Według jednej z nich, istnieje sześć wymiarów, są one jednak skurczone do tak małych rozmiarów, że nigdy nie będziemy w stanie ich zidentyfikować. Inna hipoteza mówi, że pozostałe wymiary są dla nas niedostępne, ponieważ jesteśmy umiejscowieni na trójwymiarowej branie, a te wymiary stanowią jej rozszerzenie.

☺ HEBRAJSKI

Użyteczne zwroty Oto kilka zwrotów, które mogą się okazać przydatne podczas podróży do Izraela (albo uczestnictwa w nabożeństwie sprawowanym w języku hebrajskim); zostały one zapisane w sposób fonetyczny:

Cześć – *Shalom*
Dzień dobry – *Boker tov* (przed południem)/*Achar tzahara'im tovim* (po południu)
Dobry wieczór – *Erev tov*
Miło mi cię poznać – *Na'im me'od*
Nie rozumiem – *Ani lo mevin* (do mężczyzny)/*Ani lo mevinah* (do kobiety)
Ile to kosztuje? – *Kama ze ole?*
Dziękuję – *Rav todot*
Gdzie jest toaleta? – *Eifo ha'sheirutim?*
Do widzenia – *Lehitraot*

1. **13 grudnia 1903 r. Orville Wright po raz pierwszy pilotował samolot zasilany silnikiem przez:**
   a. 45 sekund;
   b. 12 minut;
   c. 12 sekund;
   d. 45 minut.

2. **Bracia Wright doszli do wniosku, że aby stworzyć maszynę latającą, za model należy obrać:**
   a. latawce;
   b. małe ptaki energicznie trzepoczące skrzydełkami;
   c. duże, szybujące ptaki;
   d. balony.

3. **Co nie należało do głównych zainteresowań twórców amerykańskiego romantyzmu?**
   a. Przyroda.
   b. Wyobraźnia.
   c. Indywidualizm.
   d. Przemysł.

4. **Jakiego pseudonimu użył Rufus Wilmot Griswold, podpisując swój niesławny nekrolog Poego?**
   a. Ludwig.
   b. Kruk.
   c. Wznoszący toasty za Poego.
   d. Baltimore.

5. **Każda litera słowa „pizza" zostaje napisana na oddzielnej kartce papieru i włożona do kapelusza. Jakie jest prawdopodobieństwo wylosowania litery „z"?**
   a. $\frac{1}{5}$
   b. $\frac{2}{5}$
   c. $\frac{1}{2}$
   d. $\frac{1}{3}$

6. **W szufladzie znajdują się zielone i czerwone skarpety. Prawdopodobieństwo wyciągnięcia czerwonej skarpety wynosi $\frac{3}{5}$. Jakie jest prawdopodobieństwo wyciągnięcia zielonej skarpety?**
   a. $\frac{2}{5}$
   b. $\frac{3}{5}$
   c. $\frac{4}{5}$
   d. $\frac{3}{10}$

7. **Która z poniższych sił należy do podstawowych sił działających we wszechświecie, które teoria strun pragnie ze sobą połączyć?**
   a. Siła ciążenia.
   b. Pole elektromagnetyczne.
   c. Silna i słaba siła jądrowa.
   d. Zarówno (a), (b) i (c).

8. **Jak nazywają się dwa rodzaje cząsteczek znajdujących się we wszechświecie?**
   a. Fermiony i struny.
   b. Bozony i struny.
   c. Fermiony i bozony.
   d. Struny i brany.

9. **Aszkenazyjski, sefardyjski i misznaicki to:**
   a. różne systemy pisma;
   b. różne rodzaje wymowy;
   c. różne izraelskie dialekty;
   d. różne formy pisma aramejskiego.

10. **Eliezer ben Jehuda jest odpowiedzialny za:**
    a. uczynienie hebrajskiego oficjalnym językiem judaizmu;
    b. uczynienie jidysz oficjalnym językiem Izraela;
    c. stworzenie odmiany sefardyjskiej;
    d. renesans mówionej odmiany hebrajskiego.

Odpowiedzi: c, c, d, a, b, a, d, c, b, d.

Lekcja 26

KANAŁ PANAMSKI

O Panamie Miasto Panama – stolica kraju – leży na południowo-wschodnim krańcu przesmyku, który łączy Amerykę Północną z Ameryką Południową. Rozdziela on również Pacyfik i Atlantyk – stojąc na najwyższym szczycie górskim kraju, którym jest Volcan de Chriqui (zwany też Volcán Barú), widać oba oceany. Panama to niewielki kraj – zajmuje mniej więcej taką powierzchnię jak Czechy. W latach 1538–1821 stanowiła część hiszpańskiego imperium.

FANTASY

Epos o Gilgameszu Utwór powstał w czasach starożytnych Sumerów. Jest najstarszą opowieścią, jaką kiedykolwiek napisano (spisano ją na glinianych tabliczkach), a jego treść sprawia, że niektórzy pół żartem, pół serio traktują go jako najstarszą historię fantasy świata. Opowiada o tytułowym królu Gilgameszu, który wybiera się na wyprawę, polując na okropną bestię imieniem Humbaba i próbując odkryć tajemnicę nieśmiertelności. Wzorem dla Gilgamesza był mityczny sumeryjski król Uruk, sprawujący władzę w XXVI w. p.n.e.

STATYSTYKA

Średnia W statystyce pojęcie „średnia" oznacza tyle, co „przeciętny wynik". Aby obliczyć średnią arytmetyczną, zwaną krócej średnią, należy dodać do siebie wszystkie wyniki, a później podzielić ich sumę przez ilość wyników.
Przykładowo:
Jaka jest średnia z liczb: 9, 12, 14, 19, 20?
Najpierw dodajemy je do siebie: 9 + 12 + 14 + 19 + 20 = 74
Następnie dzielimy wynik przez 5 (ponieważ dodaliśmy do siebie pięć liczb):
74 : 5 = 14,8

DAWNA MEDYCYNA

William Harvey W 1616 r. William Harvey odkrył, że krew płynie w ludzkich żyłach nieprzerwanym strumieniem zawsze w tym samym kierunku. W roku 1628 w książce *Exercitatio anatomica de motu cordis et sanguinis in animalibus* opisał budowę i funkcjonowanie krwiobiegu. Dzięki jego odkryciom po raz pierwszy dokonano transfuzji, niestety nieudanych. Harvey wyjaśniał również, że krew żylna, czyli odtlenowana, zamienia się w krew tętniczą w płucach, a nie, jak sądzono wcześniej, w wątrobie.

◯ JIDYSZ

Początki Jidysz powstał w wyniku połączenia elementów niemieckich i hebrajskich przez Żydów aszkenazyjskich, którzy zamieszkiwali głównie Europę Środkową i Wschodnią. Uważa się, że jidysz zaczęto używać między 900 a 1100 r. n.e. Był wówczas stosowany wyłącznie w formie mówionej, nie pisanej. W miarę upływu wieków jidysz coraz bardziej odseparowywał się od niemieckiego, zaczęły w nim także powstawać odrębne reguły lingwistyczne.

KANAŁ PANAMSKI

Najwcześniejszy projekt Najwcześniejszy projekt kanału łączącego oceany pochodzi z 1534 r., kiedy hiszpański król Karol V poszukiwał trasy, która ułatwiłaby żeglugę pomiędzy Hiszpanią a Peru i dałaby Hiszpanii przewagę w starciach zbrojnych z Portugalczykami. W latach 1788–1793 oficer hiszpańskiej floty Alessandro Malaspina udowodnił, że budowa kanału jest możliwa i zaczął robić szkice projektu. W 1698 r. kolejną próbę budowy kanału podjęli Szkoci. W 1855 r. przeprowadzono przez przesmyk linię kolejową.

 FANTASY

Kroniki Narnii Cykl siedmiu książek autorstwa C.S. Lewisa. W jego skład wchodzą tytuły uznawane dziś za klasykę gatunku fantasy: *Lew, czarownica i stara szafa*, *Książę Kaspian*, *Siostrzeniec czarodzieja*, *Podróż „Wędrowca do świtu"*, *Srebrne krzesło*, *Koń i jego chłopiec*, *Ostatnia bitwa*. Książki te zostały napisane w latach 1949–1954, a ich akcja rozgrywa się w fikcyjnym świecie Narnii. W kolejnych powieściach cyklu szczegółowo poznajemy historię tej krainy. Głównymi bohaterami są dzieci i mówiące zwierzęta, a tematyka serii skupia się na magii oraz walce dobra ze złem.

 STATYSTYKA

Mediana Mediana oznacza „środek". Należy zacząć od ułożenia liczb według ich wartości:
Na przykład: 6, 8, 10, 13, 16.
Skoro mamy pięć liczb i w samym środku ciągu znajduje się liczba 10, to właśnie ona będzie określana jako mediana. Kiedy jednak mediana wypada tam, gdzie znajdują się dwie liczby, wówczas trzeba z nich obliczyć średnią.
Przykładowo: 9, 14, 16, 17, 19, 21. Mediana wypada pomiędzy 16 i 17, musimy więc obliczyć średnią.
16 + 17 = 33
33 : 2 = 16,5

 DAWNA MEDYCYNA

Giovanni Morgagni Uznawany za ojca patomorfologii. Jego fundamentalne dla tej dziedziny wiedzy dzieło pt. *De sedibus et causis morborum* (*O miejscach i przyczynach chorób*) zostało wydane w roku 1761. Najbardziej znane odkrycia wynikające z jego badań dotyczyły: zwyrodnienia mięśnia sercowego, bakteryjnego zapalenia wsierdzia, anginy, a także skutków, jakie mogą wywoływać zakrzepy czy gruźlica. Odkrył również, że wylew jest spowodowany zmianami w naczyniach krwionośnych w mózgu, a nie, jak wcześniej sądzono, jego urazami.

 JIDYSZ

Dwie odmiany Wyróżniamy dwie główne odmiany jidysz: zachodnią i wschodnią. Pierwszej, dziś już prawie całkowicie wymarłej, używano w Niemczech, Szwajcarii, Belgii i Holandii, drugiej w Polsce oraz na Ukrainie, Litwie i Białorusi. Wschodnia odmiana jidysz jest używana do dziś w Izraelu przez emigrantów z terenów dawnego ZSRR.

KANAŁ PANAMSKI

Francuska próba Po sukcesie, jakim było zbudowanie Kanału Sueskiego, Francuzi wierzyli, że i w tym wypadku właśnie taka inwestycja okaże się najlepszym rozwiązaniem. Przygotowali projekt pozbawiony śluz, gdyż kanał na całej swej długości miał utrzymywać jednakowy poziom wód. Prace rozpoczęli 1 stycznia 1880 r. Po kilku latach budowę przerwano, ponieważ okazało się, że projekt ma wady, a teren okazał się trudniejszy niż zakładano. Ciężkie warunki pogodowe i gorączka tropikalna doprowadziły do śmierci 22 tys. ludzi. W 1888 r. zbankrutował inwestor.

 FANTASY

Harry Potter Jedną z najpopularniejszych współczesnych serii fantasy jest cykl o Harrym Potterze, którego autorką jest J.K. Rowling. Składa się on z siedmiu książek ukazujących losy młodego czarodzieja Harry'ego Pottera, który wraz z dwójką przyjaciół uczęszcza do Szkoły Magii i Czarodziejstwa w Hogwarcie. Głównym zadaniem chłopca jest pokonanie złego czarodzieja lorda Voldemorta.

 STATYSTYKA

Dominanta Wynik, który pojawia się najczęściej to dominanta.
Przykładowo: 1, 3, 5, 9, 5, 6, 5.
Najpierw układamy wyniki w kolejności rosnącej: 1, 3, 5, 5, 5, 6, 9.
Dominantą będzie w tym wypadku 5 ponieważ powtarza się najczęściej.
W zadaniu może się pojawić więcej niż jedna dominanta. Jeśli nie ma ani jednej, wówczas musimy odpowiednio pogrupować wszystkie wyniki.
Przykładowo: 1, 3, 4, 11, 13, 21, 22.
Brak w tym wypadku dominanty, a więc grupujemy wyniki następująco:
0-9: 3 wartości; 10-20: 2 wartości; 20-30: 2 wartości.

 DAWNA MEDYCYNA

Ludwik Pasteur Odkrył istnienie drobnoustrojów. W 1856 r. przyszedł do niego pracownik browaru i zapytał, dlaczego piwo, które przechowuje w kadziach, zawsze kwaśnieje. Po obejrzeniu próbek pod mikroskopem Pasteur odkrył mikroorganizmy, które były jego zdaniem odpowiedzialne za kwaśnienie piwa. Choć początkowo koledzy po fachu wyśmiali Pasteura, ostatecznie dowiódł, że odkryte mikroorganizmy wywołują również choroby. Za najważniejsze osiągnięcie Pasteura uznawane jest jednak opracowanie pierwszej szczepionki ochronnej dla ludzi – przeciw wściekliźnie. Badania nad nią prowadził w latach 1881–1885.

 JIDYSZ

Worms Mahzor Błogosławieństwo zamieszczone w modlitewniku *Worms Mahzor* z 1272 r. to najstarszy dokument zapisany w jidysz. Odkrycie to było bardzo ważne z kilku względów: dowodziło, że ówczesny jidysz mocno przypominał średnio-wysoko- -niemiecki oraz że zawierał słowa hebrajskie. Począwszy od XIV i XV w. w jidysz pisano już wiersze i pieśni. Najstarszym dziełem, jakie w całości napisano w jidysz, był *Dukus Horant*.

KANAŁ PANAMSKI

Nadchodzą Amerykanie W 1902 r. Kongres zgodził się na przejęcie inwestycji od francuskiej spółki, ale pod warunkiem, że najpierw dojdzie do podpisania traktatu z Kolumbią, określającego zasady własności terenu i użytkowania kanału. Negocjacje z Kolumbią nie przyniosły jednak oczekiwanego efektu, w związku z czym Stany Zjednoczone zaczęły popierać starania Panamy o uzyskanie niepodległości. Na mocy traktatu Hay-Bunau-Varilla Panama oddała Amerykanom prawa własności kanału, nie posiadając nawet tłumaczenia dokumentu na język hiszpański. Prezydent Theodore Roosevelt poparł projekt kanału ze śluzami.

 FANTASY

Władca pierścieni W 1937 r. oksfordzki profesor J.R.R. Tolkien napisał powieść pt. *Hobbit, czyli tam i z powrotem*, która rozgrywała się w fikcyjnej krainie zwanej Śródziemiem, zamieszkiwanej przez czarodziejów, elfy, trolle i hobbity. W 1954 r. została opublikowana trylogia pt. *Władca pierścieni*, w której Tolkien kontynuował historię rozpoczętą w *Hobbicie*. Treścią książki jest wyprawa mająca na celu zniszczenie Pierścienia Władzy, mogącego unicestwić świat, jeśli klejnot trafiłby w niepowołane ręce. Czynu tego musi dokonać hobbit Frodo Baggins, któremu towarzyszy przyjaciel – Samwise Gamgee.

 STATYSTYKA

Podstawowa zasada obliczeń Podstawową zasadę obliczeń statystycznych stosuje się, aby określić liczbę możliwych wyników. Ogólnie rzecz biorąc, sprowadza się ona do stwierdzenia, że jeśli istnieje A sposobów zrobienia czegoś i B sposobów zrobienia czegoś innego, to ilość sposobów wykonania i jednego, i drugiego obliczymy według wzoru: A × B.

 DAWNA MEDYCYNA

Robert Koch Niemiecki uczony, lekarz i bakteriolog Robert Koch, kontynuując pracę rozpoczętą przez Ludwika Pasteura, wsławił się badaniem wąglika i gruźlicy. Pasteur wysunął co prawda tezę, że to mikroby wywołują choroby, ale nie zdołał dowieść jej prawdziwości. Badając wąglika, Koch odkrył, że tworzy on zarodniki, które rozwijają się w ciałach martwych zwierząt. Zarodniki te zamieniają się potem w drobnoustroje chorobotwórcze wywołując zmiany chorobowe. Koch odkrył także m.in. prątki gruźlicy, udowadniając, że choroba ta nie była wywoływana, jak to określano, złym powietrzem.

 JIDYSZ

II wojna światowa Przed II wojną światową językiem jidysz posługiwało się 11–13 milionów ludzi. Holokaust doprowadził jednak do znacznego uszczuplenia tej liczby. Śmierć poniosło wówczas ok. 5 milionów Żydów. Po zakończeniu wojny aszkenazyjczycy rozproszyli się po świecie. Liczba Żydów, którzy mówią językiem jidysz, ciągle maleje.

KANAŁ PANAMSKI

Budowa kanału Za budowę Kanału Panamskiego odpowiadał porucznik George Washington Goethals. Podzielił robotników na trzy grupy – atlantycką, środkową i pacyficzną – pracujące jednocześnie na trzech odcinkach. W czasie budowy używano narzędzi (wiertła skalne, odgarniarki parowe oraz dynamit), których nie mieli Francuzi. Bez nich zadanie to było niewykonalne.

 FANTASY

Pieśń Lodu i Ognia Cykl powieści autorstwa George'a R.R. Martina, rozpoczęty w 1991 r. Opowiadane w nim historie rozgrywają się na kontynencie o nazwie Westeros oraz lądzie położonym na wschód od Westeros, zwanym Essos. Główne wydarzenia fabularne opowiadają o wojnie domowej w Westeros, zagrożeniu ze strony rasy potworów o nazwie Inni oraz o próbach zdobycia tronu przez wygnaną córkę zamordowanego króla. Historia jest przedstawiana z kilku różnych perspektyw, a narrację autor zawsze prowadzi w trzeciej osobie.

 STATYSTYKA

Odchylenie standardowe Zapisujemy za pomocą symbolu σ. Odchylenie standardowe określa rozstrzał zgromadzonych wyników wokół średniej. Obliczamy je, wyciągając pierwiastek kwadratowy z wariancji (czyli średniej arytmetycznej kwadratów odchyleń poszczególnych wartości od wartości oczekiwanej). Aby obliczyć wariancję, najpierw musimy znaleźć średnią, następnie odjąć ją od każdego z wyników, a później trzeba te wyniki podnieść do kwadratu. Teraz pozostaje nam już tylko znalezienie średniej tych kwadratów.

 DAWNA MEDYCYNA

Alexander Fleming i penicylina 3 września 1928 r. Alexander Fleming przez przypadek odkrył jeden z najsilniejszych antybiotyków – penicylinę. Sprzątając swoje laboratorium, natknął się na pozostawioną po jednym z badań szklaną płytkę z bakteriami gronkowca, na której pojawił się pierścień pleśni. Wokół pierścienia na płytce nie było bakterii gronkowca, Fleming doszedł więc do wniosku, że substancja tworząca pleśń zabiła bakterie. Pleśń została później zidentyfikowana jako *Penicillium notatum*. W dziesięć lat później wyodrębniono penicylinę.

 JIDYSZ

Współczesny jidysz Nie wiadomo, ilu ludzi mówi dziś językiem jidysz. W 2009 r. oszacowano ich liczbę na 1 762 320, z czego jedna trzecia mieszkała w Stanach Zjednoczonych. Inne raporty podawały jednak, że liczba ta jest zawyżona, korygując ją do mniej niż 200 tys. W niektórych krajach, np. w Rosji, Szwecji, Mołdowie czy na Litwie, językiem jidysz posługują się niewielkie grupy aszkenazyjczyków. W 1999 r. szwedzki parlament uznał jidysz za urzędowy język tamtejszej mniejszości żydowskiej, dzięki czemu publikuje się w nim dokumenty rządowe.

KANAŁ PANAMSKI

Kanał Panamski obecnie W 1999 r. Panama odzyskała pełną kontrolę nad kanałem. Jednym z najważniejszych zadań, jakie stanęły przed nowymi władzami, było znalezienie sposobu na poprawę warunków żeglugi, gdyż wzrastająca z roku na rok ilość korzystających z niego statków przyczyniała się do powstawania zatorów. W 2006 r. Panamczycy zdecydowali się na przeprowadzenie modernizacji kanału i zbudowanie większych śluz, aby podwoić jego przepustowość.

 FANTASY

Dziedzictwo Autorem cyklu *Dziedzictwo* jest Christopher Paolini. Pierwszą powieść serii, zatytułowaną *Eragon*, Paolini napisał w wieku zaledwie 15 lat. Powieści z tego cyklu rozgrywają się w Alagaësii, a ich główni bohaterowie to nastoletni sierota o imieniu Eragon oraz smoczyca Saphira. W miarę rozwoju fabuły Eragon zostaje członkiem Smoczych Jeźdźców i podejmuje próbę zabicia złego króla, który w przeszłości mordował Smoczych Jeźdźców, obawiając się, że przejmą jego tron.

 STATYSTYKA

Kombinacje Szukając średniej, mediany, dominanty i odchylenia standardowego, układamy liczby w kolejności rosnącej. Bywa jednak, że ich wartość nie ma większego znaczenia. Dzieje się tak np. w procesie tworzenia kombinacji, który jest przedstawiany jako C (n, r; innym oznaczeniem jest C_r^n). Litera n określa liczbę obiektów wybranych ze zbioru o liczbie r. Inaczej można to więc wyrazić jako: $\dfrac{n!}{r!(n-r)!}$
Przykładowo:
Jeśli spośród ośmiu koszul wybieramy cztery i chcemy się dowiedzieć, ile może być kombinacji takiego wyboru, obliczamy co następuje:

$$C_4^8 = \frac{8!}{4!(8-4)!} = \frac{4! \cdot 5 \cdot 6 \cdot 7 \cdot 8}{4! \cdot 4!} = \frac{5 \cdot 6 \cdot 7 \cdot 8}{1 \cdot 2 \cdot 3 \cdot 4} = \frac{1680}{24} = 70 \text{ kombinacji}$$

 DAWNA MEDYCYNA

Christiaan Barnard 3 grudnia 1967 r. Christiaan Barnard jako pierwszy chirurg na świecie przeprowadził operację przeszczepu serca. Barnard urodził się w RPA i pracował jako kardiochirurg w ośrodku badań na uniwersytecie w Kapsztadzie. Operacja trwała pięć godzin i choć pacjent zmarł osiemnaście dni później na ostre zapalenie płuc, uznano ją za sukces i odbiła się w świecie medycyny szerokim echem. Barnard zastosował nowatorski sposób wykonywania operacji na sercu, który od tamtego czasu przyjęto jako normę.

 JIDYSZ

Użyteczne zwroty Oto kilka użytecznych zwrotów w języku jidysz (zostały zapisane w sposób fonetyczny):

Cześć – *A gutn tog*
Dzień dobry (przed południem) – *Gutn morgn*
Dzień dobry (po południu)/Dobry wieczór – *A gut ovnt*

Na zdrowie! – *Zayt gesunt!*
Miłego dnia – *Hot a gutn tog*
Przepraszam – *Zayt moykhl*
Dziękuję – *Nishto farvos*
Ile to kosztuje? – *Vi tayer iz dos?*

1. **Dzięki któremu z poniższych, wcześniej niedostępnych dla Francuzów wynalazków Amerykanom udało się zbudować Kanał Panamski?**
   a. Dzięki wiertłom skalnym.
   b. Dzięki odgarniarkom parowym.
   c. Dzięki dynamitowi.
   d. Zarówno dzięki (a), (b) i (c).

2. **Które z poniższych zdań właściwie opisuje Panamę?**
   a. Jest to południowo-wschodni kraniec przesmyku łączącego Amerykę Północną z Ameryką Południową.
   b. Znajduje się pomiędzy Atlantykiem a Pacyfikiem.
   c. Jest rozmiaru stanu Teksas.
   d. Zarówno (a) i (b).

3. **Kto napisał *Kroniki Narnii*?**
   a. J.R.R. Tolkien.
   b. George R.R. Martin.
   c. J.K. Rowling.
   d. C.S. Lewis.

4. **Kto napisał *Pieśń Lodu i Ognia*?**
   a. J.R.R. Tolkien.
   b. George R.R. Martin.
   c. J.K. Rowling.
   d. C.S. Lewis.

5. **Jaka będzie średnia z liczb: 6, 7, 9 i 11?**
   a. 8,25.
   b. 4.
   c. 7.
   d. 7,5.

6. **Jaki jest median następującego zbioru liczb: 9, 12, 12, 13, 14, 15, 29?**
   a. 14,9.
   b. 13.
   c. 13,5.
   d. 12,5.

7. **Kto odkrył penicylinę?**
   a. Christiaan Barnard.
   b. Robert Koch.
   c. Alexander Fleming.
   d. Giovanni Morgagni.

8. **Czego dokonał Ludwik Pasteur?**
   a. Dokonał pierwszego przeszczepu serca.
   b. Odkrył zarazki.
   c. Odkrył przyczynę gruźlicy.
   d. Odkrył, że krew w ludzkim ciele płynie tylko w jednym kierunku.

9. **Jidysz stanowi mieszankę:**
   a. hebrajskiego i niemieckiego;
   b. niemieckiego i rosyjskiego;
   c. hebrajskiego i rosyjskiego;
   d. rosyjskiego i polskiego.

10. **Jak się nazywał modlitewnik, który zawierał najstarszy zapis w języku jidysz?**
    a. Ashkenazi.
    b. Sephardi.
    c. Worms Mahzor.
    d. Alef-beyz.

Odpowiedzi: d, d, d, b, a, b, c, b, a, c.

HISTORIA: Wielki kryzys

Boom ekonomiczny, Czarny wtorek, Hoovervilles, Dust Bowl, Nowy ład, II wojna światowa

MATEMATYKA: Teoria gier

Czym jest teoria gier?, Teoria gier koalicyjnych, Teoria gier bezkoalicyjnych, Teoria podejmowania decyzji, Równowaga ogólna, Dylemat więźnia

SZTUKA JĘZYKA: Alicja w krainie czarów

O Lewisie Carrollu, *Alicja w Krainie Czarów*, *Po drugiej stronie lustra*, Symbolika, Znaczenie, Historia publikacji

PRZYRODA: Archimedes

O Archimedesie, Lustra Archimedesa, Złota korona, Śruba Archimedesa, Kleszcze Archimedesa, Dokonania w dziedzinie matematyki

Lekcja 27

JĘZYKI OBCE: Arabski

Początki, Klasyczny arabski, Współczesny arabski, Dialekty, Alfabet, Użyteczne zwroty

WIELKI KRYZYS

Boom ekonomiczny Po I wojnie światowej Ameryka przeżywała okres gwałtownego rozwoju gospodarczego, a giełda papierów wartościowych cieszyła się coraz większą popularnością. Wielu ludzi uznało, że mogą dzięki niej łatwo się wzbogacić. Kupujący nie musieli nawet płacić za akcje pełnej sumy – wystarczyło, że wpłacili 10 lub 20%, a resztę uzupełniał broker. Na giełdzie lokowały pieniądze nie tylko osoby fizyczne, ale również firmy i banki.

 ALICJA W KRAINIE CZARÓW

O Lewisie Carrollu Lewis Carroll (1832–1898) naprawdę nazywał się Charles Lutwidge Dodgson. W 1856 r. często widywał się z dziećmi Henry'ego George'a Liddella, uczonego, który przyjął posadę w jednym z oksfordzkich college'ów. Córka Liddella, Alice, zainspirowała Carrolla do stworzenia tytułowej postaci jego najsłynniejszego dzieła. Dodgson często zabierał dzieci na wycieczki łodzią, podczas których opowiadał im fantastyczne historyjki. W dziesięć lat później ukazały się one drukiem.

 TEORIA GIER

Czym jest teoria gier? Teoria gier polega na ustalaniu właściwych strategii, które można wykorzystać, gdy ktoś inny stosuje wobec nas konkurencyjne strategie. Jest niezwykle użytecznym narzędziem wykorzystywanym np. w ekonomii. Można ją stosować na własny użytek, na gruncie biznesowym, przy założeniu, że wszystkie decyzje podejmowane przez innych są racjonalne, choć oczywiście nie zawsze tak jest. Jednak nawet wówczas, gdy mamy do czynienia z zachowaniem irracjonalnym, teoria gier może doprowadzić do ciekawych wniosków na temat ludzkiej natury.

 ARCHIMEDES

O Archimedesie Archimedes z Syrakuz był fizykiem, astronomem, matematykiem, wynalazcą i inżynierem żyjącym w latach 287–212 p.n.e. w Syrakuzach na Sycylii. Uważa się go za jednego z najwybitniejszych matematyków w historii. O jego życiu wiadomo bardzo niewiele: podobno uczęszczał do szkoły w Aleksandrii założonej przez Euklidesa, a później powrócił do Syrakuz. Odkrycia Archimedesa na trwale zapisały się w kronikach nauki świata, a wiele jego wynalazków i reguł matematycznych ma zastosowanie do dziś. Do najsłynniejszych wynalazków Archimedesa można zaliczyć katapultę czy koło linowe, a także udoskonalenia dźwigni.

◗ ARABSKI

Początki Arabski jest językiem semickim należącym do grupy afro-azjatyckiej. Można w nim odnaleźć wiele cech języka protosemickiego, będącego przodkiem językowym semickiego. Choć wiele języków semickich wymarło, arabski rozkwitał dzięki wzrastającej popularności islamu oraz wykorzystaniu tego języka w VII w. w Koranie. Najwcześniejsze zapiski w języku arabskim datuje się na IV w. n.e.

WIELKI KRYZYS

Czarny wtorek 24 października 1929 r. nadszedł czarny czwartek – dzień, w którym załamała się amerykańska giełda. Dzień ten uznaje się za początek wielkiego kryzysu. Najgorszy dzień w historii giełdy papierów wartościowych nadszedł za to pięć dni później – był to czarny wtorek, 29 października. Wybuchła panika. Wszyscy chcieli sprzedawać akcje, ale nikt nie chciał ich kupować. Nazajutrz giełda została zamknięta.

ALICJA W KRAINIE CZARÓW

Alicja w Krainie Czarów Opowieść o dziewczynce imieniem Alicja, która pewnego dnia, siedząc w pobliżu rzeki, widzi przebiegającego obok, gderającego królika. Gdy królik znika w swojej norze, Alicja rusza za nim. Na dnie nory odnajduje buteleczkę z napisem „Wypij mnie", a kiedy postępuje zgodnie z instrukcją – zaczyna się zmniejszać i wkracza do Krainy Czarów, zamieszkiwanej przez gadające zwierzęta i inne istoty. Za każdym razem, kiedy coś zjada lub wypija, maleje lub rośnie. Książka kończy się w momencie, gdy Alicja powraca nad brzeg rzeki i budzi się.

TEORIA GIER

Teoria gier koalicyjnych Istnieją dwie odmiany teorii gier: teoria gier bezkoalicyjnych oraz teoria gier koalicyjnych. Główna różnica pomiędzy nimi polega na niezależności graczy. W przypadku teorii gier koalicyjnych, gracze nie wiedzą, jakie decyzje podejmą ich przeciwnicy, ale mogą z nimi współpracować za pośrednictwem umów i kontraktów. Innymi słowy, każdy dokonuje swoich własnych wyborów, opierając się na posiadanych informacjach. Przykładem gry tego rodzaju może być sprzedaż przedmiotu, którym zainteresowane są dwie, niepowiązane ze sobą osoby, oferujące własne ceny. Jeśli między tymi osobami dochodzi do targowania się, wówczas mówimy o współpracy albo koalicji.

ARCHIMEDES

Lustra Archimedesa Według legendy Archimedes w II w. p.n.e. skonstruował broń, którą zniszczono oblegającą Sycylię rzymską flotę. Jak mówi legenda, użyto do tego sferycznych luster odbijających światło słoneczne. Statki, na które skierowano wiązkę skupionego słonecznego światła, spłonęły. Współcześni naukowcy sceptycznie odnoszą się do tych informacji. Choć Grekom udało się co prawda skonstruować urządzenie z parabolicznym lustrem, które doprowadziło do skupienia energii słonecznej i pożaru nieruchomego modelu statku, to szanse, by w podobny sposób zniszczyć statek w ruchu, są zerowe.

ARABSKI

Klasyczny arabski Klasyczny arabski to język, którym napisano Koran i inne fundamentalne dzieła literatury arabskiej. Oparto go na żywych niegdyś dialektach średniowiecznych. Klasyczny arabski, uznawany za święty język, używany jest wyłącznie do modlitw.

WIELKI KRYZYS

Hoovervilles Nazwa wywodzi się od nazwiska prezydenta Hoovera oraz słowa „ville" – osada – tak określano ubogie osady bezdomnych, które zaczęły wyrastać w tym czasie jak grzyby po deszczu w pobliżu wszystkich większych amerykańskich miast. Wielki kryzys doprowadził do plagi ubóstwa: w latach 1929–1933 upadło ponad 100 tys. firm. Kiedy w 1933 r. kończyła się kadencja Hoovera, liczba bezrobotnych sięgała 13 milionów.

 ALICJA W KRAINIE CZARÓW

Po drugiej stronie lustra Kontynuacja *Alicji w Krainie Czarów*. Na samym początku dziewczynka odkrywa, że potrafi wejść do lustra, w którym mieści się alternatywny świat. Odnajduje tam książkę napisaną od tyłu i po przyłożeniu jej do zwierciadła, odczytuje wiersz zatytułowany *Jabberwocky*. Po opuszczeniu domu napotyka kilkoro nowych bohaterów.

 TEORIA GIER

Teoria gier bezkoalicyjnych Obejmuje kwestię podejmowania decyzji przez kilku graczy bez współpracy w postaci umów czy targowania się. Decyzje są w tym przypadku podejmowane całkowicie niezależnie i, aby osiągnąć założony cel, należy poznać warunki stawiane przez innych graczy. W przypadku teorii gier bezkoalicyjnych wszystkie ruchy każdego z graczy są znane pozostałym graczom. Przykładowo, jeśli jakiś hurtownik decyduje się, czy przyjąć do sprzedaży dany produkt, czy nie, będzie chciał sprawdzić u konkurencji, czy jest to opłacalne.

 ARCHIMEDES

Złota korona Pewnego razu do Archimedesa zgłosił się król Hieron II, który podejrzewał, że jego złotnik nie wykonał dla niego korony z czystego złota, ale częściowo zastąpił cenny kruszec srebrem. Poprosił więc Archimedesa, aby ten zbadał, czy korona rzeczywiście jest szczerozłota. Archimedes założył, że zanurzając koronę w wodzie, będzie w stanie obliczyć jej masę właściwą. Jeśli okaże się, że jest ona inna niż masa właściwa czystego złota, będzie to oznaczało, że złotnik dopuścił się oszustwa. Po przeprowadzeniu testu Archimedes stwierdził, że korona rzeczywiście nie była zrobiona z czystego złota.

 ARABSKI

Współczesny arabski Język urzędowy w świecie arabskim. Współczesny arabski oparto na jego klasycznej odmianie, którą napisano Koran. Charakteryzuje go dyglosja, co oznacza, że Arabowie posługują się w rzeczywistości dwoma językami: dialektem obowiązującym na określonym obszarze oraz uniwersalną odmianą arabskiego, którego używa się na szerszą skalę – w literaturze, piśmie, telewizji, filmach i mediach. Kiedy chcą się porozumieć ze sobą Arabowie z różnych krajów, rozmawiają w uniwersalnym arabskim.

WIELKI KRYZYS

Dust Bowl W latach 30. XX w. doszło do niekorzystnego dla amerykańskiej gospodarki zbiegu kilku wydarzeń, określanego jako Dust Bowl. Stany Zjednoczone nawiedziła wieloletnia, najgorsza w historii tego kraju susza, a w wyniku nadmiernej eksploatacji gruntów rolnych nie można było liczyć na dobre zbiory. Mieszkańcom Południa życie utrudniały potężne burze pyłowe, które zakrywały niebo i spowijały szarymi chmurami całe miasta.

 ALICJA W KRAINIE CZARÓW

Symbolika Książki Carrolla cechuje nagromadzenie sporej ilości symboli, odnoszących się zwłaszcza do utraty dziecięcej niewinności. Ciało Alicji nieustannie zmienia kształt, co wywołuje u niej poczucie dyskomfortu i może zostać uznane za symbol dorastania i zmian zachodzących w tym okresie w ludzkim ciele. W obu książkach główna bohaterka ma do rozwiązania zagadki, które wydają się całkowicie nierozwiązywalne. W ten sposób autor daje czytelnikom do zrozumienia, że życie jest pełne wyzwań, a nasze oczekiwania i rzeczywistość to dwie różne rzeczy, co niejednokrotnie prowadzi do frustracji.

 TEORIA GIER

Teoria podejmowania decyzji Dotyczy gry jednoosobowej, która polega na formowaniu się pewnych przekonań stających się później podstawą do wykonania przez gracza wybranego ruchu. Normatywna teoria podejmowania decyzji mówi, jak należy podejmować decyzje, a deskryptywna teoria podejmowania decyzji mówi, w jaki sposób faktycznie się je podejmuje.

 ARCHIMEDES

Śruba Archimedesa Król Hieron II zatrudnił Archimedesa do skonstruowania tak olbrzymiego statku, że po pewnym czasie zaczął on nabierać wody. Aby temu zapobiec, Archimedes skonstruował specjalną śrubę, uznawaną do dziś za jeden z jego najsłynniejszych wynalazków. Początkowo używano jej do irygacji gleby oraz wypompowywania wody ze statków. Ma ona postać rury, wewnątrz której znajduje się śruba obracającą się i transportująca wodę ku górze. Woda wpływa przez dno cylindra i zostaje wypompowywana drugim końcem. Śruby Archimedesa używa się do dziś, często w celu przesypywania ziarna lub węgla.

 ARABSKI

Dialekty W różnych częściach świata Arabowie używają różnych dialektów. Dwa podstawowe podziały odnoszą się do różnic pomiędzy arabskim używanym na Środkowym Wschodzie oraz w Afryce Północnej. Różnice te wynikają m.in. z faktu, że świat muzułmański obejmuje wiele różnych narodowości, a także z wpływu, jaki w różnych częściach świata miały na arabski inne języki. Pięć najważniejszych dialektów arabskiego to: egipsko-sudański, zachodni, mezopotamski, syryjsko-palestyński oraz dialekt Półwyspu Arabskiego.

WIELKI KRYZYS

Nowy ład Kiedy prezydentem USA wybrano Franklina Roosevelta, postanowił on przeprowadzić w kraju gruntowne reformy i wprowadzić Nowy Ład. Wprowadzanie Nowego ładu podzielono na dwa etapy. Pierwszy, przeprowadzony w latach 1933 i 1934, miał na celu uregulowanie funkcjonowania rolnictwa i przemysłu. Celem drugiego, obejmującego lata 1935–1941, było zapewnienie godnych warunków pracy klasie robotniczej.

ALICJA W KRAINIE CZARÓW

Znaczenie W epoce, w której powstawały, dzieła Lewisa Carrolla były niezwykłe. Inne wiktoriańskie książki dla dzieci skupiały się przede wszystkim na przekazywaniu młodym czytelnikom wskazówek, którymi mieli się kierować w życiu. Opowieści Carrolla o przygodach Alicji były niepoważne i pełne motywów wyjętych z literatury fantastycznej. Autor udowodnił, że książki dla dzieci wcale nie muszą być moralizatorskie, nobilitował dobrą zabawę, podnosząc do rangi sztuki swobodną grę wyobraźni połączoną z elementami absurdu i fantastyki.

TEORIA GIER

Równowaga ogólna Równowaga ogólna to pojęcie ekonomiczne, które po raz pierwszy pojawiło się w latach 70. XIX w., a współczesną formę przyjęło w latach 50. XX w. Teorię równowagi ogólnej stosuje się, aby określić warunki popytu i podaży, a także zachowania równowagi cen. W skali makroekonomicznej używa się tej teorii, aby analizować ceny akcji czy politykę podatkową oraz kontrolować handel międzynarodowy.

ARCHIMEDES

Kleszcze Archimedesa Aby obronić Syrakuzy przed Rzymianami Archimedes skonstruował urządzenie do niszczenia wrogich okrętów, którego działanie przypominało zasadę działania kleszczy. Działanie tej machiny opisał Tytus Liwiusz w *Dziejach Rzymu od założenia miasta*: „Jeśli jakieś okręty podpływały bliżej, to na ich przody zrzucano z góry za pomocą sterczącej nad murem dźwigni-żurawia przywiązane do silnego łańcucha żelazne kleszcze, po czym z pomocą przeciwwagi z ciężkiego ołowiu ogon żurawia obniżano do ziemi i przód okrętu szedł w górę, stawiając go na rufie. Następnie dźwignię spuszczano nagle w dół i okręt jakby spadając z murów tak uderzał o falę, przy wielkim strachu załogi okrętowej, że nawet gdy siadł znowu prosto, wdzierało się do niego sporo wody".

ARABSKI

Alfabet Podobnie jak w przypadku hebrajskiego, w arabskim mamy do czynienia z abdżadem – alfabetem spółgłoskowym, który składa się z 28 liter. Słowa są pisane od prawej strony do lewej, a liczby od lewej do prawej. Arabski alfabet wywodzi się z alfabetu aramejskiego i stanowi drugi najczęściej używany alfabet świata (po łacińskim).

WIELKI KRYZYS

II wojna światowa Choć Nowy ład Roosevelta złagodził ekonomiczne i społeczne skutki wielkiego kryzysu, to gospodarka ruszyła do przodu dopiero w czasie II wojny światowej. Spadło bezrobocie, a wielu mężczyzn zaciągnęło się do armii. Podczas gdy żołnierze walczyli za oceanem, kobiety pracowały w fabrykach, produkując broń i inne niezbędne armii materiały. Cały przemysł przestawił się na produkcję dla wojska. Do 1943 r. w fabrykach pracowały 2 miliony kobiet.

ALICJA W KRAINIE CZARÓW

Historia publikacji *Alicja w Krainie Czarów* została wydana w 1865 r. Krytycy przyjęli ją chłodno, zarzucając jej niedorzeczność. Podobały się jedynie ilustracje. W 1866 r. Carroll złożył wydawcy propozycję opublikowania kontynuacji historii o Alicji, a kiedy ukazała się drukiem, *Alicja w Krainie Czarów* miała już spore grono oddanych wielbicieli.

TEORIA GIER

Dylemat więźnia Jednym z najczęściej prezentowanych przykładów teorii gier jest dylemat więźnia. W tej grze dwóch ludzi podejrzanych o popełnienie przestępstwa umieszcza się w osobnych celach. Jeśli nic nie powiedzą, mogą trafić do więzienia na pięć lat, ale proponuje się im układ: jeśli jeden z przestępców zacznie mówić, a drugi nie, wówczas pierwszy odzyska wolność, a drugi trafi do więzienia na dwadzieścia lat. Jeśli obaj zaczną mówić, każdy pozostanie w więzieniu przez dziesięć lat. Najlepszą strategią jest więc zdradzenie drugiego podejrzanego, co może skutkować trafieniem do więzienia na dziesięć lat ponieważ nie sposób przewidzieć, co zrobi druga osoba, a należy myśleć przede wszystkim o sobie.

ARCHIMEDES

Dokonania w dziedzinie matematyki Archimedes dokonał kilku ważnych odkryć matematycznych, zwłaszcza w zakresie geometrii. Ustalił, jak należy mierzyć objętość kuli, co później doprowadziło do odkrycia liczby π – pi. Sformułował także prawo wyporu hydrostatycznego, znane dziś jako prawo Archimedesa. Nie brak również zwolenników tezy, że na 2 tys. lat przed Isaakiem Newtonem sformułował zasady rachunku różniczkowego i całkowania.

O ARABSKI

Użyteczne zwroty Oto kilka zwrotów, które mogą się okazać przydatne podczas podróży do krajów arabskich (zostały zapisane w sposób fonetyczny):

Cześć – *As-salām 'alaykum*

Dzień dobry (przed południem) – *Sabāhul khayr*

Dzień dobry (po południu) /Dobry wieczór – *Masā' al-khayr*

Dobranoc – *Tusbih 'alā khayr*

Nie rozumiem – *Lā afham*

Przepraszam – *Al-ma'dirah*

Ile to kosztuje? – *Bikam hādhā?* (jeśli pyta mężczyzna)/*Bikam hādihi?* (jeśli pyta kobieta)

Gdzie jest toaleta? – *Ayn al-hammām?*

Do widzenia – *Ilā al-liqā'*

1. Powodem krachu giełdy w USA było:

a. społeczeństwo uznało, że inwestowanie w akcje to łatwy sposób na zdobycie bogactwa;

b. za akcje nie trzeba było płacić pełnej ceny;

c. firmy i banki również inwestowały na giełdzie;

d. zarówno (a), (b) i (c).

2. Które zdanie jest prawdziwe?

a. Zadaniem Social Security było zapewnienie ludziom miejsc pracy.

b. Pierwsza faza Nowego ładu polegała na regulacji rolnictwa i przemysłu.

c. Wybuch II wojny światowej jeszcze pogorszył skutki wielkiego kryzysu.

d. Dust Bowl to nazwa nadana szeregowi reform i przepisów.

3. Co w *Alicji w Krainie Czarów* ma znaczenie symboliczne?

a. Ciało Alicji nieustannie zmienia kształt.

b. Alicja rusza w ślad za królikiem.

c. Humpty Dumpty wyjaśnia znaczenie ciekawego wiersza.

d. Królowa Kier oskarża Alicję o kradzież ciastek.

4. Co sprawiło, że serię o Alicji uznano za przełomową?

a. Opowieści te oswajały czytelników z głupotą i absurdem.

b. Nie pojawiał się tam wyraźny morał.

c. Niektóre elementy tych historii były nieodpowiednie dla młodych czytelników.

d. Zarówno (a), jak i (b).

5. Które z poniższych zdań najtrafniej opisuje równowagę ogólną?

a. Jest to jednoosobowa gra polegająca na obserwowaniu tworzenia się pewnych przekonań, które później wpływają na podejmowanie decyzji.

b. Jest to gra, w której poszczególni gracze nie wiedzą, jakie decyzje podejmą ich przeciwnicy, ale mogą z nimi współpracować za pośrednictwem umów i kontraktów.

c. Jest to analiza podaży i popytu w gospodarce.

d. Jest to teoria dotycząca dwóch ludzi podejrzanych o popełnienie przestępstwa, osadzonych w osobnych pokojach przesłuchań i muszących zdecydować, jak uzyskać łagodniejszy wyrok.

6. Jaka decyzja jest najkorzystniejsza ze strategicznego punktu widzenia w dylemacie więźnia?

a. Przyznanie się.

b. Nieprzyznawanie się.

c. Zaprzeczenie jakoby popełniło się zbrodnię.

d. Czekanie na prawnika.

7. Którego z poniższych wynalazków Archimedesa używa się do dziś?

a. Kleszczy Archimedesa.

b. Złotej korony.

c. Śruby Archimedesa.

d. Luster Archimedesa.

8. Kleszczy Archimedesa używano jako:

a. narzędzia irygacyjnego;

b. broni chroniącej Syrakuzy;

c. testu na wyporność;

d. broni, która podpalała wrogie statki.

9. Które zdanie jest prawdziwe?

a. Obecnie używanym językiem jest klasyczny arabski, a Koran jest spisany kolokwialną odmianą tego języka.

b. Obecnie używanym językiem jest klasyczny arabski i nim też spisany jest Koran.

c. Obecnie używanym językiem jest klasyczny arabski, a Koran jest spisany współczesną odmianą tego języka.

d. Obecnie używanym pisanym językiem jest współczesny arabski, a Koran jest spisany klasyczną odmianą tego języka.

10. „Cześć" po arabsku to:

a. As-salām 'alaykum;

b. Al-ma'dirah;

c. Lā afham;

d. Masā' al-khayr.

Odpowiedzi: d, b, a, d, c, a, c, b, d, a.

HISTORIA: II wojna światowa

Atak na Polskę, Atak na Rosję, Pearl Harbor, Holokaust, Bitwa o Normandię, Zakończenie wojny

 MATEMATYKA: Teoria węzłów

Czym jest teoria węzłów?, Ruchy Reidemeistera, Znaczenie teorii węzłów, Wielomiany węzłowe, Dodawanie węzłów, Tabularyzacja węzłów

 SZTUKA JĘZYKA: Fantastyka naukowa

Juliusz Verne, H.G. Wells, Robert Heinlein, Arthur C. Clarke, Issac Asimov, Ray Bradbury

 PRZYRODA: Sfery Ziemi

Litosfera, Hydrosfera, Kriosfera, Biosfera, Atmosfera, Sfera niebieska

Lekcja 28

 JĘZYKI OBCE: Język migowy

Początki, O głuchocie, Pokrewieństwo z językami mówionymi, Różne odmiany języka migowego, Forma pisana, Eksperymenty z ssakami naczelnymi

II WOJNA ŚWIATOWA

Atak na Polskę 23 sierpnia 1939 r. Hitler i Stalin podpisali pakt nazistowsko-so-wiecki. Atak na Polskę zaplanowali początkowo na 26 sierpnia, ale Mussolini uznał, że Włochy nie są jeszcze gotowe na włączenie się do wojny, w związku z czym termin ten został przesunięty. 1 września 1939 r. wojska niemieckie uderzyły na Polskę i po paru tygodniach walk odniosły zwycięstwo. Był to pierwszy konflikt zbrojny II wojny światowej. Hitler wierzył, że doprowadzi do szybkiego i zwycięskiego dla Niemiec za-kończenia wojny.

 FANTASTYKA NAUKOWA

Juliusz Verne Francuski pisarz Juliusz Verne (1828–1905) to jeden z najbardziej ce-nionych autorów powieści fantastycznonaukowych, często uznawany za ojca science fiction. Napisał takie klasyczne dzieła jak: *20 tysięcy mil podwodnej żeglugi*, *Podróż do wnętrza Ziemi* czy *W 80 dni dookoła świata*.

 TEORIA WĘZŁÓW

Czym jest teoria węzłów? W ujęciu matematycznym węzeł to jednowymiarowa zamknięta krzywa albo pętla, która się nie krzyżuje i jest umiejscowiona w trójwy-miarowym świecie. Kilka węzłów nazywamy splotem, a oddzielne węzły to składowe. Obszar, w którym dochodzi do krzyżowania się węzłów, to skrzyżowanie. Najprost-szym rodzajem węzła jest węzeł trywialny, mający formę okręgu bez żadnych skrzyżo-wań. Dwa węzły możemy uznać za równoważne, jeśli da się przekształcić jeden węzeł w drugi. Proces przekształcania jednego węzła w drugi nazywamy homomorfizmem.

 SFERY ZIEMI

Litosfera Skalna powłoka o grubości 100 km, pokrywająca całą Ziemię. Zarówno szczyty gór, jak i dna oceanów, zaliczane są do litosfery. Poza twardą, zewnętrzną sko-rupą ziemską w skład litosfery wchodzi również najbardziej zewnętrzna część płasz-cza Ziemi.

 JĘZYK MIGOWY

Początki Początki języka migowego sięgają czasów starożytnej Grecji. Sokrates uważał, że ludzie głusi powinni porozumiewać się z otoczeniem za pomocą gestów. W 1520 r. Hiszpan Pedro Ponce de Léon stworzył oparty na gestach system nauczania głuchych. W latach 1715–1780 jego system rozpowszechnił się w Europie. Pod koniec XVIII w. we Francji utworzono Narodowy Instytut Głuchoniemych. W 1817 r. Thomas Gallaudet, Amerykanin studiujący we Francji, wraz z Laurentem Clerkiem zainicjował popularyzację języka migowego w Ameryce, tworząc Ośrodek Edukacyjno-Informa-cyjny dla Głuchoniemych w Connecticut. Clerc, który również przybył do Stanów Zjed-noczonych, stworzył podwaliny współczesnego amerykańskiego języka migowego.

II WOJNA ŚWIATOWA

Atak na Rosję Hitler chciał jak najszybciej zakończyć wojnę. Zdawał sobie sprawę z tego, że atak na Wielką Brytanię nie będzie najrozsądniejszym rozwiązaniem. Postanowił więc złamać pakt ze Stalinem i 22 czerwca 1941 r. zaatakował Związek Radziecki. Niemcy przeprowadzili wówczas druzgocący atak – blitzkrieg (wojna błyskawiczna), znany pod kryptonimem „Operacja Barbarossa". W ciągu zaledwie tygodnia zginęło albo odniosło rany 150 tys. Rosjan. 3 lipca Stalin rozpoczął stosowanie taktyki spalonej ziemi. Pochód Niemców został zahamowany.

 FANTASTYKA NAUKOWA

H.G. Wells Inspirujący twórca gatunku, a do jego najbardziej znanych dzieł należą: *Niewidzialny człowiek, Wyspa doktora Moreau, Wehikuł czasu* czy *Wojna światów*. Ta ostatnia książka, która ukazała się w 1895 r., jest uznawana za pierwszą nowoczesną powieść science fiction. Stała się niezwykle popularna po tym, jak w 1938 r. Orson Welles z grupą aktorską Mercury Theatre on the Air przerobił ją na audycję radiową. W niezwykle realistyczny sposób przedstawiono inwazję obcych na Ziemię, wywołując panikę wśród słuchaczy, którzy uwierzyli, że rzeczywiście miała ona miejsce.

 TEORIA WĘZŁÓW

Ruchy Reidemeistera W 1932 r. niemiecki matematyk Kurt Werner Friedrich Reidemeister badał wykresy (czyli obrazy) węzłów matematycznych i doszedł do wniosku, że wykonując trzy ruchy, można zamienić wzór jakiegokolwiek węzła na dowolny inny. Wyszczególnił wówczas trzy reguły wykonywania takich ruchów: pojedynczy sznurek można skręcać w jakąś stronę albo skręcać z powrotem do poprzedniej pozycji; pojedynczy sznurek można nakładać na inny sznurek; pojedynczy sznurek można przesuwać ponad albo pod skrzyżowaniem.

 SFERY ZIEMI

Hydrosfera Wodna powłoka kuli ziemskiej o grubości 10–20 km. Składa się ze wszystkich wód, jakie występują na Ziemi, zarówno w formie stałej, jak i ciekłej czy gazowej. Hydrosfera zahacza też częściowo o litosferę, rozciągając się na 12 km w górę ku atmosferze. Niewielką część hydrosfery stanowi świeża (nie słona) woda. Tworzą ją wody wszystkich rzek, strumieni i innych cieków, które parują i następnie skraplają się w atmosferze.

 JĘZYK MIGOWY

O głuchocie Głuchotą nazywa się całkowitą utratę słuchu w jednym lub obu uszach. Może być ona spowodowana przez wiele czynników: bywa dziedziczona, wywoływana przez choroby, komplikacje przy porodzie, stosowanie leków ototoksycznych czy też przez nadmierny hałas. Głuchota może występować od urodzenia albo pojawiać się w późniejszym okresie życia, zarówno stopniowo, jak i nagle.

II WOJNA ŚWIATOWA

Pearl Harbor Przyczyną włączenia się Stanów Zjednoczonych do II wojny światowej był atak na bazę morską w Pearl Harbor. 7 grudnia 1941 r. japońska marynarka wojenna przypuściła niespodziewany szturm na Amerykanów. Po dwóch falach nalotów zatopione zostały cztery amerykańskie okręty wojenne, 2400 żołnierzy straciło życie, a 1200 zostało rannych. 8 grudnia Stany Zjednoczone wypowiedziały Japonii wojnę.

FANTASTYKA NAUKOWA

Robert Heinlein Uznawany jest za jednego z najbardziej kontrowersyjnych twórców fantastyki naukowej. Jego dzieła niejednokrotnie opisywały hipokryzję religii, zawierały także przesłanie polityczne. Heinlein (1907–1988) napisał 32 powieści i wiele opowiadań, a do jego najpopularniejszych dzieł należą: *Obcy w obcym kraju*, *Żołnierze kosmosu* oraz *Luna to surowa pani*.

TEORIA WĘZŁÓW

Znaczenie teorii węzłów Pozornie może się wydawać, że teoria węzłów nie jest szczególnie użyteczna, ale w rzeczywistości bardzo się przydaje, jeśli chcemy zrozumieć pewne złożone procesy zachodzące w naturze. Zrozumienie tej teorii przyda się na przykład, jeśli zapoznajemy się ze sposobem, w jaki enzymy oddziałują na łańcuch DNA, który łączy się w węzły. Aby DNA mogło wchodzić w reakcje z enzymami, jego łańcuchy muszą zostać rozpakowane. Enzymy pomagają w tym procesie, dzieląc DNA na kawałki i pozwalając im łączyć się w mniej węzłowaty sposób. Pamiętając o tym, że DNA jest węzłem, można zastosować teorię węzłów, aby zrozumieć sposób rozplątywania się łańcucha DNA (i zdać sobie sprawę z tego, jak skomplikowany jest to proces), a także lepiej pojąć rolę enzymów.

SFERY ZIEMI

Kriosfera Definiowana czasami jako część hydrosfery. Obejmuje te części planety, w których panuje tak niska temperatura, że woda zamarza. Główne obszary kriosfery to bieguny, czyli Arktyka (Biegun Północny) oraz Antarktyda (Biegun Południowy). Do kriosfery zalicza się także najwyżej sięgające szczyty górskie, np. górę Kilimandżaro w Afryce, a nawet obszary, w których sezonowo dochodzi do zamarzania rzek i jezior.

JĘZYK MIGOWY

Pokrewieństwo z językami mówionymi Język migowy jest całkowicie różny od języka mówionego, a jego rozwój następuje w całkowicie odmienny sposób. Pomimo tego, że np. słyszący i mówiący Brytyjczycy bez problemu rozumieją się wzajemnie z Amerykanami, to już amerykańska i brytyjska odmiana języka migowego znacznie się od siebie różnią i głusi Brytyjczycy nie są w stanie zrozumieć głuchych Amerykanów posługujących się amerykańskim językiem migowym.

II WOJNA ŚWIATOWA

Holokaust W 1933 r. w Europie mieszkało 9 milionów Żydów. Kiedy do władzy doszedł Adolf Hitler, przez Niemcy przetoczyła się fala antysemickich wydarzeń. Kulminacją hitlerowskiej polityki eksterminacji był Holokaust, w wyniku którego życie straciło około 6 milionów Żydów. Umieszczano ich w gettach, a stamtąd przewożono do obozów koncentracyjnych, gdzie byli mordowani.

FANTASTYKA NAUKOWA

Arthur C. Clarke Podczas II wojny światowej służył w brytyjskiej jednostce radarowej. W 1945 r. opublikował artykuł, w którym opisywał umieszczenie na orbicie Ziemi trzech satelitów, dzięki którym mogłaby zaistnieć globalna sieć komunikacyjna. Opublikował wiele opowieści, a jego opowiadanie *The Sentinel* zainspirowało Stanleya Kubricka do nakręcenia słynnego filmu pt. *2001. Odyseja kosmiczna*.

TEORIA WĘZŁÓW

Wielomiany węzłowe Przykłady niezmienników (które oznaczają zachowanie takiej samej wartości w przypadku węzłów równoważnych) będących wielomianami nazywamy wielomianami węzłowymi. Najsłynniejszym wielomianem węzłowym jest wielomian Alexandra odkryty w 1923 r. Był to jedyny znany wielomian, aż do 1984 r., kiedy odkryto wielomian Jonesa. Wielomian Alexandra nie wykazywał różnic co do lewej i prawej strony (chyba że pojawiał się w lustrzanym odbiciu), natomiast wielomian Jonesa wykazywał takie różnice.

SFERY ZIEMI

Biosfera Sfera życia ziemskiego. Obejmuje wszystkie organizmy żywe zasiedlające Ziemię. W jej skład wchodzą więc zarówno hydrosfera, jak i litosfera, atmosfera czy kriosfera. Wnętrze biosfery tworzą obszary o określonym klimacie i szacie roślinnej, zwane biomami. Większość żywych organizmów ziemskich zamieszkuje biosferę w następujących granicach: do 30 metrów ponad powierzchnię ziemi, do 3 metrów w głąb ziemi i do 200 metrów w głąb wód oceanicznych. Choć człowiek także należy do biosfery, naukowcy utworzyli dla niego osobny obszar – antroposferę.

JĘZYK MIGOWY

Różne odmiany języka migowego Istnieje wiele różnych odmian języka migowego. Choć rozwijały się niezależnie od języka mówionego danej narodowości i mają odrębną gramatykę, to jednak w jakiś sposób ten język wykorzystują. Niektóre języki migowe różnych narodowości są tak do siebie podobne, że ich użytkownicy są w stanie wzajemnie się porozumieć. Dobry przykład to duński, islandzki i norweski język migowy (wywodzące się z duńskiego języka migowego), które są w dużej mierze zrozumiałe dla użytkowników szwedzkiego języka migowego. Stworzono również międzynarodowy język migowy (w skrócie IS), którego używa się przy okazji wydarzeń międzynarodowych.

II WOJNA ŚWIATOWA

Bitwa o Normandię W 1944 r. dla wszystkich biorących udział w wojnie stało się jasne, że wojska alianckie będą próbowały wyzwolić Europę poprzez atak od strony Normandii. I rzeczywiście: planowany przez aliantów atak – „Operacja Overlord" – miał nastąpić na północno-zachodnim wybrzeżu Francji. 6 czerwca 1944 r. siły alianckie wylądowały na pięciu plażach wybrzeża normandzkiego. Napotkały zaciekły opór Niemców, ale ostatecznie udało im się przebić przez linię obrony. Zwycięstwo aliantów i porażka wojsk niemieckich położyły kres marzeniom Hitlera o Europie rządzonej przez nazistów.

FANTASTYKA NAUKOWA

Issac Asimov Uznawany za jednego z najznakomitszych autorów science fiction. Napisał około 500 książek zaliczanych do takich gatunków jak: fantastyka, horror, komedia, a nawet poezja. Jego najsłynniejsze dzieła to: opowiadanie *Nastanie nocy*, seria powieści *Roboty* (do których należy słynne dzieło *Ja, robot*) oraz cykl *Fundacja*. Dokonania Asimova (1920–1992) stały się inspiracją do stworzenia bohatera serialu *Star Trek* o imieniu Data.

TEORIA WĘZŁÓW

Dodawanie węzłów Po dodaniu do siebie węzłów stają się one bardziej złożone. Proces dodawania węzłów jest również znany jako sumowanie węzłów. Dwa węzły można do siebie dodać, przecinając je i łącząc ze sobą ich końce. Węzeł zerowy, który przypomina symbol 0, stanowi szczególny przypadek, ponieważ kiedy dodamy do niego więcej węzłów, to choć robi się dłuższy, zachowuje jednak swój kształt.

SFERY ZIEMI

Atmosfera Powłoka, jaką tworzy powietrze otaczające Ziemię. Największa jej część jest zlokalizowana w pobliżu powierzchni planety. Atmosfera bierze swój początek niecały metr poniżej powierzchni Ziemi i sięga na ponad 10 tysięcy kilometrów w górę. Budują ją następujące warstwy: troposfera, stratosfera, mezosfera, termosfera, egzosfera. Powietrze tworzące atmosferę składa się w 21% z tlenu, w 78% z azotu i w niewielkiej części z dwutlenku węgla oraz innych gazów (1%). Atmosfera chroni biosferę przed promieniowaniem słonecznym, a także pochłania i emituje ciepło słoneczne.

JĘZYK MIGOWY

Forma pisana Forma ta różni się od mówionych odmian poszczególnych języków. Nazywa się ją SignWriting, a powstała w 1974 r. dzięki tancerce baletowej Valerie Sutton, która oparła tę formę zapisu znaków migowych na zapisie kroków baletowych. SignWriting wykorzystuje symbole wizualne, aby zilustrować poszczególne układy dłoni, mimikę twarzy i ruchy ciała wiążące się z językiem migowym. SignWriting stanowi obecnie sposób zapisu dwudziestu siedmiu języków migowych.

II WOJNA ŚWIATOWA

Zakończenie wojny Z biegiem czasu siły niemieckie zaczęły wyraźnie słabnąć. Gdy w ostatnich dniach wojny trwały zacięte walki w Berlinie, ukrywający się w bunkrze Hitler popełnił samobójstwo. 1 maja złożyły broń siły niemieckie stacjonujące we Włoszech, a następnego dnia poddały się hitlerowskie wojska pod Berlinem. 7 maja 1945 r. ustały walki w całej Europie. 6 i 9 sierpnia Amerykanie zrzucili dwie bomby atomowe na Japonię, a 14 sierpnia Japonia podpisała kapitulację.

 FANTASTYKA NAUKOWA

Ray Bradbury Amerykanin Ray Bradbury (1920–2012) napisał ponad 500 książek. Jego najsłynniejsze dzieło zalicza się jednocześnie do najbardziej kontrowersyjnych osiągnięć fantastyki naukowej. Jest to *451 stopni Fahrenheita* – powieść osadzona w dystopijnym świecie, gdzie ceni się hedonizm, a zakazuje czytania książek. Bradbury napisał także inne słynne opowieści, w tym: *Kroniki marsjańskie, Ilustrowanego człowieka* czy *Jakiś potwór tu nadchodzi.*

 TEORIA WĘZŁÓW

Tabularyzacja węzłów W teorii węzłów, mówiąc o liczbie skrzyżowań, mamy na myśli niezmiennik równy minimalnej liczbie skrzyżowań na wykresie danego węzła. Węzły porządkuje się właśnie według owej liczby skrzyżowań. W tabelach węzłów podawane są węzły pierwsze – zamieszcza się zarówno węzeł, jak i jego zwierciadlane odbicie. Węzły pierwsze to takie węzły nietrywialne, które nie są sumą spójną dwóch nietrywialnych węzłów.

 SFERY ZIEMI

Sfera niebieska Umowny obszar otaczający Ziemię, która znajduje się w samym jego centrum. Najważniejsze pojęcia wiążące się ze sferą niebieską to: północny biegun niebieski oraz południowy biegun niebieski (stanowiące przedłużenie bieguna północnego i bieguna południowego), równik niebieski, horyzont (który zmienia się w zależności od perspektywy z jakiej na niego patrzymy), zenit (znajdujący się bezpośrednio nad naszymi głowami) oraz południk (biegnący od bieguna północnego, przez zenit do bieguna południowego).

 JĘZYK MIGOWY

Eksperymenty z ssakami naczelnymi Użycie języka odróżnia człowieka od innych ssaków. Badania nad tym, czy ssaki naczelne są w stanie wykształcić język, doprowadziły do ciekawych odkryć na temat wczesnych etapów rozwoju ludzkości. Szympansica o imieniu Washoe była pierwszym zwierzęciem, które nauczyło się posługiwać językiem migowym i nawiązywać dzięki niemu kontakt z ludźmi. Gorylica Koko zaczęła uczyć się języka migowego w latach 70., a w 2004 r. w wiadomościach telewizyjnych pojawiła się informacja, jakoby Koko poinformowała swoich opiekunów, że boli ją ząb i chce iść do dentysty.

1. **Które z poniższych wydarzeń przesądziło o włączeniu się USA do II wojny światowej?**
   a. Bitwa o Normandię.
   b. Atak na Polskę.
   c. Atak na Związek Radziecki.
   d. Atak na Pearl Harbor.

2. **W którym z poniższych wydarzeń zwycięstwo odnieśli alianci?**
   a. Atak na Polskę.
   b. Atak na Związek Radziecki.
   c. Bitwa o Normandię.
   d. Atak na Pearl Harbor.

3. **Kto jest uznawany za ojca science fiction?**
   a. H.G. Wells.
   b. Ray Bradbury.
   c. Isaac Asimov.
   d. Juliusz Verne.

4. **Kto jest autorem książki *Luna to surowa pani*?**
   a. Isaac Asimov.
   b. Robert Heinlein.
   c. Arthur C. Clarke.
   d. Ray Bradbury.

5. **Kiedy do węzła zerowego dodamy inne węzły kształt tego węzła:**
   a. zapętla się;
   b. dzieli się na dwa odrębne węzły;
   c. maleje;
   d. pozostaje taki sam.

6. **Który z opisanych niżej ruchów nie jest ruchem Reidemeistera?**
   a. Pojedynczy sznurek można skręcać w jakąś stronę, albo skręcać z powrotem do poprzedniej pozycji.
   b. Pojedynczy sznurek można przeciąć na pół, a następnie nałożyć na siebie powstałe końcówki.
   c. Pojedynczy sznurek można nałożyć na inny sznurek.
   d. Pojedynczy sznurek można przesuwać ponad lub pod skrzyżowaniem.

7. **Kriosferę uznaje się czasami za część:**
   a. biosfery;
   b. hydrosfery;
   c. litosfery;
   d. atmosfery.

8. **Biosfera składa się z:**
   a. całego powietrza otaczającego Ziemię;
   b. całych zasobów wody na Ziemi;
   c. organizmów żywych zamieszkujących na Ziemi;
   d. całej skorupy skalnej otaczającej Ziemię.

9. **Które z poniższych zdań jest prawdziwe?**
   a. Zwykle języki migowe całkowicie różnią się od języków mówionych danej narodowości.
   b. Zwykle języki migowe całkowicie opierają się na językach mówionych danej narodowości.
   c. Wszystkie języki migowe opierają się na amerykańskim języku migowym.
   d. Wszystkie języki migowe opierają się na międzynarodowym języku migowym.

10. **SignWriting opiera się na:**
    a. graficznym sposobie przedstawienia kroków tanecznych;
    b. symbolach ukazujących różne kształty formowane przez dłoń;
    c. symbolach przypominających litery łacińskiego alfabetu;
    d. (a) i (b).

HISTORIA: Holokaust

Hitlerowska propaganda, Obozy koncentracyjne, Getta, Pogromy Żydów, Ostateczne rozwiązanie, Wyzwolenie

 MATEMATYKA: Teoria chaosu

Czym jest teoria chaosu?, Efekt motyla, Fraktale, Dziwne atraktory, Mity związane z teorią chaosu, Zastosowania teorii chaosu

 SZTUKA JĘZYKA: Bajki i baśnie

Bajki Ezopa, Charles Perrault, Hans Christian Andersen, Bracia Grimm, Natalia Gałczyńska, Carlo Collodi

 PRZYRODA: Jednostki geologiczne

Kambr, Trias, Jura, Kreda, Trzeciorzęd, Czwartorzęd

Lekcja 29

 JĘZYKI OBCE: Hindi

Początki, Sanskrytyzacja, Słownictwo, Dialekty, Współczesny hindi, Użyteczne zwroty

LEKCJA 29A

HOLOKAUST

Hitlerowska propaganda Jednym z filarów faszyzmu był rasizm. Wyjątkową nienawiść hitlerowcy deklarowali w stosunku do ludności pochodzenia semickiego. Kiedy w 1933 r. Hitler doszedł do władzy, wykorzystywał wszystkie możliwe środki, od propagandy po przemoc, by przedstawić Żydów w jak najgorszym świetle, a także by ich szykanować. W czasie II wojny światowej zbrodnicza polityka hitlerowców przybrała charakter zorganizowanego przemysłu śmierci, który rozprzestrzenił się na całą Europę.

BAJKI I BAŚNIE

Bajki Ezopa Choć bajki Ezopa należą do najpopularniejszych opowieści dla dzieci (np. *Żółw i zając*), to o ich autorze wiadomo bardzo niewiele. Ezop był Grekiem, pochodził z Tracji, żył w VI w. p.n.e. Uważa się, że większość swego życia spędził jako niewolnik na wyspie Samos. Naukowcom nie udało się ustalić, ile z bajek Ezopa stworzył on sam, a ile zostało mu tylko przypisanych.

TEORIA CHAOSU

Czym jest teoria chaosu? Teoria chaosu to matematyczny model badań niezwykle skomplikowanych systemów, których nie sposób przewidzieć czy kontrolować. Przykładowo, notowania giełdowe, pogoda, prądy oceaniczne czy nawet migracje ptaków są niezwykle wrażliwe na wszelkie zmiany i w związku z tym nie da się ich przewidzieć tak jak innych zjawisk matematyczno-fizycznych. Teoria chaosu narodziła się na początku XX w.

JEDNOSTKI GEOLOGICZNE

Kambr Jeden z okresów ery paleozoicznej. To czas, w którym na Ziemi dominowały bakterie, sinice, glony i grzyby. Pojawiły się także liczne morskie bezkręgowce np. trylobity, ślimaki, otwornice, gąbki czy jamochłony, będące wynikiem kambryjskiej eksplozji ewolucyjnej. Okres ten rozpoczął się około 570 milionów lat temu. Doszło wówczas do wielu ważnych wydarzeń: rozpadł się superkontynent Pannocja, powstały kontynenty i oceany Paleozoiku, zaczęła wzrastać temperatura, a poziom wód w oceanach znacząco się podniósł. W okresie prekambryjskim organizmy żywe miały miękkie ciała, a w kambrze wykształciły twarde skorupy.

HINDI

Początki Hindi jest językiem indoaryjskim, który wraz z angielskim stanowi urzędowy język Indii. Wywodzi się on z mowy kolokwialnej używanej w Indiach Północnych (z delhijskiego dialektu Khari Boli) w IX i X w., zwanej hindustani. Większa część słownictwa i gramatyki hindi oraz urdu jest dokładnie taka sama, z tą różnicą, że urdu korzysta z alfabetu perskiego, a hindi – z dewanagari. Ogromny wpływ na hindi miał także sanskryt – jeden z najstarszych języków indoaryjskich, podobnie jak hindi opierający się na dewanagari.

HOLOKAUST

Obozy koncentracyjne Obozy zaczęto budować w 1933 r., kiedy Hitler objął stanowisko kanclerza Niemiec. Pierwszy obóz powstał w Dachau. Początkowo mieli być tam umieszczani więźniowie polityczni, ale z biegiem czasu trafiali tam Żydzi, homoseksualiści, Cyganie, chorzy umysłowo, a także wszyscy przeciwnicy reżimu. Powstawały obozy różnego rodzaju i tak np. w 1939 r. zaczęto budować obozy pracy przymusowej, w których więźniowie pracowali niewolniczo na rzecz niemieckiego przemysłu zbrojeniowego, oraz obozy zagłady, które miały tylko jeden cel – mordowanie więźniów.

BAJKI I BAŚNIE

Charles Perrault Pisarz urodził się 12 lipca 1628 r. w Paryżu. W wieku 67 lat utracił posadę sekretarza królewskiego ministra finansów i właśnie wtedy zdecydował się poświęcić pisaniu. Jest autorem najpopularniejszych baśni, które do dziś opowiada się dzieciom, m.in. *Czerwonego Kapturka, Kopciuszka, Kota w butach* czy *Śpiącej królewny*. Zostały one opublikowane w książkach *Bajki Babci Gąski* oraz *Baśnie, czyli opowieści z dawnych czasów*.

TEORIA CHAOSU

Efekt motyla Prawdopodobnie najpopularniejszą zasadą teorii chaosu jest efekt motyla. Zgodnie z zasadą efektu motyla nawet najmniejsza zmiana w czasie lub przestrzeni potrafi doprowadzić do powstania gigantycznego łańcucha wydarzeń mających miejsce na całym świecie. Przykładowo, można założyć, że istnieje powiązanie pomiędzy motylem, który w określonym momencie porusza skrzydłami na jednym końcu świata, a huraganem, który zrywa się na drugim końcu świata. Machanie motylimi skrzydełkami może doprowadzić do zmiany kierunku i siły wiatru, co będzie wywoływało jakiś określony efekt. Zjawisko efektu motyla oznacza także, że największe systemy są całkowicie nieprzewidywalne.

JEDNOSTKI GEOLOGICZNE

Trias Okres ten rozpoczął się około 230 milionów lat temu. Trwał około 40 milionów lat. Był pierwszym okresem ery mezozoicznej. To wtedy na Ziemi pojawiły się dinozaury. Doszło wówczas do dwóch ważnych wydarzeń: pierwsze miało miejsce na samym początku triasu (wielkie wymieranie permskie uznawane za największe tego rodzaju wydarzenie w historii planety), a drugie pod koniec tego okresu (wymieranie późnego triasu). Wraz z dinozaurami pojawiły się także pierwsze ssaki (małe i jaszczurkopodobne) oraz latające gady (znane jako pterozaury). Wymarły kotylozaury i płazy tarczogłowe.

HINDI

Sanskrytyzacja W 1950 r. hindi obok angielskiego został uznany za język urzędowy Indii. Aby zjednoczyć ze sobą różne regiony kraju i odwołać się do dumy narodowej Hindusów, zdecydowano się na przeprowadzenie sanskrytyzacji języka. Polegała ona na wprowadzeniu do użytku słownictwa zaczerpniętego z sanskrytu.

LEKCJA 29B

 HOLOKAUST

Getta Po ataku na Polskę w 1939 r. Żydzi zostali zmuszeni do porzucenia całego dobytku i przeniesienia się do gett, czyli wydzielonych obszarów w granicach miast, otoczonych murami oraz drutem kolczastym i pilnie strzeżonych. W październiku deportowano do Polski Żydów z Czechosłowacji oraz Austrii i ich również umieszczano w gettach. Największe żydowskie getta istniały w Warszawie i Łodzi. Warunki panujące w warszawskim getcie były tak fatalne, że w latach 1940–1942 około 100 tysięcy Żydów zmarło w nich w wyniku chorób lub głodu.

 BAJKI I BAŚNIE

Hans Christian Andersen Duńczyk Hans Christian Andersen (1805–1875) jest uznawany za ojca współczesnego baśniopisarstwa. Stworzył ponad 150 tekstów, a najpopularniejsze z nich to: *Mała syrenka*, *Brzydkie kaczątko*, *Nowe szaty cesarza* czy *Calineczka*. Zaledwie 12 ze 156 baśni Andersena opierało się na tradycyjnych opowieściach ludowych – resztę od początku do końca wymyślił sam. Jego pisarstwo wpłynęło na twórczość takich autorów, jak Karol Dickens (z którym się zresztą przyjaźnił) czy Oscar Wilde.

 TEORIA CHAOSU

Fraktale Teoria chaosu w dużej mierze opiera się na idei fenomenu fraktali. Fraktale to kształty, jakie napotykamy w codziennym życiu, będące złożonymi wzorami, które nigdy się nie kończą i wykazują autopodobieństwo w innych skalach. Fraktal można stworzyć, zapętlając zachodzenie jakiegoś procesu. Wzory fraktali przewijają się nieustannie w świecie natury – mogą to być np. kształty gór, drzew, rzek, muszli, chmur czy huraganów. Korzystając z teorii chaosu, naukowcy próbują odkryć, co przyczynia się do powstawania tych kształtów.

 JEDNOSTKI GEOLOGICZNE

Jura Okres ten zaczął się około 195, a skończył 140 milionów lat temu. To środkowy okres ery mezozoicznej. We wczesnej jurze doszło do rozpadu Pangei na superkontynent północny – Laurazję i południowy – Gondwanę. Pojawiły się stegozaury, brachiozaury oraz alozaury. Dominowały dinozaury – roślinożerne były potężne, a mięsożerne znacznie mniejsze. Żyjące wówczas niewielkie ssaki osiągały rozmiar zbliżony do wielkości psa. Pod koniec jury pojawił się także pierwszy ptak – archeopteryks, stanowiący pośrednią formę między gadem a ptakiem. Z wyglądu przypominał dinozaura, a jego ciało porastały pióra.

 HINDI

Słownictwo Słownictwo, jakiego używa się w hindi, pochodzi z sanskrytu. Ten właśnie język stosuje się w radiu, telewizji, literaturze i życiu publicznym. Język, jakiego Hindusi używają na co dzień, jest oparty na odmianach kolokwialnych charakterystycznych dla danego regionu kraju. Słownictwo jest w tym wypadku zapożyczane m.in. z arabskiego, perskiego, a nawet angielskiego.

HOLOKAUST

Pogromy Żydów Eksterminacja Żydów rozpoczęła się jeszcze w XIX-wiecznej Rosji. Podczas Holokaustu, w miarę jak narastała obsesyjna nienawiść hitlerowców do narodu żydowskiego, ponownie zaczęło dochodzić do pogromów. Działania nazistów doprowadziły do wymordowywania żydowskich społeczności w całej Europie.

 BAJKI I BAŚNIE

Bracia Grimm Bracia Jakob (ur. 1785) i Wilhelm (ur. 1786) Grimmowie, zainspirowani rodzącym się na początku XIX w. w Niemczech romantyzmem, zaczęli zbierać zasłyszane baśnie. W 1812 r. wydali pierwszy tom zawierający 86 opowieści, a w dwa lata później opublikowali tom, na który składało się 70 baśni. Opowiadali je braciom chłopi i wieśniacy, a ci redagowali zasłyszane teksty i niejednokrotnie dodawali do nich przypisy. Ogromną popularność przyniosły im takie baśnie, jak: *Kopciuszek*, *Żabi król*, *Jaś i Małgosia* czy *Roszpunka*.

 TEORIA CHAOSU

Dziwne atraktory O dziwnych atraktorach mówimy wtedy, kiedy mamy do czynienia z długotrwałym wzorem występującym w pewnym zamkniętym układzie chaosu, i nie chodzi np. o prostą orbitę. Powodują one pojawianie się nieoczywistych kształtów. Przykładem może tu być atraktor Lorenza stanowiący nielinearny, dynamiczny układ korespondujący z oscylatorem Lorenza, trójwymiarowym układem opartym na niepowtarzającym się wzorze.

 JEDNOSTKI GEOLOGICZNE

Kreda Okres ten zaczął się 140, a skończył 65 milionów lat temu. Był to najdłuższy okres mezozoiku. Żyły jeszcze wówczas dinozaury, wciąż trwał podział Pangei, czyli kształtowania się kontynentów. Pojawiły się rośliny okrytonasienne – zaczynały zakwitać kwiaty. Pojawiły się nowe gatunki ptaków (które jednak nie umiały jeszcze latać) oraz ssaków, a także pierwsze jaszczurki i węże. Okres ten zakończył się wymieraniem kredowym, należącym do największych tego typu wydarzeń w historii planety (wymarły wtedy m.in. wszystkie dinozaury oraz wielkie gady morskie).

 HINDI

Dialekty Hindi ma dziesięć różnych wariacji, które można podzielić na dwie główne grupy: dialekty zachodnie oraz dialekty wschodnie. Khari Boli, a więc język standardowy, jest zaliczany do dialektów zachodnich. Dialekt, którym posługują się mieszkańcy Bombaju, jest językiem kolokwialnym kojarzonym głównie z klasami biedoty lub z młodzieżą. Jednak ze względu na ogromną rolę, jaką pełni Bombaj w hinduskim przemyśle filmowym, tamtejszy dialekt pojawia się w wielu przebojach ekranowych rodem z Indii.

HOLOKAUST

Ostateczne rozwiązanie W czerwcu 1941 r. Niemcy zaczęli wprowadzać w życie ideę ostatecznego rozwiązania kwestii żydowskiej. W 1942 r. utworzono nowe obozy zagłady, budowane najczęściej w pobliżu linii kolejowych, co miało ułatwić transportowanie do nich więźniów. Żydzi zostali zmuszeni do noszenia na odzieży opasek z gwiazdą Dawida.

 BAJKI I BAŚNIE

Natalia Gałczyńska Żona i muza poety Konstantego Ildefonsa Gałczyńskiego, tłumaczka literatury rosyjskiej, pochodziła z arystokratycznej gruzińskiej rodziny. Gruzińskie baśnie, które opowiadał jej w dzieciństwie ojciec, i dorosła fascynacja światem ludowych podań francuskich zaowocowały kilkoma zbiorami pięknych bajek, z których najwięcej wydań ma tom *O wróżkach i czarodziejach*.

 TEORIA CHAOSU

Mity związane z teorią chaosu Istnieje kilka mitów związanych z teorią chaosu. Przede wszystkim nie chodzi w niej o to, aby udowadniać brak porządku czy zaprzeczać determinizmowi. Nie chodzi również o to, aby pokazać, że układy uporządkowane w ogóle nie są możliwe. Co prawda zgodnie z teorią chaosu drobne zmiany mogą mieć ogromny wpływ na bieg wydarzeń, a pewnych rzeczy nie sposób przewidzieć, jednak zakłada ona również, że możliwe jest stworzenie modelu określonego układu, który byłby oparty na jego całościowym zachowaniu. W związku z tym, że pewne układy są niemożliwe do przewidzenia, jedynym sposobem na ich wyrażenie będzie ukazanie wszystkich zachowań, do jakich tam dochodzi.

 JEDNOSTKI GEOLOGICZNE

Trzeciorzęd Zaczął się 65 a zakończył 1,6 miliona lat temu. Okres ten dzieli się na pięć epok. Podczas pierwszej z nich, zwanej paleocenem, zaczęły pojawiać się ssaki naczelne. W kolejnej epoce, czyli w eocenie, pojawiły się ssaki morskie oraz współczesne ptaki. Później nadszedł oligocen, a wraz z nim wieloryby, koty i psy. W miocenie świat zwierząt powiększył się o ssaki naczelne, konie, wielbłądy, nosorożce oraz ssaki przypominające bobry. Pliocen był epoką, w której narodzili się przodkowie współczesnego człowieka – hominidy, a planeta przybrała kształt zbliżony do obecnego. W okresie tym miała miejsce orogeneza alpejska, która doprowadziła do wypiętrzenia Alp, Karpat, Gór Dynarskich, Pirenejów, Apeninów, Atlasu, Kordylierów, Andów, Himalajów i Kaukazu.

 HINDI

Współczesny hindi Hindi jest językiem urzędowym Indii. Używa się go także m.in. w takich regionach świata jak Fidżi, Mauritius, Gujana, Trynidad czy Surinam. Ogółem hindi posługuje się około 500–600 milionów ludzi. Obliczono, że jest piątym najczęściej używanym językiem świata. W Indiach posługuje się nim 40% populacji.

HOLOKAUST

Wyzwolenie Szacuje się, że w wyniku Holokaustu straciło życie 5–7 milionów Żydów. W październiku 1945 r. rozpoczęły się procesy norymberskie, którym przewodniczyli sędziowie amerykańscy, brytyjscy, francuscy i radzieccy. W pierwszym z tych procesów wydano wyrok na dwudziestu jeden wysokich rangą nazistów, z których wielu było odpowiedzialnych za Holokaust.

 BAJKI I BAŚNIE

Carlo Collodi Włoskim pisarz Carlo Lorenzini (1826–1890) który zasłynął pod pseudonimem Carlo Collodi, tłumaczył dzieła Charles'a Perraulta. Zainspirowany nimi, zaczął pracować nad własną książką dla dzieci, którą roboczo zatytułował *Opowieść o marionetce*. Później przemianował ją na *Przygody Pinokia*. Gdy wydano ją w 1883 r., okazało się, że w ojczyźnie autora cieszy się ogromną popularnością. Na język polski przetłumaczono *Pinokia* w 1912 r.

 TEORIA CHAOSU

Zastosowania teorii chaosu Teoria chaosu może być na wiele sposobów wykorzystywana w świecie rzeczywistym, więc niejednokrotnie korzystają z niej np. producenci pewnych produktów. W 1993 r. firma Goldstar wyprodukowała pralkę, której działanie opierało się na pewnych zasadach teorii chaosu, dzięki czemu prane w niej rzeczy były czystsze i mniej splątane (podczas gdy jeden duży pulsator się obracał, drugi, mniejszy pulsator wznosił się i opadał w przypadkowych odstępach czasu, mieszając wodę).

 JEDNOSTKI GEOLOGICZNE

Czwartorzęd Trwający do dziś czwartorzęd rozpoczął się 1,8 miliona lat temu od epoki lodowcowej. Dominującym gatunkiem stały się w tym okresie ssaki, a zwłaszcza człowiek. Na Ziemi pojawiły się także takie zwierzęta, jak mamut włochaty, tygrys szablozębny i inne wielkie ssaki zaliczane do megafauny. Dziś pozostałości megafauny można spotkać przede wszystkim w Afryce. Są to np. słonie i hipopotamy. W czwartorzędzie doszło do przekształcenia się hominidów we współczesnego człowieka (ewolucja do obecnej formy nastąpiła około 190 tys. lat temu).

 HINDI

Użyteczne zwroty Oto kilka zwrotów, które mogą się okazać przydatne podczas podróży do Indii (zostały zapisane w sposób fonetyczny):

Cześć – *Namaste* (zwrotu tego można również używać, aby powiedzieć: dzień dobry, dobry wieczór, dobranoc i do widzenia)

Dzień dobry (przed południem) – *Suprabhāt.*

Dzień dobry (po południu)/dobry wieczór – *Śubh dhin.*

Dobranoc – *Śubh rātrī*

Jak się masz? – *Āp kaise hain?*

Przepraszam – *Kshama kījie.*

Nie rozumiem – *Maim samajhā nahī* (wypowiadane przez mężczyznę)/*Maim samajhī nahī* (wypowiadane przez kobietę)

Ile to kosztuje? – *Kitane kā hai?*

Gdzie jest toaleta? – *Tāyalet kahan hain?*

Dziękuję – *Ābhārī hōn.*

1. **Hitler doszedł do władzy w roku:**
   a. 1930;
   b. 1931;
   c. 1932;
   d. 1933;

2. **Największe getta żydowskie w Polsce znajdowały się w:**
   a. Warszawie i Łodzi;
   b. Warszawie i Oświęcimiu;
   c. Oświęcimiu i Łodzi;
   d. Oświęcimiu i Pogromie.

3. **Który z poniższych tytułów to jedna z bajek Ezopa?**
   a. *Przygody Pinokia.*
   b. *Kopciuszek.*
   c. *Żółw i zając.*
   d. *Śpiąca królewna.*

4. **Kto jest autorem *Nowych szat cesarza*?**
   a. Hans Christian Andersen.
   b. Jakob Grimm.
   c. Carlo Collodi.
   d. Wilhelm Grimm.

5. **Kształty, jakie napotykamy w codziennym życiu, będące złożonymi wzorami, które nigdy się nie kończą i wykazują autopodobieństwo na innych skalach, to:**
   a. motyle;
   b. fraktale;
   c. chaosy;
   d. dziwne atraktory.

6. **Do którego z poniższych zjawisk można zastosować teorię chaosu?**
   a. Do zmian pogodowych.
   b. Do wahań na giełdzie papierów wartościowych.
   c. Do migracji ptaków.
   d. Zarówno do (a), (b) i (c).

7. **Dinozaury wymarły pod koniec:**
   a. kredy;
   b. trzeciorzędu;
   c. czwartorzędu;
   d. jury.

8. **Kiedy pojawiły się na Ziemi dinozaury?**
   a. W kambrze.
   b. W triasie.
   c. W jurze.
   d. W czwartorzędzie.

9. **Większość słownictwa i gramatyki w hindi i urdu nie różni się od siebie, za wyjątkiem tego, że:**
   a. urdu stosuje system pisma dewanagari, a hindi używa perskiego systemu pisma;
   b. urdu stosuje system pisma dewanagari, a hindi używa systemu pisma zapożyczonego z sanskrytu;
   c. urdu stosuje perski system pisma, a hindi używa systemu pisma dewanagari;
   d. urdu stosuje perski system pisma, a hindi używa systemu pisma Suprabhāt.

10. **Który z poniższych terminów obejmuje zapożyczenia językowe z sanskrytu?**
    a. Ardhātatsam.
    b. Tatsam.
    c. Tadbhav.
    d. Videshī.

Odpowiedzi: d, a, c, a, b, d, a, b, c, a.

HISTORIA: Zimna wojna
Układ Warszawski i NATO, Plan
Marshalla, Kryzys kubański, Wyścig
o podbój kosmosu, Mur berliński,
Rozwiązanie ZSRR

 MATEMATYKA:
Matematyka stosowana
Czym jest matematyka stosowana?,
Informatyka, Nauka obliczeniowa,
Badania operacyjne, Matematyka
aktuarialna, Statystyka

 SZTUKA JĘZYKA: Biografia
Nieśmiertelne życie Henrietty Lacks,
Wszystko za życie, *Kurz, pot i łzy*,
Skafander i motyl, *Piękny umysł*,
*Jagger. Buntownik, rockman,
włóczęga, drań*

 PRZYRODA:
Biomy
Wody słodkie, Wody
słone, Pustynie, Lasy,
Użytki zielone, Tundra

Lekcja 30

 JĘZYKI OBCE:
Języki majańskie
Język maya, Język wastek,
Język chol, Język q'eqchi',
Język mame, Język
poqom

ZIMNA WOJNA

Układ Warszawski i NATO Układ Warszawski z 1955 r. był paktem zbrojnym zawartym przez socjalistyczne państwa Europy, które postanowiły, że jeśli nastąpi atak na którykolwiek z nich, wówczas pozostałe przyjdą mu z pomocą. Zawarcie Układu Warszawskiego zostało zainicjowane przez Związek Radziecki i miało stanowić odpowiedź na utworzenie w 1949 r. NATO – Paktu Północnoatlantyckiego. Układ Warszawski został rozwiązany w 1991 r.

 BIOGRAFIA

Nieśmiertelne życie Henrietty Lacks Henrietta Lacks, uboga Afroamerykanka żyjąca z uprawy tytoniu, zmarła w 1951 r. w wieku 31 lat na raka szyjki macicy. I choć nie żyje już od ponad 60 lat, to wciąż żyją jej komórki rakowe. Uznaje się je za jedno z najważniejszych narzędzi, jakimi posługuje się świat medycyny. Komórki Lacks zostały wycięte podczas biopsji, a następnie rozmnożone, choć nie uzyskano od niej na to zgody. *Nieśmiertelne życie Henrietty Lacks* autorstwa Rebeki Skloot opowiada o cierpieniu chorującej Henrietty.

 MATEMATYKA STOSOWANA

Czym jest matematyka stosowana? Matematykę można podzielić na dwie kategorie: matematykę czystą i matematykę stosowaną. Matematyka czysta zajmuje się badaniem problemów abstrakcyjnych, a matematyka stosowana wykorzystuje techniki matematyczne w rzeczywisty i wyspecjalizowany sposób w takich dziedzinach, jak: nauki ścisłe (np. fizyka), inżynieria, przemysł czy handel. W matematyce stosowanej wykorzystuje się modele matematyczne po to, aby poradzić sobie z pewnymi praktycznymi sprawami i rozwiązać problemy, z jakimi stykamy się na co dzień. Po narzędzia matematyki stosowanej sięgają również przedstawiciele nowszych dziedzin nauki, np. informatycy.

 BIOMY

Wody słodkie Biom to wg encyklopedii PWN zbiorowisko zwierząt i roślin zasiedlających duże bioregiony. Biomy wód słodkich obejmują: stawy, jeziora, strumienie, rzeki oraz mokradła. W tych środowiskach znajdują się niewielkie ilości soli, a jej stężenie zazwyczaj nie przekracza 1%. Typowe dla wód słodkich rośliny oraz zwierzęta nie przeżyłyby w środowisku o wyższym stężeniu soli.

JĘZYKI MAJAŃSKIE

Język maya Język maya, znany także jako maya-yucatec, jest obecnie używany przez ok. 800 tys. osób, co czyni go najbardziej rozpowszechnionym językiem majańskim w Meksyku, głównie na półwyspie Jukatan. Jest to także jeden z zaledwie trzech języków majańskich rozróżniających tony (pozostałe dwa to uspantek i tzotzil). Choć obecnie do zapisu w tym języku stosuje się alfabet łaciński, do XVI w. używano pisma majańskiego, w którym poszczególne symbole przedstawiały całe słowa.

 ZIMNA WOJNA

Plan Marshalla Po II wojnie światowej Europa borykała sie z problemami spowodowanymi przez zniszczenia wojenne. W 1947 r. amerykański sekretarz stanu George Marshall opracował plan pomocy europejskim sojusznikom koalicji antyhitlerowskiej, aby ułatwić im odbudowę i powrót do gospodarczej normalności. Oprócz podłoża ekonomicznego plan Marshalla miał także cele ideologiczne – powstrzymanie rozprzestrzeniania się komunizmu w Europie. Programem pomocy zostało objętych 17 krajów, które otrzymały łącznie blisko 13 miliardów dolarów wsparcia finansowego.

BIOGRAFIA

Wszystko za życie Powieść Jona Krakauera pt. *Wszystko za życie*, opowiada dzieje Chrisa McCandlessa, wyróżniającego się absolwenta Emory University, który wybrał się w podróż przez Stany Zjednoczone. Żył jak włóczęga, odrzucając reguły, jakie narzucało mu społeczeństwo. Wybrał się autostopem na Alaskę, pragnąc zamieszkać w tamtejszej dziczy. Po dwóch latach samotnego życia McCandless zmarł z głodu.

MATEMATYKA STOSOWANA

Informatyka Komputery są dziś nieodłączną częścią ludzkiego życia. Informatyka to jednak coś więcej niż tylko konstruowanie komputerów czy pisanie programów komputerowych. W swojej najprostszej formie informatyka zajmuje się rozwiązywaniem problemów i wyjaśnianiem, w jaki sposób informacja, której najmniejszy fragment stanowi bit, przedostaje się przez skomplikowane algorytmy dzięki zastosowaniu algebry, logiki i kombinatoryki. Informatyka narodziła się w latach 40. XX w. Dziś jest fundamentalną częścią naszego życia.

BIOMY

Wody słone Wody morskie albo wody słone to biom, który obejmuje morza, oceany, estuaria oraz rafy koralowe. Morza i oceany, które stanowią 70% obszaru całej planety, są najobszerniejszymi ekosystemami. Charakteryzują się dużą różnorodnością zamieszkujących je form życia. Estuaria to miejsca, w których rzeki i strumienie słodkowodne łączą się z wodami słonymi i właśnie ze względu na zróżnicowany poziom soli stanowią bardzo szczególny ekosystem. Rafy koralowe są umiejscowione w pobliżu ciepłych i płytkich wód, zazwyczaj u wybrzeży wysp i kontynentów. Dominującą formą życia w tym ekosystemie są koralowce.

◐ JĘZYKI MAJAŃSKIE

Język wastek Języka wastek (czasami zapisywanego również jako huastec) używa obecnie ok. 120 tys. mieszkańców Meksyku w północnej części stanu Veracruz, Tamaulipas oraz w niektórych regionach San Luis Potosí. Ze względu na geograficzne oddalenie, kultura ludów posługujących się wastek nie była częścią klasycznego świata Majów. Martwy od lat 80. XX w. język chicomuceltec uznaje się za najbliżej spokrewniony z językiem wastek.

ZIMNA WOJNA

Kryzys kubański W latach 60. XX w. Stany Zjednoczone dysponowały rakietami, które były w stanie dotrzeć do Związku Radzieckiego, podczas gdy zasięg rakiet sowieckich ograniczał się do Europy. W 1962 r. Sowieci zaczęli instalować swoje rakiety średniego zasięgu na Kubie, w związku z czym narastało napięcie na linii Stany Zjednoczone–Związek Radziecki. Ostatecznie ZSRR zrezygnował z planów rozmieszczenia na wyspie swojej broni w zamian za obietnicę, że Stany Zjednoczone nie zaatakują tego kraju.

 BIOGRAFIA

Kurz, pot i łzy Brytyjczyk Bear Grylls urodził się 7 czerwca 1974 r. Od najwcześniejszych lat pasjonowało go to, co ekstremalne. Międzynarodową popularność zdobył jako autor programów telewizyjnych *Szkoła przetrwania*, poświęconych sztuce surwiwalu w skrajnie ekstremalnych warunkach. Mając 23 lata zdobył Mount Everest jako najmłodszy Brytyjczyk w historii. Jego autobiografia *Kurz, pot i łzy* opowiada o tym, że najważniejsze w życiu jest spełnianie marzeń.

 MATEMATYKA STOSOWANA

Nauka obliczeniowa Znacząco różni się od informatyki, jako że polega na tworzeniu modeli matematycznych i wykonywaniu komputerowej analizy ilościowej w celu rozwiązania takiego czy innego problemu. Zazwyczaj nauka obliczeniowa obejmuje symulacje obliczeniowe. Podczas gdy informatyka zajmuje się sposobami przetwarzania informacji, nauka obliczeniowa – komputerowymi modelami stworzonymi po to, aby otrzymać informacje lub dokonać ich analizy. Nauka obliczeniowa bardzo często wykorzystuje do swoich zadań superkomputery i skomplikowane oprogramowanie, a także analizę numeryczną opartą na praktycznych algorytmach umożliwiających aproksymację.

 BIOMY

Pustynie Jedną piątą powierzchni Ziemi zajmują pustynie, gdzie coroczny opad deszczu wynosi mniej niż 500 mm. Wyróżnia się kilka rodzajów pustyń: gorące, półpustynne, umiarkowane oraz lodowe. Pierwsze z nich charakteryzują się śladową wilgotnością, co dwukrotnie zwiększa siłę promieniowania słonecznego. Przykładem takiej pustyni może być amerykańska pustynia Mojave w północno-wschodniej Kalifornii. Pustynie lodowe stanowią przeciwieństwo pustyń gorących. Zlokalizowane są na Antarktydzie i Grenlandii. Panują tam niezwykle srogie zimy z dużymi opadami śniegu.

🌑 JĘZYKI MAJAŃSKIE

Język chol Językiem chol mówi ok. 130 tys. osób mieszkających w stanie Chiapas w południowo-wschodnim Meksyku. Terminem „chol" określa się dwa bardzo do siebie podobne języki tila i tumbala. Uważa się, że chol wykazuje największe podobieństwo do klasycznego języka majańskiego używanego na nizinach centralnych.

ZIMNA WOJNA

Wyścig o podbój kosmosu 4 października 1957 r. ZSRR wysłał w przestrzeń kosmiczną pierwszego sztucznego satelitę. Kilka miesięcy później Amerykanie wysłali na orbitę swojego satelitę. W kwietniu 1961 r. Związek Radziecki jako pierwszy wysłał na orbitę człowieka (Stany Zjednoczone dokonały tego 23 dni później). Ostatecznie wyścig o podbój kosmosu wygrały jednak Stany Zjednoczone. W 1961 r. prezydent Kennedy ogłosił, że USA zamierzają wysłać człowieka na Księżyc. Osiem lat później ten plan udało się zrealizować.

 BIOGRAFIA

Skafander i motyl W 1995 r. Jean-Dominique Bauby, redaktor, pisarz i dziennikarz pracujący dla francuskiego pisma „Elle", przeżył wylew krwi do mózgu i zapadł w trzytygodniową śpiączkę. Kiedy się z niej przebudził, okazało się, że potrafił jedynie ruszać lewą powieką. W 1996 r. spisał swój pamiętnik, opublikowany pod tytułem *Skafander i motyl*, a umożliwiła mu to właśnie umiejętność poruszania powieką. Proces pisania był bardzo żmudny: czytano mu kolejne litery alfabetu, a on mrugał, kiedy słyszał właściwą.

 MATEMATYKA STOSOWANA

Badania operacyjne Wykorzystują matematyczne modele i koncepcje w celu rozwiązania problemów wiążących się z decyzjami, jakie musi podejmować np. kierownik albo dyrektor jakiejś firmy czy organizacji (może chodzić np. o kwestię optymalizacji stosowanych technologii). Badania operacyjne mogą korzystać z wielu odrębnych technik i narzędzi, wspierając się np. teorią gier, rachunkiem prawdopodobieństwa, wykresami, statystyką czy symulacją. Do dziedzin wykorzystujących badania operacyjne należą m.in. transport, finanse, marketing, sprzedaż energii czy produkcja towarów. Badania operacyjne zaczęły się rozwijać po II wojnie światowej dzięki wzorcom zapoczątkowanym przez planistów wojskowych.

 BIOMY

Lasy Wyróżniamy trzy rodzaje lasów: tropikalne, umiarkowane i borealne, zwane też tajgą. Największa bioróżnorodność form życia występuje w lasach tropikalnych. Sprzyja temu klimat, w którym nie występują typowe pory roku z zimami, a jedynie dwie pory roku: sucha i deszczowa. Lasy umiarkowane pokrywają regiony, gdzie występują cztery pory roku, w tym mroźna zima. Największym z leśnych biomów są lasy borealne porastające tereny Ameryki Północnej i Eurazji.

⊙ JĘZYKI MAJAŃSKIE

Język q'eqchi' W Gwatemali i Belize ok. 500 tys. osób posługuje się q'eqchi'. Co do alfabetu, korzysta się z dwóch sposobów zapisu. Pierwszy z nich rozwinął się w latach 60. XX w. i choć wciąż pozostaje w użytku, to stracił status zapisu standardowego. Drugi, rozwijający się pod koniec lat 80. oraz na początku lat 90. XX w., przejął rolę standardowego sposobu zapisu w Gwatemali.

ZIMNA WOJNA

Mur berliński Po II wojnie światowej mur berliński podzielił Europę na dwa światy: wolny i zniewolony przez ZSRR. W RFN notowano szybki wzrost gospodarczy, podczas gdy w NRD, gdzie ekonomia funkcjonowała zgodnie z zasadami centralnego sterowania, gospodarka była w kiepskim stanie. W latach 50. XX w. wielu obywateli NRD uciekało do Berlina Zachodniego, skąd mogli się już swobodnie przedostać do Niemiec Zachodnich. Do roku 1961 ze NRD uciekło ok. 2,5 miliona osób. Aby temu zapobiec, w 1961 r. zbudowano mur rozdzielający miasto na dwie części.

 BIOGRAFIA

Piękny umysł John Nash to matematyczny geniusz: wprowadził koncept równowagi Nasha w teorii gier bezkoalicyjnych, w czasach zimnej wojny pracował dla organizacji RAND, w 1994 r. otrzymał Nagrodę Nobla w dziedzinie ekonomii, a nawet podważył teorię Alberta Einsteina dotyczącą mechaniki kwantowej – i to mając zaledwie 20 lat! Cierpiał przy tym na poważny przypadek schizofrenii paranoidalnej. Książka autorstwa Sylvii Nasar pt. *Piękny umysł* opowiada o zmaganiach Nasha z chorobą oraz niezwykłych dokonaniach w dziedzinie matematyki.

 MATEMATYKA STOSOWANA

Matematyka aktuarialna Oceną ryzyka towarzystw ubezpieczeniowych zajmuje się matematyka aktuarialna. Stosuje się ją, aby konstruować polisy ubezpieczeniowe wiążące się z jak najmniejszym ryzykiem. Matematyka aktuarialna wykorzystuje m.in. statystykę, rachunek prawdopodobieństwa, finanse i ekonomię. Umożliwia ona aktuariuszom przewidywanie wpływów finansowych, jakie są niezbędne, aby otrzymywać określone świadczenia emerytalne. Aby zostać aktuariuszem, należy zdać odpowiednie egzaminy i zdobyć dyplom uprawniający do wykonywania tego zawodu.

 BIOMY

Użytki zielone Kiedy na danym terenie przeważa roślinność trawiasta, a nie las, mamy wówczas do czynienia z użytkami zielonymi (albo po prostu obszarem trawiastym). Wyróżniamy dwa rodzaje użytków zielonych: sawanny i stepy. Na obszarach porośniętych sawanną, stanowiących około połowę obszaru Afryki, rosną nieliczne drzewa. Sawanny wymagają gorącego albo ciepłego klimatu i opadów deszczu rzędu 500–1300 mm na rok. Na stepie, inaczej niż w przypadku sawanny, nie rosną żadne drzewa, a amplituda temperatur letnich i zimowych jest większa.

○ JĘZYKI MAJAŃSKIE

Język mame W trudnodostępnych, górskich rejonach Gwatemali i Meksyku pół miliona ludzi posługuje się językiem mame (albo mam), który dzieli się na trzy rodzaje: północny (w Huehuetenango), południowy (w Quetzaltenango) i środkowy (w San Marcos). Wśród tych dialektów można wyróżnić jeszcze kilka dodatkowych. Mame, tektitek oraz awakatek stanowią grupę ściśle ze sobą związanych języków nazywanych grupą mame.

 ZIMNA WOJNA

Rozwiązanie ZSRR W 1985 r. prezydentem Związku Radzieckiego został Michaił Gorbaczow. Rozpoczął wprowadzanie w życie wielopłaszczyznowego programu reform gospodarczych i społecznych, zwanego pieriestrojką. W miarę przeprowadzania reform w latach 1986–1990 poszczególne kraje wchodzące w skład ZSRR uzyskiwały autonomię, a władza Gorbaczowa i zdolność utrzymania przez niego Związku Radzieckiego w dawnej formie wyraźnie słabły. W 1991 r. miał miejsce pucz, po którym Gorbaczow stracił swą pozycję, a do władzy doszedł Borys Jelcyn. Rozwiązano wówczas ZSRR.

BIOGRAFIA

Jagger. Buntownik, rockman, włóczęga, drań Mick Jagger urodził się 26 lipca 1943 r. w Dartford w Anglii. Gdy miał pięć lat na placu zabaw poznał rówieśnika, którym był Keith Richards. Gdyby nie to spotkanie, zapewne nigdy nie powstałby jeden z legendarnych zespołów – The Rolling Stones. Jagger dobrze się uczył i podjął studia ekonomiczne, jednak przerwał je, by poświęcić się muzyce. Jest współautorem prawie całego repertuaru The Rolling Stones, a jego przeboje, takie jak *(I Can't Get No) Satisfaction* czy *Angie*, stały się klasyką muzyki. Jagger wystąpił także w kilku filmach. O jego karierze artystycznej, a także o burzliwym życiu prywatnym, opowiada napisana przez znanego dziennikarza muzycznego Marca Spitza książka *Jagger. Buntownik, rockman, włóczęga, drań*.

MATEMATYKA STOSOWANA

Statystyka Choć statystyka opiera się na zbieraniu, grupowaniu i interpretacji danych, to często wykorzystuje także metody matematyki stosowanej (zwłaszcza w przypadku procedur i badań statystycznych, które są udoskonalane poprzez testy matematyczne). Rachunek prawdopodobieństwa, algebra, teoria podejmowania decyzji, nauka obliczeniowa czy kombinatoryka – to wszystko narzędzia znajdujące zastosowanie w statystyce. Statystykę również można z powodzeniem stosować w ekonomii, inżynierii, lecznictwie, marketingu, biologii, szkolnictwie, sporcie czy medycynie.

BIOMY

Tundra Najzimniejszym biomem jest tundra. Charakteryzuje ją bardzo mała różnorodność świata roślin i zwierząt, bardzo zimny klimat oraz krótkie okresy wzrostu i reprodukcji. Regiony typowe dla tundry to północne i południowe skraje Ameryki oraz północny skraj Eurazji.

JĘZYKI MAJAŃSKIE

Język poqom 90 tys. mieszkańców Gwatemali używa języka poqom. Wyróżnia się w nim dwa dialekty: zachodni oraz wschodni. Należy on do grupy języków poqom i jest blisko spokrewniony z językiem poqomam, którego używa 30 tys. ludzi. Grupa języków poqom jest powiązana z grupą języków kicze, w skład której wchodzą języki: kicze (którym posługuje się największa liczba użytkowników), archi oraz tz'utujil.

1. **Układ warszawski miał być sowiecką odpowiedzią na utworzenie:**
   a. ZSRR;
   b. NATO;
   c. muru berlińskiego;
   d. Sputnika.

2. **Jak zakończył się Kryzys kubański?**
   a. Sowieci zgodzili się zdemontować swoje instalacje na Kubie w zamian za obietnicę, że Stany Zjednoczone nie zaatakują tego kraju.
   b. Stany Zjednoczone zaatakowały Kubę i przejęły sowieckie rakiety.
   c. Stany Zjednoczone zaatakowały stanowiska sowieckich rakiet.
   d. Stany Zjednoczone zaatakowały Kubę i zrzuciły bombę atomową na Związek Radziecki.

3. **Którą z książek napisał mężczyzna potrafiący poruszać tylko lewą powieką?**
   a. *Piękny umysł.*
   b. *Wszystko za życie.*
   c. *Skafander i motyl.*
   d. *Kurz, pot i łzy.*

4. **Która z wymienionych poniżej osób zdobyła w 1994 r. Nagrodę Nobla w dziedzinie ekonomii?**
   a. Sylvia Nasar.
   b. John Nash.
   c. Henrietta Lacks.
   d. Michaił Gorbaczow.

5. **Które z poniższych zdań jest prawdziwe?**
   a. Matematyka czysta zajmuje się badaniem pojęć naukowych, a matematyka stosowana odżegnuje się od nauki.
   b. Matematyka czysta zajmuje się badaniem problemów czysto abstrakcyjnych, a matematyka stosowana wykorzystuje techniki matematyczne w rzeczywisty i wyspecjalizowany sposób.
   c. Matematyka stosowana zajmuje się badaniem problemów czysto abstrakcyjnych, a matematyka czysta wykorzystuje techniki matematyczne w rzeczywisty i wyspecjalizowany sposób.
   d. Matematyka stosowana zajmuje się badaniem problemów czysto abstrakcyjnych, a matematyka czysta wykorzystuje techniki matematyczne w rzeczywisty i wyspecjalizowany sposób.

6. **Którą z poniższych nauk stosuje się, aby konstruować polisy ubezpieczeniowe?**
   a. Statystyka.
   b. Matematyka aktuarialna.
   c. Nauka obliczeniowa.
   d. Badania operacyjne.

7. **Co charakteryzuje się największą różnorodnością form życia?**
   a. Jeziora.
   b. Rzeki.
   c. Mokradła.
   d. Strumienie.

8. **Jakie rozróżniamy trzy typy lasów?**
   a. Tropikalne, arktyczne i sawanny.
   b. Tropikalne, umiarkowane i borealne.
   c. Borealne, sawanny i alpejskie.
   d. Alpejskie, prerie i borealne.

9. **Maya, uspantek i tzotzil to jedyne języki majańskie, które:**
   a. rozróżniają ton;
   b. posiadają alfabet;
   c. wykorzystują prefiksację;
   d. wykorzystują sufiksację.

10. **Który język wykazuje największe podobieństwo do klasycznego języka majańskiego używanego na nizinach centralnych?**
    a. Chol.
    b. Poqom.
    c. Maya.
    d. Poqomam.

Odpowiedzi: b, a, c, b, b, b, c, b, a, a.

HISTORIA: Pokolenie wyżu demograficznego i lata 60.

Powojenny wyż demograficzny, Przedmieścia, Lata 60., Ruch praw obywatelskich, Feminizm, Hipisi

 MATEMATYKA: Wielkie twierdzenie Fermata

O Pierze de Fermacie, Wielkie twierdzenie Fermata, Sophie Germain, Ernst Kummer, Twierdzenie Faltingsa, Andrew Wiles

 SZTUKA JĘZYKA: Literatura faktu

Bitwa o Monte Cassino, Helter Skelter. Prawdziwa historia morderstw Mansona, Z zimną krwią, Kraina fast foodów, Inny świat, Północ w ogrodzie Dobra i Zła

 PRZYRODA: Fotosynteza

Czym jest fotosynteza?, Struktura liścia, Chloroplast i chlorofil, Faza jasna, Faza ciemna, Obieg węgla w przyrodzie

Lekcja 31

 JĘZYKI OBCE: Filipiński

Początki, Różnice pomiędzy filipińskim i tagalskim, Język pisany, Wpływ innych języków, Dzisiejszy filipiński, Użyteczne zwroty

POKOLENIE WYŻU DEMOGRAFICZNEGO I LATA 60.

Powojenny wyż demograficzny Osoby urodzone w latach 1946–1964 w Stanach Zjednoczonych określa się mianem *baby boomers* (czyli po prostu „urodzonych w okresie wyżu demograficznego"). Po zakończeniu II wojny światowej, w 1945 r. do domów powróciły miliony mężczyzn. 22 czerwca 1944 r. amerykański Kongres podpisał specjalną ustawę, zgodnie z którą weterani wojenni mogli kupować domy i gospodarstwa na preferencyjnych warunkach (z bardzo małym oprocentowaniem kredytowym i niską pierwszą wpłatą). Żołnierze powracający z wojny żenili się więc i zakładali rodziny, w związku z czym średni wskaźnik urodzin zwiększył się z ok. 2,3–2,8 mln w okresie przedwojennym do 3,47 mln w roku 1946. Pod koniec lat 50. XX w. padł rekordowy wynik 4,3 mln urodzin w skali roku.

 # LITERATURA FAKTU

Bitwa o Monte Cassino Historię jednej z najbardziej zaciętych walk II wojny światowej, w której ogromną rolę odegrał II Korpus Polski pod dowództwem gen. Władysława Andersa, opisał Melchior Wańkowicz w trzytomowej książce *Bitwa o Monte Cassino*. Wańkowicz jako korespondent wojenny przebywał na miejscu i swój gigantyczny reportaż tworzył na gorąco na podstawie relacji żołnierzy, zbieranych przez dwa tygodnie bitwy, niejednokrotnie pod ostrzałem. Dzieło zostało wydane w 1945 r. w Mediolanie, a w 1958 r. również w Polsce, ale w wersji ocenzurowanej i okrojonej, peerelowskie władze starały się bowiem pomniejszyć wkład Polaków w zdobycie Monte Cassino i całkowicie zdeprecjonować postać generała Andersa. *Bitwa o Monte Cassino* jest najwybitniejszą pozycją w dorobku pisarza.

 # WIELKIE TWIERDZENIE FERMATA

O Pierze de Fermacie Pierre de Fermat (1601–1665), francuski prawnik i pracownik rządowy, miał ogromny wkład w teorię liczb, geometrię analityczną i rachunek prawdopodobieństwa. Matematyka stanowiła jednak dla Fermata przede wszystkim hobby i nie był on zainteresowany publikowaniem swoich dokonań, a kiedy jeden, jedyny raz zdecydował się na publikację, uczynił to anonimowo. Był autorem niezwykle ważnej pracy na temat minimów i maksimów, i przez długi czas prowadził spór z René Descartes'em. Stworzył też wiele twierdzeń, których prawdziwości podobno potrafił dowieść, jednak wielu z jego rzekomych dowodów nigdy nie udało się odnaleźć. Jego najbardziej intrygującym dokonaniem było tzw. wielkie twierdzenie Fermata – ostatnie dzieło jego życia, którego przez trzy stulecia nikomu nie udało się rozwiązać.

FOTOSYNTEZA

Czym jest fotosynteza? Fotosynteza to proces syntezy prostych związków organicznych (węglowodanów) z dwutlenku węgla i wody, przebiegający dzięki wykorzystaniu energii świetlnej pochłanianej przez barwniki asymilacyjne, przede wszystkim chlorofil. Organizmy zdolne do przeprowadzania fotosyntezy określane są jako fotoautotrofy. Są to rośliny zielone oraz niektóre bakterie wyposażone w tzw. bakteriochlorofil (np. sinice). Podczas procesu produkowana jest ogromna ilość związków organicznych oraz tlen. Oto jak można zapisać ten proces:

$$6CO_2 + 6H_2O \rightarrow C_6H_{12}O_6 + 6O_2$$

Produktami procesu są: bogata w energię glukoza $C_6H_{12}O_6$ i tlen $6O_2$, czyli materia organiczna wykorzystywana przez prawie wszystkie organizmy na Ziemi. Gdyby nie fotosynteza, życie na Ziemi nie byłoby możliwe.

◑ FILIPIŃSKI

Początki Filipiński jest językiem austronezyjskim, w znacznej mierze opierającym się na języku tagalskim, którym posługiwano się w Manili. Nazwa „filipiński" (albo filipino) została wprowadzona dopiero w 1987 r. kiedy ogłoszono go narodowym językiem Filipin. Niewiele wiadomo na temat jego historii, ale pierwsze zapiski prowadzone w tagalskim pochodzą z ok. 900 r. W latach 30. XX w. rząd wyraził potrzebę utworzenia języka narodowego, nie sprecyzował jednak, o jaki język miałoby chodzić. W latach 70. XX w. tagalskim posługiwała się ponad połowa populacji. Kiedy w 1987 r. przekształcano tagalski w język narodowy, zdecydowano się na zmianę nazwy na filipiński, aby zjednoczyć jego dotychczasowych i przyszłych użytkowników oraz uniknąć wrażenia dominacji kultury tagalskiej.

POKOLENIE WYŻU DEMOGRAFICZNEGO I LATA 60.

Przedmieścia Wzrost liczby rodzin wywołał wzrost konsumpcjonizmu. Ludzie zaczęli się wyprowadzać z miast na przedmieścia, dzięki czemu mogli sobie pozwolić na zakup domów. Pierwszą i najsłynniejszą społecznością tego typu było Levittown na Long Island w stanie Nowy Jork. Bill Levitt i jego firma zbudowali tam tysiące identycznych domów, a wkrótce potem podobne skupiska ludności zaczęły się pojawiać na terenie całego kraju. Powstanie przedmieść doprowadziło do nieodpartego wrażenia, że wszystko staje się takie samo.

 # LITERATURA FAKTU

Helter Skelter. Prawdziwa historia morderstw Mansona W sierpniu 1969 r. w Los Angeles doszło do zbrodni, która wstrząsnęła światem. Grupa młodych mężczyzn i kobiet pod przewodnictwem Charlesa Mansona wdarła się do willi Romana Polańskiego i zamordowała jego ciężarną żonę Sharon Tate oraz trzech jej gości. Oskarżyciel w sprawie Mansona, Vincent Bugliosi, napisał wraz z Curtem Gentrym książkę pt. *Helter Skelter. Prawdziwa historia morderstw Mansona* opowiadającą o tym, w jaki sposób Manson stworzył swoją sektę, a także przedstawiającą szczegóły czynów, jakich się dopuściła.

 # WIELKIE TWIERDZENIE FERMATA

Wielkie twierdzenie Fermata Po śmierci Fermata zbieraniem pozostawionych przez niego notatek zajął się jego syn. Obliczenia i twierdzenia Fermata znajdowały się zwykle w listach lub na marginesach książek i właśnie na jednej ze stron książki *Arithmetica* Diofantosa odnaleziono notkę dotyczącą jego ostatniego i najsłynniejszego twierdzenia. Brzmi ono następująco:
Dla liczby naturalnej n > 2 nie istnieją takie dodatnie liczby naturalne x, y, z, które spełniałyby równanie $x^n + y^n = z^n$.
Fermat twierdził, że udało mu się znaleźć „zadziwiający" dowód na prawdziwość tego twierdzenia, ale nie mógł go spisać na marginesie książki, ponieważ ten był na to za mały. Dowodu nigdy nie udało się odnaleźć i przez trzy następne stulecia matematycy bezskutecznie próbowali go sformułować.

 # FOTOSYNTEZA

Struktura liścia Proces fotosyntezy zachodzi głównie w liściach roślin zielonych zawierających miękisz asymilacyjny, w którym jest zielony barwnik – chlorofil. Liście odgrywają kluczową rolę, jeśli chodzi o wpuszczanie dwutlenku węgla oraz wody i wydalanie końcowych produktów przemian. Liście są pokryte szczelnym nabłonkiem zwanym kutykulą, chroniącym roślinę m.in. przed utratą wody i przedostawaniem się do środka wirusów i bakterii. Wymiana dwutlenku węgla na tlen jest możliwa dzięki niewielkim otworom w kutykuli, zwanym aparatami szparkowymi.

 # FILIPIŃSKI

Różnice pomiędzy filipińskim i tagalskim Choć tagalski jest niemal identyczny jak filipiński, to kiedy przekształcano go w język narodowy, doszło w nim do pewnych zmian. Włączono słownictwo zaczerpnięte z angielskiego i hiszpańskiego, a w alfabecie dodano litery odpowiadające dźwiękom, których brakowało w języku tagalskim.

POKOLENIE WYŻU DEMOGRAFICZNEGO I LATA 60.

Lata 60. W latach 60. pokolenie wyżu demograficznego sięgało już liczby 70 mln i stawało się nastolatkami. Dekadę naznaczyła muzyka rock'n'rollowa, napięcia związane z zimną wojną, ruch praw obywatelskich, zabójstwo prezydenta Kennedy'ego, eksperymentowanie z narkotykami, rewolucja seksualna oraz protesty antywojenne. „Amerykański sen", który w latach 50. stał się celem tak wielu obywateli, teraz zaczął się rozpadać, a działalność rządu nieustannie krytykowano. Lata 60. stały się symbolem rewolucji kontrkulturowej.

 LITERATURA FAKTU

Z zimną krwią Truman Capote stał się gwiazdą zarówno dzięki swojej twórczości, jak i osobowości. Do jego najpopularniejszych dzieł należą powieści romantyczne, np. *Śniadanie u Tiffany'ego* (1958). W 1966 r. ukazała się jego książka pt. *Z zimną krwią*, uznawana za pierwszą powieść faktu. Opowiada o zabójstwie rodziny Clutterów, do którego doszło w 1959 r. w Holcomb w stanie Kansas. Capote przez pięć lat gruntownie przygotowywał się do napisania książki, m.in. poprzez rozmowy z zabójcami.

 WIELKIE TWIERDZENIE FERMATA

Sophie Germain Wielu matematyków próbowało zmierzyć się z dowodem na prawdziwość wielkiego twierdzenia Fermata, ale choć poczyniono znaczne postępy, nikomu się to nie udawało – dzięki temu twierdzenie zdobyło szczególną sławę. Sophie Germain, francuska matematyczka (1776–1831), która – aby ukryć swoją płeć – używała pseudonimu Monsieur Le Blanc, po kilku latach pracy nad twierdzeniem Fermata doszła do wniosku, że udało jej się dokonać przełomu. Dowiodła bowiem, że jeśli p jest liczbą pierwszą, wówczas dla wykładnika p prawdziwy będzie szczególny przypadek wielkiego twierdzenia Fermata.

 FOTOSYNTEZA

Chloroplasty i chlorofil Komórki roślinne wykształciły wyspecjalizowane organelle znane jako chloroplasty, niewystępujące w komórkach zwierzęcych. Zawierają one chlorofil, a więc specjalny barwnik (ciałko zieleni), który pochłania i wykorzystuje energię pochodzącą ze światła do produkcji prostych związków organicznych, i nadaje roślinom zielony kolor. Kiedy światło słoneczne pada na roślinę, pochłaniane są wszystkie jego fale poza zieloną, która jest odbijana z powrotem. Po dotarciu światła do chloroplastów chlorofil łączy wodę z dwutlenkiem węgla, tworząc węglowodany i tlen.

 FILIPIŃSKI

Język pisany W 1593 r. na Filipiny przybyli Hiszpanie i rozpoczęli tam rządy kolonialne. Wcześniej język tagalski zapisywano za pomocą alfabetu baybayin, a więc pisma alfabetyczno-sylabicznego znanego również jako abugida, składającego się z 14 spółgłosek i zaledwie trzech samogłosek. Wraz z pojawieniem się Hiszpanów wprowadzono alfabet łaciński i tagalski zaczęto zapisywać za pomocą 32 liter. Kiedy tagalski został językiem narodowym, ponownie zmieniono alfabet, na jakim się opierał – tym razem na alfabet abakada składający się z 20 liter. W 1987 r. zmieniono go ponownie tak, aby można w nim ująć wpływy, jakie wywarły na ten język hiszpański i angielski.

POKOLENIE WYŻU DEMOGRAFICZNEGO I LATA 60.

Ruch praw obywatelskich Jednym z najważniejszych wydarzeń, do jakich doszło w latach 60., było powstanie ruchu praw obywatelskich, którego szczyt przypadł na lata 1955–1965. Choć Afroamerykanie walczyli o równe prawa od niemalże stulecia i można było zaobserwować w tym okresie pewne efekty ich starań, to właśnie dzięki ruchowi praw obywatelskich dokonał się w tej kwestii największy postęp. W 1954 r. dzięki sprawie Brown kontra Rada Edukacji segregacja rasowa w szkołach publicznych została uznana za niezgodną z konstytucją. Spektakularnymi wydarzeniami były niewątpliwie: pojawienie się pierwszego afroamerykańskiego studenta na Uniwersytecie Missisipi, dokonania Martina Luthera Kinga Jr., protesty w Birmingham w stanie Alabama, marsz na Waszyngton, ustawy dotyczące praw obywatelskich z 1964 i 1968 r. oraz zabójstwo Martina Luthera Kinga Jr.

 LITERATURA FAKTU

Kraina fast foodów Jedzenie typu fast food stało się częścią naszego codziennego życia. Jeśli nawet sami za nim nie przepadamy, to nieustannie widzimy je w telewizji, a nasze dzieci bawią się zabawkami dodawanymi do posiłków dla najmłodszych. *Kraina fast foodów* Erica Schlossera przygląda się wnikliwie rozrastającemu się nieustannie przemysłowi fast foodów i podaje wiele ciekawych i użytecznych informacji na jego temat. Schlosser nie interesuje się wyłącznie tym, co znajduje się w popularnym hamburgerze, ale przygląda się całemu przemysłowi fastfoodowemu. Pojawia się tu chociażby wzmianka o tym, że firmy sprzedające „szybkie jedzenie" wyprowadziły się do tych stanów Ameryki Północnej, w których nie działają związki zawodowe, a więc np. do Kansas, Iowa, Teksasu i Nebraski, co umożliwiło proponowanie pracownikom znacznie niższych płac, niż byłoby to możliwe w takich miejscach jak Nowy Jork albo Chicago.

 WIELKIE TWIERDZENIE FERMATA

Ernst Kummer Kolejną osobą, której udało się dokonać przełomu w kwestii dowodu na prawdziwość wielkiego twierdzenia Fermata był Ernst Kummer. Matematyk żył w Niemczech latach 1810–1893 i zasłużył się w dziedzinie matematyki m.in. wprowadzeniem koncepcji tzw. liczb idealnych, co umożliwiło spojrzenie na słynne twierdzenie z nieco innej perspektywy. W 1843 r. ogłosił, że dowiedzenie prawdziwości wielkiego twierdzenia Fermata dostarczało tylu trudności, ponieważ w przypadku liczb zespolonych nie można było kontynuować tego dowodu w dalszych pierścieniach – a przy zastosowaniu liczb idealnych okazało się to możliwe. Była to kluczowa koncepcja pomagająca zrozumieć zarówno twierdzenie Fermata, jak i teorię pierścieni czy algebrę abstrakcyjną.

 FOTOSYNTEZA

Faza jasna Wyróżniamy dwie fazy fotosyntezy: jasną (zależną od światła) oraz ciemną (niezależną od światła). Faza jasna zachodzi w chloroplastach oraz tylakoidzie, a polega na wchłanianiu energii słonecznej przez chlorofil i przekształceniu jej na energię chemiczną. Podczas tego procesu dochodzi do rozkładu wody i następuje wydzielanie tlenu. Faza jasna posiada dwa fotosystemy (fotosystem I i fotosystem II), w których przetwarzane jest światło słoneczne. Chlorofil znajdujący się w fotosystemie I jest silniejszym absorbentem światła. Produktami fazy jasnej są: ATP (nukleotyd, w którym magazynowana jest energia niezbędna do dalszych przemian) oraz $NADPH_2$; stanowią one siłę asymilacyjną wykorzystywaną w fazie ciemnej fotosyntezy.

 FILIPIŃSKI

Wpływ innych języków W latach 1593–1898 na Filipinach rządzili Hiszpanie, a w latach 1898–1946 – Amerykanie. Hiszpanie narzucili rdzennym mieszkańcom Filipin swoją religię, ideologię polityczną, język, alfabet, a także instytucje społeczno-ekonomiczne. Ocenia się, że w wyniku podboju przez Hiszpanów 40% języka filipińskiego stanowią albo słowa bezpośrednio zapożyczone z hiszpańskiego, albo słowa w tym języku zakorzenione. Aż do 1987 r. hiszpański był jednym z języków urzędowych Filipin, a kiedy kontrolę przejęli Amerykanie, językiem urzędowym stał się także angielski.

POKOLENIE WYŻU DEMOGRAFICZNEGO I LATA 60.

Feminizm W latach 60. przez Stany Zjednoczone przetoczyła się druga fala feminizmu. W 1963 r. Betty Friedan opublikowała książkę pt. *Mistyka kobiecości*, która zdobyła szaloną popularność w całym kraju. Krytykowała ona tradycyjną rolę kobiety jako matki i gospodyni. Zwolennicy feminizmu zaczęli analizować traktowanie kobiet w odniesieniu do seksu, historii i edukacji. Organizacje feministyczne w rodzaju Narodowej Organizacji Kobiet walczyły o równouprawnienie w miejscu pracy oraz prawo do aborcji (co miało swój finał w słynnej sprawie Roe kontra Wade).

LITERATURA FAKTU

Inny świat. Zapiski sowieckie Powieść Gustawa Herlinga-Grudzińskiego *Inny świat* została napisana w latach 1949/1950 i opublikowana po raz pierwszy w przekładzie angielskim w 1951 r., a dwa lata później wydana po polsku w Londynie, autor po wojnie musiał bowiem wyemigrować z kraju. *Inny świat* to powieść z kręgu literatury obozowej, zawierająca wspomnienia z gułagu w Jercewie pod Archangielskiem, gdzie autor był więziony w latach 1940–1942. W książce wyraźnie widać inspirację Dostojewskim, zwłaszcza nawiązania do powieści *Wspomnienia z domu umarłych*. W Polsce *Inny świat* po raz pierwszy wydano w 1988 roku.

WIELKIE TWIERDZENIE FERMATA

Twierdzenie Faltingsa Ostatecznym krokiem do rozwiązania zagadki dowodu na prawdziwość wielkiego twierdzenia Fermata była praca Gerda Faltingsa (ur. 1954) nad przypuszczeniem Mordella (pochodzącym z 1922 r., autorstwa Louisa Mordella), opublikowana w 1983 r. Faltings dowiódł, że jeśli wartość n jest wyższa niż 2, wówczas istnieje ograniczony zbiór liczb względnie pierwszych, które można podstawić jako x, y i z do twierdzenia Fermata.

FOTOSYNTEZA

Faza ciemna Faza ciemna (reakcje niezależne od światła) zachodzi w stromie (wnętrzu) chloroplastów i polega na wiązaniu dwutlenku węgla i zamianie go w glukozę przy wykorzystaniu produktów fazy jasnej, czyli ATP oraz $NADPH_2$. Proces ten przebiega niezależnie od światła. Powstały produkt fotosyntezy – aldehyd fosfoglicerynowy – wykorzystywany jest do syntezy glukozy, sacharozy i skrobi.

FILIPIŃSKI

Dzisiejszy filipiński Filipiny składają się z 7107 wysp, których populacja wynosi ok. 70 mln. Używa się tam ponad 100 różnych rdzennych języków, a każdy z nich ma odrębne dialekty. Nie wszystkie są zrozumiałe dla użytkowników pozostałych odmian języka. Tagalski stał się podstawą języka urzędowego, ponieważ używa go ok. 25% populacji, co czyni go najpopularniejszym rdzennym językiem Filipin. W szkołach uczy się obecnie zarówno filipińskiego, jak i angielskiego.

POKOLENIE WYŻU DEMOGRAFICZNEGO I LATA 60.

Hipisi Ruch hipisowski był następstwem ruchu bitników (Beat Generation) z lat 50., stworzonego przez takich pisarzy, jak Allen Ginsberg czy Jack Kerouac. Ich ruch skupiał się w Nowym Jorku, a kiedy kilku bitników przeniosło się do San Francisco, narodził się ruch hipisowski. Hipisi kontestowali skostniały świat swoich rodziców – instytucję rodziny, Kościół, szkołę, etatową pracę, służbę wojskową, pieniądz, materializm i konsumpcjonizm, własność prywatną czy konwencjonalny ubiór (wprowadzili własną modę). Hipisi spopularyzowali hasło: *make love, not war*. Słynnym wydarzeniem związanych z ruchem hipisowskim był festiwal muzyczny w Woodstock w 1969 r.

LITERATURA FAKTU

Północ w ogrodzie Dobra i Zła Książka Johna Berendta to opowieść o procesie w sprawie zabójstwa w Savannah w stanie Georgia w 1981 r. *Północ w ogrodzie Dobra i Zła* bardziej przypomina tradycyjną powieść niż suchą relację z autentycznych wydarzeń. Sama zbrodnia stanowi tu zaledwie pretekst do ukazania prawdziwego bohatera książki, którym jest samo miasteczko Savannah ze swoją bogatą historią i plejadą dziwacznych postaci je zamieszkujących. Na podstawie książki powstał film o tym samym tytule w reżyserii Clinta Eastwooda.

WIELKIE TWIERDZENIE FERMATA

Andrew Wiles Ostateczny dowód na prawdziwość wielkiego twierdzenia Fermata przeprowadził w 1994 r. angielski matematyk zatrudniony w Princeton, Andrew Wiles. Przez siedem lat samotnie pracował nad twierdzeniem, nie informując o tym nikogo. W 1993 r. wygłosił trzy wykłady w Instytucie Issaca Newtona w Cambridge w Anglii i ostatniego dnia spisał swoje dokonania na tablicy, kończąc wielkim twierdzeniem Fermata, co wywołało ogromny aplauz. Po sprawdzeniu przez innych matematyków okazało się, że były tam jeszcze drobne błędy, ale po roku, z pomocą Richarda Taylora, Wilesowi udało się je poprawić i ostatecznie dowieść prawdziwości wielkiego twierdzenia Fermata.

FOTOSYNTEZA

Obieg węgla w przyrodzie Zwierzęta produkują dwutlenek węgla podczas oddychania, a rośliny wchłaniają go i przekształcają w produkty niezbędne dla ich rozwoju. Następnie rośliny są zjadane przez zwierzęta i przekazują im węgiel zawarty w swoich organizmach. Zwierzęta roślinożerne stanowią pokarm dla innych zwierząt i po raz kolejny dochodzi do przekazania tego pierwiastka. Ostatnim ogniwem w łańcuchu pokarmowym są reducenci, głównie bakterie i grzyby, które rozkładają martwą materię organiczną (szczątki roślin i zwierząt) na proste związki nieorganiczne, uwalniając je do środowiska.

FILIPIŃSKI

Użyteczne zwroty Oto kilka zwrotów, które mogą się okazać przydatne podczas podróży na Filipiny:

Cześć – *Mabuhay*

Dzień dobry – *Magandang umaga* (przed południem)/*Magandang hapon* (po południu)

Dobranoc – *Magandang gabii*

Dziękuję – *Salamat*

Przepraszam – *Mawaláng-galang na nga hô*

Nie rozumiem – *Naiintindihan ko hô*

Ile? – *Magkano?*

Gdzie jest toaleta? – *Nasaan ang banyo?*

Do widzenia – *Paalam na hô*

LEKCJA 31 – TEST

1. **Osiągnięcia Narodowej Organizacji Kobiet znalazły swój finał w postaci:**
   a. ruchu bitników;
   b. ruchu praw obywatelskich;
   c. sprawy Brown kontra Rada Edukacji;
   d. sprawy Roe kontra Wade.

2. **Levittown było pierwszym przykładem:**
   a. organizacji kobiet walczących o równouprawnienie w miejscu pracy;
   b. społeczności zamieszkującej przedmieścia;
   c. protestu w sprawie praw obywatelskich;
   d. marszu w sprawie praw obywatelskich.

3. **Kto jest autorem *Północy w ogrodzie Dobra i Zła*?**
   a. John Berendt.
   b. Eric Schlosser.
   c. Truman Capote.
   d. Melchior Wańkowicz.

4. ***Z zimną krwią* to pierwsza w historii:**
   a. książka kryminalna;
   b. książka zaliczana do literatury faktu;
   c. powieść faktu;
   d. książka, która dowodziła niewinności podejrzanych o zabójstwo.

5. **Kto dowiódł, że jeśli p jest liczbą pierwszą, wówczas dla wykładnika p prawdziwy będzie szczególny przypadek wielkiego twierdzenia Fermata?**
   a. Sophie Germain.
   b. Andrew Wiles.
   c. Louis Mordell.
   d. Gerd Faltings.

6. **Najważniejszym pojęciem wprowadzonym przez Ernsta Kummera były:**
   a. liczby pierwsze;
   b. liczby idealne;
   c. liczby względnie pierwsze;
   d. potęgi.

7. **Produkty $6(CH_2O)$ i $6O_2$ powstające w wyniku procesu $6CO_2 + 6H_2O = 6(CH_2O) + 6O_2$ to:**
   a. węglowodan i tlen;
   b. tlenek węgla;
   c. dwutlenek węgla;
   d. sacharoza.

8. **Jakie dwa produkty powstają w wyniku fazy jasnej fotosyntezy?**
   a. ATP i tlenek węgla.
   b. ATP i dwutlenek węgla.
   c. Dwutlenek węgla i $NADPH_2$.
   d. ATP i $NADPH_2$.

9. **Na jakim alfabecie opierał się język tagalski przed najazdem Hiszpanów?**
   a. Abakada.
   b. Baybayin.
   c. Paalam.
   d. Łacińskim.

10. **Słowa bezpośrednio wywodzące się z hiszpańskiego lub w nim zakorzenione stanowią:**
    a. 30% języka filipińskiego;
    b. 40% języka filipińskiego;
    c. 50% języka filipińskiego;
    d. 60% języka filipińskiego.

Lekcja 32

LĄDOWANIE NA KSIĘŻYCU

Apollo 1 Zimna wojna doprowadziła Stany Zjednoczone i Związek Radziecki do kolejnej granicy: przestrzeni kosmicznej. Program *Apollo* powstał z myślą o wysłaniu człowieka na Księżyc. 27 stycznia 1967 r. załoga statku Apollo 1 uczestniczyła w symulacji lotu na miesiąc przed planowanym startem. Przez cały dzień pojawiały się przeróżne problemy i opóźnienia, a o 18.30 iskra spowodowała zapłon wewnątrz statku i zamknięte pomieszczenie stanęło w płomieniach. Trzech uwięzionych w statku astronautów zmarło na skutek uduszenia. Zdarzenie to doprowadziło do zmian proceduralno-organizacyjnych w dalszych fazach programu.

 # WILLIAM SZEKSPIR

Wczesne życie William Szekspir żył w Anglii w latach 1564–1616. Bardzo niewiele wiadomo na temat jego dzieciństwa, włączając w to dokładną datę jego urodzenia. Ożenił się w wieku 18 lat. Nie miał możliwości studiowania, ponieważ było to zarezerwowane dla ludzi zamożnych. W 1589 r., mieszkając w Londynie i marząc o karierze aktora i autora sztuk teatralnych, zaczął pisać *Henryka VI, część 1*. W roku następnym był już twórcą popularnych sztuk, a w 1593 r. został opublikowany jego poemat pt. *Wenus i Adonis*, który odniósł ogromny sukces.

 # TRÓJKĄT PASCALA

O Pascalu Blaise Pascal (1623–1662) był francuskim naukowcem, wynalazcą, fizykiem, matematykiem i filozofem. Wśród wielu jego wynalazków znajdują się m.in. zegarek na rękę i wczesna wersja kalkulatora. Geniusz przejawiał już jako dziecko, a sformułowane w wieku 16 lat prawo, znane dziś jako twierdzenie Pascala, zadziwiło samego Kartezjusza. Mając lat 18 lat wynalazł tzw. pascalinę, a więc wczesną maszynę liczącą, składającą się z ośmiu tarcz i umożliwiającą dodawanie i odejmowanie w systemie dziesiętnym. Choć to nie Pascal odkrył tytułowy trójkąt, tablicę tę opatrzono jego nazwiskiem dlatego, że w 1653 r. to właśnie on wyjaśnił znaczenie jej właściwości.

 # WCZESNE GATUNKI CZŁOWIEKA

Australopithecus afarensis W 1974 r. w Etiopii znaleziono niemal kompletny szkielet sprzed 3,18 mln lat, składający się z 47 kości i należący do osobnika płci żeńskiej. Lucy (imię zainspirowane piosenką Beatlesów *Lucy in the Sky with Diamonds*) została zidentyfikowana jako *Australopithecus afarensis* (australopitek), najstarszy człekokształtny hominid poruszającym się na dwóch nogach. Lucy mierzyła 1,2 metra i ważyła ok. 30 kg. Australopitek łączył w sobie cechy małpie i ludzkie. Hominidy te zamieszkiwały wschodnią i południową Afrykę.

SUAHILI

Początki Suahili jest językiem z rodziny bantu stanowiącej gałąź języków nigero--kongijskich. Rozwinął się on w wyniku migracji Arabów i Persów na wybrzeże wschodnio-afrykańskie w latach 500–1000 i stanowi mieszankę takich języków, jak bantu, arabski i perski, a także – w wyniku wpływów w późniejszym okresie – angielskiego, portugalskiego i niemieckiego. Sama nazwa „suahili" odnosi się do arabskiego słowa oznaczającego „wybrzeże". W suahili język ten określa się jako *kiswahili*, a jego użytkowników jako *waswahilis*.

LĄDOWANIE NA KSIĘŻYCU

Apollo 7 Misje programu „Apollo" opatrzone numerami 4, 5 oraz 6 były udanymi lotami bezzałogowymi. 11 października 1968 r. za sprawą lotu Apollo 7 po raz pierwszy przetestowano na orbicie statek załogowy (po dostaniu się na orbitę trzyosobowa załoga przećwiczyła manewry misji księżycowej). Był to ponadto pierwszy załogowy lot, który transmitowano na żywo w telewizji. Statek z sukcesem opuścił orbitę i wkroczył z powrotem w atmosferę, a kapsuła wodowała w Atlantyku.

WILLIAM SZEKSPIR

Jego dzieła William Szekspir jest autorem słynnych komedii, tragedii i sztuk historycznych, a także sonetów i poematów. Wciąż trwają spory co do liczby dzieł jego autorstwa; choć zazwyczaj wspomina się o 40 sztukach, wliczając w to dzieła współtworzone przez Szekspira. Spod jego pióra wyszło też mnóstwo wierszy, w tym 154 sonety i dwa dłuższe poematy. Pisaniem sonetów zajmował się przez całe życie; w 1609 r. wydawca Thomas Thorpe opublikował ich zbiór, uczynił to jednak bez zgody Szekspira, co pozwala sądzić, że w ogóle nie miały się ukazać drukiem i stanowiły prywatne zapiski artysty.

TRÓJKĄT PASCALA

Przed Pascalem Liczby tworzące trójkąt Pascala znano już przed czasami Pascala z badań kombinatorycznych poczynionych przez Hindusów oraz Greków. Jeden z pierwszych opisów trójkąta pochodzi z V/VI w., a odnaleziono go w hinduskim dziele z X stulecia. W tym samym czasie liczby te wykorzystywano również w Persji, w czym przodowali tamtejsi matematycy Al-Karadżi oraz Omar Chajjam; w Iranie do dziś określa się zresztą trójkąt Pascala mianem „trójkąta Chajjama".

WCZESNE GATUNKI CZŁOWIEKA

Homo habilis Tzw. człowiek zręczny jest jednym z pierwszych przedstawicieli człowiekowatych. Najwcześniejszy gatunek człowieka – *Homo habilis* – żył we wschodniej Afryce 2,5–1,5 mln lat temu. Wciąż jeszcze charakteryzował się małpimi kształtami, ale był wyższy i miał większą pojemność puszki mózgowej od australopiteka. *Homo habilis* to pierwsza istota zajmująca się wytwarzaniem narzędzi, a więc jednocześnie wyznaczająca początek ery kamienia łupanego, w której gatunek *homo* zaczął się posługiwać kamiennymi narzędziami. Nie potrafił jeszcze rozpalać ognia.

SUAHILI

Wpływ innych języków Największy wpływ na suahili wywarły języki perski i arabski. W niektórych przypadkach słowa arabskie całkowicie zastąpiły słowa pochodzące z języka bantu. Przykładowo, 1, 2, 3, 4, 5, 8 i 10 wyraża się za pomocą słów bantu, ale już liczby 6, 7 i 9 – po arabsku. W latach 1500–1700 miasta położone na wybrzeżu kontrolowali Portugalczycy, czego wynikiem były pewne zapożyczenia językowe i kulturowe (np. suahilijskie walki byków). Kiedy wybrzeże Afryki Wschodniej skolonizowali Brytyjczycy oraz Niemcy, do suahili zaczęły się przedostawać także zapożyczenia z tych dwóch języków (np. *rower* to w języku suahili *baiskeli*, co w wymowie wyraźnie przypomina angielskie słowo *bicycle*).

LĄDOWANIE NA KSIĘŻYCU

Apollo 8 21 grudnia 1968 r. wystartował Apollo 8. W około trzy godziny po starcie statek został wprowadzony na trajektorię księżycową. Po 69 godzinach i 8 minutach wszedł na orbitę Księżyca, czego nie udało się dotąd dokonać żadnemu lotowi załogowemu. 25 listopada, po czasie niewiele dłuższym niż 89 godzin, statek powrócił na trajektorię ziemską. 27 grudnia kapsuła wodowała w Atlantyku.

 # WILLIAM SZEKSPIR

Styl Szekspira Sztuki Szekspira były pisane wierszem białym, a konkretnie nierymującym się pentametrem jambicznym. Kiedy chciał wyróżnić jakieś fragmenty, stosował inne formy poetyckie lub prozę. Szekspir słynął też z neologizmów wymyślił przynajmniej 1500 słów. Należały do nich m.in. *assassination* (zabójstwo), *generous* (hojny) czy *monumental* (olbrzymi, monumentalny).

 # TRÓJKĄT PASCALA

Czym jest trójkąt Pascala? Trójkąt Pascala to tablica liczb układająca się w formę trójkąta i kierująca się prostą regułą: zaczynamy od liczby 1 umieszczonej na czubku trójkąta, a później rozszerzamy trójkąt ku dołowi, dodając kolejne liczby będące sumą liczb ponad nimi. Na przykład:

$$
\begin{matrix}
 & & & & 1 & & & & \\
 & & & 1 & & 1 & & & \\
 & & 1 & & 2 & & 1 & & \\
 & 1 & & 3 & & 3 & & 1 & \\
1 & & 4 & & 6 & & 4 & & 1 \\
\end{matrix}
$$
1 5 10 10 5 1

Liczby wyróżnione tłustym drukiem ilustrują zasadę działania trójkąta. Dodając do siebie 1 i 2, otrzymujemy 3, którą to liczbę umieszczamy pod liczbami 1 i 2.

 # WCZESNE GATUNKI CZŁOWIEKA

Homo erectus Pitekantrop, inaczej *Homo erectus* (człowiek wyprostowany), żył 1,89 mln–70 tys. lat temu. Był to pierwszy hominid przypominający budową ciała współczesnego człowieka. W porównaniu do *Homo habilis* miał krótsze ręce i wydłużone nogi, jego mózg stanowił jednak 2/3 mózgu współczesnego człowieka. Nie wspinał się już po drzewach, przystosował do życia na ziemi i potrafił chodzić, a być może nawet biegać. *Homo erectus* podróżował po Afryce i migrował na inne kontynenty. Był on sprawnym myśliwym polującym na duże zwierzęta za pomocą precyzyjnie obrobionych narzędzi kamiennych. Był też pierwszym gatunkiem człowieka, który nauczył się rozpalać i podtrzymywać ogień.

SUAHILI

Rozpowszechnianie się suahili W miarę jak rozwijały się kontakty z innymi wyspami i archipelagami w regionie Oceanu Indyjskiego, takimi jak Komory czy Madagaskar, a do tego wzrastała migracja i kwitł handel, suahili zaczął się stopniowo rozprzestrzeniać. W XIX w. dotarł do Tanzanii, Rwandy, Ugandy, Kongo, Burundi, Republiki Środkowoafrykańskiej, Mozambiku, a nawet do odległej Afryki Południowej. Chrześcijańscy misjonarze także nauczyli się tego języka i pomogli go rozpowszechniać, tłumacząc na suahili Ewangelię.

LĄDOWANIE NA KSIĘŻYCU

Apollo 9 Trzeciego marca 1969 r. wystartował Apollo 9; był to kolejny lot załogowy, który miał tym razem za zadanie wypróbować na orbicie cały sprzęt księżycowy. Po raz pierwszy podczas lotu załogowego zastosowano wówczas moduł księżycowy – odrębną część statku, która umożliwiała lądowanie na Księżycu. Operacja trwała 10 dni, a załodze udało się zademonstrować wszystkie przygotowane manewry. Jeden z nich – posłużenie się modułem księżycowym jak łodzią ratunkową wykorzystano później, kiedy w poważnych tarapatach znalazł się Apollo 13.

 # WILLIAM SZEKSPIR

Globe Theatre Najsłynniejsze sztuki Szekspira wystawiano w londyńskim teatrze Globe. Przybytek mógł pomieścić 2–3 tys. widzów, a przedstawienia odbywały się popołudniami przy naturalnym świetle. 29 czerwca 1613 r. w trakcie wystawiania *Henryka VIII* strzał armatni wywołał pożar na dachu teatru, który doszczętnie spłonął.

 # TRÓJKĄT PASCALA

Własności Pierwszy ukośny rząd liczb w trójkącie Pascala to jedynki. Drugi ukośny rząd to kolejne liczby naturalne (1, 2, 3, 4, 5 itd.). Trzeci rząd to tzw. liczby trójkątne zgodne z równaniem $x_n = \dfrac{n(n+1)}{2}$. Czwarty rząd to liczby piramidalne, tzn. takie, które określają liczbę kul ułożonych w czworościan foremny. Z kolei po dodaniu liczb składających się na rzędy poziome otrzymujemy kolejne potęgi liczby 2.

```
        Trójkąt Pascala   suma liczb w wierszu
               1              = 1
              1 1             = 2
             1 2 1            = 4
            1 3 3 1           = 8
           1 4 6 4 1          = 16
          1 5 10 10 5 1       = 32
```

 # WCZESNE GATUNKI CZŁOWIEKA

Homo sapiens Oznacza dosłownie człowieka rozumnego. Pierwsi przedstawiciele *Homo sapiens* zaczęli się pojawiać w Afryce 250 tys. lat temu. Mieli większe mózgi, w związku z czym ich czaszki były wysunięte do przodu. Jest to gatunek, do którego należy także współczesny człowiek. Pierwsi przedstawiciele *Homo sapiens* byli myśliwymi i poszukiwaczami. Człowiek rozumny tworzył duże grupy o silnych relacjach i więzach społecznych oraz kulturowych – opiekował się osobnikami starszymi i dokonywał pochówku zmarłych. Charakteryzowała go również bogata sfera duchowa i religijność. Swobodnie posługiwał się mową. W początkowym okresie istnienia żył równolegle z *Homo neanderthalensis* (neandertalczykiem).

 # SUAHILI

Język pisany Najstarsza pisana forma języka sięga XVIII w. Ze względu na kontakt z arabskimi handlarzami, suahili korzystał pierwotnie z arabskiego systemu pisma. W latach 30. XX w. Brytyjczycy podjęli się standaryzacji suahili, a za podstawę języka standardowego wybrali dialekt kiunguja, którym posługiwano się w Zanzibarze.

LEKCJA 32E

 ## LĄDOWANIE NA KSIĘŻYCU

Apollo 10 Statek Apollo 10 wystartował 18 maja 1969 r. Jego misja polegała na przejściu dokładnie tych samych etapów lotu, co podczas późniejszego lotu Apollo 11, z tą różnicą, że statek nie miał lądować na Księżycu – zbliżył się do jego powierzchni na ok. 14 km. Była to druga misja, która dotarła na orbitę srebrnego globu. W sumie trwała 8 dni i zakończyła się wodowaniem w Pacyfiku.

 ## WILLIAM SZEKSPIR

Orientacja seksualna Szekspira Choć Szekspir miał żonę i trójkę dzieci, kwestia jego orientacji seksualnej do dziś wzbudza kontrowersje. Uważa się, że artysta wdawał się w romanse z kilkoma kobietami, a także wykazywał zainteresowanie mężczyznami. Brak jednak na to jakichkolwiek dowodów, poza sugestiami zawartymi w Szekspirowskich sonetach. W zbiorze, który wydano, mimo że stanowił osobiste, nieprzeznaczone do publikacji teksty, znajdują się wiersze miłosne skierowane do młodego mężczyzny, określanego jako „Młodzieniec", a książka jest dedykowana „Panu W.H." (według domysłów jest to właśnie ów „Młodzieniec", czyli Henry Wriothesley).

 ## TRÓJKĄT PASCALA

Wzór na trójkąt Pascala Aby odnaleźć wartość w jakimkolwiek miejscu trójkąta Pascala, stosuje się równanie:

$$\binom{n}{k} = \frac{n!}{k!(n-k)!}$$

gdzie n i k to wartości, o których wspominaliśmy podczas lekcji na temat kombinacji, tworzące C_k^n.

Trójkąt Pascala może więc prezentować się następująco:

$$\binom{0}{0}$$
$$\binom{1}{0} \binom{1}{1}$$
$$\binom{2}{0} \binom{2}{1} \binom{2}{2}$$
$$\binom{3}{0} \binom{3}{1} \binom{3}{2} \binom{3}{3}$$
$$\binom{4}{0} \binom{4}{1} \binom{4}{2} \binom{4}{3} \binom{4}{4}$$
$$\binom{5}{0} \binom{5}{1} \binom{5}{2} \binom{5}{3} \binom{5}{4} \binom{5}{5}$$

 ## WCZESNE GATUNKI CZŁOWIEKA

Homo neanderthalensis Neandertalczyk był całkowicie odrębnym gatunkiem od *Homo sapiens*. *Homo neanderthalensis* byli wyżsi i silniejsi, mieli większe mózgi niż człowiek współczesny i posiadali tradycję grzebania zmarłych (co może sugerować początki wierzeń religijnych). Ok. 30 tys. lat p. n.e. zostali wyparci przez *Homo sapiens* – do dziś nie jest jasne, jak do tego doszło. Niektórzy sądzą, że zostali wybici, a inni, że po tym, jak oba te gatunki zaczęły się krzyżować, jeden z nich ostatecznie przestał istnieć. W 2010 r. odkryto, że w DNA współczesnego człowieka można odnaleźć fragmenty DNA neandertalczyka.

SUAHILI

Dzisiejszy suahili Suahili to język używany najczęściej w Kenii, Tanzanii, Ugandzie i Kongo, ale stosuje się go również na wschodnim wybrzeżu Afryki i w niektórych regionach Somalii, Burundi, Rwandy, Mozambiku czy na Komorach. W Tanzanii suahili ma status języka urzędowego, podobnie sytuacja wygląda w Kenii i Ugandzie (drugim językiem urzędowym jest tam angielski). Istnieje 15 podstawowych dialektów suahili, z których dominujące to: kiunguja (używany w kontynentalnej Tanzanii i Zanzibarze), kimvita (w Kenii i Mombasie) oraz kiamu (na wybrzeżach i na wyspie Lamu).

LĄDOWANIE NA KSIĘŻYCU

Apollo 11 Kolejny statek kosmiczny Apollo 11 wystartował 16 lipca 1969 r. 20 lipca Neil Armstrong i Edwin „Buzz" Aldrin wylądowali na Księżycu i postawili na jego powierzchni pierwsze kroki. Moduł księżycowy spędził na srebrnym globie 21 godzin i 36 minut, a jego załoga przebywała na zewnątrz 2 godziny i 31 minut. W drogę powrotną zabrała ze sobą ok. 20 kg ziemi i skał księżycowych. Misja trwała 8 dni, a wodowanie nastąpiło na Pacyfiku. Apollo 11 był pierwszym załogowym statkiem kosmicznym, który wylądował na powierzchni innego ciała niebieskiego i bezpiecznie powrócił do domu.

 WILLIAM SZEKSPIR

Kontrowersje wokół kwestii autorstwa W XVIII w. powstała grupa tzw. „antyszekspirystów" kwestionujących autorstwo sztuk powszechnie uznawanych za dzieła Szekspira. Podejrzewali oni, że rzeczywistym autorem był inny ze współczesnych Szekspirowi twórców. Zazwyczaj wymienia się tutaj takie nazwiska, jak Edward de Vere, Francis Bacon oraz Christopher Marlowe. Edward de Vere, siedemnasty książę Oxfordu i możny na dworze królowej Elżbiety I, miał wieść życie bardzo przypominające bohaterów sztuk Szekspira. Najpoważniejszym kandydatem z tej trójki był jednak prawdopodobnie Francis Bacon, którego dzieło pt. *Promus* wykazuje 4400 paralel myślowych i stylistycznych z dokonaniami Szekspira. Christopher Marlowe był autorem sztuk teatralnych, zasztyletowanym podczas bójki w barze w 1593 r., niektórzy uważają jednak, że w rzeczywistości był szpiegiem, który upozorował własną śmierć, a dalsze sztuki pisał pod pseudonimem „William Szekspir".

 TRÓJKĄT PASCALA

Ciąg Fibonacciego Jak sobie przypominacie z wcześniejszej lekcji, pierwsze osiem liczb ciągu Fibonacciego to: 1, 1, 2, 3, 5, 8, 13, 21. Wartości te można odnaleźć w trójkącie Pascala:

```
            1 1 2 3    5     8......
                   1
                 1  1
               1  2  1
             1  3  3  1
           1  4  6  4  1
         1  5  10 10 5 1
```

⊛ WCZESNE GATUNKI CZŁOWIEKA

Homo sapiens fossilis Gatunek *Homo sapiens fossilis* pojawił się w Europie 40 tys. lat temu i rozprzestrzenił po całym świecie. W Europie był znany jako człowiek z Crô--Magnon. Wraz z nim po raz pierwszy pojawiły się łuki i strzały, ręcznie budowane schronienia w postaci lepianek i namiotów (wykorzystywanych podczas podążania za gromadami zwierząt), zaawansowane rodzaje broni, ubrania, udoskonalone języki oraz sztuka. Wówczas właśnie stworzono słynne malowidła jaskiniowe z Lascaux na terenie Francji. Z anatomicznego punktu widzenia przedstawiciele tego gatunku byli niemal identyczni ze współczesnym człowiekiem.

Użyteczne zwroty Oto kilka zwrotów, które mogą się okazać przydatne podczas podróży na wschodnie wybrzeże Afryki:

Cześć – *Habari*
Dzień dobry – *Habari ya asubuhi* (przed południem)/*Habari ya mchana* (po południu)
Dobry wieczór – *Habari ya jioni*
Dobranoc – *Usiku mwema*
Jak się masz? – *Habari yako?*
Nie rozumiem – *Sielewi*
Na zdrowie! – *Maisha marefu!*
Czy mówisz po angielsku? – *Unazungumza kiingereza?*
Jak się nazywasz? – *Jina lako ni nani?*
Przepraszam – *Samahani nipishe*
Przykro mi – *Samahani*
Proszę – *Tafadhali*
Ile to kosztuje? – *Hii ni bei gani?*
Dziękuję – *Asante*
Gdzie jest toaleta? – *Choo kiko wapi?*
Do widzenia – *Kwaheri*

1. **Pierwszy udany załogowy lot programu _Apollo_ to:**
   a. Apollo 5;
   b. Apollo 6;
   c. Apollo 7;
   d. Apollo 8.

2. **Która z misji _Apollo_ jako pierwsza weszła na orbitę Księżyca?**
   a. _Apollo 7._
   b. _Apollo 8._
   c. _Apollo 10._
   d. _Apollo 11._

3. **Które z poniższych zdań jest prawdziwe?**
   a. William Szekspir pisał tragedie, komedie i sztuki historyczne.
   b. William Szekspir pisał komedie, musicale i dzieła grozy.
   c. William Szekspir pisał tragedie, musicale i sztuki historyczne.
   d. William Szekspir pisał musicale i dzieła grozy.

4. **Jakie metrum w sztukach stosował William Szekspir?**
   a. Rymujący się tetrametr trocheiczny.
   b. Nierymujący się tetrametr trocheiczny.
   c. Rymujący się pentametr jambiczny.
   d. Nierymujący się pentametr jambiczny.

5. **Co tworzy trzeci ukośny rząd trójkąta Pascala?**
   a. Kolejne wielokrotności liczby 2.
   b. Ciąg Fibonacciego.
   c. Liczby trójkątne.
   d. Liczby piramidalne.

6. **Co otrzymamy, dodając do siebie liczby tworzące poziome rzędy trójkąta Pascala?**
   a. Kolejne wielokrotności liczby 2.
   b. Ciąg Fibonacciego.
   c. Liczby trójkątne.
   d. Liczby piramidalne.

7. **Odkrycie Lucy było znaczące ponieważ:**
   a. była ona pierwszym odnalezionym przedstawicielem gatunku _Australopithecus afarensis_;
   b. stanowiło dowód na to, że _Australopithecus afarensis_ był gatunkiem dwunożnym;
   c. była ona pierwszym odnalezionym hominidem płci żeńskiej;
   d. była ona najwyższym przedstawicielem gatunku _Australopithecus afarensis_, o jakim słyszano.

8. **Jedna z teorii na temat wyginięcia neandertalczyków mówi, że:**
   a. zasymilowali się z _Homo sapiens_;
   b. zostali wybici przez _Homo sapiens_;
   c. zostali wyniszczeni przez chorobę zakaźną;
   d. (a) i (b).

9. **Suahili stanowi połączenie:**
   a. perskiego i arabskiego;
   b. arabskiego, francuskiego i bantu;
   c. perskiego, arabskiego i bantu;
   d. perskiego, włoskiego i bantu.

10. **Jak powiedzieć „Dzień dobry" w suahili?**
    a. Samahani.
    b. Habari ya jioni.
    c. Habari ya asubuhi.
    d. Sielewi.

HISTORIA: Rewolucja kulturalna w Chinach

Mao Zedong, Wielki skok naprzód, Odcięcie się od Sowietów, Rewolucja kulturalna, „Incydent" na placu Tian'anmen, Zakończenie rewolucji kulturalnej

 MATEMATYKA: Teoria grup

Czym jest teoria grup?, Grupa permutacji, Grupa macierzy, Grupa przekształceń, Grupa abstrakcji, Kostka Rubika

 SZTUKA JĘZYKA: Literatura wiktoriańska

Styl literatury wiktoriańskiej, Powieść angielska, Literatura dla dzieci, Poezja, Literatura naukowa i filozoficzna, Schyłek epoki wiktoriańskiej

 PRZYRODA: Prawa gazowe

Właściwości gazów, Prawo Boyle'a-Mariotte'a, Prawo Charles'a, Prawo Gay-Lussaca, Prawo Avogadra, Prawo Grahama

Lekcja 33

 JĘZYKI OBCE: Pasztuński

Początki, Afganistan, Pakistan, Dialekty, System pisma, Użyteczne zwroty

REWOLUCJA KULTURALNA W CHINACH

Mao Zedong Przyszły przewodniczący Komunistycznej Partii Chin, Mao Zedong (Mao Tse-tung), urodził się w 1893 r. w bogatej rodzinie chłopskiej. Był on jednym z założycieli i głównym ideologiem KPCh oraz przywódcą partyzantki zwalczającej reżim Czang Kaj-szeka. W 1931 r. został przewodniczącym Chińskiej Demokratycznej Republiki Robotniczo-Chłopskiej. W obliczu japońskiej agresji i wojny domowej z Kuomintangiem (narodowcami) Mao zyskał ogromne poparcie społeczne. W 1945 r. w statucie KPCh zapisano, że oficjalna linia partii opiera się na jego ideologii (nazwanej później maoizmem). Po II wojnie światowej komuniści pokonali Kuomintang i w 1949 r. proklamowali Chińską Republikę Ludową z Mao jako przewodniczącym.

LITERATURA WIKTORIAŃSKA

Styl literatury wiktoriańskiej Epoka wiktoriańska stanowiła okres przejściowy pomiędzy romantyzmem a XX wiekiem. Jej ramy wyznacza brytyjskie panowanie królowej Wiktorii, a więc lata 1837–1901, naznaczone imperialnym dobrobytem, polityczną stabilizacją, rewolucją przemysłową, rozwojem ruchu robotniczego czy wreszcie emancypacją. Epokę wiktoriańską uznaje się zwykle za wiek skostniały, zwłaszcza pod względem rygorystycznej moralności i dbania o konwenanse, co niektórzy pisarze ukazywali w krzywym zwierciadle.

TEORIA GRUP

Czym jest teoria grup? Jak sobie przypominacie z wcześniejszej lekcji, grupa jest abstrakcyjnym pojęciem, które musi spełniać kilka podstawowych warunków: domknięcia, łączności, tożsamości i odwrotności. Teoria grup to nauka o różnych układach, które spełniają te warunki. Ogólnie rzecz biorąc, teoria grup polega na badaniu symetrii i ma wiele zastosowań w świecie rzeczywistym, zwłaszcza w chemii i fizyce.

PRAWA GAZOWE

Właściwości gazów Gazy mają trzy właściwości: dobrą ściśliwość, łatwo się rozszerzają i zajmują większą przestrzeń niż ciecze i ciała stałe. Wywierają również ciśnienie, a ze względu na to, że ich molekuły są rozłożone na obszernej powierzchni, mają niską gęstość. Wiele właściwości gazów opiera się na pięciu postulatach tworzących kinetyczno-molekularną teorię gazów. Mówi ona, że:
a) gazy składają się z cząstek, których rozmiary można pominąć (są one bardzo niewielkie w porównaniu z dystansem dzielącym cząsteczki);
b) cząstki znajdują się w nieprzerwanym, chaotycznym ruchu po linii prostej;
c) nie licząc zderzeń, siły przyciągania i odpychania międzycząsteczkowego są słabe;
d) podczas zderzeń sprężystych cząsteczek nie następuje utrata energii kinetycznej;
e) temperatura cząsteczek jest proporcjonalna do ich średniej energii kinetycznej.

PASZTUŃSKI

Początki Pasztuński jest językiem wschodnioirańskim, znanym również jako Afghan (w języku perskim) lub Pathan (w pendżabskim) i należącym do rodziny języków indoirańskich. Pasztuński narodził się jako rdzenny język Pasztunów zamieszkujących region pomiędzy Afganistanem i Pakistanem. Pierwsze zapiski w tym języku pochodzą z XVI w., a w XVII stuleciu tworzył już w nim narodowy poeta Afganistanu Chuszhal Chan Chattak.

REWOLUCJA KULTURALNA W CHINACH

Wielki skok naprzód W 1958 r. Mao Zedong podjął próbę modernizacji chińskiej gospodarki. Jego plan stał się znany jako „Wielki skok naprzód" i opierał się na haśle „Trzy lata usilnej pracy – dziesięć tysięcy lat szczęścia". Podjęto budowę tysięcy wielkich obiektów przemysłowych i milionów mniejszych, zatrudniając w nich chłopów w okresie, gdy powinni się zajmować zbiorami; rozpoczęto gigantyczne roboty melioracyjne, przeprowadzono szereg nieprzemyślanych reform i stworzono przymusowe komuny ludowe. W rezultacie w gospodarce zapanował całkowity chaos i dezorganizacja, kraj znalazł się w stanie klęski żywiołowej, a 20–30 mln ludzi zmarło z głodu. Na VIII Plenum KPCh Mao został odsunięty od władzy, ale udało mu się zachować autorytet i pozycję w KPCh, mógł więc spokojnie przygotowywać swoją rewolucję.

LEKCJA 33B

LITERATURA WIKTORIAŃSKA

Powieść angielska W XIX w. powieść stała się najpopularniejszą formą literatury. Szczególnie ważnym aspektem ówczesnej powieści było przedstawianie narodzin i rozwoju klasy średniej, co stanowiło zerwanie z tradycją portretowania arystokracji, charakterystyczną dla wcześniejszej literatury. Większość powieści publikowano w odcinkach na łamach różnego rodzaju pism, a każdy rozdział był skonstruowany w taki sposób, aby zachęcić czytelników do zakupu kolejnego numeru danego pisma.

TEORIA GRUP

Grupa permutacji Jak sobie przypominacie, permutacje to wszystkie możliwe sposoby przestawienia elementów danego układu. Jeśli więc mamy układ abc, jego permutacją będzie np. bca. Jedną z najważniejszych grup jest właśnie grupa permutacji. Jeśli istnieje grupa G, elementy zbioru M stanowią permutacje, a działaniem grupowym jest składanie permutacji w grupie G. Dwie permutacje tworzą grupę, kiedy jedna jest elementem tożsamym, a druga – elementem odwrotnym.

PRAWA GAZOWE

Prawo Boyle'a-Mariotte'a Prawo, sformułowane niezależnie przez Irlandczyka Roberta Boyle'a oraz Francuza Edme Mariotte'a, mówi, że w stałej temperaturze objętość gazu jest odwrotnie proporcjonalna do jego ciśnienia (zwiększanie ciśnienia zmniejsza objętość i odwrotnie). Równanie powiązane z prawem Boyle'a-Mariotte'a prezentuje się następująco:

$$pV = k$$

gdzie p to ciśnienie, V – objętość, a k to stała, której wartość obliczamy, mnożąc ciśnienie przez objętość. W związku z tym, że zachodzi odwrotnie proporcjonalny stosunek między objętością i ciśnieniem, jeśli objętość się podwoi, ciśnienie odpowiednio (a więc o połowę) obniży się.

PASZTUŃSKI

Afganistan Od XVIII w. królowie Afganistanu (z jednym wyjątkiem) byli z pochodzenia Pasztunami. W 1936 r. pasztuński ogłoszono urzędowym językiem tego kraju i zachował on ten status do dziś (od 1964 r. drugim językiem urzędowym jest dari). Po wyznaczeniu w 1893 r. linii Duranda (granicy pomiędzy Afganistanem i Pakistanem) język pasztuński przeniknął również do Pakistanu. W wyniku przesunięcia granicy jedna trzecia terytorium Afganistanu weszła w skład Pakistanu.

LEKCJA 33C

🏛 REWOLUCJA KULTURALNA W CHINACH

Odcięcie się od Sowietów W latach 50. XX w. Chińska Republika Ludowa Mao oraz Związek Radziecki Stalina wzajemnie się wspierały, choć Mao, w polityce zagranicznej wyznający ideę sinocentryzmu i dążący do ustanowienia Chin światowym przywódcą obozu socjalistycznego, nigdy nie dopuścił do rozszerzenia wpływów radzieckich w Chinach. Po śmierci Stalina oba kraje zaczęły toczyć walkę o prymat w światowym ruchu komunistycznym; Chruszczow odmówił m.in. ChRL pomocy finansowej po klęsce wielkiego skoku, a w zamian został nazwany przez Chiny rewizjonistą. Po rozpoczęciu rewolucji kulturalnej stosunki między obydwoma krajami jeszcze się zaostrzyły i uległy poprawie dopiero po śmierci Mao.

LITERATURA WIKTORIAŃSKA

Literatura dla dzieci W epoce wiktoriańskiej literatura dla dzieci przeszła prawdziwą metamorfozę. W 1848 r. istniał już anglojęzyczny przekład dzieł Hansa Christiana Andersena, co wywołało spore zainteresowanie baśniami. Właśnie w tym okresie powstała i zyskała dużą popularność *Alicja w Krainie Czarów* Lewisa Carrolla. Zmiana w podejściu do literatury dziecięcej wiąże się bezpośrednio z charakterem tamtej epoki – to właśnie wtedy zaczęto kwestionować zatrudnianie nieletnich i nalegać na ich kształcenie.

TEORIA GRUP

Grupa macierzy Drugi najważniejszy typ grupy stanowi grupa macierzy. Jak wiadomo, macierze to przestrzenie wektorowe. W grupie macierzy grupa G to zbiór składający się z elementów będących macierzami kwadratowymi. Macierz kwadratowa ma takie same wymiary pionowe, jak i poziome. Dla takiej grupy macierzy istnieją także macierze odwrotne. Grupy macierzy są pomocne w zrozumieniu obiektów symetrycznych i można znaleźć ich zastosowanie m.in. w geometrii, chemii i fizyce. Grupy macierzy wykazują duże podobieństwo do grup permutacji.

PRAWA GAZOWE

Prawo Charles'a W XIX w. Jacques Charles i Joseph Louis-Gay Lussac badali wpływ temperatury gazów na ich objętość. Prawo Charles'a, zwane również prawem objętości, mówi, że po podgrzaniu gaz się rozszerza. Można je przedstawić jako:

$$V \, \alpha \, T$$

Alternatywne sposoby przedstawiania prawa Charles'a to:

$$\frac{V_2}{V_1} = \frac{T_2}{T_1} \text{ lub } \frac{V_1}{T_1} = \frac{V_2}{T_2} \text{ lub } V_1 T_2 = V_2 T_2$$

gdzie V oznacza objętość, a T – temperaturę. W każdym z podanych równań objętość gazu wzrasta proporcjonalnie do wzrostu temperatury.

PASZTUŃSKI

Pakistan W Pakistanie pasztuński nie ma statusu języka urzędowego jak w Afganistanie, mimo że posługuje się nim w sumie 27 mln ludzi (15% populacji). Urzędowymi językami Pakistanu są urdu i angielski. W 1984 r. po raz pierwszy zezwolono na stosowanie pasztuńskiego w pakistańskich szkołach.

REWOLUCJA KULTURALNA W CHINACH

Rewolucja kulturalna W latach 1966–1976 Mao Zedong przeprowadził „Wielką Proletariacką Rewolucję Kulturalną", uważaną dziś za jeden z najmroczniejszych okresów w historii Chin. Na wiecu inaugurującym na placu Tian'anmen (Niebiańskiego Spokoju) zgromadziło się ok. 11 mln młodych ludzi. Zamknięto szkoły, a uczniów powołano do Czerwonej Gwardii przeprowadzającej czystki wśród nauczycieli i intelektualistów; pieczę nad nią sprawowała żona Mao, Jiang-Qing. Działania hunwejbinów były początkowo bardzo brutalne; ocenia się, że w ich wyniku zginęło ponad milion osób. Przeprowadzono szereg działań mających na celu „zburzenie starego i ustanowienie nowego świata". Niszczono dzieła sztuki i kultury, intelektualistów zmuszano do hańbiącej samokrytyki i wysyłano do obozów reedukacyjnych. Z czasem Przewodniczący złagodził kurs wobec inteligencji i ograniczył działania hunwejbinów.

 LITERATURA WIKTORIAŃSKA

Poezja Najbardziej cenionym poetą epoki wiktoriańskiej był Sir Alfred Tennyson. Jego wiersze odzwierciedlały ducha epoki, a więc były przesycone melancholią i wątpliwościami natury religijnej, ale jednocześnie wiarą w system klasowy. W połowie XIX w. powstał ruch prerafaelitów, który stawiał sobie za cel wskrzeszenie dzieł z okresu klasycznego oraz średniowiecza. Najwspanialszym przykładem dzieła należącego do tego nurtu jest wiersz Tennysona pt. *Idylle królewskie*, w którym opowieść o królu Arturze połączona została ze współczesnymi autorowi problemami i ideami.

 TEORIA GRUP

Grupa przekształceń Grupy przekształceń to takie, które mają do czynienia z symetrią. Zarówno grupy permutacji, jak i grupy macierzy to szczególne rodzaje grup przekształceń. Są one umiejscowione w określonej przestrzeni (grupy permutacji – w zbiorach, grupy macierzy – w przestrzeni wektorowej), ale pewna struktura niezmiennie zostaje zachowana. Kiedy przekształcenia zachowują obiekty, pojawia się jeszcze więcej symetrii. Grupy przekształceń mają dwie właściwości:
Jeśli przekształcenia f i g należą do G, wówczas działanie składania $f \circ g$, czyli $f(g(x))$, również należy do G.
Zbiór G zawiera odwrotne przekształcenie f^1 dla każdego przekształcenia f.

 PRAWA GAZOWE

Prawo Gay-Lussaca Prawo Gay-Lussaca jest oparte na prawie Boyle'a-Mariotte'a oraz prawie Charles'a i wyraża dwa kryteria. Jego pierwsza część jest znana jako prawo stosunków objętościowych. Mówi ono, że gazy łączą się ze sobą na zasadzie prostych proporcji. Druga część prawa stwierdza, że przy stałym ciśnieniu stosunek objętości gazu do jego temperatury jest stały. Można to wyrazić wzorem:

$$\frac{V}{T} = const \text{ lub } V \sim T$$

 PASZTUŃSKI

Dialekty Zarówno w Pakistanie, jak i w Afganistanie stosuje się dwa podstawowe dialekty pasztuńskiego: dialekt północny zwany pakhto oraz dialekt południowy – pashto. Pakhto ma twardsze brzmienie, a pashto – miększe, na co wskazuje już sama różnica nazewnictwa tych dialektów. Ogólnie rzecz biorąc, nie ma zbyt wielu różnic morfologicznych między pakhto i pashto, dzięki czemu ich użytkownicy mogą się ze sobą bez trudu porozumieć.

REWOLUCJA KULTURALNA W CHINACH

„Incydent" na placu Tian'anmen 8 stycznia 1976 r. zmarł Zhou Enlai (Czou Enlaj), premier Chińskiej Republiki Ludowej, wybitny dyplomata znany z tego, iż tonował poczynania Mao i kiełznał działania hunwejbinów. Wiec na jego cześć, zorganizowany przez studentów 4 kwietnia na placu Niebiańskiego Spokoju, przerodził się w wielką dwumilionową demonstrację przeciwko „bandzie czworga" (Jiang Qing, Zang Chunqiao, Wang Hongwen i Yao Wenyuan), która z powodu choroby Przewodniczącego sprawowała faktyczną władzę w państwie. Następnego dnia okazało się, że wieńce i pamiątki złożone na cześć zmarłego zostały usunięte, co doprowadziło do brutalnych zamieszek. Podpalano auta policyjne, tysiące ludzi wdarło się do budynków rządowych.

LITERATURA WIKTORIAŃSKA

Literatura naukowa i filozoficzna W epoce wiktoriańskiej światem wstrząsnęła teoria ewolucji, jaką Karol Darwin zaproponował w swoim słynnym dziele *O powstawaniu gatunków*, a inne książki na temat przyrody i ewolucji także zyskiwały sporą popularność. Publikowali też wówczas znakomici filozofowie: John Stuart Mill, John Henry Newman czy Henry Edward Manning. W epoce wiktoriańskiej tworzyli swoje dzieła również dwaj ideolodzy komunizmu, Karol Marks i Fryderyk Engels.

TEORIA GRUP

Grupa abstrakcji Wszystkie dotychczasowe grupy były grupami konkretnymi. Używano w nich liczb, macierzy albo permutacji. Pod koniec XIX w. stworzono koncept grup abstrakcji, które mają własności abstrakcyjne i są przedstawiane za pomocą generatorów oraz relacji. Grupa abstrakcji może wyglądać następująco:

$$G = <S|R>$$

Przykładem grupy abstrakcji może być grupa cykliczna, która jest tworzona z pojedynczego elementu.

PRAWA GAZOWE

Prawo Avogadra W 1811 r. włoski chemik Amedeo Avogadro postawił hipotezę, zgodnie z którą dwa gazy o takim samym ciśnieniu, objętości i temperaturze muszą składać się z takiej samej liczby cząsteczek niezależnie od swoich właściwości fizycznych i chemicznych. Prawo Avogadra można zapisać jako:

$$\frac{V}{n} = k$$

gdzie V oznacza objętość, n – liczbę cząsteczek gazu, a k to stała.
Dzięki prawu Avogadra ustalono, że stała k ma taką samą wartość dla każdego gazu, co oznacza, że:

$$\frac{p_1 \bullet V_1}{T_1 \bullet n_1} = \frac{p_2 \bullet V_2}{T_2 \bullet n_2} = stała$$

PASZTUŃSKI

System pisma Alfabet pasztuński składa się z 45 liter i wywodzi się z alfabetu arabskiego, ale zawiera również litery reprezentujące dźwięki nieistniejące w arabskim. Wykorzystuje się w nim wszystkie 28 liter arabskiego systemu pisma, a trzy litery są wspólne dla alfabetu perskiego i urdu.

🏛 REWOLUCJA KULTURALNA W CHINACH

Zakończenie rewolucji kulturalnej W 1968 r. chińska gospodarka była bliska załamania, a podział w szeregach czerwonogwardzistów prowadził do coraz większych problemów. W 1971 r. chaos wywołany rewolucją kulturalną zaczął przygasać na skutek działań Armii Ludowo-Wyzwoleńczej. W latach 1972–1976 przewodniczący Mao i premier Zhou Enlai podupadli na zdrowiu, w związku z czym zaczęto debatować nad tym, czy należy kontynuować rewolucję. Poplecznicy Mao winili za chaos rewolucji przede wszystkim tzw. bandę czworga. Mao Zedong zmarł 9 września 1976 r., a w październiku dokonano aresztowania bandy czworga, kończąc tym samym rewolucję kulturalną.

LITERATURA WIKTORIAŃSKA

Schyłek epoki wiktoriańskiej Epokę wiktoriańską można podzielić na dwa okresy: wczesny (do ok. 1870) oraz późny (w latach 1890–1918). W drugim z tych okresów zaczęto odrzucać idee, które początkowo przyświecały epoce wiktoriańskiej. Powróciło zainteresowanie tematyką fantastyczną, czego przykładem może być słynna nowela Roberta Lewisa Stevensona *Doktor Jekyll i pan Hyde*, a także narodziła się tzw. powieść problematyczna, skupiająca się na instytucji małżeństwa, roli płci i tożsamości seksualnej.

TEORIA GRUP

Kostka Rubika Założenia teorii grup mogą sprawiać wrażenie skomplikowanych, ale aby zrozumieć, na jakiej podstawie działają, wystarczy pomyśleć o kostce Rubika. Jest ona przykładem grupy matematycznej, ponieważ spełnia wszystkie cztery warunki definiujące grupę, a każdy element posiada tu swoje permutacje. Aby ułożyć kostkę Rubika, należy wykonać pewne ruchy w odpowiedniej kolejności.

PRAWA GAZOWE

Prawo Grahama Dotyczy efuzji, a więc procesu przedostawania się cząsteczek gazu przez niewielki otwór bez zderzania się. Prawo Grahama mówi, że szybkość efuzji jest odwrotnie proporcjonalna do pierwiastka kwadratowego z ich gęstości. Można je zapisać jako:

$$\frac{v_1}{v_2} = \frac{\sqrt{M_2}}{\sqrt{M_1}}$$

gdzie v_1 i v_2 to prędkości efuzji dwóch gazów, a M_1 i M_2 to ich gęstości.

PASZTUŃSKI

Użyteczne zwroty Oto kilka zwrotów, które mogą się okazać przydatne podczas podróży do Afganistanu lub Pakistanu; zapisano je w przybliżonej formie fonetycznej:

Cześć – *Salaam*

Dzień dobry – *Sahr pikheyr* (przed południem)/*Wradz mo pa kheyr* (po południu)

Dobry wieczór – *Maakhaam mo pa kheyr*

Dobranoc – *Shpa mo pa kheyr*

Miło mi cię poznać – *Khwakh shum pa li do di*

Nie rozumiem – *Za na poheegum*

Ile to kosztuje? – *Da somra di?*

Przepraszam – *Bakhena ghwaarum*

Gdzie jest toaleta? – *Khakandas cheerta di?*

Dziękuję – *Manana*

Jak się nazywasz? – *Staa num tsa dhe?*

Do widzenia – *Da khoday pa amaan*

1. **Czerwonogwardziści byli odpowiedzialni za:**
   a. ochronę chińskich granic przed ZSRR;
   b. czystki wśród nauczycieli i intelektualistów;
   c. wielki skok naprzód;
   d. stworzenie komun ludowych.

2. **Za chaos, jakim zakończyła się rewolucja kulturalna, winiono:**
   a. przewodniczącego Mao;
   b. Zhou Enlaia;
   c. bandę czworga;
   d. czerwonogwardzistów.

3. **Co było powodem rozwoju literatury dla dzieci w epoce wiktoriańskiej?**
   a. Zaczęły się zmieniać poglądy na kwestię zatrudniania nieletnich.
   b. Dzieci musiały chodzić do szkoły i w związku z tym potrafiły czytać.
   c. Na język angielski przetłumaczono dzieła Hansa Christiana Andersena.
   d. Zarówno (a), (b) i (c).

4. **Co postawili sobie za cel prerafaelici?**
   a. Wskrzeszenie dzieł z okresu klasycznego oraz średniowiecza.
   b. Odrzucenie dzieł z okresu klasycznego oraz średniowiecza.
   c. Wskrzeszenie ideologii z czasów rewolucji francuskiej.
   d. Odrzucenie ideologii z czasów rewolucji francuskiej.

5. **Które z poniższych zdań jest prawdziwe?**
   a. Jakąkolwiek grupę można przedstawić jako grupę przekształceń.
   b. Jakąkolwiek grupę można przedstawić jako grupę abstrakcji.
   c. Jakąkolwiek grupę można przedstawić jako grupę permutacji.
   d. Jakąkolwiek grupę można przedstawić jako grupę macierzy.

6. **Gdy przekształcenia zachowują obiekt, pojawi się:**
   a. więcej symetrii;
   b. mniej symetrii;
   c. więcej abstrakcji;
   d. mniej abstrakcji.

7. **Jakie prawo mówi, że $pV = k$?**
   a. Prawo Grahama.
   b. Prawo Charles'a.
   c. Prawo Gay-Lussaca.
   d. Prawo Boyle'a-Mariotte'a.

8. **Jakie prawo mówi, że $V \alpha T$?**
   a. Prawo Grahama.
   b. Prawo Charles'a.
   c. Prawo Gay-Lussaca.
   d. Prawo Boyle'a-Mariotte'a.

9. **Co było powodem przeniknięcia języka pasztuńskiego do Pakistanu?**
   a. Atak Afgańczyków na Pakistan.
   b. Atak Pasztunów na Pakistan.
   c. Wyznaczenie linii Duranda, które doprowadziło do utworzenia Pakistanu.
   d. Wyznaczenie linii Duranda, które zmusiło wszystkich użytkowników pasztuńskiego do przeniesienia się do Pakistanu.

10. **Które z poniższych zdań jest prawdziwe?**
    a. Pierwsze zapiski w języku pasztuńskim sięgają XVI w.
    b. W XVII w. narodowy poeta Afganistanu, Chuszhal Chan Chattak, tworzył w języku pasztuńskim.
    c. Elementy języka pasztuńskiego zapożyczone z greki datuje się na III w. p.n.e.
    d. Zarówno (a), (b) i (c).

Odpowiedzi: b, c, d, a, c, a, d, b, c, d.

HISTORIA: Wojna
w Wietnamie

Wietnam po porozumieniach genewskich, Początek ofensywy komunistów, Czasy Kennedy'ego, Czasy Johnsona, Ruch antywojenny, Koniec wojny

 MATEMATYKA: Liczba *e*

Czym jest liczba *e*?, Baza naturalna, Szeregi odwrotności silnia, Dyskretna akumulacja, Trygonometria hiperboliczna, Zaburzenia

 SZTUKA JĘZYKA:
Karol Dickens

O Karolu Dickensie, *Opowieść wigilijna*, *Oliver Twist*, *David Copperfield*, *Opowieść o dwóch miastach*, *Tajemnica Edwina Drooda*

 PRZYRODA: Plazma

Czym jest plazma?, Stopień jonizacji, Temperatura, Różnice między plazmą a gazem, Magnetyzacja, Przykłady plazmy

Lekcja 34

 JĘZYKI OBCE:
Afrikaans

Początki, Fonetyka i gramatyka, Dialekty, Afrikaans w czasie apartheidu, Afrikaans po apartheidzie, Użyteczne zwroty

WOJNA W WIETNAMIE

Wietnam po porozumieniach genewskich Po stu latach kolonizacji francuskiej Wietnamczycy pokonali Francuzów w I wojnie indochińskiej, zmuszając ich do opuszczenia kraju. Przedstawiciele obu krajów spotkali się w Genewie latem 1954 r. w celu podpisania traktatu pokojowego. Indochiny zostały podzielone na cztery państwa: Laos i Kambodżę oraz – proklamowane już w 1945 r. – komunistyczną Demokratyczną Republikę Wietnamu na północy (ze stolicą w Hanoi) i Republikę Wietnamu na południu (ze stolicą w Sajgonie). Na mocy traktatu podział Wietnamu (wyznaczony przez 17. równoleżnik) miał być zlikwidowany po przeprowadzeniu referendum zjednoczeniowego. Stany Zjednoczone uznały jednak, że może to dać zbyt dużą władzę wietnamskim komunistom.

 KAROL DICKENS

O Karolu Dickensie Karol Dickens (1812–1870) należy do najsłynniejszych pisarzy epoki wiktoriańskiej. Charakterystyczną cechą prozy Dickensa byli komiczni bohaterowie drugiego planu, a także ukryty w historiach komentarz społeczny. Podobnie jak w przypadku dzieł wielu innych twórców epoki wiktoriańskiej, jego powieści (w sumie 15) pierwotnie ukazywały się w odcinkach w prasie. Do najsłynniejszych należą: *Oliver Twist*, *Nicholas Nickleby*, *Opowieść wigilijna*, *Opowieść o dwóch miastach*, *Wielkie nadzieje* oraz *Klub Pickwicka*.

 LICZBA E

Czym jest liczba *e*? Zwana również liczbą Eulera, jest jedną z najważniejszych liczb niewymiernych, będącą podstawą logarytmu naturalnego. Liczba *e* została wprowadzona na początku XVII w. przez Johna Napiera, który zajmował się badaniem logarytmów. Odszedł on później od koncepcji logarytmu naturalnego i zaczął skłaniać się ku logarytmom o podstawie dziesiętnej. Pracę Napiera kontynuował Leonard Euler, i to właśnie temu drugiemu udało się odkryć właściwości liczby *e*. Liczba ta rozciąga się w nieskończoność, a jej pierwsze wartości to:
$e = 2,71828182845904523536...$

 PLAZMA

Czym jest plazma? Trzema najlepiej znanymi stanami skupienia materii są: ciało stałe, ciecz oraz gaz. Istnieje też jednak czwarty stan skupienia zwany plazmą, i w tej właśnie formie materia we wszechświecie występuje najczęściej, pomimo że nie jest to forma wyraźnie określona. Plazma to zjonizowana materia o stanie skupienia przypominającym gaz, w którym znaczna część cząstek jest naładowana elektrycznie. Charakteryzuje się bardzo wysokim ciśnieniem i temperaturą, a zbudowane są z niej m.in. gwiazdy oraz gwiezdny pył (można ją znaleźć np. na Słońcu).

 AFRIKAANS

Początki Języka afrikaans używa się dziś w RPA oraz Namibii. Jest to język zachodniogermański, pochodny niderlandzkiego. W XVII w. Holendrzy założyli w Afryce kolonie i aż do XIX w. afrikaans uznawano za jeden z dialektów niderlandzkiego. Język ten jednak ewoluował i w 1914 r. uznano go za całkowicie odrębny język południowoafrykański, o statusie urzędowym. Uznaje się, że 90–95% słownictwa pochodzi z niderlandzkiego, a pozostała część wykazuje wpływy malajskiego, portugalskiego oraz języków bantu.

WOJNA W WIETNAMIE

Początek ofensywy komunistów W 1956 r. prezydentem niekomunistycznej Republiki Wietnamu został wspierany przez Amerykanów dotychczasowy premier Ngô Đình Diệm. Odwołał on wybory mające doprowadzić do zjednoczenia Wietnamu, co spowodowało uaktywnienie komunistycznej partyzantki. W 1958 r. prezydent Demokratycznej Republiki Wietnamu Hồ Chí Minh podjął decyzję o poparciu komunistycznego powstania w Wietnamie Południowym. Za granicę przerzucono kadry partii komunistycznej, tysiące żołnierzy i broń. W 1960 roku komuniści utworzyli ludowy Narodowy Front Wyzwolenia Wietnamu Południowego (NLF). Rok później Diệm zwrócił się z prośbą do prezydenta USA Johna Kennedy'ego o wsparcie.

 KAROL DICKENS

Opowieść wigilijna Choć głównym tematem *Opowieści wigilijnej* są święta Bożego Narodzenia, to w rzeczywistości historia skrywa komentarz społeczny dotyczący podziału na bogatych i biednych w Anglii epoki wiktoriańskiej. Kiedy Dickens pisał *Opowieść wigilijną*, rząd brytyjski wprowadził specjalne przepisy dotyczące biedoty, w wyniku czego ludzie byli zmuszeni do pracy w zaniedbanych fabrykach i zamykani w więzieniach dla dłużników. Sam Dickens trafił wraz z rodziną do jednego z takich więzień w wieku 12 lat i musiał pracować w fabryce pasty do butów.

 LICZBA E

Baza naturalna Patrząc na wykresy funkcji wykładniczych $f(x) = 2x$ oraz $g(x) = 3x$, zauważamy kilka rzeczy. Funkcja równa $2x$ rozpoczyna się od wyższej wartości niż funkcja równa $3x$, ale wartość funkcji $3x$ staje się wyższa niż wartość funkcji $2x$ jeśli $x > 0$. Porównując średni przyrost obu funkcji, widać, że w przypadku funkcji f nie dorównuje on wartości funkcji, a w przypadku funkcji g jest on nieco wyższy. Żaden z wykresów nie zazębia się z wykresami przyrostu funkcji, choć $3x$ jest temu bliższy. Oznacza to, że baza funkcji wykładniczej znajduje się pomiędzy 2 i 3, czyli jest to liczba e. Funkcja wykładnicza $y = ex$ ma przyrost funkcji równy swojej wartości.

 PLAZMA

Stopień jonizacji Aby plazma mogła zaistnieć, musi nastąpić jonizacja, w której wyniku atomy poprzez usuwanie i dodawanie naładowanych cząsteczek zamieniają się w jony. Stopień jonizacji, który w dużym stopniu zależy od temperatury, to stosunek jonów do całkowitej liczby cząsteczek. Aby obliczyć stopień jonizacji, należy zastosować następujący wzór:

$$\alpha + \frac{n_i}{n_i + n_a}$$

gdzie n_i oznacza gęstość jonu, a n_a – gęstość neutralnych atomów.

 AFRIKAANS

Fonetyka i gramatyka Afrikaans jest znacznie prostszy od niderlandzkiego i w przeciwieństwie do niego nie posiada żadnych długich spółgłosek ani przydechów po spółgłoskach *p, t, k*. Brakuje w nim także rozróżnienia rodzaju w rzeczownikach i deklinacji, a żeby zaznaczyć liczbę mnogą, dodaje się do słów litery *e* lub *s*.

WOJNA W WIETNAMIE

 LEKCJA 34C

Czasy Kennedy'ego Grupa wysłana w 1961 r. do Wietnamu przez prezydenta Kennedy'ego, aby sporządzić raport na temat tamtejszej sytuacji, doniosła, że kraj potrzebuje wojskowego, gospodarczego i technicznego wsparcia, a także doradców, co umożliwiłoby stabilizację reżimu Diệma i zlikwidowanie NLF. Kennedy zgodził się na wysłanie doradców, ale nie żołnierzy. Mimo amerykańskiej interwencji NLF odnosił coraz większe sukcesy. Kolejny plan, nazwany Programem Strategicznej Wioski i mający na celu przeniesienie rodzin rolniczych do specjalnych wiosek, aby odizolować je od NLF, również spalił na panewce. Tymczasem Diệm wszedł w konflikt z buddyjskimi mnichami i rozpoczął wobec nich represje, które odbiły się głośnym echem na arenie międzynarodowej i spowodowały wycofanie poparcia USA. 1 listopada 1963 r., na skutek wojskowego puczu Ngô Đình Diệm został zgładzony.

KAROL DICKENS

Oliver Twist Historię dramatycznych losów chłopca-sieroty, *Olivera Twista*, publikowano w odcinkach w 1837 r. Była to druga powieść Dickensa (po *Klubie Pickwicka*, który okazał się sukcesem), ale pierwsza, która skupiała się na komentarzu społecznym i krytykowała sposób, w jaki instytucje publiczne obchodziły się z biedotą. Chodziło o wprowadzenie przez rząd kolejnych przepisów, odzierających ludzi z praw obywatelskich w zamian za pomoc finansową i możliwość pracy w fabrykach. Do tego tematu miał później powrócić, tworząc *Nicholasa Nickleby*. *Oliver Twist* doczekał się kilku ekranizacji.

LICZBA E

Szeregi odwrotności silnia Wartość liczby *e* ciągnie się w nieskończoność. Aby ją określić, można wykorzystać kilka różnych równań:

$$e = 1 + \frac{1}{1!} + \frac{1}{2!} + \frac{1}{3!} + \frac{1}{4!} + \frac{1}{5!} + \ldots$$

lub

$$\frac{1}{e} = 1 - \frac{1}{1!} + \frac{1}{2!} - \frac{1}{3!} + \frac{1}{4!} - \frac{1}{5!} + \ldots$$

lub

$$e - 1 = 1 + \cfrac{1}{1 + \cfrac{1}{2 + \cfrac{1}{1 + \cfrac{1}{4 + \cfrac{1}{1 + \cfrac{1}{1 + \cfrac{1}{1 + \cfrac{1}{6 + \ldots}}}}}}}}$$

lub

$$\frac{e-1}{2} = \cfrac{1}{1 + \cfrac{1}{6 + \cfrac{1}{10 + \cfrac{1}{14 + \cfrac{1}{18 + \ldots}}}}}$$

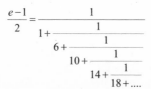

✸ PLAZMA

Temperatura Aby podtrzymać jonizację, niezbędna jest bardzo wysoka temperatura. W innym przypadku elektrony i jony wrócą do poprzedniego stanu, tworząc atomy i zamieniając plazmę w gaz. Plazmę można podzielić na termalną i nietermalną. Plazma termalna utrzymuje ciężkie cząsteczki i elektrony w równowadze termalnej (a więc w niezmiennej temperaturze). W plazmie nietermalnej elektrony mają znacznie wyższą temperaturę, a więc są silniej zjonizowane niż jony i atomy neutralne. Temperaturę plazmy mierzy się w kelwinach, zwanych także elektronowoltami, a określa ona energię kinetyczno-termalną każdej cząsteczki.

☾ AFRIKAANS

Dialekty W XIX w. funkcjonowały trzy dialekty afrikaans: przylądkowy (Kaapse Afrikaans), afrikaans znad Rzeki Pomarańczowej (Oranje; tzw. Oranjerivier-Afrikaans) oraz afrikaans znad wschodniej granicy (Oosgrens-Afrikaans). Dialekt przylądkowy został do pewnego stopnia ukształtowany przez niewolników malajskich posługujących się odmianą portugalskiego. Z kolei afrikaans znad Rzeki Pomarańczowej pozostawał pod wpływem języków koi używanych w zachodnim Griqualandzie oraz Namaqualandzie. Dialekt znad wschodniej granicy został ukształtowany przez ludzi podróżujących z Przylądka w kierunku prowincji Natal. Kiedy język poddano standaryzacji, oparto go na dialekcie wschodnim.

WOJNA W WIETNAMIE

Czasy Johnsona Po śmierci Kennedy'ego władzę przejął Lyndon B. Johnson, który żywił przekonanie, że amerykańska misja w Wietnamie nie została jeszcze zakończona. W 1968 r. Wietnam Północny zaatakował w Zatoce Tonkińskiej dwa amerykańskie okręty. Administracja Johnsona wykorzystała ten atak, aby zmusić Kongres do wydania zezwolenia na zbombardowanie Wietnamu Północnego. W 1968 r. Wietnam Północny wciąż z powodzeniem atakował miasta na południu, wierząc, że zmusi w ten sposób Stany Zjednoczone do pójścia na korzystne dla kraju kompromisy. Tego samego roku Johnson zdecydował, że nie będzie się ubiegał o reelekcję.

 KAROL DICKENS

David Copperfield Ósmą powieścią Karola Dickensa, opublikowaną w 1849 r., był *David Copperfield*. Ze wszystkich dzieł pisarza właśnie ona najbardziej przypomina jego autobiografię. W 1848 r. siostra Dickensa, na której wzorował siostrę Scrooge'a – Fan – w *Opowieści wigilijnej*, zapadła na śmiertelną chorobę i zmarła. Dickens planował napisać książkę o swoim życiu, ale stworzył w tym celu fikcyjnego bohatera, Davida Copperfielda (którego inicjały stanowią odwrotność inicjałów autora), i opowiedział o wszystkim za jego pośrednictwem. Wiele wydarzeń z życia tytułowej postaci powieści to odpowiednio udramatyzowane zdarzenia z życia Dickensa.

 LICZBA E

Dyskretna akumulacja Liczba e jest również bardzo istotna dla zrozumienia procesu inwestycji i pożyczek. Wykorzystując e, możemy obliczyć, jaka będzie granica przyrostu finansowego. Przykładowo, gdy wpłacimy 100 złotych na konto bankowe o rocznym oprocentowaniu w wysokości 4%, pod koniec roku nasz wkład wzrośnie do kwoty 104,08. Liczba e umożliwia obliczenie tego wzrostu na podstawie wzoru: $100 \times e^{0,04} = 104,08$.

 PLAZMA

Różnice między plazmą a gazem Ze względu na brak określonej formy i gęstości plazma najbardziej przypomina gaz, jest to jednak zupełnie odrębny stan skupienia materii, a więc można też zaobserwować kilka różnic pomiędzy nimi. Podczas gdy gaz ma bardzo niski współczynnik przewodzenia elektryczności, w przypadku plazmy jest on niezwykle wysoki. W przypadku gazu wszystkie cząsteczki zachowują się jednakowo, natomiast w przypadku plazmy jony, elektrony, neutrony i protony są od siebie całkowicie niezależne. W gazach dochodzi do zderzeń dwóch cząsteczek naraz, a w plazmie zachodzi interakcja pomiędzy całymi falami cząsteczek na szeroko rozciągniętym obszarze.

⬢ AFRIKAANS

Afrikaans w czasie apartheidu Biała społeczność posługująca się afrikaans stopniowo coraz bardziej oddzielała się od społeczności anglojęzycznej, co ostatecznie doprowadziło do dwóch wojen burskich (1880/1881 i 1899–1902). Choć Afrykanerzy ponieśli klęskę, rozpoczęli kampanię mającą na celu promowanie swojego języka. W 1948 r. sprzyjająca im Partia Narodowa wygrała wybory i wprowadziła apartheid, zmuszając czarnoskóre dzieci do nauki afrikaans, który całkowicie zastąpił język angielski. Od tamtego czasu afrikaans kojarzy się mieszkańcom Południowej Afryki z segregacją rasową oraz fatalną polityką Partii Narodowej.

WOJNA W WIETNAMIE

Ruch antywojenny Johnson miał nadzieję, że pomimo udziału w wojnie uda mu się zachować unormowaną sytuację we własnym kraju. Okazało się jednak, że konflikt w Wietnamie wywołał w Stanach Zjednoczonych ostry ruch antywojenny. W najważniejszych miastach kraju i na kampusach uniwersyteckich zaczęło dochodzić do protestów przeciwko wojnie. Do jednego z najgłośniejszych zdarzeń doszło w 1968 r. podczas zjazdu Partii Demokratycznej, kiedy do Chicago zjechały setki tysięcy protestantów, co doprowadziło do zamieszek z udziałem policji.

KAROL DICKENS

Opowieść o dwóch miastach Dwunasta powieść Dickensa pt. *Opowieść o dwóch miastach* została wydana w 1859 r. i pod wieloma względami różniła się od jego wcześniejszych dzieł. Fabuła została tu podporządkowana faktom historycznym – jej tło stanowią wydarzenia rewolucji francuskiej, a autor nie skupia się w tak dużym stopniu jak zazwyczaj na samych bohaterach, ale przede wszystkim kładzie nacisk na wydarzenia polityczne. Dickens pokazuje okrucieństwo francuskiej arystokracji, które usprawiedliwia potrzebę buntu, ale nie ukrywa też ohydnych czynów, jakich po dojściu do władzy dopuszczali się rewolucjoniści.

LICZBA E

Trygonometria hiperboliczna Wzór na hiperbolę to: $x^2 - y^2 = 1$. Współrzędne x i y mają funkcje hiperboliczne znane jako sinus hiperboliczny oraz cosinus hiperboliczny, które zapisuje się jako $x(v) = cosh(v)$ i $y(v) = sinh(v)$, gdzie v oznacza pole. Przykładem z życia codziennego może tu być kształt wiszącego naszyjnika, znany jako krzywa łańcuchowa (którą można wyrazić jako $y = cosh(x)$). Inne sposoby zapisania tych równań to:

$$sinh(v) = \frac{e^v - e^{-v}}{2}$$
$$cosh(v) = \frac{e^v + e^{-v}}{2}$$

PLAZMA

Magnetyzacja Kiedy dochodzi do namagnetyzowania plazmy, wytwarza ona tak silne pole magnetyczne, że wpływa ono na ruch naładowanych cząsteczek. Zwykle dochodzi do jednego obiegu cząsteczki wokół pola magnetycznego zanim następuje zderzenie i bardzo często namagnesowane zostają nie jony, ale elektrony. Namagnetyzowana plazma ma właściwości anizotropiczne, co oznacza, że w kierunku równoległym do pola magnetycznego wykazuje inne właściwości niż w kierunku prostopadłym.

AFRIKAANS

Afrikaans po apartheidzie Zamiast stać się jednym z dwóch urzędowych języków południowoafrykańskich, po powstaniu w 1994 r. republiki demokratycznej afrikaans podupadł. Obecnie jest on jednym z jedenastu języków urzędowych, a jego wyjątkowy, chroniony status to już tylko wspomnienie. W mediach afrikaans wciąż jest jednak dość popularny, a wśród społeczeństwa również zyskuje coraz większą popularność. Z biegiem czasu przestało się go łączyć z opresją apartheidu i Partii Narodowej.

WOJNA W WIETNAMIE

Koniec wojny Kiedy Richard Nixon objął urząd prezydenta, planował zakończyć wojnę w Wietnamie. Jego plan zyskał nazwę „wietnamizacja" i polegał na zachęceniu Wietnamczyków z Południa (dozbrajaniu ich i szkoleniu), aby przejęli kontrolę nad działaniami wojennymi, dzięki czemu amerykańscy żołnierze mogliby powrócić do domu, a ofensywa sprowadzałaby się do ataków z powietrza. W okresie rządów Nixona działania wojenne objęły dodatkowo Laos i Kambodżę, naruszając tym samym międzynarodowe prawa tych krajów (miało to uniemożliwić komunistom uzyskanie wsparcia albo ucieczkę). W grudniu 1972 r. Stany Zjednoczone przypuściły ataki bombowe na największe miasta Wietnamu Północnego. Ostro skrytykowała je międzynarodowa opinia publiczna, a Nixon został zmuszony do przemyślenia swojej strategii. W 1973 r. administracja Nixona podpisała układ pokojowy z Wietnamem Północnym. Wojna w Wietnamie trwała do 30 kwietnia 1975 r., kiedy to komuniści opanowali Sajgon.

 KAROL DICKENS

Tajemnica Edwina Drooda W trakcie pisania *Tajemnicy Edwina Drooda*, powieści opowiadającej o zagadkowym morderstwie, Dickens nagle zmarł, pozostawiając książkę nieukończoną, a tajemnicę morderstwa nierozwikłaną. Od tamtego czasu podjęto wiele prób dokończenia powieści; najsłynniejszą jest prawdopodobnie broadwayowski musical *Drood*, który nadrabia brak finału, każąc publiczności głosować nad wyborem odpowiedzi na przeróżne pytania, z jakimi pozostawił czytelników autor. Musical miał premierę w 1985 r. i zdobył pięć nagród Tony, w tym w kategorii „Najlepszy musical".

 LICZBA E

Zaburzenia Zaburzenia są związane z permutacjami. Są to rozwiązania, które możemy określić jako „całkowicie niewłaściwe". Przykładowo, 10 gości ma zamiar opuścić wasz dom; gdybyście chcieli dowiedzieć się, ile istnieje możliwości przypadkowego założenia cudzego płaszcza, należałoby obliczyć permutacje z dziesięciu. Zaburzenia podają natomiast liczbę przypadków, w których nikt nie dostaje właściwego płaszcza. Mamy w tym przypadku do czynienia z 3 628 800 różnymi permutacjami i 1 334 961 zaburzeniami. Po podzieleniu przez siebie tych dwóch liczb, otrzymujemy *e*. Niezależnie od tego z jaką liczbą gości mamy do czynienia, szansa na przypadkowe otrzymanie właściwego płaszcza wynosi więc $1 - \frac{1}{e}$.

⊕ PLAZMA

Przykłady plazmy Choć plazma występuje przede wszystkim na powierzchni gwiazd oraz Słońca, istnieją również dowody na jej istnienie na powierzchni Ziemi. Plazmą są na przykład błyskawice, których temperatura może sięgać 28 000 kelwinów, a gęstość elektronów może wynosić $10^{24} m^{-3}$. Światła fluorescencyjne, iskry, płomienie, neony, ekrany plazmowe, nawet zorza polarna – wszystko to stanowi przykłady plazmy. Szklane rurki neonów napełnia się gazem, ale w momencie kiedy zapala się światło, gaz ten zostaje naładowany elektrycznością, tworząc plazmę.

Użyteczne zwroty Oto kilka zwrotów, które mogą się okazać przydatne podczas podróży do RPA:

Cześć – *Haai, Hallo*
Dzień dobry – *Goeiemôre* (przed południem)/ *Goeie middag* (po południu)
Dobry wieczór – *Goeienaand*
Dobranoc – *Goeienag*
Jak się masz? – *Hoe gaan dit met jou?*
Miło mi cię poznać – *Bly te kenne*
Skąd pochodzisz? – *Waarvandaan kom jy?*
Jak się nazywasz? – *Wat is jou naam?*
Nie rozumiem – *Ek verstaan nie*
Przepraszam – *Verskoon my*
Ile to kosztuje? – *Hoeveel kos dit?*
Dziękuję – *Dankie*
Gdzie jest toaleta? – *Waar is die toilet?*
Do widzenia – *Totsiens*

1. **Stany Zjednoczone nie wysłały do Wietnamu wojsk aż do czasów prezydentury:**
   a. Eisenhowera;
   b. Kennedy'ego;
   c. Johnsona;
   d. Nixona.

2. **Na czym polegał plan „wietnamizacji"?**
   a. Polegał on na zachęceniu południowych Wietnamczyków, aby przejęli kontrolę nad działaniami wojennymi.
   b. Polegał on na umieszczeniu wietnamskich rodzin w specjalnych wioskach, by odizolować je od NLF.
   c. Polegał on na rozszerzeniu działań wojennych na Laos i Kambodżę.
   d. Polegał on na utworzeniu organizacji SEATO.

3. ***Opowieść o dwóch miastach*** **była czymś nowym w dorobku Dickensa, ponieważ:**
   a. nie była wcześniej publikowana w odcinkach;
   b. była powieścią historyczną, w której fikcyjni bohaterowie odgrywali mniejszą rolę niż zwykle;
   c. została napisana w języku francuskim;
   d. zabrakło w niej komentarza społeczno-politycznego.

4. **Którą książkę Dickensa uznaje się za najbardziej autobiograficzną?**
   a. *Davida Copperfielda*.
   b. *Olivera Twista*.
   c. *Tajemnicę Edwina Drooda*.
   d. *Opowieść wigilijną*.

5. **Które z poniższych zdań na temat *e* jest prawdziwe?**
   a. Funkcja wykładnicza $y = e^x$ ma przyrost równy swojej wartości.
   b. Funkcja wykładnicza $y = e^x$ ma przyrost wyższy od jej wartości.
   c. Funkcja wykładnicza $y = e^x$ ma przyrost niższy od jej wartości.
   d. Funkcja wykładnicza $y = e^x$ ma przyrost o połowę niższy od jej wartości.

6. **Które z poniższych równań pozwala określić wartość *e*?**
   a. $e = 2 + 1! + 2! + 3! + 4! + ...$
   b. $e = 1 + 1! + 2! + 3! + 4! + ...$
   c. $e = 1 + \frac{1}{1!} + \frac{1}{2!} + \frac{1}{3!} + \frac{1}{4!} + ...$
   d. Zarówno (a), (b) i (c).

7. **Który z poniższych opisów właściwie przedstawia różnice pomiędzy gazem a plazmą?**
   a. Plazma ma bardzo niski współczynnik przewodzenia elektryczności, a gaz – bardzo wysoki.
   b. Plazma ma bardzo wysoki współczynnik przewodzenia elektryczności, a gaz – bardzo niski.
   c. Zarówno plazma, jak i gaz mają bardzo niski współczynnik przewodzenia elektryczności.
   d. Zarówno plazma, jak i gaz mają bardzo wysoki współczynnik przewodzenia elektryczności.

8. **Przy niskiej temperaturze, elektrony i jony plazmy:**
   a. odłączają się od atomów;
   b. powracają do wcześniejszego stanu i tworzą atomy;
   c. zamieniają się w protony;
   d. zamieniają się w neutrony.

9. **W jakiej części słownictwo afrikaans wywodzi się z języka niderlandzkiego?**
   a. W 25–30%.
   b. W 40–45%.
   c. W 90–95%.
   d. W 50–55%.

10. **Które z poniższych zdań jest prawdziwe?**
    a. W afrikaans nie ma długich spółgłosek.
    b. W afrikaans rzeczowniki nie różnią się pod względem rodzaju.
    c. W afrikaans nie ma deklinacji.
    d. Zarówno (a), (b) i (c).

Odpowiedzi: c, a, b, a, a, c, b, b, c, d.

HISTORIA: Powstanie warszawskie

Warszawska „Burza", Przyczyny wybuchu powstania, Przebieg walk, Straty, Kontrowersje i pamięć

MATEMATYKA: Nierozwiązane problemy matematyczne

P vs NP, Hipoteza Hodge'a, Hipoteza Riemanna, Teoria Yanga-Millsa, Równania Naviera-Stokesa, Hipoteza Bircha i Swinnertona-Dyera

SZTUKA JĘZYKA: Egzystencjalizm

Czym jest egzystencjalizm?, Początki, Literatura egzystencjalizmu, Fiodor Dostojewski, Søren Kierkegaard, Jean-Paul Sartre

PRZYRODA: Antropologia

Czym jest antropologia?, Antropologia fizyczna, Antropologia kulturowa, Antropolingwistyka, Archeologia, Antropologia stosowana

Lekcja 35

JĘZYKI OBCE: Czirokeski

Początki, Sekwoja, System pisma, Dialekty, Tworzenie nowych słów, Użyteczne zwroty

POWSTANIE WARSZAWSKIE

Warszawska „Burza" Powstanie warszawskie było zbrojnym zrywem przeciwko okupującym Warszawę Niemcom, zorganizowanym przez Armię Krajową w ramach akcji „Burza". Wzięły w nim udział jednostki Okręgu Warszawskiego AK, jednostki dyspozycyjne Komendy Głównej AK, w tym harcerze Szarych Szeregów, członkowie pozostałych organizacji Polskiego Państwa Podziemnego oraz oddziały 1. Armii Wojska Polskiego (w sumie ok. 50 tys. żołnierzy). Mankamentem było bardzo słabe uzbrojenie armii powstańczej i brak doświadczenia bojowego wielu żołnierzy, a także brak wsparcia Armii Czerwonej, która czekała, aż powstanie się wykrwawi. Stalin uznał, że klęska powstania i wymordowanie przez Niemców polskich elit patriotycznych ułatwi mu zainstalowanie w Warszawie komunistycznego rządu.

EGZYSTENCJALIZM

Czym jest egzystencjalizm? Egzystencjalizm to nurt filozoficzny zajmujący się sensem ludzkiej egzystencji. Można wyróżnić szereg kluczowych konceptów wykorzystywanych przez egzystencjalistów, np. wolną wolę, ideę, jakoby natura ludzka była budowana przez wszystkie czyny, jakich się w życiu dopuszczamy, oraz że człowiek najlepiej się rozwija, kiedy musi walczyć o życie. Egzystencjalizm sprowadza się do zrozumienia sensu życia z pominięciem takich czynników, jak bogactwo, wartości społeczne czy inne wpływy zewnętrzne.

NIEROZWIĄZANE PROBLEMY MATEMATYCZNE

P vs NP Jednym z najsłynniejszych nierozwiązanych problemów matematycznych jest informatyczny problem *P vs NP*, na który po raz pierwszy zwrócił uwagę Stephen Cook w 1971 r. Sprowadza się on do pytania, czy każde zadanie, którego rozwiązanie może zostać z powodzeniem sprawdzone za pomocą komputera, może być jednocześnie z powodzeniem rozwiązane za pomocą komputera. Można też zadać to pytanie w nieco inny sposób: Czy jeśli jesteśmy w stanie szybko zweryfikować prawdziwość jakiegoś rozwiązania, to równie szybko możemy także to rozwiązanie obliczyć? W chwili obecnej mamy do czynienia z grupą zadań, których nie da się rozwiązać szybko, ale można szybko zweryfikować prawidłowość ich rozwiązania.

ANTROPOLOGIA

Czym jest antropologia? Antropologia to nauka o człowieku, zarówno w przeszłości, jak i w czasach obecnych. Opiera się na naukach społecznych, fizyce i biologii, ale także na naukach humanistycznych. Można ją podzielić na cztery różne dziedziny: antropologię fizyczną (biologiczną), kulturową, antropolingwistykę oraz archeologię.

CZIROKESKI

Początki Czirokeski należy do języków irokeskich i jest jedynym językiem południowoirokeskim, który wciąż pozostaje w użyciu. Pochodzi on od rdzennych Amerykanów żyjących na terenach obecnej Północnej Karoliny i w północnej części stanu Georgia. Pierwotnie nazywał się on tsalagi, a słowo „Czirokez" określające jego użytkowników zostało wprowadzone do języka przez białych osadników, którzy zasłyszeli je od Kriów określających w ten sposób „ludzi mówiących innym językiem". Obecnie czirokeski to najbardziej znaczący rdzenny język amerykański.

POWSTANIE WARSZAWSKIE

Przyczyny wybuchu powstania Pod koniec lipca 1944 r. Armia Czerwona zbliżyła się do linii Wisły. Wielokrotna przewaga nad armią niemiecką pozwalała sądzić, że lada dzień rozpoczną się walki o Warszawę. Utworzenie PKWN i jego manifest ogłoszony 22 lipca 1944 r. nie pozostawiały złudzeń co do dalszych losów kraju. Jasne stało się, że jeśli Polacy sami nie zdobędą Warszawy, zostanie ona opanowana przez moskiewską agenturę i Polska znajdzie się w rękach Stalina. Dowództwo AK i rząd w Londynie nie wiedziały, że strefy wpływów w Europie zostały już ustalone – na konferencji w Teheranie. Generał Bór-Komorowski wydał rozkaz rozpoczęcia powstania 1 sierpnia o godzinie 17.00, zwanej godziną „W".

EGZYSTENCJALIZM

Początki Gabriel Marcel był pierwszą osobą, która użyła pojęcia „egzystencjalizm", a stało się to w połowie lat 40. XX w. Rozważania egzystencjalne można znaleźć już w dziełach Henry'ego Davida Thoreau, Woltera, a nawet w naukach Buddy czy w Szekspirowskim *Hamlecie*. Za pierwszego egzystencjalistę uznaje się Sørena Kierkegaarda. W latach 20. XX w. pojawiła się koncepcja Martina Heideggera (który był pod dużym wpływem Kierkegaarda) znana jako *Dasein* („jestestwo").

NIEROZWIĄZANE PROBLEMY MATEMATYCZNE

Hipoteza Hodge'a W geometrii algebraicznej hipoteza Hodge'a stanowi problem matematyczny związany z tematem rozmaitości algebraicznej. W XX w. kształty złożonych obiektów można było łatwiej zrozumieć dzięki przybliżeniu określonego kształtu i zbudowaniu jego modelu za pomocą klocków. Rozmaitość jest skomplikowanym kształtem, który można wyrazić za pomocą równań. Cykle algebraiczne wraz z dodawaniem kolejnych równań tworzą mniejsze kształty. Pojawia się wówczas pytanie, czy jeden kształt można rozciągnąć na drugi. Hipoteza Hodge'a podejmuje próbę ukazania, które cykle algebraiczne są ekwiwalentne względem kształtów rozmaitości, jednak jak dotąd nie udało się jej udowodnić.

ANTROPOLOGIA

Antropologia fizyczna Antropologia biologiczna, znana również jako antropologia fizyczna, zajmuje się biologią człowieka oraz wczesnych gatunków człekokształtnych, a także kwestią adaptacji człowieka do warunków środowiska. Aby zrozumieć naszych przodków i sposób, w jaki ewoluował nasz gatunek, antropolodzy badają znaleziska, ssaki naczelne czy skamieliny, a także biologię współczesnego człowieka. Antropologia fizyczna przygląda się również przyczynom śmierci i sposobom rozprzestrzeniania się chorób.

CZIROKESKI

Sekwoja Jeśli Czirokezi posiadali język pisany przed przybyciem osadników z Europy, zaniekł on w wyniku zmian narzucanych im przez Europejczyków od XVI do XVIII w. Sam język z pewnością również by zaniekł, gdyby nie człowiek o imieniu Sekwoja, który zamienił go w sylabariusz. Pracując w zawodzie złotnika Sekwoja zapoznał się z systemem pisma białych (choć nie znał wymowy jego znaków), stąd w stworzonym przez niego systemie można zauważyć wpływy alfabetu łacińskiego.

POWSTANIE WARSZAWSKIE

Przebieg walk Wybuch powstania zaskoczył Niemców, dlatego w pierwszych dniach Polacy odnosili sukcesy, opanowując znaczne obszary miasta. Niemieckie kontrnatarcie ruszyło dopiero 5 sierpnia. Przy wsparciu kompanii czołgów, ostrzału artyleryjskiego i zarządzonych przez Hitlera nalotów dywanowych Niemcy stopniowo odzyskiwali poszczególne kwartały miasta, zażarcie bronione przez powstańców, którzy walczyli o każdy dom i barykadę, zwykle do ostatniego naboju, przedostając się potem kanałami do innych części Warszawy. Dopiero 2 września Niemcom udało się opanować Starówkę, potem padły bohatersko bronione Powiśle i Czerniaków, Mokotów i Żoliborz. Do momentu podpisania układu o zaprzestaniu działań wojennych w Warszawie, co nastąpiło 3 października, broniło się Śródmieście, którego hitlerowcom nie udało się zdobyć w walce.

 # EGZYSTENCJALIZM

Literatura egzystencjalizmu Nurt egzystencjalny pojawił się nie tylko w dziełach filozofów, ale również w literaturze. Co więcej, w powieściach oraz sztukach teatralnych można odnaleźć najznakomitsze dokonania egzystencjalizmu. Tego typu dzieła próbowały odnaleźć sens i zrozumieć świat, który sprawiał wrażenie pogrążonego w chaosie. W efekcie w literaturze często przewijały się absurd, alienacja czy izolacja.

 # NIEROZWIĄZANE PROBLEMY MATEMATYCZNE

Hipoteza Riemanna Hipoteza Riemanna dotyczy funkcji ζ (czytamy dzeta), będącej funkcją złożoną, opartą na liczbach zespolonych (i). W przypadku funkcji ζ, zero tej funkcji nie stanowi tak prostego przypadku, jak funkcja $f(a + bi) = 0$. Mamy tu raczej do czynienia z dwoma rodzajami zer: trywialnym i nietrywialnym. To pierwsze pojawia się w przypadku parzystych liczb całkowitych, a to drugie w pozostałych przypadkach oraz w przypadku $\frac{1}{2} + bi$. Zgodnie z hipotezą Riemanna, wszystkie nietrywialne zera zachowują się w taki właśnie sposób, ale jak dotąd nikt tego nie dowiódł.

 # ANTROPOLOGIA

Antropologia kulturowa Skupia się na człowieku współczesnym, a konkretnie – na obrzędach i zachowaniach, jakie można zaobserwować, porównując ze sobą różne kultury. W antropologii kulturowej chodzi zwłaszcza o sposoby, w jakie grupy ludzi organizują się i ustalają rządy. Ważnym elementem antropologii kulturowej jest badanie różnic i podobieństw pomiędzy społeczeństwami pod względem rasy, klasy, upodobań seksualnych i narodowości. Istotną różnicą pomiędzy antropologią kulturową a innymi typami antropologii jest fakt, że w tym wypadku naukowcy mają bezpośredni kontakt z badanymi zjawiskami, a więc: ekologią, ochroną zdrowia, edukacją, środowiskiem, zmianami społecznymi czy rolnictwem.

CZIROKESKI

System pisma Sylabariusz wprowadzony dzięki Sekwoi wciąż jest jeszcze w użytku. Składa się z 85 symboli, których kształt bywa oparty na znakach alfabetu łacińskiego, a czyta się za jego pomocą od lewej do prawej, w układzie poziomym. Sekwoja wykorzystał litery angielskie, greckie i hebrajskie bez świadomości, jak należy je czytać. W ciągu zaledwie roku od wprowadzenia systemu pisma, 90% Czirokezów potrafiło czytać i pisać. Każdy symbol zawarty w sylabariuszu odpowiada jednej sylabie, a nie fonemowi.

POWSTANIE WARSZAWSKIE

„Zośka" i „Parasol" Słynne harcerskie bataliony AK „Zośka" i „Parasol", składające się z członków Szarych Szeregów – konspiracyjnego Związku Harcerstwa Polskiego – zostały utworzone w sierpniu 1943 r. Batalion „Zośka" brał udział w akcjach dywersyjnych i sabotażowych, batalion „Parasol" dodatkowo wykonywał wyroki śmierci wydane przez Polskie Państwo Podziemne na zbrodniarzy hitlerowskich (m.in. udany zamach na Franza Kutscherę, dowódcę SS i policji warszawskiego dystryktu Generalnego Gubernatorstwa). W czasie powstania oba bataliony walczyły wspólnie i zostały odznaczone przez Naczelnego Wodza Krzyżem Srebrnym Orderu Wojennego Virtuti Militari. Po wojnie ich członków spotkały komunistyczne represje.

 EGZYSTENCJALIZM

Fiodor Dostojewski Jednym z najwybitniejszych powieściopisarzy egzystencjalizmu był rosyjski pisarz i publicysta Fiodor Dostojewski (1821–1881), najlepiej znany z takich powieści, jak *Zbrodnia i kara*, *Bracia Karamazow* oraz *Idiota*. Jego najważniejszym dziełem egzystencjalistycznym są jednak *Notatki z podziemia*. W swojej twórczości Dostojewski skupiał się na problemie wolności: według niego człowieka ograniczało wszystko, począwszy od społeczeństwa i gospodarki, aż po Kościół i samego Boga. Choć Dostojewski miał bardzo radykalne poglądy polityczno-społeczne, był jednak zagorzałym chrześcijaninem.

 NIEROZWIĄZANE PROBLEMY MATEMATYCZNE

Teoria Yanga-Millsa Fizykom udało się opisać jednym formalizmem matematycznym trzy z czterech podstawowych sił: oddziaływanie elektromagnetyczne, oddziaływanie słabe i oddziaływanie silne. Chen Ning Yang i Robert Mills wysunęli teorię sugerującą, że silne i słabe oddziaływanie jądrowe można zilustrować za pomocą funkcjonału określonego na bardziej złożonych grupach (niebędących grupami abelowymi, czyli przemiennymi). Choć teoria ta rzeczywiście sprawdza się w praktyce, nikt jak dotąd nie podał logicznego powodu, dlaczego się tak dzieje.

 ANTROPOLOGIA

Antropolingwistyka Nauka o językach, a konkretnie o tym, w jaki sposób wpływają one na nasze życie oraz kulturę i jak je odzwierciedlają. Antropolingwistyka bada też rolę, jaką język pełni w tworzeniu ideologii, systemów religijnych i tożsamości społecznej, a także kreuje wzory porozumiewania się i obraz kulturowy danego społeczeństwa. Studiując antropolingwistykę, należy robić to aktywnie, tzn. przeprowadzając wywiady i obserwując, w jaki sposób wykorzystywany jest język.

 CZIROKESKI

Dialekty Początkowo w czirokeskim wyróżniano trzy główne dialekty: niski, średni (znany również pod nazwami kituhwa i giduwa) oraz zachodni (znany także jako overhill albo otali). W 1900 r. dialekt niski całkowicie zanikł. Pierwotny język czirokeski najbardziej przypomina obecnie dialekt, jakim posługują się mieszkańcy Wschodu, a dialekt otali najbardziej od niego odbiega, charakteryzując się licznymi różnicami w wymowie oraz słownictwem zapożyczonym z angielskiego.

POWSTANIE WARSZAWSKIE

Straty Powstanie zakończyło się straszliwą klęską. Warszawa uległa całkowitej zagładzie. Dzielnice, które zdołały przetrwać bombardowania i ostrzał artyleryjski, zostały przez Niemców wysadzone w powietrze po zakończeniu powstania. W walkach zginęło 20 tys. żołnierzy AK i ok. 150–180 tys. cywilów. Co najmniej jedna trzecia ofiar wśród ludności cywilnej poniosła śmierć na skutek masowych egzekucji przeprowadzanych przez niemieckie formacje policyjne i wojskowe. Najbardziej okrutna była masakra na Woli – w ciągu kilku dni (głównie 5 i 6 sierpnia) rozstrzelano ok. 50 tys. mężczyzn, kobiet i dzieci. Oddziały SS pacyfikujące ludność Warszawy stosowały też barbarzyńską metodę, używając cywilów (głównie kobiety i dzieci) w charakterze „żywych tarcz" osłaniających czołgi. Zbrodni i gwałtów dopuszczała się również kolaboracyjna rosyjska brygada SS RONA.

 EGZYSTENCJALIZM

Søren Kierkegaard Duński filozof Søren Kierkegaard (1813–1855) był jednym z założycieli egzystencjalizmu, mimo że wiele jego dokonań opierało się na wierze w Boga. Jego książka *Bojaźń i drżenie. Choroba na śmierć* jest kluczowym dziełem nurtu. Kierkegaard starał się zrozumieć niepokój Abrahama, w momencie kiedy Bóg kazał mu zabić jedynego syna Izaaka. W tym celu filozof stworzył postaci rycerza wiary oraz tragicznego bohatera. Według Kierkegaarda, tragiczny bohater dopuszcza się czynów społeczno-etycznych, których nie dopuściłby się rycerz wiary, a więc Abraham. Ten drugi wiedział, że zabicie syna jest czymś złym, jednak gdyby tego nie zrobił, wystąpiłby przeciwko Bogu. Etyka zamienia się tutaj w pokusę i rycerz pokazuje, że wiara jest powodem, aby wznieść się ponad etykę.

 NIEROZWIĄZANE PROBLEMY MATEMATYCZNE

Równania Naviera-Stokesa Ruch płynów (gazów i plazmy) w przestrzeni opisują równania Naviera-Stokesa. Choć są to kluczowe równania w mechanice płynów, ich rozwiązania nie są całkowicie zrozumiałe. Sądzi się, że aby wyjaśnić i przewidzieć zjawisko turbulencji (kolejny nierozwiązany problem fizyczny, mimo że jest on niezwykle ważny dla inżynierii i nauk ścisłych) oraz bryzy, należy zastosować właśnie równania Naviera-Stokesa, ale okazują się one niejasne.

 ANTROPOLOGIA

Archeologia Archeologia zajmuje się badaniem przodków człowieka wraz z ich kulturą i sposobem życia, wykorzystując w tym celu skamieliny oraz wykopaliska. Zwierzęce kości, gliniane naczynia, kamienne narzędzia czy sposób pochówku mogą nam wiele powiedzieć o kulturze wczesnych gatunków człowieka i stosunku ich przedstawicieli zarówno do siebie wzajemnie, jak i wobec środowiska naturalnego.

 CZIROKESKI

Tworzenie nowych słów W związku z tym, że czirokeski jest językiem polisyntetycznym, tworzenie nowych słów jest w nim dość łatwe. Przykładowo, słowo *policjant* zapisujemy fonetycznie jako *didaniyisgi*, co dosłownie oznacza „ten, który łapie ich ostatecznie i nieodwołalnie". Słowo *adwokat* można zapisać jako *ditiyohihi*, a więc „ten, który spiera się ciągle rozmyślnie i celowo". Różne angielskie słowa zostały zapożyczone przez czirokeski, np. *kawa* (po angielsku *coffee*) to *kawi*, a *benzyna* (po angielsku *gasoline*) brzmi w czirokeskim identycznie.

POWSTANIE WARSZAWSKIE

Kontrowersje i pamięć Po II wojnie światowej propaganda radziecka wykorzystywała klęskę powstania jako argument na poparcie tezy o nieodpowiedzialnej polityce rządu londyńskiego i przywódców AK. Decyzja o wywołaniu powstania do dziś budzi kontrowersje, zwłaszcza w odniesieniu do postanowień konferencji teherańskiej, w których świetle powstanie nie miało szans na polityczny sukces. Historię zrywu dokumentuje znakomite Muzeum Powstania Warszawskiego, otwarte w 2004 r. pod patronatem ówczesnego prezydenta Warszawy Lecha Kaczyńskiego.

EGZYSTENCJALIZM

Jean-Paul Sartre Francuski egzystencjalista Jean-Paul Sartre (1905–1980) pisał między innymi powieści, scenariusze oraz sztuki. Jednym z jego najsławniejszych dzieł jest książka pt. *Byt i nicość*, skupiająca się na temacie świadomości bytu. Sartre sugeruje, że to, co widzimy, jest jedyną rzeczywistością, a istnienie możemy podzielić na dwa rodzaje: byt-w-sobie oraz byt--dla-siebie. Pierwsze z tych pojęć dotyczy przedmiotów nieożywionych, które nie posiadają aktywnej ani biernej świadomości, drugie zaś odnosi się do tego, co przejawia świadomość. Kiedy jedna osoba spogląda na drugą, przechodzi od bytu-w-sobie do bytu-dla-siebie.

NIEROZWIĄZANE PROBLEMY MATEMATYCZNE

Hipoteza Bircha i Swinnertona-Dyera Hipoteza Bircha i Swinnertona-Dyera wiąże się z teorią liczb, a bardziej konkretnie – z danymi arytmetycznymi, wykresem eliptycznym, ciałem liczbowym i funkcją ζ Hasse'a-Weila. Hipoteza Bircha i Swinnertona-Dyera została uznana przez Instytut Matematyczny Claya za jeden z siedmiu najważniejszych nierozwiązanych problemów matematycznych. Mówi ona, że jeśli równanie diofantyczne ma wartość 0, wówczas liczba jego rozwiązań jest nieskończona, natomiast jeśli tego typu równanie ma wartość inną niż zero, wówczas liczba jego rozwiązań jest skończona.

ANTROPOLOGIA

Antropologia stosowana Wykorzystuje narzędzia i koncepcje antropologiczne w celu rozwiązania określonych problemów w świecie współczesnym. Z antropologii stosowanej można korzystać na szeroką skalę, np. zmieniając system rozwoju gospodarczego lub udoskonalając instytucje zdrowia publicznego, albo na mniejszą skalę, np. projektując fotele samolotowe czy stanowiska robocze. Tak więc antropologia stosowana sprowadza się do praktycznego wykorzystania osiągnięć antropologii, czyli nauki powszechnie uważanej za czysto teoretyczną czy akademicką.

CZIROKESKI

Użyteczne zwroty Oto kilka zwrotów, które mogą się okazać przydatne podczas rozmowy z Czirokezem; zapisano je w przybliżonej formie fonetycznej:

Cześć – *O-si-yo*
Dzień dobry – *O-s-da sunaeli*
Dobry wieczór – *O-s-da sv-hi-ye-yi*
Dobranoc – *O-s-da sv-no-i*
Jak się masz? – *(T)do-'hi-tsu?*
Dziękuję – *Wa-do*

Jak się nazywasz? – *Ga-do-de-tsa do?*
Nie rozumiem – *Tla-i-go-li-ga*
Do widzenia – *Do-na-da-'go-v-l* (do jednej osoby)/*Do-'da-ga-g'hv-i* (do większej grupy)

1. **Powstanie warszawskie wybuchło:**
   a. 22 lipca 1944 r.
   b. 1 sierpnia 1944 r.
   c. 5 sierpnia 1944 r.
   d. 3 października 1944 r.

2. **W czasie powstania warszawskiego Niemcom nie udało się odbić z rąk powstańców:**
   a. Woli;
   b. Mokotowa;
   c. Śródmieścia;
   d. Żoliborza.

3. **Egzystencjalizm to:**
   a. nauka filozoficzna o ludzkim umyśle;
   b. nauka filozoficzna o procesach myślowych;
   c. teoria filozoficzna kwestionująca możliwość zdobywania wiedzy;
   d. nauka filozoficzna o znaczeniu ludzkiej egzystencji.

4. **Rycerz wiary Kierkegaarda dowodzi, że:**
   a. Bóg nie istnieje;
   b. wiara daje powód, aby wznieść się ponad etykę;
   c. to, co robimy, opiera się na kodach moralnych i etycznych;
   d. Bóg nie chciał, aby Abraham zabijał swego syna.

5. **Który z poniższych problemów sprowadza się do pytania, czy każde zadanie, którego rozwiązanie może zostać z powodzeniem sprawdzone za pomocą komputera, może być jednocześnie z powodzeniem rozwiązane za jego pomocą?**
   a. Hipoteza Bircha i Swinnertona-Dyera.
   b. P vs NP.
   c. Teoria Yanga-Millsa.
   d. Hipoteza Riemanna.

6. **Zgodnie z którym z poniższych problemów nietrywialne zera pojawiają się w przypadku ½ + bi?**
   a. Hipoteza Bircha i Swinnertona-Dyera.
   b. P vs NP.
   c. Teoria Yanga-Millsa.
   d. Hipoteza Riemanna.

7. **Jaka dziedzina antropologii zajmuje się badaniem podobieństw i różnic między społeczeństwami co do rasy, klasy, upodobań seksualnych i narodowości?**
   a. Antropologia stosowana.
   b. Archeologia.
   c. Antropologia kulturowa.
   d. Antropolingwistyka.

8. **Na podstawie czego archeologia bada życie przodków współczesnego człowieka?**
   a. Glinianych naczyń.
   b. Skamieniałości.
   c. Kamiennych narzędzi.
   d. Zarówno (a), (b) i (c).

9. **Sekwoja jest odpowiedzialny za:**
   a. stworzenie języka polisyntetycznego;
   b. stworzenie dialektu kituhwa;
   c. stworzenie dialektu otali;
   d. stworzenie systemu pisma języka czirokeskiego.

10. **W związku z tym, że czirokeski to język polisyntetyczny:**
    a. nie da się w nim tworzyć nowych słów;
    b. litery alfabetu łacińskiego nie łączą się z takimi samymi dźwiękami;
    c. bardzo łatwo tworzy się w nim nowe słowa;
    d. istnieją zaledwie dwa dialekty tego języka.

Odpowiedzi: b, c, d, b, b, d, c, d, d, c.

HISTORIA: Prawa obywatelskie

Sprawa Brown kontra Rada Edukacji, Rosa Parks, Projekt C, Zakończenie segregacji na uniwersytecie w Alabamie, Marsz na Waszyngton, Ustawa o prawach obywatelskich z 1964 r.

MATEMATYKA: Równania diofantyczne

Czym są równania diofantyczne?, Przykłady równań diofantycznych, Dziesiąty problem Hilberta, Liniowe równania diofantyczne, Wykładnicze równania diofantyczne, Ogólna metoda stosowania równań pierwszego rzędu z dwoma zmiennymi

SZTUKA JĘZYKA: Franz Kafka

O Franzu Kafce, Kafka a egzystencjalizm, *Przemiana, Proces, Zamek, Ameryka*

PRZYRODA: Mitoza

Profaza, Metafaza, Anafaza, Telofaza, Cytokineza, Mejoza

Lekcja 36

JĘZYKI OBCE: Języki khoisan

O językach khoisan, Hadza, Sandawe, Khoe, Tuu, Inne języki z mlaskami

PRAWA OBYWATELSKIE

Sprawa Brown kontra Rada Edukacji 17 maja 1954 r. amerykański Sąd Najwyższy ogłosił jeden z najważniejszych wyroków związanych z kwestią praw obywatelskich. Sprawa dotyczyła Afroamerykanki Lindy Brown, trzecioklasistki, która musiała jeździć do szkoły oddalonej o dwa kilometry od domu, podczas gdy znacznie bliżej znajdowała się szkoła dla białych, do której zakazano jej wstępu. Sprawa trafiła do Sądu Najwyższego, który uznał, że przypadek kwalifikuje sie do tego, by segregację rasową uznać za niezgodną z konstytucją.

 # FRANZ KAFKA

O Franzu Kafce Franz Kafka (1883–1924) jest uznawany za jednego z najznakomitszych współczesnych pisarzy. Był Żydem mieszkającym w Pradze. Dzieła Kafki często poruszają temat alienacji i opisują absurdy egzystencji. Za życia autor opublikował tylko artykuły i opowiadania, a jego powieści, które uznaje się za arcydzieła literatury światowej, w momencie śmierci były nieukończone. Umierając, Kafka zażyczył sobie, aby je zniszczono. Jego przyjaciel Max Brod nie zgodził się jednak na to i podjął decyzję o ich publikacji.

 # RÓWNANIA DIOFANTYCZNE

Czym są równania diofantyczne? Równania diofantyczne wzięły swoją nazwę od nazwiska Diofantosa – greckiego matematyka żyjącego w Aleksandrii w III w. Są to równania z wykorzystaniem nieoznaczonych wielomianów, których zmienne muszą być liczbami całkowitymi (wartości x oraz y nie mogą być ułamkami). Równania diofantyczne odnoszą się do powierzchni algebraicznych i krzywych algebraicznych, a do ich zadań należy znajdowanie takich liczb całkowitych, aby równania miały sens.

 # MITOZA

Profaza Mitoza to podział komórek poprzedzony interfazą, w której komórki są przygotowywane do podziału. Pierwszy faza mitozy to profaza. Następuje wtedy koncentracja chromatyny i powstanie chromosomów. Są one zbudowane z dwóch siostrzanych chromatyd połączonych centromerem. Są identyczne i połączone ze sobą, dzięki czemu przyjmują kształt X. Tworzy się wrzeciono kariokinetyczne, zwane też wrzecionem podziałowym, umożliwiające wędrówkę chromosomów.

JĘZYKI KHOISAN

O językach khoisan Języki te, którymi mówi rdzenna ludność wschodniej i południowej Afryki, nie należą do żadnej rodziny języków. Kilka z nich jest już martwych, większości grozi wymarcie, a tylko parę ma formę pisaną. Fonemami są w nich spółgłoski mlaszczące. Choć wcześniej uważano, że są ze sobą powiązane, w rzeczywistości języki khoisan są całkowicie odrębne. Jedynym powodem, dla którego grupuje się je razem, jest obecność mlasków. Nazwa „khoisan" wywodzi się od nazwy społeczności Khoi Khoi z Afryki Południowej oraz społeczności San (albo Buszmenów) z Namibii.

PRAWA OBYWATELSKIE

Rosa Parks 1 grudnia 1955 r. Rosa Parks wsiadła do autobusu w Montgomery w stanie Alabama. Biały pasażer pouczył ją, że powinna ustąpić mu miejsca i przenieść się do części dla kolorowych z tyłu autobusu. Rosa odmówiła. Została aresztowana. W odpowiedzi na ten incydent afroamerykańska społeczność Montgomery, na czele której stanął Martin Luther King, rozpoczęła bojkot transportu publicznego. Trwał on przez 381 dni i obniżył wpływy ze sprzedaży biletów o 80%. 21 grudnia 1956 r. zlikwidowano segregację rasową w autobusach.

 FRANZ KAFKA

Kafka a egzystencjalizm Bohaterowie Kafki żyją w surrealistycznym świecie. Pragną, aby ich zaakceptowano i doceniono. Kafka stawia bohaterów wobec okrucieństwa, żalu oraz niesprawiedliwości, zwracając uwagę na kontrast pomiędzy tym, co racjonalne, a tym, co irracjonalne. Pisarz dochodzi do wniosku, że człowiek nie może zrobić absolutnie nic, aby nadać sens swoim relacjom ze światem.

 RÓWNANIA DIOFANTYCZNE

Przykłady równań diofantycznych Spośród wielu równań, jakie omawialiśmy w tej książce, równania diofantyczne to te, w przypadku których rozwiązania szuka się w zbiorze liczb całkowitych i które zawierają dwie lub więcej niewiadomych. Przykładem równania diofantycznego jest więc chociażby twierdzenie Pitagorasa:

$$a^2 + b^2 = c^2$$

Innym przykładem może być równanie Pella, gdzie pojawia się stała n:

$$x^2 - ny^2 = \pm 1$$

Z kolei hipoteza Erdősa-Strausa mówi:

$$\frac{4}{n} = \frac{1}{x} + \frac{1}{y} + \frac{1}{z}$$

Można to również zapisać jako równanie wielomianowe:

$$4xyz = yzn + xzn + xyn = n(yz + xz + xy)$$

 MITOZA

Metafaza Faza druga mitozy, podczas której chromosomy ustawiane są w centralnej części komórki i utrzymywane w odpowiedniej pozycji przez mikrotubule wrzeciona kariokinetycznego (płytka metafazowa). Chromosomy są ułożone w ten sposób, że do każdego z nich w centromerze dołączone są dwa włókienka znajdujące się w płaszczyźnie równikowej komórki, a końce chromosomów zwrócone są ku sobie. Taki układ sprawia, że kiedy dochodzi do podziału (a więc w następnej fazie), nowe jądra otrzymują pojedynczą kopię każdego chromosomu.

 JĘZYKI KHOISAN

Hadza Językiem hadza mówi około 800 osób mieszkających w Tanzanii. Hadza nie jest powiązany z żadnym innym językiem khoisan. Występują w nim spółgłoski mlaszczące, ale słownictwo jest całkowicie oryginalne, niewywodzące się z żadnego innego języka.

⚏ PRAWA OBYWATELSKIE

Projekt C Martin Luther King wraz z organizacją Southern Christian Leadership Conference stworzyli plan, który miał doprowadzić do zniesienia segregacji rasowej w Birmingham w stanie Alabama – Projekt C (od angielskiego słowa „confrontation", czyli „konfrontacja"). Jego celem było organizowanie różnorodnych akcji społecznych (bojkoty, wiece i pokojowe demonstracje), służących upowszechnieniu informacji na temat segregacji rasowej. Reakcja władz była brutalna – przeciwko demonstrantom wysyłano policję, która rozpędzała wiece. 12 kwietnia 1963 r. aresztowano Martina Luthera Kinga. W więzieniu napisał słynny *List z więzienia w Birmingham*.

FRANZ KAFKA

Przemiana Jedną z najbardziej znanych historii, jakie stworzył Kafka, jest *Przemiana*. Bohaterem opowiadania jest Gregor Samsa, który budzi się pewnego dnia, odkrywając, że zamienił się w olbrzymiego owada. Czytelnik przygląda się sposobowi, w jaki bohater i jego rodzina radzą sobie z nietypową sytuacją. Po jakimś czasie rodzina nie może już patrzeć na Gregora. Bohater umiera, co przynosi ulgę jego bliskim. Historia ta porusza problem absurdu ludzkiej egzystencji, niekompatybilności ciała i umysłu, alienacji i współczucia, jakie można wzbudzić w drugim człowieku.

RÓWNANIA DIOFANTYCZNE

Dziesiąty problem Hilberta W roku 1900 niemiecki matematyk David Hilbert stworzył listę 23 problemów matematycznych, które pozostawały wówczas nierozwiązane. Dziesiąty problem Hilberta dotyczył kwestii istnienia algorytmu, dzięki któremu można by określić, czy istnieje rozwiązanie jakiegokolwiek losowo wybranego równania diofantycznego – istniał już bowiem taki algorytm dotyczący równań diofantycznych pierwszego rzędu (a więc takich, które nie zawierają zmiennych o potęgach wyższych niż 1). Rosyjski matematyk Jurij Matijasewicz dowiódł, że stworzenie ogólnego algorytmu nie jest możliwe.

MITOZA

Anafaza Faza trzecia mitozy, w której mikrotubule wrzeciona skręcają się i odciągają od siebie chromatydy siostrzane. W wyniku tego chromosom dzieli się na dwa chromosomy potomne, które poruszają się później w kierunku przeciwległych biegunów komórki.

JĘZYKI KHOISAN

Sandawe Około 40 tys. mieszkańców Tanzanii posługuje się sandawe. Sądzi się, że jest on spokrewniony z rodziną języków khoe, spośród których najbliżej jest mu do języków, jakimi mówi ludność Namibii i Botswany. Sandawe ma dwa dialekty: południowo-wschodni oraz północno-zachodni. Różnice pomiędzy nimi obejmują szybkość mówienia, pomijanie niektórych samogłosek oraz drobne kwestie gramatyczne. Funkcję spółgłosek spełnia piętnaście różnych głosek mlaszczących.

PRAWA OBYWATELSKIE

Zakończenie segregacji na uniwersytecie w Alabamie W 1963 r. George Wallace, który prowadził kampanię wyborczą pod hasłem „Segregacja dziś, segregacja jutro, segregacja zawsze", został gubernatorem stanu Alabama. Gdy o przyjęcie na uniwersytet w Alabamie starało się dwóch Afroamerykanów, Wallace mianował się tymczasowym sekretarzem uniwersytetu. Stanął w drzwiach uczelni, odmawiając wpuszczenia i rejestracji czarnoskórych studentów. Prezydent Kennedy wezwał Gwardię Narodową stanu Alabama – stu jej członków eskortowało studentów do środka. Dowodzący generał Henry Graham rozkazał Wallace'owi usunąć się z drogi.

 FRANZ KAFKA

Proces Powieść *Proces* opowiada o Józefie K., młodym mężczyźnie, którego w dniu trzydziestych urodzin aresztowało dwóch tajemniczych urzędników, choć bohater nie dopuścił się żadnego wykroczenia. Józef K. ma pozostać w mieszkaniu i czekać na dalsze instrukcje. Powieść przedstawia kolejne potyczki Józefa K. z systemem sprawiedliwości. W dniu trzydziestych pierwszych urodzin urzędnicy ponownie odwiedzają bohatera i zabierają go do kamieniołomu, a następnie każą mu popełnić samobójstwo. Józef K. nie próbuje walczyć z urzędnikami, ale nie jest w stanie odebrać sobie życia i zostaje przez nich zabity.

 RÓWNANIA DIOFANTYCZNE

Liniowe równania diofantyczne Zapisuje się je jako: $ax + by = c$. Jeśli wartość c jest największym wspólnym dzielnikiem zarówno a i b, wówczas istnieje nieskończona liczba rozwiązań równania. Kwestii tej dotyczy m.in. tożsamość Bézouta, która również wykorzystuje pojęcie największego wspólnego dzielnika a i b. Jeśli wartość c nie jest natomiast największym wspólnym dzielnikiem a i b (albo jego wielokrotnością), wówczas nie istnieje ani jedno rozwiązanie takiego równania diofantycznego.

 MITOZA

Telofaza Faza czwarta mitozy, w czasie której chromosomy potomne znajdujące się na biegunach zostają otoczone otoczką jądrową i ulegają despiralizacji do chromatyny. W obu komórkach potomnych pojawiają się jądra, które początkowo znajdują się w tej samej komórce. Rozpoczyna się proces cytokinezy czyli podziału cytoplazmy na dwie części. Po jego zakończeniu otrzymujemy dwie identyczne komórki potomne.

 JĘZYKI KHOISAN

Khoe Rodzina khoe obejmuje siedem języków. Mówi nimi ćwierć miliona ludzi. Kiedy w Afryce zaczęli osiedlać się koloniści z Europy, języki khoe były pierwszymi tubylczymi językami, z którymi się zetknęli. Najbardziej znanym z nich jest nama (hotentocki), którego używa się w Namibii. Choć w językach z rodziny khoe występują mlaski, nie są one jednak tak powszechne jak w innych językach khoisan.

PRAWA OBYWATELSKIE

Marsz na Waszyngton 28 sierpnia 1963 r. w Waszyngtonie odbył się marsz, który miał wywrzeć presję na rząd, aby przyspieszono podjęcie decyzji w sprawie zniesienia segregacji rasowej. 300 tysięcy ludzi maszerowało, domagając się m.in. zlikwidowania segregacji w szkołach publicznych i miejscach pracy, a także prawa do głosu i ochrony przed przemocą policji. Wydarzenie zostało urozmaicone występami takich artystów, jak Bob Dylan czy Joan Baez, oraz odczytami, które wygłosili Paul Newman i Sidney Poitier. Słynną przemowę wygłosił Martin Luther King. Mówił o swoim marzeniu o świecie bez segregacji rasowej.

 FRANZ KAFKA

Zamek Jeden z najbardziej tajemniczych utworów, *Zamek*, opowiada o K., geometrze, który przybywa do pewnej wioski, aby wykonać zleconą mu pracę. Władze wioski mieszczą się w tytułowym, pobliskim zamku. Aby tam dotrzeć, K. musi zmagać się z biurokracją i przyzwyczajeniami mieszkańców. W związku z tym wykonanie zleconej pracy okazuje się z biegiem czasu znacznie trudniejsze niż mogłoby się początkowo wydawać. Wbrew pozorom jest to nie tyle opowieść o próbie osiągnięcia niemożliwego celu, jak ma to miejsce w innych dziełach autora, ale o losach mieszkańców wioski.

 RÓWNANIA DIOFANTYCZNE

Wykładnicze równania diofantyczne Kiedy mamy do czynienia z wykładnikami zawierającymi zmienną albo dodatkowe zmienne, wówczas mówimy o wykładniczym równaniu diofantycznym. Przykładowo, równanie Ramanujana-Nagella to: $2^n - 7 = x^2$. Nie istnieje żadna ogólna teoria, która pozwalałaby rozwiązać tego typu równania, tak więc, aby uzyskać rozwiązanie, musimy stosować metodę prób i błędów, podstawiając prawdopodobne wartości i na podstawie wyników ustalając, które z nich są właściwe. Można też wykorzystać takie metody, jak np. twierdzenie Størmera, które jest oparte na twierdzeniu Pella.

 MITOZA

Cytokineza Nie jest częścią mitozy, a raczej procesem uzupełniającym podział komórek. Po telofazie w komórce znajdują się dwa jądra, a więc musi się ona podzielić na dwie części. Cytokineza to podział cytoplazmy, który trwa aż do momentu, kiedy powstają dwie potomne komórki, każda z własnym jądrem. Te dwie komórki następnie kontynuują cykl.

 JĘZYKI KHOISAN

Tuu Kolejną podrodziną zaliczaną do języków khoisan są języki tuu. Dwie odmiany języków tuu to: taa oraz !Kwi. Choć druga z tych grup była niegdyś bardzo popularna, dziś jedynym wciąż używanym językiem !Kwi jest nluu (mający dziesięciu zaawansowanych wiekiem użytkowników). Także w grupie taa używa się już tylko jednego języka, jest on jednak znacznie bardziej rozpowszechniony, ponieważ mówi nim około 4200 osób.

PRAWA OBYWATELSKIE

Ustawa o prawach obywatelskich z 1964 r. W 1963 r. prezydent Kennedy przedłożył Kongresowi projekt nowej ustawy o prawach obywatelskich. Ustawa weszła w życie 2 lipca 1964 r. Za sprzeczną z prawem uznawano od tej pory publiczną dyskryminację rasową w restauracjach, hotelach czy kinach, a pracodawcy mieli obowiązek stwarzania pracownikom równych szans bez względu na kolor skóry.

 FRANZ KAFKA

Ameryka W *Ameryce* Kafka przedstawia losy Karla Rossmanna, 17-letniego emigranta z Europy, który po skandalu, jakiego dopuścił się, romansując ze służącą, zostaje wysłany do Nowego Jorku. Karl nie zdaje sobie sprawy, że na statku przebywa również jego wuj, senator Jacob. Ten wkrótce rozpoznaje chłopca i zaprasza go, aby się u niego zatrzymał. Później jednak opuszcza Karla i obserwujemy, jak bohater nawiązuje kontakty z innymi ludźmi, ima się różnych zajęć, a w końcu postanawia dołączyć do teatru z Oklahomy. Książka nie została ukończona.

 RÓWNANIA DIOFANTYCZNE

Ogólna metoda stosowania równań pierwszego rzędu z dwoma zmiennymi Jeśli mamy do czynienia z równaniami pierwszego rzędu z dwoma zmiennymi, aby je rozwiązać, należy podjąć kilka kroków. Zamiast używać x, y i z, należy uprościć symbole zmiennych do x_1, x_2 oraz x_3. Pierwszym krokiem będzie przepisanie równania tak, aby sprowadzało się do formy: $ax_2 + bx_1 = c$, tak że a jest większe niż b. Następnie należy podzielić a przez b, tworząc iloraz i resztę (q oraz r). a należy przepisać jako $q \cdot b + r$. Teraz trzeba tak przekształcić równanie, aby lewa strona prezentowała się następująco: $q \cdot wyrażenie + wartość \cdot x_2$, a później zastąpić wyrażenie x_3.

 MITOZA

Mejoza Podział redukcyjny dotyczący komórek rozrodczych, takich jak plemniki i komórki jajowe to mejoza. W czasie mejozy dochodzi do wytworzenia czterech komórek haploidalnych (pojedyncza liczba chromosomów, z których każda zawiera kopię chromosomu). Proces ten jest odpowiedzialny za redukcję liczby chromosomów oraz zapewnia zmienność genetyczną organizmów. Pojedyncza komórka macierzysta dzieli się na cztery komórki potomne, a każda komórka potomna ma połowę chromosomów komórki macierzystej.

 JĘZYKI KHOISAN

Inne języki z mlaskami Nie każdy język wykorzystujący głoski mlaszczące jest zaliczany do khoisan. Języki nguni oraz bantu też w jakimś stopniu wykorzystywały głoski mlaszczące. W przypadku języków bantu można to wyjaśnić położeniem geograficznym – społeczności posługujące się językami bantu i językami khoisan mieszkały niedaleko siebie i do absorpcji różnych elementów językowych dochodziło chociażby w wyniku zawierania związków międzyplemiennych.

1. **Które z poniższych wydarzeń uzmysłowiło władzom, że należy zerwać z polityką segregacji rasowej?**
   a. Sprawa Brown kontra Rada Edukacji.
   b. Bojkot transportu publicznego w Montgomery.
   c. Marsz na Waszyngton.
   d. Ustawa o prawach obywatelskich z 1964 r.

2. **Co się wydarzyło po tym, jak George Wallace odmówił dwóm czarnoskórym studentom wstępu na uniwersytet w Alabamie?**
   a. Prezydent Kennedy wezwał Gwardię Narodową.
   b. Wybuchły zamieszki.
   c. Studentom zabroniono uczęszczać na zajęcia.
   d. Martin Luther King wygłosił swoją słynną mowę o marzeniu, aby na świecie nie było segregacji rasowej.

3. **Co się przydarzyło głównemu bohaterowi *Przemiany* Gregorowi Samsie?**
   a. Został zmuszony do emigracji do Ameryki.
   b. Otrzymał pracę w pewnej wiosce.
   c. Zamienił się w olbrzymiego owada.
   d. Został aresztowany, choć nie popełnił żadnego przestępstwa.

4. **Który z poniższych tematów często pojawiał się w dziełach Kafki?**
   a. Poczucie absurdu.
   b. Alienacja.
   c. Niesprawiedliwość.
   d. Zarówno (a), (b) i (c).

5. **W równaniach diofantycznych wartości zmiennych x oraz y to:**
   a. ułamki dziesiętne;
   b. jakiekolwiek ułamki;
   c. liczby całkowite;
   d. liczby urojone.

6. **Jeśli w równaniu $ax + by = c$ wartość c jest największym wspólnym dzielnikiem a i b, wówczas:**
   a. istnieją dwa rozwiązania takiego równania;
   b. nie istnieje ani jedno rozwiązanie takiego równania;
   c. istnieje nieskończona liczba rozwiązań takiego równania;
   d. istnieje tylko jedno rozwiązanie takiego równania.

7. **Podczas której z faz dochodzi do powstania dwóch jąder?**
   a. Metafazy.
   b. Anafazy.
   c. Telofazy.
   d. Cytokinezy.

8. **Podczas której fazy chromosomy ustawiają się w płaszczyźnie równikowej komórki i są utrzymywane w odpowiedniej pozycji przez mikrotubule wrzeciona kariokinetycznego?**
   a. Metafazy.
   b. Anafazy.
   c. Telofazy.
   d. Cytokinezy.

9. **Językiem hadza mówi:**
   a. 700 osób;
   b. 800 osób;
   c. 900 osób;
   d. 937 osób.

10. **Najliczniejsze i najbardziej zróżnicowane języki khoisan noszą nazwę:**
    a. Khoe;
    b. Tuu;
    c. Sandawe;
    d. Taa.

Odpowiedzi: a, a, c, d, c, c, c, a, d, b, a.

HISTORIA: Wojna
w Zatoce Perskiej

Atak na Kuwejt, Operacje „Pustynna
tarcza" i „Pustynna burza", Atak
rakietowy, Bitwa o Chafdżi, Koniec
wojny, Syndrom wojny w Zatoce

MATEMATYKA: Teoria
kategorii

Czym jest teoria kategorii?,
Funktory, Z czego składają
się kategorie?, Zupełność
i współzupełność, Transformacje
naturalne, Dualizm

SZTUKA JĘZYKA:
Prasa

Johann Carolus, *Oxford
Gazette*, Wojna secesyjna,
Henry Stanley, William
Randolph Hearst, Pogoń
za sensacją

PRZYRODA: Królestwo
zwierząt

Kręgowce, bezkręgowce i strunowce,
Ssaki, Gady, Szkarłupnie, Mięczaki,
Torbacze

Lekcja 37

JĘZYKI OBCE:
Amharski

Początki, Gramatyka,
System pisma,
Rastafarianie,
Współczesny amharski,
Użyteczne zwroty

WOJNA W ZATOCE PERSKIEJ

Atak na Kuwejt W latach 1980–1988 Irak i Iran zaangażowały się w krwawy konflikt, który zrujnował iracką gospodarkę. 2 sierpnia 1991 r. aby ratować finanse kraju, Saddam Husajn zaatakował niewielki Kuwejt. Kuwejt skapitulował po dwóch dniach, a żołnierze i obywatele, szukając ratunku, uciekali do Bahrajnu i Arabii Saudyjskiej. Irak rozpoczął siedmiomiesięczną okupację Kuwejtu, w którym to okresie doszło do masowych grabieży oraz naruszania praw obywatelskich.

 PRASA

Johann Carolus Pierwszą gazetę – „Relation aller Fürnemmen und gedenckwürdigen Historien", czyli „Zbiór ważnych i godnych utrwalenia wiadomości" – wydrukował w 1605 r. w Strasburgu Johann Carolus (1575–1634). Carolus przez jakiś czas ręcznie przepisywał zdobyte wiadomości i sprzedawał je prenumeratorom za wysoką cenę. W 1604 r. kupił drukarnię i zaczął drukować swoje teksty. Zdał sobie sprawę, że zarobi więcej, jeśli wydrukuje tekst w dużych ilościach, a pojedynczy egzemplarz sprzeda taniej.

 TEORIA KATEGORII

Czym jest teoria kategorii? Teoria kategorii stanowi niezwykle złożony proces korzystający z obecnych dokonań matematyki i nadający im jeszcze bardziej abstrakcyjny wymiar. Teoria kategorii może dowieść, że pozornie niezwiązane ze sobą działy matematyki dzielą pewne wspólne podstawy, że jedno dowiedzione rozwiązanie może mieć skutki dla wielu działów matematyki, a także że niezwykle skomplikowane tematy mogą zostać przekształcone na znacznie prostszą formę i odnosić się do innych działów matematyki.

 KRÓLESTWO ZWIERZĄT

Kręgowce, bezkręgowce i strunowce Kręgowce to zwierzęta posiadające szkielet wewnętrzny z kręgosłupem i kręgami. Bezkręgowce nie mają kręgosłupa i nie tworzą oddzielnego podtypu. W systematyce kręgowce należą do typu strunowców. Każde zwierzę posiadające kręgosłup jest strunowcem, ponieważ struna grzbietowa zamienia się w rdzeń kręgowy. Człowiek także jest strunowcem, a cechy strunowców pojawiają się w tym wypadku w stadium embrionalnym i u dorosłego człowieka nie są już widoczne.

○ AMHARSKI

Początki Amharski to używany w Etiopii język semicki wywodzący się z języka gyyz. W pierwszym tysiącleciu p.n.e. wraz z arabskimi imigrantami pojawił się w Etiopii język sabejski, a w ciągu następnego milenium Etiopczycy wykształcili własną odmianę tego języka, na którą wpływ miały także języki kuszyckie – była ona znana właśnie jako gyyz. Przed X w. n.e. gyyz stracił status języka mówionego, ale wciąż używa się go w etiopskim Kościele. Z gyyz powstały trzy inne języki: tigrinia (który najbardziej przypomina gyyz), tigre oraz amharski.

WOJNA W ZATOCE PERSKIEJ

Operacje „Pustynna tarcza" i „Pustynna burza" Postępowanie Saddama Husajna zagrażało interesom USA. Gdy wojska irackie zaczęły szykować się do ataku na Arabię Saudyjską, by zagarnąć jej pola naftowe, prezydent George Bush za zgodą władz tego kraju wysłał tam piechotę oraz lotnictwo. Operacja o kryptonimie „Pustynna tarcza" była najpoważniejszą od czasu wojny wietnamskiej akcją wojsk amerykańskich poza granicami USA. Amerykanów wsparło 30 innych krajów. 17 stycznia 1991 r., kiedy stało się jasne, że Saddam Husajn nie zamierza ustąpić, operacja „Pustynna tarcza" przekształciła się w operację „Pustynna burza".

PRASA

„Oxford Gazette" Pierwszą drukowaną gazetą, którą mógł kupić każdy niezależnie od klasy społecznej, była „Oxford Gazette", wydawana w 1665 r. „Oxford Gazette" była oficjalnym organem króla Karola II, a drukowano ją w dwóch miastach: w Londynie i Oksfordzie. Po pewnym czasie tytuł zmieniono na „London Gazette". I pod takim tytułem wychodzi do dziś.

TEORIA KATEGORII

Funktory O kategoriach można myśleć w bardziej abstrakcyjny sposób. Można je postrzegać jako struktury, co umożliwia odnajdowanie procesów, które pomagają te struktury zachować. Procesy te są nazywane funktorami. Funktory łączą obiekt z jednej kategorii z obiektem z innej kategorii (a z każdym morfizmem w pierwszej kategorii jest łączony morfizm z drugiej kategorii). Funktory umożliwiają badanie związków pomiędzy różnymi klasami struktur, co jest kluczową koncepcją w takich dziedzinach, jak topologia algebraiczna.

KRÓLESTWO ZWIERZĄT

Ssaki Są to kręgowce, które żyją na wszystkich kontynentach, zasiedlając wszystkie środowiska naszego globu. Charakteryzują się wysokim stopniem rozwoju mózgu, a także narządów zmysłu. Potomstwo ssaków karmione jest mlekiem wytwarzanym przez gruczoły mlekowe samicy. Ssaki mają ciało okryte włosami, które są wytworami naskórka (nawet niektóre walenie – delfiny i wieloryby – posiadają rzadkie owłosienie). Wytworami naskórka są również pazury, paznokcie, rogi, łuski i kopyta. Są stałocieplne, co oznacza, że potrafią utrzymywać stałą temperaturę ciała niezależnie od temperatury otoczenia. Są także żyworodne, co oznacza, że ich dzieci rodzą się w pełni ukształtowane.

AMHARSKI

Gramatyka W języku amharskim zaimki są do pewnego stopnia domyślne i można je opuszczać. Występuje zgodność czasownika z osobą, rodzajem i liczbą podmiotu. Rodzaj można określić na kilka różnych sposobów, a rzeczowniki dzielą się na męskie i żeńskie. Rodzaj żeński wiąże się nie tylko z płcią, ale może też określać coś małego lub coś, wobec czego chcemy wyrazić czułość albo współczucie.

WOJNA W ZATOCE PERSKIEJ

Atak rakietowy Irak miał radzieckie rakiety Scud, umożliwiające przenoszenie pocisków chemicznych oraz jądrowych. 17 stycznia wystrzelił siedem takich rakiet w kierunku Izraela, ale obrona przeciwlotnicza tego kraju była na to przygotowana. Izrael nie odpowiedział kontratakiem, gdyż Stany Zjednoczone zobowiązały się do zniszczenia wszystkich irackich rakiet tego typu.

 PRASA

Wojna secesyjna W czasie wojny secesyjnej gazety były już standardowym elementem rzeczywistości. W 1800 r. w Stanach Zjednoczonych wydawano ponad 200 tytułów. Wybuch wojny secesyjnej na zawsze zmienił charakter prasy. Zaczęto zatrudniać korespondentów wojennych, którzy relacjonowali przebieg kolejnych etapów konfliktu. Dzięki kolei oraz telegrafowi informacje mogły rozchodzić się znacznie szybciej, ale ze względu na wysokie koszty wysyłania wiadomości za pomocą telegrafu sposób pisania musiał być zwięzły. Tak właśnie ukształtował się styl tworzenia relacji, jaki znamy ze współczesnych gazet.

 TEORIA KATEGORII

Z czego składają się kategorie? Kategoria, oznaczana jako C, składa się z dwóch klas: klasa Ob(C) zawiera elementy nazywane obiektami kategorii C, a klasa Mor(C) zawiera elementy zwane morfizmami kategorii C (które są strzałkami). Morfizmy oznaczamy jako f i składają się one z początku lub dziedziny określoności (A) oraz jej końca (B). Można je więc wyrazić jako: $f: A{\to}B$ (f jest morfizmem zmierzającym od A do B). Jeszcze jednym ważnym pojęciem wiążącym się z teorią kategorii jest działanie dwuargumentowe oznaczane jako o. Określa ono sposób tworzenia morfizmów i może być zapisane następująco:

$Ob(A, B) \cdot Ob(B, C) \to Ob(A, C)$

$f: A{\to}B$ i $g: B{\to}C$ jest zapisywane jako $g \circ f$

 KRÓLESTWO ZWIERZĄT

Gady Gady mają kilka cech charakterystycznych. Oddychają za pomocą płuc i są zmiennocieplne. Żyją w wodzie i na lądzie. Ich skóra jest sucha, pokryta warstwą zrogowaciałego naskórka, który okresowo złuszcza się w procesie linienia. Wytworami naskórka są rogowe łuski, tarczki i płyty. Większość z nich składa jaja (żmije i węże boa to dwa przykłady gadów, które rodzą żywe potomstwo, ale jest to nietypowe).

◐ AMHARSKI

System pisma Amharski alfabet, znany jako fidel, jest oparty na alfabecie gyyz. Jest to abugida, czyli alfabet sylabiczny. Składa się z 33 znaków, a każdy z nich przybiera siedem form. Jak w przypadku innych języków semickich, symbole alfabetu są do siebie bardzo podobne, a zasadniczą część każdego słowa stanowią spółgłoski, a samogłoski pełnią funkcję pomocniczą. Amharski jest jednym z nielicznych języków afrykańskich z własnym alfabetem.

WOJNA W ZATOCE PERSKIEJ

LEKCJA 37D

Bitwa o Chafdżi 29 stycznia rozpoczęła się trzydniowa bitwa o Chafdżi. Cztery dni wcześniej wywiad amerykański zameldował o umacnianiu stanowisk wojsk irackich przy granicy z Kuwejtem. W nocy 29 stycznia irackie czołgi z działami odwróconymi w tył ruszyły w kierunku pozycji zajmowanych przez Amerykanów, którzy sądząc, że Irakijczycy poddają się, nie otwarli ognia. Był to jednak tylko podstęp, bo już po chwili zaczęła się bitwa. W jej pierwszej fazie Irakijczycy zdobyli kontrolę nad Chafdżi, ale gdy siły alianckie odpowiedziały atakiem z powietrza i ostrzałem artyleryjskim, armia Husajna skapitulowała. 31 stycznia ofensywa została zakończona.

 # PRASA

Henry Stanley Gazety wydawane w Nowym Jorku nieustannie zmieniały oblicze dziennikarstwa. Gdy w 1870 r. w Afryce zaginął słynny szkocki misjonarz i odkrywca David Livingstone, gazeta „New York Herald" wysłała swojego korespondenta Henry'ego Stanleya, by go odnalazł. Dziennikarz w 1871 r. wywiązał się ze swojego zadania. Spotkawszy Livingstone'a w odciętej od świata afrykańskiej wiosce, zapytał: „Doktor Livingstone, jak mniemam?". Był to początek tzw. dziennikarstwa śledczego.

 # TEORIA KATEGORII

Zupełność i współzupełność Z obiektami początkowymi mamy do czynienia kiedy istnieje dokładnie jeden morfizm dla każdego obiektu $f: S\grave{a}X$, natomiast obiekty końcowe to takie, w przypadku których mamy dokładnie jeden morfizm $f: X\grave{a}T$. Obiekty mogą być odpychane albo przyciągane. Jeśli w danej kategorii istnieją wszystkie przyciągania oraz obiekt końcowy, wówczas jest ona skończenie zupełna. Jeśli w danej kategorii istnieją wszystkie odpychania oraz obiekt początkowy, wówczas jest ona skończenie współzupełna.

 # KRÓLESTWO ZWIERZĄT

Szkarłupnie To zwierzęta bezkręgowe charakteryzujące się promienistą budową ciała. Szkarłupnie żyją w wodach mórz i oceanów, nie mają mózgu, oczu ani serca. Posiadają jednak zazwyczaj otwór gębowy u dołu ciała, odbyt u góry, a także wiele ramion rozchodzących się symetrycznie od środka ciała. Najpopularniejszymi szkarłupniami są rozgwiazdy i jeżowce. Mają przypominające macki odnóża oraz przyssawki umożliwiające poruszanie się. Niektóre szkarłupnie, np. rozgwiazdy, są mięsożerne, inne żywią się planktonem, a jeszcze inne – bezpostaciową masą tkankową.

 # AMHARSKI

Rastafarianie Słowo „rastafarianin" pochodzi z języka amharskiego. Hajle Sellasje I, cesarz Etiopii w latach 1930–1974, był znany jako Ras Tafari, co stanowi połączenie amharskiego słowa „ras" (głowa w znaczeniu władca) oraz imienia Tafari. Rastafarianie uważają, że Halle Sellasje to Mesjasz, który powrócił na ziemię.

WOJNA W ZATOCE PERSKIEJ

Koniec wojny 24 lutego rozpoczęła się trzydniowa aliancka ofensywa lądowa. Jednostki koalicji antyirackiej wkroczyły do Kuwejtu, kierując się w stronę jego stolicy, którą wyzwoliły 26 lutego. Irak skapitulował. Dwa dni później prezydent Bush ogłosił zakończenie wojny. Wycofujące się z Kuwejtu jednostki irackie podpaliły około 700 szybów naftowych.

PRASA

William Randolph Hearst Magnat prasowy William Randolph Hearst (1863–1951) był synem milionera. Studiował dziennikarstwo w Harvardzie. Jeszcze w czasach studiów powiedział ojcu, że chciałby wydawać gazetę „San Francisco Examiner". Jego marzenie spełniło się 7 marca 1887 r., kiedy został jej właścicielem. W 1895 r. Hearst zakupił „The New York Morning Journal", w którym współzawodniczył z niegdysiejszym kolegą z uczelni Josephem Pulitzerem (a jak sobie przypominacie z lekcji na temat I wojny światowej, Hearstowi i Pulitzerowi zawdzięczamy żółte dziennikarstwo).

TEORIA KATEGORII

Transformacje naturalne Związek zachodzący pomiędzy dwoma funktorami jest znany jako transformacja naturalna. Transformacje naturalne pozwalają na przekształcanie jednego funktora w inny przy zachowaniu morfizmów danej kategorii. Obok koncepcji kategorii i funktorów, transformacje naturalne stanowią jedno z kluczowych pojęć w teorii kategorii.

KRÓLESTWO ZWIERZĄT

Mięczaki Są to bezkręgowce o najbardziej zróżnicowanej budowie. Wszystkie mają niesegmentowane, miękkie ciało, które zazwyczaj okrywa wapienna muszla. Do tego typu należą ślimaki, małże oraz głowonogi. Mięczaki były jednymi z pierwszych organizmów, jakie zamieszkiwały naszą planetę – ich najstarsze skamieniałości liczą 500 milionów lat. Bytują zarówno w wodzie, jak i na lądzie. Przykładami mięczaków są: ostrygi, małże, ośmiornice, kalmary i ślimaki (nagie i z muszlą). Niektóre mięczaki poruszają się poprzez wypuszczanie z ciała strumieni wody (np. kalmary czy przegrzebki), inne posiadają nogę (np. ślimaki), a jeszcze inne w ogóle się nie poruszają, ale żyją w jednym miejscu (np. małże i ostrygi).

◯ AMHARSKI

Współczesny amharski W XIII w. amharski został językiem urzędowym w Etiopii, a także dominującym językiem mówionym. Dziś jest to narodowy język tego kraju, używany we wszystkich prowincjach. Mówi nim 25 milionów osób. Poza Etiopią żyje 2,7 miliona ludzi mówiących amharskim. Literatura w tym języku narodziła się w XIX w.

WOJNA W ZATOCE PERSKIEJ

Syndrom wojny w Zatoce Kiedy żołnierze amerykańscy wrócili do kraju, wielu z nich zaczęło uskarżać się na zły stan zdrowia. Wśród dominujących objawów lekarze odnotowywali mdłości, wysypki, skurcze mięśni, utratę pamięci krótkotrwałej, trudności z oddychaniem i bóle głowy. Zespół ten nazwano syndromem wojny w Zatoce. W 2008 r. okazało się, że najprawdopodobniej przyczyną dolegliwości były repelenty używane do zwalczania dokuczliwych pustynnych owadów.

 PRASA

Pogoń za sensacją Po I wojnie światowej dziennikarze śledczy zaczęli prześcigać się w ujawnianiu nadużyć i korupcji wśród polityków i biznesmanów. Jednym z najsłynniejszych dziennikarzy śledczych w owych czasach był Upton Sinclair, który w 1906 r. wydał *Grzęzawisko* – książkę, w której opisał funkcjonowanie przemysłu spożywczego i chemicznego. Po lekturze książki Sinclaira prezydent Roosevelt zlecił skontrolowanie firm zajmujących się pakowaniem mięsa.

 TEORIA KATEGORII

Dualizm W teorii kategorii każdej teorii lub definicji towarzyszy odwrotność, która powstaje przez odwrócenie zwrotu strzałek. Jeśli coś jest prawdziwe w kategorii C, oznacza to, że przeciwieństwo tego pojęcia będzie prawdziwe w kategorii C^{op}, albo w kategorii przeciwnej. Podobnie, jeśli coś nie jest prawdziwe w kategorii C, oznacza to, że przeciwieństwo tego pojęcia nie będzie prawdziwe w kategorii C^{op}. Bardzo często zdarza się, że C^{op} jest abstrakcyjne i nie musi stanowić kategorii wynikłej z działań matematycznych. W takich przypadkach mówi się o dualizmie kategorii C i D, a D i C^{op} określa się jako „kategorie równoważne".

 KRÓLESTWO ZWIERZĄT

Torbacze Szczególna odmiana ssaków, zwanych ssakami niższymi. Najpopularniejsze z nich – różne gatunki kangurów czy niedźwiedzie koala – żyją w Australii, Ameryce Północnej i Południowej. W Ameryce Północnej żyje tylko jeden rodzaj torbacza – dydelf wirginijski. Charakterystyczną cechą torbaczy jest torba lęgowa, w której dorosłe osobniki noszą młode.

 AMHARSKI

Użyteczne zwroty Oto kilka zwrotów, które mogą się okazać przydatne podczas podróży do Etiopii (zapisano je fonetycznie):

Cześć – *Sälam*

Witaj – *In kwahn deh-na meh tash* (do mężczyzny)/*In kwahn deh-na meh tah* (do kobiety)

Dzień dobry – *əndämn adäru* (przed południem)/*əndämn walu* (po południu)

Dobry wieczór – *əndämn amäshu*

Miło mi cię poznać – *Siletewaweqin dess bilognal*

Nie rozumiem – *Algebagnim*

Przepraszam – *Yiqirta*

Dziękuję – *Ameseginalehugn*

Skąd jesteś? – *Irswo keyet not?*

Jak się nazywasz? – *Simi man new?* (do mężczyzny)/*Simish man new?* (do kobiety)

Do widzenia – *Chow*

1. **Kiedy Irak zaatakował Izrael rakietami Scud, Żydzi nie kontratakowali, ponieważ Stany Zjednoczone obiecały:**
   a. oddać Izraelowi iracką artylerię;
   b. oddać Izraelowi iracką ropę po zakończeniu wojny;
   c. oddać Izraelowi ziemie irackie po zakończeniu wojny;
   d. zniszczyć wszystkie rakiety Scud znajdujące się na terenie Iraku.

2. **Bitwa o Al-Khafji trwała:**
   a. trzy dni;
   b. trzy tygodnie;
   c. trzy miesiące;
   d. trzy lata.

3. **Henry Stanley był pierwszym:**
   a. wydawcą prasy;
   b. dziennikarzem śledczym;
   c. demaskatorem;
   d. korespondentem wojennym.

4. **Co było wynikiem amerykańskiej wojny domowej?**
   a. Zatrudnianie w gazetach korespondentów wojennych.
   b. Tworzenie relacji w zwięzły sposób.
   c. Zastąpienie tekstów propagandowych relacjami z bieżących wydarzeń.
   d. Zarówno (a), (b) i (c).

5. **Procesy pozwalające zachować strukturę kategorii są znane jako:**
   a. fraktale;
   b. funktory;
   c. funkcje;
   d. funktele.

6. **Jeśli w danej kategorii występują wszystkie przyciągania oraz obiekt końcowy, wówczas jest ona:**
   a. skończenie zupełna;
   b. skończenie niezupełna;
   c. skończenie współzupełna;
   d. nieskończenie zupełna.

7. **Człowiek należy do:**
   a. kręgowców;
   b. bezkręgowców;
   c. strunowców;
   d. (a) i (c).

8. **Rozgwiazda jest przykładem:**
   a. mięczaka;
   b. torbacza;
   c. gada;
   d. szkarłupni.

9. **Amharski to język:**
   a. romański;
   b. germański;
   c. semicki;
   d. khoisan.

10. **Amharski alfabet to:**
    a. abugida;
    b. gyyz;
    c. rasta;
    d. selassie.

PLUSKWA MILENIJNA

Czym była pluskwa milenijna? Aby zoptymalizować wykorzystanie pamięci komputerowej, od lat 60. XX w. do oznaczania lat w datach używano w informatyce dwóch cyfr zamiast czterech. W latach 90. zdano sobie sprawę, że wraz z nastaniem roku 2000 cyfry oznaczające rok zamienią się w 00, a komputery zinterpretują je jako rok 1900, co może stanowić zagrożenie dla funkcjonowania rynku finansów, bankowości, mediów, telekomunikacji, przemysłu czy lotnictwa. Problem ten nazwano pluskwą milenijną – *millenium bug* (albo Y2K – *year 2* kilo *bug*).

 JOSEPH PULITZER

Wczesne lata życia Joseph Pulitzer urodził się w Budapeszcie w 1847 r. W 1864 r. wyjechał do Ameryki i zaciągnął się do wojska. W czasie wojny secesyjnej walczył po stronie Unii. Następnie zamieszkał w St. Louis w stanie Missouri, gdzie pracował jako taksówkarz, kelner i opiekun mułów. Po pewnym czasie udało mu się zdobyć posadę dziennikarza w lokalnej niemieckiej gazecie. Wstąpił do Partii Republikańskiej, z ramienia której z powodzeniem startował w wyborach.

 LICZBY PIERWSZE

Czym są liczby pierwsze? Liczb pierwsze to liczby całkowite większe od 1, które można podzielić wyłącznie przez 1 i przez nie samą. Przykłady liczb pierwszych: 2, 3, 5, 7, 11, 13, 17, 19, 23...
Zbiór liczb pierwszych jest zbiorem nieskończonym, co udowodnił Euklides w 300 r. p.n.e.

⚛ KOMÓRKI MACIERZYSTE

Czym są komórki macierzyste? Są to niewyspecjalizowane komórki powstające na wczesnych etapach rozwoju organizmu. Mogą przekształcić się w różne rodzaje komórek, które budują narządy organizmu, np. nerki, płuca czy wątrobę. Dlatego też ważne jest, że można wykorzystać je do naprawy każdego uszkodzonego organu w naszym organizmie. Podczas podziału komórek macierzystych nowe komórki mogą albo zamienić się w inny rodzaj komórek o określonej budowie i funkcji, albo pozostać komórkami macierzystymi. W określonych warunkach komórki macierzyste nabierają specjalizacji w kierunku konkretnej tkanki, stając się komórkami konkretnego narządu, wykonującymi ściśle określoną funkcję. Komórki macierzyste człowieka możemy pozyskać z krwi pępowinowej w czasie porodu i przechowywać w bankach krwi pępowinowej.

 SPIRYTUALIZM, MEDIUMIZM I ROZMOWY ZE ZMARŁYMI

Wierzenia spirytualistów Spirytualizm to monoteistyczny ruch religijny, który pojawił się w XIX w. W roku 1897 miał ponad 8 milionów zwolenników w Europie oraz Stanach Zjednoczonych. Spirytualiści wierzą, że ze zmarłymi można nawiązać kontakt, ponieważ w momencie śmierci umiera tylko ciało, a dusza wciąż żyje, może się doskonalić i uczyć. Do nawiązywania kontaktu z umarłymi jest potrzebna osoba ze szczególnymi zdolnościami – medium.

PLUSKWA MILENIJNA

Reakcja rządu amerykańskiego 19 października 1998 r. rząd Stanów Zjednoczonych opublikował zarządzenie dotyczące jawności informacji na temat problemu roku 2000, obowiązujące wszystkie podmioty, zarówno publiczne, jak i prywatne. Jego celem było stworzenie platformy wymiany informacji o pluskwie milenijnej. Biały Dom współpracował z Federalną Agencją Zarządzania Kryzysowego, a szereg istotnych danych publikowano na stronach internetowych. Również agencje federalne miały odrębne jednostki do sprawy pluskwy milenijnej i współpracowały z sektorem prywatnym.

 JOSEPH PULITZER

Wczesna kariera wydawnicza W 1872 r. za 3 tys. dolarów Pulitzer kupił „St. Louis" Post oraz lokalną niemiecką gazetę. Zyski z wydawania „Post" pozwoliły mu zapłacić za edukację prawniczą. W 1878 r. Pulitzer założył firmę prawniczą, którą szybko zamknął, i zainwestował w zadłużony „St. Louis Dispatch". Następnie połączył „Post" oraz „Dispatch" w jedno pismo i skupił się na pisaniu o korupcji, hazardzie, oszustwach podatkowych oraz loteriach.

 LICZBY PIERWSZE

Podstawowe twierdzenie arytmetyki Podstawowe twierdzenie arytmetyki mówi, że każdą liczbę naturalną większą od 1 można przedstawić w postaci iloczynu liczb pierwszych. Wynika z niego m. in. fakt, że liczby pierwsze to elementy, z których tworzą się wszystkie liczby naturalne złożone. Rozkład liczb na czynniki pierwsze to proces sprawdzania, z jakich liczb pierwszych składa się dana liczna naturalna. Przykładowo, aby poznać czynniki pierwsze liczby 18, należy wykonać następujące działania:

$$18 : 2 = 9$$
$$9 : 3 = 3$$
$$18 = 3^2 \times 2$$

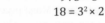 KOMÓRKI MACIERZYSTE

Wyjątkowe cechy komórek macierzystych Z komórek macierzystych powstały wszystkie inne komórki w naszym organizmie. Różnią się od wszystkich innych komórek ciała i charakteryzują się trzema cechami:
• mają zdolność dzielenia się i odnawiania przez długi okres czasu, co nie jest cechą np. komórek krwi, komórek mięśniowych czy komórek nerwowych;
• nie są wyspecjalizowane, co oznacza, że nie pełnią takich funkcji, jak transport tlenu czy pompowanie krwi;
• tworzą wyspecjalizowane komórki.

 SPIRYTUALIZM, MEDIUMIZM I ROZMOWY ZE ZMARŁYMI

Mediumizm Medium potrafi nawiązać kontakt ze zmarłymi i przekazywać informacje od nich do świata żywych. Można rozróżnić dwa typy medium: medium fizyczne oraz medium mentalne. Osoba będąca medium fizycznym kontaktuje się ze zmarłymi podczas seansów spirytystycznych. W przypadku osoby będącej medium mentalnym wszystko rozgrywa się w jej umyśle. Medium może identyfikować trzy różne przejawy obecności ducha zmarłej osoby: widzialną postać, wydawane przez nią odgłosy oraz jej myśli i obecność.

PLUSKWA MILENIJNA

Reakcja innych krajów Pierwsze posiedzenie członków Ośrodka Współpracy Międzynarodowej ds. Pluskwy Milenijnej, założonego przez Bank Światowy, odbyło się 11 grudnia 1998 r. Przygotowano strategię postępowania na wypadek kryzysu, a także procedury testowania komputerów i zasady międzynarodowej wymiany informacji. Zadaniem tego gremium było przygotowanie i koordynacja międzynarodowych programów związanych z pluskwą milenijną.

 JOSEPH PULITZER

„New York World" W 1883 r. w wieku 36 lat Pulitzer kupił „New York World". Zmienił formułę pisma tak, że skupiało się na skandalach, sensacyjnych historiach i tematach z życia, a także wykorzystał je, aby nagłaśniać oszustwa i nadużycia. Kiedy w 1909 r. „New York World" ujawnił, że rząd Stanów Zjednoczonych niezgodnie z prawem przekazał 40 milionów dolarów francuskiej spółce zajmującej się budową Kanału Panamskiego, Pulitzera oskarżono o zniesławienie Roosevelta, ale później sprawę umorzono, co stanowiło bardzo ważne wydarzenie dla wolności prasy.

 LICZBY PIERWSZE

Twierdzenie Euklidesa Zbiór liczb pierwszych jest zbiorem nieskończonym. Tak zresztą brzmi właśnie twierdzenie Euklidesa. Znamy wiele dowodów na to, że jest to twierdzenie prawdziwe. Sam Euklides również przeprowadził dowód na jego prawdziwość, zgodnie z którym po sporządzeniu listy liczb pierwszych zawsze dojdziemy do wniosku, że za ostatnią z zapisanych na liście liczb znajduje się następna.

 KOMÓRKI MACIERZYSTE

Embrionalne komórki macierzyste Komórki macierzyste pobrane z embrionu są nazywane embrionalnymi komórkami macierzystymi – ESC. Jeśli podczas hodowli komórek macierzystych panują odpowiednie warunki, mogą one pozostać długo niewyspecjalizowane. Jeśli zbijają się w jedną masę, dochodzi wówczas do ich spontanicznego różnicowania i tworzenia różnych typów komórek. Kiedy naukowcy próbują wytworzyć konkretny rodzaj komórek, również nazywają to różnicowaniem. Obecnie mogą to robić według specjalnych metod inżynierii genetycznej, która jest dynamicznie rozwijającą się dziedziną biotechnologii.

 SPIRYTUALIZM, MEDIUMIZM I ROZMOWY ZE ZMARŁYMI

Rozmowy ze zmarłymi w innych religiach Choć spirytualizm wywodzi się z chrześcijaństwa, to wiele innych religii również zakłada możliwość kontaktowania się ze zmarłymi. W religiach tubylczych oraz animizmie ze światem duchów kontaktuje się szaman. Animiści wierzą, że szamani potrafią porozumiewać się nie tylko ze zmarłymi, ale również z duchem przyrody. Sufizm, który uznaje się za mistyczne odgałęzienie islamu, także zakłada, że nawiązanie kontaktu ze światem zmarłych jest możliwe.

PLUSKWA MILENIJNA

Panika Pluskwa milenijna wywołała ogromną panikę. Przygotowywano się na katastrofę. Obawiano się, że dojdzie do załamania na rynku papierów wartościowych, a samoloty przestaną działać i zaczną spadać na ziemię. Po przeprowadzeniu ankiety wśród 14 tys. osób, okazało się, że przed nadejściem roku 2000 ponad połowa z nich miała zamiar wypłacić z banku gotówkę, która pozwoli im przeżyć 2 do 6 tygodni.

JOSEPH PULITZER

Żółty dzieciak W 1886 r. „New York World" wprowadził kolorową wkładkę, co było wówczas rzadkością. Pulitzer zatrudnił rysownika Richarda F. Outcalta, który stworzył „Hogan's Alley" – dział z historyjkami obrazkowymi, w których występował bohater zwany żółtym dzieciakiem. Był to jeden z pierwszych amerykańskich komiksów. William Randolph Hearst był pod wielkim wrażeniem dokonań Pulitzera i zapłacił Outcaltowi za przejście do jego pisma. Pulitzer zatrudnił George'a Luksa, aby kontynuował serię o żółtym dzieciaku.

LICZBY PIERWSZE

Najwyższa liczba pierwsza Od czasu, kiedy Euklides odkrył, że zbiór liczb pierwszych jest nieskończony, matematycy próbowali odnaleźć jak najwyższe wartości tych liczb. Wiele z najwyższych liczb pierwszych nazywa się liczbami Mersenne'a, która to nazwa wywodzi się od XVII-wiecznego mnicha, który stworzył wzór $M^p = 2^p - 1$. Z dziesięciu najwyższych liczb pierwszych, dziewięć to właśnie liczby Mersenne'a, przy czym liczba niemersennowska zajmuje pozycję dziesiątą. W chwili obecnej najwyższą znaną liczbą pierwszą jest $2^{43112609} - 1$.

KOMÓRKI MACIERZYSTE

Dorosłe komórki macierzyste Niezróżnicowane komórki występujące dookoła zróżnicowanych komórek w tkankach i narządach to dorosłe komórki macierzyste. Mają zdolność odnawiania się lub różnicowania w celu wytworzenia w tkance lub narządzie komórek określonego rodzaju. U żywych organizmów komórki macierzyste naprawiają i budują tkankę, w której występują.

SPIRYTUALIZM, MEDIUMIZM I ROZMOWY ZE ZMARŁYMI

Emanuel Swedenborg Szwedzki naukowiec, wynalazca i filozof Emanuel Swedenborg (1688–1772) w wieku 56 lat ogłosił, że przeżył objawienie: zaczął mieć sny oraz wizje. Uznał, że został wybrany przez Boga, aby zreformować chrześcijaństwo w oparciu o nową doktrynę. Po duchowej przemianie Swedenborg opublikował 18 książek, z których najpopularniejsza to *O niebie i jego cudach, również o piekle według tego, co słyszano i widziano*. W *Życiu na innych planetach* Swedenborg pisze, że nawiązywał kontakty z duchami z Księżyca, Marsa, Merkurego, Saturna, Wenus oraz Jowisza. Fakt, że nie rozmawiał z duchami z planet, o których w jego czasach nie wiedziano (takich jak Neptun czy Uran), kładzie się cieniem na jego wiarygodności.

PLUSKWA MILENIJNA

Rozwiązania Problem pluskwy milenijnej rozwiązano na kilka sposobów. Zmodyfikowano zapis daty, zamieniając dwucyfrowy, informatyczny standard kodowania roku na czterocyfrowy. Dla baz danych, które były zbyt duże, aby wprowadzić taką zmianę, zastosowano repartycję daty, czyli zmieniono sześciocyfrowy kod dla roku/miesiąca/dnia na trzycyfrowy kod dla dnia i trzycyfrowy kod dla roku. Znacznie prostszym procesem od rozszerzania daty było zainstalowanie poprawki pozwalającej zachować dwucyfrowy kod dla roku, instruującej programy, by rozróżniały wiek wyłącznie w przypadku wykonywania określonych funkcji.

JOSEPH PULITZER

Szkoły dziennikarstwa W 1892 r. Joseph Pulitzer zaproponował rektorowi Uniwersytetu Columbia utworzenie pierwszego wydziału dziennikarstwa, ale spotkał się z odmową. W 1902 r. nowy rektor uniwersytetu zgodził się na tę propozycję. Wydział dziennikarstwa powstał jednak dopiero po śmierci Pulitzera, który zapisał uniwersytetowi w testamencie 2 miliony dolarów, dzięki czemu w 1934 r. na Uniwersytetcie Columbia otwarto Podyplomowe Studia Dziennikarskie. W tamtym czasie istniał już Wydział Dziennikarstwa na uniwersytecie w Missouri, założony pod wpływem pomysłu Pulitzera.

LICZBY PIERWSZE

Metoda naiwna testu pierwszości Aby dowiedzieć się, czy dana liczba jest pierwsza czy złożona, należy wykonać test pierwszości. Najbardziej oczywistą odmianą takiego testu jest metoda naiwna, która może jednak wymagać dość mozolnych obliczeń. Zgodnie z nią dla danej liczby n sprawdzamy, czy dzieli się ona kolejno przez 2, 3, aż do $n - 1$. Jeśli przez żadną z nich się nie dzieli, oznacza to, że jest pierwsza. Oczywiście nie musimy sprawdzać wszystkich liczb aż do $n - 1$, wystarczy sprawdzać podzielność n przez liczby mniejsze lub równe $\sqrt{n}$.

KOMÓRKI MACIERZYSTE

Indukowane pluripotencjalne komórki macierzyste Indukowane pluripotencjalne komórki macierzyste (iPSC) są sztucznie otrzymane z niepluripotentnych komórek i przeprogramowane za pomocą retrowirusów na stan przypominający embrionalny. Wykorzystanie iPSC okazało się niezwykle pomocne przy wytwarzaniu leków i rozpoznawaniu chorób, a w przyszłości planuje się użycie ich w celu dokonywania transplantacji.

SPIRYTUALIZM, MEDIUMIZM I ROZMOWY ZE ZMARŁYMI

Harry Houdini Słynny magik specjalizujący się w niewiarygodnych ucieczkach, znany jako Harry Houdini, postawił sobie za cel demaskowanie osób podających się za medium. Przed śmiercią oznajmił żonie, że jeśli faktycznie istnieje sposób na porozumienie się ze światem żywych, przekaże jej pewną zakodowaną wiadomość. Próby porozumienia się z Houdinim zakończyły się niepowodzeniem.

PLUSKWA MILENIJNA

Błędy wywołane przez pluskwę milenijną Choć ogólnoświatowego kryzysu udało się uniknąć, po 1 stycznia 2000 r. odnotowano jednak pewne błędy, np. strona internetowa krajowego systemu meteorologicznego Francji wyświetlała mapę z datą 01/01/19100. W Australii w dwóch stanach przestały działać kasowniki biletów w autobusach.

JOSEPH PULITZER

Nagroda Pulitzera Joseph Pulitzer zmarł w wieku 64 lat w 1911 r. W swoim testamencie zawarł instrukcje dotyczące ufundowanej przez siebie nagrody. Pierwsze z nich przyznano w 1917 r.

LICZBY PIERWSZE

Przerwy między liczbami pierwszymi Jeśli mamy sekwencję liczb, w której brak liczb pierwszych, mówimy wówczas o przerwach między liczbami pierwszymi. O przerwach tych można także myśleć jak o różnicy pomiędzy dwoma kolejnymi liczbami pierwszymi. Przykładowo:
Liczby pierwsze: 2 3 5 7 11 13 17...
Przerwy: 1 2 2 4 2 4...
Matematycznie można to zapisać jako: $g_n = P_{n+1} - P_n$
W tym wzorze g_n oznacza n-tą przerwę, a P_n oznacza n-tą liczbę pierwszą.

KOMÓRKI MACIERZYSTE

Wykorzystanie komórek macierzystych Komórki macierzyste można wykorzystać na wiele sposobów. Ludzkie komórki macierzyste używane są np. przy testowaniu leków przeciwko nowotworom. Prawdopodobnie najcenniejsza jest jednak zdolność komórek macierzystych do odnawiania czy zastępowania uszkodzonych komórek, a nawet tworzenia tkanek.

SPIRYTUALIZM, MEDIUMIZM I ROZMOWY ZE ZMARŁYMI

Jak przeprowadzić seans spirytystyczny
Krok 1. Zbierz wszystkich uczestników seansu (minimum trzy osoby) dookoła okrągłego stołu.
Krok 2. Wybierz medium. Może to być osoba należąca do twojej grupy albo ktoś, kto miał już kontakt z duchami zmarłych.
Krok 3. Umieść naturalny i aromatyczny posiłek pośrodku środku stołu i zapal świeczki (przynajmniej trzy) i przygaś światło.
Krok 4. Siądźcie dookoła stołu i chwyćcie się za dłonie.
Krok 5. Aby wezwać ducha, medium musi wypowiedzieć słowa: „Drogi (tu podaje imię ducha), składamy ci dary od życia dla śmierci. Przybądź do nas, (imię ducha), zjaw się między nami". Poczekaj, aż coś się zdarzy. Jeśli nic się nie dzieje, powtórz zaproszenie jeszcze raz.
Krok 6. Kiedy nastąpi kontakt, medium musi zadawać duchowi proste pytania, na które można odpowiedzieć „tak" lub „nie" (jeden dźwięk będzie oznaczał „tak", a dwa dźwięki – „nie").
Krok 7. Jeśli sytuacja wymknie się spod kontroli i będzie trzeba zakończyć seans, przerwijcie okrąg, zgaście świeczki i zapalcie światło. Jeśli wszystko przebiegło zgodnie z planem i skończyliście zadawać pytania, podziękujcie duchowi, powiedzcie mu, aby odszedł w pokoju, a następnie przerwijcie okrąg, zgaście świeczki i zapalcie światło.

1. **Pluskwa milenijna miała sprawić, że komputery odczytają rok 2000 jako:**
   a. 0;
   b. 1000;
   c. 1900;
   d. 100.

2. **Dlaczego USA wprowadziły jawność informacji na temat problemu roku 2000?**
   a. Stworzenie systemu monitorującego działanie Internetu.
   b. Zachęcenie do dzielenia się wszelkimi informacjami związanymi z pluskwą milenijną pochodzącymi z sektora prywatnego.
   c. Urządzenie międzynarodowej konferencji na temat pluskwy milenijnej.
   d. Zlikwidowanie sektora prywatnego.

3. **Pulitzer zmienił formułę „New York World" tak, aby pismo skupiało się na skandalach, sensacyjnych historiach i:**
   a. gospodarce;
   b. problemach biedoty;
   c. sporcie;
   d. historiach z życia.

4. **Żółty dzieciak był pierwszym:**
   a. dziennikarzem rozwiązującym zagadki kryminalne;
   b. bohaterem komiksu pojawiającym się na łamach gazety;
   c. tytułem, jaki wykupił Pulitzer;
   d. dziełem wyróżnionym Nagrodą Pulitzera.

5. **Dlaczego twierdzenie Euklidesa było takie ważne?**
   a. Ponieważ dostarczyło wzoru na odnajdowanie liczb pierwszych.
   b. Ponieważ pozwoliło znaleźć liczbę pierwszą o najwyższej wartości.
   c. Ponieważ stworzyło metodę naiwną testu pierwszości.
   d. Ponieważ dowiodło, że zbiór liczb pierwszych jest zbiorem nieskończonym.

6. **Stosując metodę naiwną testu pierwszości, należy:**
   a. sprawdzić czy liczba n dzieli się przez 2, 3, aż do n-1;
   b. sprawdzić czy liczba n mnoży się przez 2, 3, aż do n-1;
   c. sprawdzić czy liczba n dzieli się przez wszystkie liczby niebędące liczbami pierwszymi;
   d. sprawdzić czy liczba n mnoży się przez wszystkie liczby niebędące liczbami pierwszymi.

7. **Co charakteryzuje komórki macierzyste?**
   a. Zdolność dzielenia się i odnawiania przez długi okres czasu.
   b. Niewyspecjalizowanie.
   c. Zdolność tworzenia wyspecjalizowanych komórek.
   d. Zarówno (a), (b) i (c).

8. **Czym jest różnicowanie?**
   a. Procesem tworzenia wyspecjalizowanych komórek z niewyspecjalizowanych komórek.
   b. Procesem tworzenia niewyspecjalizowanych komórek z wyspecjalizowanych komórek.
   c. Procesem zamieniania dorosłych komórek macierzystych na embrionalne komórki macierzyste.
   d. Procesem zamieniania embrionalnych komórek macierzystych na dorosłe komórki macierzyste.

9. **Co to jest jasnoodczuwanie?**
   a. Zobaczenie ducha.
   b. Usłyszenie ducha.
   c. Wyczucie myśli i obecności ducha.
   d. Opętanie przez ducha.

10. **Co to jest jasnowidzenie?**
    a. Zobaczenie ducha.
    b. Usłyszenie ducha.
    c. Wyczucie myśli i obecności ducha.
    d. Opętanie przez ducha.

Odpowiedzi: c, b, d, d, a, d, a, c, a.

HISTORIA: Wojna
z terroryzmem

Zamach z 11 września 2001 r.,
Wojna z terroryzmem, Wojna
w Afganistanie, Wojna w Iraku,
Walki w Pakistanie, Śmierć Osamy
Bin Ladena

 MATEMATYKA:
Nieskończoność

Symbol nieskończoności,
Arystoteles, Paradoks Galileusza,
Twierdzenie Cantora, Finityzm,
Analiza rzeczywista

 SZTUKA JĘZYKA:
Propaganda

Zasada podczepienia,
Kuszenie ogólnikami,
Metoda na przeciętnego
obywatela, Przeniesienie,
Zapewnienie,
Ukartowanie

 PRZYRODA: DNA

Czym jest DNA, Struktura,
Biosynteza białka, Replikacja,
Odkrycie DNA, Przykłady
zastosowania DNA

Lekcja 39

 JĘZYKI OBCE:
Języki wymarłe

Dalmatyński, Ubyski,
Tsetsaut, Eyak, Połabski,
Apalaski

WOJNA Z TERRORYZMEM

LEKCJA 39A

Zamach z 11 września 2001 r. 11 września 2001 r. seria ataków terrorystycznych zmieniła bieg historii Stanów Zjednoczonych. Dziewiętnastu terrorystów Al-Kaidy porwało wówczas cztery samoloty pasażerskie. Dwa z nich uderzyły w wieże nowojorskiego budynku World Trade Center. W ciągu dwóch godzin obie wieże runęły na ziemię, zabijając 2752 osoby, w tym 343 strażaków i 60 policjantów. Trzeci samolot spadł na Pentagon, zabijając 184 osoby. Na wiadomość o atakach pasażerowie i załoga czwartego samolotu podjęli próbę przejęcia kontroli nad lotem, w wyniku czego maszyna spadła i roztrzaskała się w pobliżu Shanksville w stanie Pensylwania. Załoga i pasażerowie zginęli. W 2004 r. do ataków przyznał się Osama Bin Laden.

 PROPAGANDA

Zasada podczepienia Jedną z najpopularniejszych form propagandy, zarówno w czasie wojny, jak i pokoju, jest zasada podczepienia. Odgrywa ona także ogromną rolę w reklamie. Chodzi w niej o namówienie kogoś, aby wykonał jakąś czynność, np. kupił określony produkt, ponieważ wszyscy inni tak robią.

 NIESKOŃCZONOŚĆ

Symbol nieskończoności Symbol nieskończoności, czyli ∞, określany bywa jako lemniskata. Nazwa ta wywodzi się z łacińskiego słowa *lemniscus* oznaczającego wstążkę. Po raz pierwszy użyto go w dziele Johna Wallisa z 1655 r. zatytułowanym *De Sectionibus Conicis*. Nie jest pewne, dlaczego Wallis wybrał akurat ten symbol, choć niektórzy badacze twierdzą, że wywodzi się on z rzymskiego symbolu oznaczającego liczbę 1000, wzorowanego na symbolu etruskim, przedstawianym jako CIↃ, którego używano również jako symbolu oznaczającego wiele, a jeszcze inni uważają, że kojarzy się on raczej z ostatnią literą alfabetu greckiego, jaką jest omega – ω.

 DNA

Czym jest DNA? Kwas deoksyrybonukleinowy, czyli w skrócie DNA, określa genetyczny skład każdej komórki naszego ciała, a także każdą cechę wszystkich organizmów żywych i większości wirusów. Niemal każda komórka ciała ma identyczny łańcuch DNA. Jest on umiejscowiony wewnątrz jądra komórkowego (nDNA) albo w mitochondriach (mDNA). Informacje zawarte w DNA to kod składający się z czterech zasad azotowych: guaniny G, adeniny A, tyminy T i cytozyny C. W DNA człowieka znajduje się ok. 3 miliardów par zasad azotowych, z których 99% identycznych jest u każdego człowieka.

 JĘZYKI WYMARŁE

Dalmatyński Dalmatyński, którego zapis opierał się na alfabecie łacińskim z dodanymi znakami diakrytycznymi, był językiem romańskim używanym w Chorwacji. Pod wpływem Słowian dalmatyński zaczął zanikać. W 1898 r. umarła ostatnia osoba, która nim mówiła.

WOJNA Z TERRORYZMEM

Wojna z terroryzmem Po atakach z 11 września George Bush ogłosił rozpoczęcie wojny z terroryzmem, której głównym celem ogłoszono zlikwidowanie organizacji terrorystycznych i schwytanie przywódców Al-Kaidy.

PROPAGANDA

Kuszenie ogólnikami Kuszenie ogólnikami stanowi popularną formę propagandy politycznej, a także współczesnej reklamy. Ogólniki to słowa wiążące się z pewnymi koncepcjami cenionymi przez ogół społeczeństwa, ale mogącymi, w zależności od tego, kto jest ich odbiorcą, nabierać odmiennego znaczenia. Tego rodzaju propaganda domaga się natychmiastowej akceptacji właśnie ze względu na to, że mówi wyłącznie o pozytywnych aspektach danej sprawy. Przykładowo, politycy zachwalają swój program jako „stojący na straży demokracji", co również jest bardzo szerokim pojęciem i niewiele mówi na temat owego programu, ale ma po prostu wytworzyć pewien pozytywny obraz.

NIESKOŃCZONOŚĆ

Arystoteles Grecki filozof stosował rozróżnienie pomiędzy dwoma typami nieskończoności: nieskończonością potencjalną i nieskończonością rzeczywistą. Arystoteles uważał, że liczby naturalne są potencjalnie nieskończone, ponieważ nie ma wśród nich takiej, która byłaby uznawana za największą. Nie sądził, aby jakiekolwiek liczby były nieskończone w sposób rzeczywisty – po prostu nie dało się myśleć o liczbach naturalnych jak o zbiorze o mocy continuum. Uważał, że koncepcja nieskończoności rzeczywistej nie ma sensu, w związku z czym należało brać pod uwagę wyłącznie nieskończoność potencjalną. Zaobserwował również ciekawy paradoks nieskończoności: z jednej strony jest to zbiór zamknięty, a z drugiej – składa się z nieskończonej liczby elementów.

DNA

Struktura DNA ma strukturę podwójnej helisy składającej się z dwóch łańcuchów. Każdy z nich zbudowany jest z dużej ilości nukleotydów albo połączonych ze sobą związków chemicznych. W skład nukleotydów wchodzą: deoksyryboza (reszta cukrowa), reszta fosforanowa (łącząca się z deoksyrybozą drugiego łańcucha) oraz jednej z zasad azotowych (A, G, T lub C). Kiedy oba łańcuchy łączą się ze sobą, powstaje forma podwójnej helisy. Zasady zawsze występują w parach: A z T oraz C z G.

JĘZYKI WYMARŁE

Ubyski Język ubyski był językiem północno-zachodniokaukaskim, którym niegdyś posługiwano się w Turcji oraz na wschodnim wybrzeżu Morza Czarnego, w Soczi. Kiedy w 1864 r. przybyli tam Rosjanie, osadnicy pochodzenia ubyskiego opuścili Soczi i założyli kilka wiosek w Turcji (Hacı Osman, Maşukiye, Hacı Yakup i Kırkpınar). 7 października 1992 r. zmarła ostatnia osoba władająca ubyskim. Przed jej śmiercią językoznawcom udało się zebrać wiele nagrań oraz zapisków wykonanych w tym języku.

WOJNA Z TERRORYZMEM

Wojna w Afganistanie 7 października 2001 r. operacja „Enduring Freedom" rozpoczęła wojnę w Afganistanie. Celem operacji było rozgromienie Al-Kaidy, uniemożliwienie jej korzystania z bazy w Afganistanie, pokonanie Talibów oraz odnalezienie Osamy Bin Ladena. W pierwszej fazie operacji wyparto Talibów z Kabulu. W 2002 r. rozpoczęto operację „Anaconda", mającą na celu ostateczne wyeliminowanie Talibów oraz członków Al-Kaidy. Talibowie zebrali się w Pakistanie i zaatakowali siły koalicyjne.

 PROPAGANDA

Metoda na przeciętnego obywatela Metoda na przeciętnego obywatela oznacza w propagandzie przekonywanie kogoś do przejęcia określonych poglądów czy zachowań poprzez sugerowanie, że tak właśnie zrobiłby przeciętny obywatel, z którym utożsamia się odbiorca propagandy (a agitator daje tym samym do zrozumienia, że dba o interesy takiego właśnie przeciętnego obywatela).

 NIESKOŃCZONOŚĆ

Paradoks Galileusza A oto kolejny interesujący paradoks dotyczący pojęcia nieskończoności. Galileusz zauważył, że jeśli zabierzemy połowę liczb z nieskończonego zbioru liczb naturalnych, wciąż pozostaje nam w zbiorze nieskończona liczba. Np. jeśli usuniemy wszystkie liczby nieparzyste, pozostaną w zbiorze wszystkie liczby parzyste. Po połączeniu liczb naturalnych *(n)* z (2*n*), czyli liczbami parzystymi, zbiór z liczbami parzystymi jest równoliczny (ma taką samą moc) jak zbiór wszystkich liczb naturalnych.

 DNA

Biosynteza białka Wewnątrz DNA zapisane są instrukcje, jak produkować białko, które składa się z aminokwasów określających jego funkcję i strukturę. Sekwencja zasad w DNA określa z kolei sekwencję aminokwasów. Kodon (składający się z trzech nukleotydów) mówi nam, z jakim aminokwasem będziemy mieli do czynienia, np. kodon GAC oznacza leucynę. Kiedy cząsteczka DNA rozdziela się na dwie części, dochodzi do biosyntezy białka. Rozpoczyna się proces transkrypcji, w wyniku którego informacje zawarte w DNA są przepisywane na cząsteczki RNA, które później wykorzystywane są przez rybosomy w procesie translacji. Wówczas właśnie dochodzi do połączenia aminokwasów i powstaje białko.

 JĘZYKI WYMARŁE

Tsetsaut Należał do języków atapaskańskich, którymi mówili rdzenni mieszkańcy Ameryki Północnej z terenów północno-zachodniej Kolumbii Brytyjskiej w zachodniej Kanadzie. Niemalże wszystkie informacje na temat tsetsaut pochodzą z roku 1894, kiedy badał go antropolog Frank Boas. Utrwalił on wypowiedzi w tym języku pochodzące od dwóch niewolników ze społeczności Nisga'a, należącej do społeczności rdzennych Amerykanów mieszkających na terenach Kanady.

WOJNA Z TERRORYZMEM

Wojna w Iraku W marcu 2003 r. rozpoczęła się wojna w Iraku. Najpierw zaatakowano kraj z powietrza, a następnie do akcji wkroczyły siły lądowe. Choć powody wywołania tej wojny niejednokrotnie kwestionowano, administracja Busha twierdziła, że jest ona częścią walki z terroryzmem, ponieważ w Iraku ukrywają się terroryści i przechowuje się tam broń masowego rażenia. W kwietniu 2003 r. zdobyto Bagdad. Prezydent Bush ogłosił, że wojna została zakończona, wkrótce doszło jednak do powstania, które przyniosło jeszcze więcej ofiar niż atak. Żadnej broni masowego rażenia w Iraku nie odnaleziono. W grudniu 2003 r. schwytano Saddama Husajna, a w 2006 r. osądzono go i powieszono. Walki zakończyły się 1 września 2010 r. operacją „Nowy świt".

 # PROPAGANDA

Przeniesienie Aby połączyć ze sobą dwie całkowicie odrębne rzeczy lub idee i zmusić odbiorcę, aby myślał o nich w podobny sposób stosuje się przeniesienie. Zazwyczaj chodzi o propagandę negatywną, czyli np. łączenie błędu jednego polityka z obrazem całej jego partii. Przeniesienie zwykle wiąże się z określonymi symbolami, np. flaga narodowa reprezentuje społeczeństwo kraju.

 # NIESKOŃCZONOŚĆ

Twierdzenie Cantora Georg Cantor doszedł do wniosku, że co prawda nie możemy liczyć do nieskończoności, ale możemy porównywać zbiory, aby sprawdzić, czy każdy element jednego zbioru ma swój odpowiednik w drugim zbiorze. Liczbę elementów danego zbioru określa się jako jego moc, a zbiory są nieskończone, jeśli po usunięciu części elementów, ich moc pozostaje niezmieniona. Kiedy moc zbioru jest równa ilości liczb naturalnych, wówczas nazywamy go policzalnym. Twierdzenie Cantora mówi, że jeśli mamy zbiór X, to istnieje przynajmniej jeden zbiór podniesiony do potęgi X, co czyni jego moc wyższą.

 # DNA

Replikacja Przed podziałem komórki następuje replikacja DNA. Dochodzi do niej w jądrze komórkowym, a wiąże się ona z rozdzieleniem polinukleotydów. Później stają się one modelem do stworzenia nowego łańcucha DNA. Kiedy łańcuchy się rozdzielają, nukleotydy przyciągają cząsteczki komplementarne i łączą się z nimi za pomocą wiązań wodorowych. W ten sposób tworzy się nowe DNA. Grupa fosforanowa nukleotydu łączy się z deoksyrybozą przeciwległego nukleotydu dzięki enzymowi zwanemu polimerazą DNA. Proces ten trwa aż do momentu kiedy zostaje wytworzona nowa cząsteczka o podwójnej helisie.

 # JĘZYKI WYMARŁE

Eyak Język na-dene powiązany z językami atapaskańskimi. Językiem eyak posługiwano się na Alasce, a ostatnia mówiąca nim osoba – Marie Smith Jones – zmarła 21 stycznia 2008 r. w Cordovie na Alasce. Choć miała dziewięcioro dzieci, żadne z nich nie nauczyło się języka eyak.

WOJNA Z TERRORYZMEM

Walki w Pakistanie Po atakach z 11 września Pakistan pod presją USA przyłączył się do koalicji antyterrorystycznej. W 2002 r. Pakistańczycy aresztowali kilku groźnych terrorystów, a dwa lata później do walki z Talibami i Al-Kaidą wysłali wojsko. Obecnie wciąż dochodzi w Pakistanie do zbrojnych potyczek z Talibami.

 PROPAGANDA

Zapewnienie Popularną formą propagandy stosowaną zarówno w polityce, jak i w reklamie, jest zapewnienie. Jest to entuzjastycznie głoszone stwierdzenie, które pozoruje się na fakt, choć w rzeczywistości nim nie jest. Zapewniając o czymś, daje się odbiorcy do zrozumienia, że to, o czym go zapewniamy, jest powszechnie akceptowane, w związku z czym nie są potrzebne żadne dodatkowe wyjaśnienia. Kiedy jakiś produkt określa się w reklamie jako najlepszy, to w większości przypadków jest to wyłącznie niepoparte dowodami zapewnienie, a nie fakt. Reklamodawcom zależy, aby odbiorcy reklamy zaakceptowali ich zapewnienia jako prawdziwe bez zastanawiania się nad ich prawdziwością. Metoda ta może być niezwykle niebezpieczna i prowadzić do kłamstw.

 NIESKOŃCZONOŚĆ

Finityzm Odrzuca pojęcie nieskończoności. Obiekt matematyczny istnieje tylko wówczas, gdy można go skonstruować z liczb naturalnych za pomocą skończonej ilości kroków. Jednym z głównych badaczy finityzmu był David Hilbert. Jeszcze bardziej radykalne poglądy głoszą ultrafinityści, którzy zaprzeczają istnieniu nieskończonych zbiorów liczb naturalnych, ponieważ nigdy nie staną się one pełne. Zarówno finityzm, jak i ultrafinityzm, są odmianami konstruktywizmu opierającego się na zasadzie, że aby zaistniał jakiś obiekt matematyczny, trzeba go skonstruować.

 DNA

Odkrycie DNA W 1868 r. szwajcarski fizyk Friedrich Miescher odkrył, że to, co do tej pory nazywał „nukleiną" jest rzeczywistości kwasem nukleinowym. W 1951 r. trzech naukowców – Francis Crick, James Watson i Maurice Wilkins – odkryło kompletną cząsteczkę DNA. W latach 40. XX w. naukowcy wiedzieli już, że DNA składa się z aminokwasów i stanowi kod genetyczny żywych organizmów. Nie wiedzieli jednak jeszcze, jak wygląda cząsteczka DNA. Korzystając z rentgenografii strukturalnej, zaobserwowali, że DNA ma strukturę podwójnej helisy. W 1962 r. wszyscy trzej naukowcy zostali uhonorowani nagrodą Nobla za swój wkład w rozwój nauki.

 JĘZYKI WYMARŁE

Połabski Językiem zachodniosłowiańskim, którym posługiwali się Drzewianie połabscy zamieszkujący w regionie dolnej Łaby i dolnej Odry (obecnie na terenie północno-wschodnich Niemiec) był pałabski. Język ten wymarł w XVIII w. Językoznawcy odnajdują podobieństwa pomiędzy polabskim a wczesnymi fazami łużyckiego czy polskiego.

🏛 WOJNA Z TERRORYZMEM

Śmierć Osamy Bin Ladena 2 maja 2011 r. Osama Bin Laden został zabity. Dokonano tego podczas operacji „Włócznia Neptuna", rozpoczętej na rozkaz prezydenta Barracka Obamy. Grupa komandosów z Navy Seals dokonała ataku na dom w Pakistanie, w którym przebywał Bin Laden. Zwłoki terrorysty zabrano do Afganistanu celem identyfikacji, a następnie, zgodnie z muzułmańskim obrządkiem, pochowano na morzu. 6 maja Al-Kaida potwierdziła śmierć Bin Ladena.

PROPAGANDA

Ukartowanie Polega na niewyjawianiu odbiorcy całej prawdy na określony temat. Ktoś kto stosuje metodę ukartowania, ukrywa niewygodne informacje i prezentuje wyłącznie te, które mogą przysłużyć się osiągnięciu założonego celu. Jest to metoda bardzo efektywna, ponieważ pozwala agitatorowi na mówienie prawdy, a mimo to manipulowanie wizerunkiem tego, co propaguje lub reklamuje.

NIESKOŃCZONOŚĆ

Analiza rzeczywista Istnieje kilka podstawowych równań na nieskończoność, ilustrujących jej właściwości. Na przykład $x \to \infty$ i $x \to \infty$
pokazują, że x może rosnąć i maleć bez żadnych ograniczeń. Jeśli dla każdego t istnieje f(t) ≥ 0, wówczas:

$$\int_{-\infty}^{\infty} f(t)\, dt = \infty$$ pokazuje, że pole pod $f(t)$ jest nieskończone;

$$\int_{-\infty}^{\infty} f(t)\, dt = n$$ pokazuje, że pole pod $f(t)$ jest równe n, a tym samym nieskończone;

$$\int_{a}^{b} f(t)\, dt = \infty$$ pokazuje, że $f(t)$ nie ogranicza pola określonego od a do b.

DNA

Przykłady zastosowania DNA Z medycznego punktu widzenia, struktura DNA daje nam wgląd w ewolucję człowieka, pomaga zrozumieć choroby, działanie leków czy wady wrodzone u dzieci. Jest również przydatna w leczeniu mutacji genetycznych i wielu chorób. DNA pozwala zidentyfikować przestępców i przeprowadzać testy na ojcostwo. Testy DNA pomogły nawet wyjaśnić tajemnicę zaginionych dzieci Romanowów. W 1918 r. ostatni car rosyjski Mikołaj II i jego rodzina zostali zamordowani i pochowani w jednym grobie. Później okazało się, że dwa ciała w tajemniczy sposób zniknęły z grobu. W 1991 r. dwa ciała znaleziono 70 metrów od grobu Mikołaja II i dzięki wykorzystaniu testu DNA ustalono, że były to dwie córki cara.

JĘZYKI WYMARŁE

Apalaski Apalakowie zamieszkiwali tereny Florydy na północ od obecnej zatoki Apalachee Bay, a dziś mieszkają w stanie Luizjana. Ich język należał do języków muskogejskich, spośród których do dziś w użyciu pozostają: czikasaw, alabama, krik, czoktaw, koasati i mikasuki. Apalaski oraz hitchiti to jedyne języki muskogejskie, jakie wymarły, do czego przyczynił się spadek populacji plemienia spowodowany walkami z wrogami oraz wysoka śmiertelność będąca wynikiem zapadania na europejskie choroby.

1. Co zdarzyło się podczas pierwszej fazy operacji „Enduring Freedom"?

a. Zabito Saddama Husajna.
b. Talibowie zostali wyparci z Kabulu.
c. Zabito Osamę Bin Ladena.
d. Upadł Bagdad.

2. Jaką operacją skończyła się wojna w Iraku?

a. „Nowy świt".
b. „Wolność dla Irakijczyków".
c. „Włócznia Neptuna".
d. „Enduring Freedom".

3. Która z poniższych technik propagandowych wykorzystuje charakterystyczne idiomy, miejscowy akcent albo niewybredne żarty?

a. Zasada podczepienia.
b. Metoda na przeciętnego obywatela.
c. Przeniesienie.
d. Ukartowanie.

4. Która z poniższych technik propagandowych sugeruje odbiorcy, że powinien zrobić to, co robią inni?

a. Zasada podczepienia.
b. Metoda na przeciętnego obywatela.
c. Przeniesienie.
d. Ukartowanie.

5. Co miało sens według Arystotelesa?

a. Finityzm.
b. Ultrafinityzm.
c. Nieskończoność rzeczywista.
d. Nieskończoność potencjalna.

6. Które z twierdzeń lub teorii mówi, że jeśli mamy zbiór X, to istnieje przynajmniej jeden zbiór podniesiony do potęgi X, co czyni moc tego zbioru wyższą?

a. Twierdzenie Arystotelesa.
b. Teoria Hilberta.
c. Paradoks Galileusza.
d. Twierdzenie Cantora.

7. Czego nie znajdziemy w kwasie DNA?

a. Guarany.
b. Guaniny.
c. Adeniny.
d. Cytozyny.

8. Czym jest deoksyryboza?

a. Aminokwasem.
b. Cząsteczką cukru.
c. Matrycowym RNA.
d. Fosforanem.

9. Dalmatyjskim posługiwano się w:

a. Chorwacji;
b. północnym regionie Florydy;
c. Turcji;
d. Kolumbii Brytyjskiej.

10. Badaniem którego z poniższych języków zajmował się antropolog Frank Boas?

a. Apalaskiego.
b. Połabskiego.
c. Tsetsaut.
d. Eyak.

Odpowiedzi: b, a, b, a, d, d, a, b, a, c.

HISTORIA: Konflikt izraelsko-palestyński

Historia regionu, Palestyna, Terror palestyński, Izraelskie represje, Hamas, Uznanie Izraela

 MATEMATYKA: Logarytmy

Czym są logarytmy?, Własności logarytmów, Rozwiązywanie zadań z logarytmami, Upraszczanie logarytmów, Wzór na zmianę podstawy, Zastosowania logarytmów

 SZTUKA JĘZYKA: Redagowanie tekstu

Redakcja i korekta, Myślenie o odbiorcy, Zaczynamy od zdań, Przechodzimy do słów, Gramatyka, ortografia i interpunkcja, Korekta

 PRZYRODA: RNA

Matrycowy RNA, Rybosomalny RNA, Transferowy RNA, siRNA, Heterogenny jądrowy RNA, Lecznicze RNA

Lekcja 40

 JĘZYKI OBCE: Języki zagrożone wymarciem

Karaimski, Wotycki, Dyirbal, Chong, Sarikoli, Czuwaski

KONFLIKT IZRAELSKO-PALESTYŃSKI

Historia regionu Historia konfliktu między Izraelem a Palestyną jest niezwykle złożona. W starożytności region ten nosił nazwę Judea, a zamieszkiwali go Żydzi. Rzymianie, podbiwszy go, zmienili nazwę na Palestyna. Po Rzymianach nadeszli Arabowie, którzy zawładnęli tą ziemią na 1000 lat. Na przełomie XIX i XX w. syjoniści zintensyfikowali działania mające na celu umożliwienie Żydom powrotu do Izraela. Deklaracja Balfoura z 1917 r. mówiła, że Wielka Brytania pragnie przekształcić Palestynę w państwo żydowskie, co rozwścieczyło mieszkających tam Arabów. Wybuchły zamieszki, które spowolniły ów proces. Po II wojnie światowej temat państwa żydowskiego ponownie stał się aktualny, a Żydom zezwolono na osiedlanie się w Palestynie. W 1947 r. kraj podzielono na część żydowską i arabską.

 REDAGOWANIE TEKSTU

Redakcja Redakcja i korekta to nie to samo. Oba procesy są osobnymi etapami pracy nad tekstem. Podczas redakcji sprawdzamy, czy użyliśmy odpowiedniej terminologii i upewniamy się, że wszystkie pojęcia zostały zastosowane we właściwym kontekście. Korekta polega na czytaniu i sprawdzaniu, czy tekst jest poprawny pod względem gramatyki, składni oraz ortografii.

 LOGARYTMY

Czym są logarytmy? Jest to jedno z najbardziej użytecznych narzędzi arytmetycznych, z którego korzysta wiele dziedzin nauki. Dzięki niemu skomplikowane działania potęgowania lub mnożenia zostają zastąpione znacznie prostszym dodawaniem. Szczególne zastosowania w innych dziedzinach znalazły logarytmy dziesiętne, które mają za podstawę liczbę 10 oraz logarytmy naturalne o podstawie równej liczbi e. Oto przykłady podstawowych logarytmów:

$\log(10) = 1$ ponieważ $10^1 = 10$
$\log(100) = 2$ ponieważ $10^2 = 100$
$\log(2) \approx 0,3$ ponieważ $10^{0,3} = 2$

Odwrotność do danego logarytmu nazywa się kologarytmem i zapisuje się ją w następujący sposób:

$\text{colog}(2) = 100$

W przypadku kologarytmów, podstawa (w powyższym przykładzie 10) jest podnoszona do potęgi x (w tym wypadku 2).

 RNA

Matrycowy RNA Matrycowy RNA, czyli mRNA, znany również jako informacyjny RNA, to składająca się z jednej nici cząsteczka odpowiedzialna za kodowanie matrycy biorącej udział w procesie biosyntezy białka. mRNA niesie więc kopię informacji genetycznej znajdującej się na nici DNA w jądrze komórkowym. Informacja zapisana na mRNA przenoszona jest z jądra do cytoplazmy i to właśnie w cytoplazmie dochodzi do biosyntezy białek.

JĘZYKI ZAGROŻONE WYMARCIEM

Karaimski Językiem tureckim, który wykazuje podobne wpływy języka hebrajskiego, jak np. ladino albo jidysz jest karaimski. Posługują się nim Karaimi zamieszkujący Krym, Polskę, zachodnią Ukrainę i Litwę.

KONFLIKT IZRAELSKO-PALESTYŃSKI

Palestyna Arabowie nie zaakceptowali podziału kraju. Wybuchła wojna pomiędzy Palestyną a Izraelem, którą wygrali Żydzi. Po zwycięstwie znacznie poszerzyli swoje terytorium, wskutek czego na Bliskim Wschodzie pojawiła się ogromna, sięgająca setek tysięcy, liczba palestyńskich uchodźców. Choć w 1988 r. zgodzono się ostatecznie na podział kraju, we wrześniu 2000 r. doszło do otwartego konfliktu.

 REDAGOWANIE TEKSTU

Myślenie o odbiorcy Po zakończeniu pisania tekst koniecznie trzeba zredagować. Trzeba m.in. pomyśleć o docelowym odbiorcy tego, co napisaliśmy. Pisząc dla dzieci, należy wziąć pod uwagę fakt, że nie potrafią one skupić się przez tak długi czas jak dorośli, i zredukować długość zdań, z których zbudowany jest tekst, aby była ona odpowiednia dla małego czytelnika.

 LOGARYTMY

Własności logarytmów Podobne zasady jak w przypadku działań na potęgach obowiązują w działaniach na logarytmach. Oto kilka podstawowych zasad dotyczących takich działań. Należy pamiętać, że można z nich korzystać wyłącznie wtedy, gdy mamy do czynienia z logarytmami o takiej samej podstawie:

$$\log_b(m) + \log_b(n) = \log_b(mn)$$

Oznacza to, że dodając do siebie logarytmy o tej samej podstawie, mnożymy liczby logarytmowane (pojawiające się w nawiasach).

$$\log_b(m) - \log_b(n) = \log_b\left(\frac{m}{n}\right)$$

Wykonując działanie odejmowania na logarytmach o tej samej podstawie, dzielimy liczby logarytmowane (znajdujące się w nawiasach).

$$n \bullet log_b(m) = log_b(m^n)$$

Liczba, przez którą mnożymy logarytm staje się wykładnikiem potęgi, do której podnosimy liczbę logarytmowaną (to, co się znajduje w nawiasie – i odwrotnie).

 RNA

Rybosomalny RNA Rybosomalny RNA jest elementem strukturalnym rybosomów. Rybosom to organellum komórkowe znajdujące się w cytoplazmie komórki, które definiują dwie podjednostki: mniejszą (30s) i większą (70s). Kiedy połączą się, tworzą kompleks rybosomalny biorący udział w procesie translacji. Na podstawie badań tych dwóch podjednostek dokonano niezwykłego odkrycia, które pozwoliło sformułować wniosek, że to właśnie w RNA bierze początek życie.

 JĘZYKI ZAGROŻONE WYMARCIEM

Wotycki Językiem wotyckim posługują się Wotowie zamieszkujący Ingrię (część Rosji). Jest on pokrewny językowi estońskiemu i stanowi część podgrupy języków fińskich w rodzinie języków uralskich. Wotyckim mówi obecnie 20 osób w dwóch wioskach: Karkolie oraz Luzicy.

KONFLIKT IZRAELSKO-PALESTYŃSKI

Terror palestyński W Palestynie przez cały czas działało bardzo silne, antyizrael-skie, zbrojne podziemie. Jedyną grupą, która odcięła się od terroryzmu, by uszanować prawo istnienia Izraela, była Organizacja Wyzwolenia Palestyny. Izraelczycy przystali na propozycję, by Organizacja Wyzwolenia Palestyny przejęła kontrolę nad Strefą Gazy oraz Zachodnim Brzegiem. Radykalni Palestyńczycy nie godzili się na porozumienie zawarte między Izraelem a OWP i nie zrezygnowali z terroru i przemocy.

 REDAGOWANIE TEKSTU

Zaczynamy od zdań Warto przyjąć zasadę, że każde zdanie powinno pełnić w tek-ście określoną rolę i nieść ze sobą jakąś wartość. Jeśli znajdziemy zdanie, które niewie-le wnosi do tekstu, powinniśmy się go pozbyć albo przerobić je w taki sposób, że na-bierze znaczenia. Należy usunąć wszystkie fragmenty tekstu, które stanowią niepo-trzebne powtórzenia albo są zwyczajnym laniem wody.

 LOGARYTMY

Rozwiązywanie zadań z logarytmami Kiedy w logarytmie pojawia się dużo danych, należy go rozłożyć (albo rozszerzyć) na mniejsze części, aby każdy logarytm wiązał się tylko z jedną wartością.
Przykładowo, jeśli chcemy rozszerzyć $\log_3(4x)$, to robimy to następująco:

$$\log_3(4) + \log_3(x) = \log_3(4x)$$

Rozwiązaniem jest tu więc: $\log_3(4) + \log_3(x)$. Dochodząc do tej postaci logarytmu, nie powinniśmy obliczać na kalkulatorze wartości $\log_3(4)$, tylko zostawić go właśnie w ta-kiej formie. Oto jeszcze jeden przykład:

$$\log_5(25/x) = \log_5(25) - \log_5(x)$$

$$\log_5(25/x) = 2 - \log_5(x).$$

 RNA

Transferowy RNA Transferowy lub transportowy RNA, znany jako tRNA, jest odpo-wiedzialny za rozpoznawanie i odczytywanie kodu oraz transport aminokwasów, któ-re uczestniczą w tworzeniu białka. W przyrodzie występuje 20 aminokwasów, a każdy z nich ma przynajmniej jeden tRNA, a więc w cytoplazmie komórki ludzkiej istnieje około dwudziestu różnych rodzajów tRNA. Ten rodzaj RNA ma kształt liścia koniczyny. Na jednym z ramion znajduje się pętla antykodonowa, która zgodnie z regułą kom-plementarności odczytuje kodon właściwego aminokwasu na mRNA. Cząsteczki tRNA budują ok. 75 do 95 nukleotydów. Transferowe RNA są też wykorzystywane w innych procesach niż oparta na rybosomach translacja.

 JĘZYKI ZAGROŻONE WYMARCIEM

Dyirbal Językiem australijskich Aborygenów należącym do rodziny pama-niungań-skiej jest dyirbal. Pozostaje w użyciu w północno-wschodnim Queensland, a mówi nim zaledwie pięć osób. Tym, co szczególnie wyróżnia ów język, jest unikalny podział rzeczowników na cztery różne typy: mężczyzn i obiekty ożywione; kobiety; przemoc i ogień; a także warzywa, owoce i wszystkie pozostałe obiekty.

KONFLIKT IZRAELSKO-PALESTYŃSKI

Izraelskie represje W odpowiedzi na ataki Hamasu, Izrael odpowiedział represjami. W 2002 r. przeprowadził operację „Mur obronny" (znaną też jako „Ochronna tarcza"), w czasie której wojsko ponownie przejęło kontrolę na Zachodnim Brzegu Jordanu.

 # REDAGOWANIE TEKSTU

Przechodzimy do słów Słowa, które wybieramy, tworząc tekst, są niezwykle ważne. Warto przejrzeć tekst, mając na uwadze słowa, których użyliśmy. Należy zastanowić się nad wyborem pomiędzy stroną czynną a stroną bierną, podjąć decyzję w sprawie sposobu prowadzenia narracji (czy będzie prowadzona w pierwszej, drugiej czy trzeciej osobie) oraz ustalić, czy tekst ma być pełen emocji czy też neutralny emocjonalnie. Wybór odpowiedniego słownictwa zależy od tego, co tekst ma przekazywać, jak powinien być interpretowany i kto będzie go czytał.

 # LOGARYTMY

Upraszczanie logarytmów Przeciwieństwem rozszerzania logarytmów jest ich upraszczanie. Zamiast rozkładać logarytm na mniejsze elementy, układamy jeden większy logarytm z kilku mniejszych części.
Załóżmy, że mamy uprościć logarytm $\log_4(x) + \log_4(y)$. Co robimy?

$$\log_4(x) + \log_4(y) = \log_4(xy)$$

Aby uprościć $3\log_3(x)$ musimy pamiętać, że mnożnik logarytmu zamienia się na wykładnik potęgi, do której podnosimy wartość w nawiasie. Wynik będzie następujący:

$$\log_3(x^3)$$

Niezależnie od tego, na jak skomplikowany będzie wyglądał dany logarytm, procesy te będą bardzo proste.

 # RNA

siRNA (ang. small interfering DNA) Odgrywa istotną rolę w procesie translacji, biorąc udział w interferencji RNA. siRNA składa się z dwóch nici o długości ok 20–25 par zasad. siRNA wiąże się z kompleksem białkowym RISC rozpoznającym komplementarną do siRNA sekwencję nukleotydów na mRNA. Następnie tnie ją na kawałki, uniemożliwiając w ten sposób powstanie kodowanego przez nią białka. Właściwość ta jest wykorzystywana podczas walki organizmu z wirusami.

 # JĘZYKI ZAGROŻONE WYMARCIEM

Chong Językiem zachodniopearskim, stanowiącym część rodziny języków mon-khmer jest chong. Mówi nim 5500 osób mieszkających w Tajlandii i Kambodży (500 w Tajlandii i 5000 w Kambodży). Aż do 2000 r. nie posiadał alfabetu, a później zaczęto stosować w nim uproszczony alfabet tajski. Po jego wprowadzeniu po raz pierwszy wydano podręczniki do nauki chong. W Tajlandii podejmuje się próby popularyzacji tego języka.

KONFLIKT IZRAELSKO-PALESTYŃSKI

Hamas (skrót od nazwy Harakat al-Muqāwamah al-Islāmīja) Grupa radykalnych islamskich fundamentalistów działających głównie w Strefie Gazy. Celem Hamasu jest utworzenie islamskiego państwa palestyńskiego oraz zniszczenie Izraela, do czego miałyby doprowadzić zarówno działania polityczne, jak i ataki terrorystyczne. W wyborach z 2006 r. większość miejsc w parlamencie Autonomii Palestyńskiej zdobyli właśnie członkowie Hamasu.

 REDAGOWANIE TEKSTU

Gramatyka, ortografia i interpunkcja Warto przypomnieć sobie wiadomości, które pojawiły się podczas lekcji na temat gramatyki i interpunkcji. Czy aby na pewno odpowiednio zastosowaliśmy przecinki, średniki, pauzy, dywizy oraz myślniki? Czy potrafimy uzasadnić użycie każdego z tych znaków interpunkcyjnych? Trzeba też przyjrzeć się słowom, w których najłatwiej zrobić błędy, bo trudno je wychwycić na pierwszy rzut oka (dotyczy to np. słów, które można zapisać na dwa sposoby, a więc chociażby *morze* i *może*). Nawet jeśli wydaje nam się, że są to mało znaczące detale, dla czytelnika tego typu błędy będą niezwykle rozpraszające.

 LOGARYTMY

Wzór na zmianę podstawy Jeśli chcemy obliczyć logarytm o podstawie innej niż w podanym przykładzie, należy zastosować wzór na zmianę podstawy. Mówi on, że:

$$\log_b(x) = \frac{\log_d(x)}{\log_d(b)}$$

Przykładowo: $\log_4(9) = \dfrac{\log_5(9)}{\log_5(4)}$

 RNA

Heterogenny jądrowy RNA Pojedyncza, niedojrzała nić mRNA znana jest jako pre-mRNA albo heterogenny jądrowy RNA. Powstaje on w procesie transkrypcji wewnątrz jądra komórkowego na matrycy DNA. Heterogenny jądrowy RNA ulega obróbce potranskrypcyjnej i przekształca się w dojrzały mRNA (albo mRNA). Po przepisaniu nowa nić mRNA przetransportowana jest do cytoplazmy i bierze udział w translacji, czyli tłumaczeniu sekwencji jej nukleotydów na język białek.

 JĘZYKI ZAGROŻONE WYMARCIEM

Sarikoli Południowo-wschodni język irański należący do grupy języków pamirskich, a używają go chińscy ismailici. Miejscowi często określają sarikoli mianem języka tadżyckiego, choć nie jest on używany na terenie Tadżykistanu. Językiem sarikoli mówi około 20 tys. ludzi, z których większość mieszka w południowo-zachodnim Sinciang w Chinach oraz w pobliżu granicy chińsko-pakistańskiej, w kontrolowanym przez Pakistańczyków Kaszmirze. Choć sarikoli wykazuje powinowactwo z językiem wachańskim, są one na tyle różne, że ich użytkownicy nie potrafią się wzajemnie porozumieć.

KONFLIKT IZRAELSKO-PALESTYŃSKI

Uznanie Izraela Choć większość Palestyńczyków pragnęło zawarcia pokoju z Izraelem, Hamas nie zamierzał ulegać i uparcie dążył do stworzenia islamskiego państwa palestyńskiego. Sytuacja ponownie zaognita się, gdy w 2007 r. Hamas przejął kontrolę nad Strefą Gazy. W 2008 r. udało się doprowadzić do zawieszenia broni.

REDAGOWANIE TEKSTU

Korekta Po dokonaniu wszystkich niezbędnych zmian w naszym tekście, należy przystąpić do korekty. Można wyróżnić kilka etapów tego procesu. Po pierwsze musimy mieć świadomość swoich mocnych i słabych stron. Jeśli wiemy, że mamy tendencję do popełniania błędów interpunkcyjnych, to każde zdanie powinniśmy szczególnie uważnie sprawdzić właśnie pod tym kątem. Należy też oczywiście przejrzeć tekst pod kątem literówek, a czytanie go na głos da nam dodatkową szansę na wykrycie przeróżnych nieścisłości czy niezręcznych sformułowań.

LOGARYTMY

Zastosowania logarytmów Logarytmy mogą mieć bardzo praktyczne zastosowanie zarówno w dziedzinach matematycznych, jak i w dziedzinach nie związanych z matematyką. Przykładowo: łodzik to głowonóg z bardzo dużą muszlą. Komory tej muszli są przybliżonymi kopiami ostatniej z komór, powiększającymi się w stałej skali. Dokładnie taki sam proces możemy zaobserwować w matematyce – nazywa się go spiralą logarytmiczną. Logarytmów używa się również, aby obliczyć siłę trzęsień ziemi (w skali Richtera) czy jasność gwiazd. Używa się ich nawet w psychologii (np. prawo Hicka wykorzystuje logarytm, aby obliczyć, ile potrzeba czasu na wybranie odpowiedzi oraz jaka będzie ilość możliwych opcji odpowiedzi).

RNA

Lecznicze RNA Naukowcy ustalili, że RNA może się okazać przydatny w wielu sytuacjach. Na cząsteczce można nie tylko testować nowe leki, ale daje ona również wgląd w sposób tworzenia się chorób. W oparciu o RNA tworzy się nowe terapie i sposoby leczenia. RNA działa jako informator, wskazując komórkom (normalnym lub rakowym), jakie mają wytwarzać białka. Obecnie naukowcy podejmują próby wykorzystania RNA do zniszczenia informacji o raku, jeszcze zanim zostaje on wytworzony. Inni próbują stworzyć sekwencję mRNA, która połączy się z oligonukleotydami, tworząc lecznicze białko.

JĘZYKI ZAGROŻONE WYMARCIEM

Czuwaski Jedyny, wciąż używany język z gałęzi oghur to czuwaski. Należy on do języków tureckich używanych w Czuwaszji w Rosji, gdzie posiada status języka urzędowego. Alfabet czuwaskiego jest oparty na cyrylicy. Mówi nim obecnie 1 600 000 osób. Choć należy do języków tureckich, nie jest zrozumiały dla mówiących innymi językami z tej rodziny.

1. Czym była operacja „Mur obronny"?

a. Serią ataków terrorystycznych organizacji Hamas przeciwko Izraelowi.

b. Zagarnięciem przez Izrael terenów na Zachodnim Brzegu Jordanu, które wcześniej oddano Palestyńczykom.

c. Wejściem Organizacji Wyzwolenia Palestyny do Strefy Gazy i na tereny Zachodniego Brzegu Jordanu.

d. Przesiedleniem Żydów do Palestyny za zgodą Brytyjczyków.

2. Co mówiła Deklaracja Balfoura z 1917 r.?

a. Wielka Brytania planuje przekształcić Palestynę w państwo żydowskie.

b. Wielka Brytania planuje przekształcić Izrael w państwo żydowskie.

c. Stany Zjednoczone planują przekształcić Palestynę w państwo żydowskie.

d. Stany Zjednoczone planują przekształcić Izrael w państwo żydowskie.

3. Co jest częścią procesu redagowania tekstu?

a. Zmiana cudzysłowów górnych na dolne.

b. Zmiana kropki na średnik.

c. Zmiana zdania, które wydaje się mało oryginalne lub niewiele wnosi do tekstu.

d. Poprawienie literówki.

4. Co jest częścią korekty?

a. Zmiana przecinka na średnik.

b. Zmiana mało znaczącego zdania na inne.

c. Zastępowanie słów neutralnych słowami nacechowanymi emocjonalnie.

d. Zastosowanie słownictwa, które odnosi się w jakiś sposób do odbiorcy.

5. Wyrażenie $\log_b(m) + \log_b(n)$ jest równe:

a. $\log b(m - n)$;

b. $\log b\left(\dfrac{m}{n}\right)$;

c. $\log b(m + n)$;

d. $\log b(mn)$.

6. Wyrażenie $n \cdot \log_b(m)$ jest równe:

a. $\log_b(mn)$;

b. $\log_b(m^n)$;

c. $\log_b{}^n(m^n)$;

d. $\log_b{}^n(m)$.

7. Jaka jest rola rRNA?

a. Niszczenie komórek rakowych.

b. Tworzenie polipeptydów.

c. Przekształcanie niedojrzałego mRNA w dojrzałe mRNA.

d. Przenoszenie aminokwasów do tworzącego się białka.

8. W jakim procesie bierze udział siRNA?

a. Translacji.

b. Interferencji RNA.

c. Transkrypcji.

d. Leczenia za pomocą RNA.

9. Który z poniższych języków jest językiem australijskich Aborygenów, którym posługuje się obecnie pięć osób?

a. Czuwaski.

b. Sarikoli.

c. Dyirbal.

d. Wotycki.

10. Który z poniższych języków tureckich wykazuje wpływy języka hebrajskiego?

a. Wotycki.

b. Karaimski.

c. Czuwaski.

d. Sarikoli.

Odpowiedzi: b, a, c, a, d, b, b, b, c, b.

Indeks

Numery **pogrubione** wskazują strony tytułowe lekcji, numery zapisane *kursywą* – testy.